LIBERDADE

A marca FSC® é a garantia de que a madeira utilizada na fabricação do papel deste livro provém de florestas que foram gerenciadas de maneira ambientalmente correta, socialmente justa e economicamente viável, além de outras fontes de origem controlada.

JONATHAN FRANZEN

Liberdade

Tradução
Sergio Flaksman

2ª edição
1ª reimpressão

Copyright © 2010 by Jonathan Franzen

*Grafia atualizada segundo o Acordo Ortográfico da Língua Portuguesa de 1990,
que entrou em vigor no Brasil em 2009.*

Título original
Freedom

Foto de capa
© Joel Meyerowitz Photography. Cortesia de Howard Greenberg Gallery

Preparação
Leny Cordeiro

Revisão
Erika Nakahata
Huendel Viana

Dados Internacionais de Catalogação na Publicação (CIP)
(Câmara Brasileira do Livro, SP, Brasil)

Franzen, Jonathan
Liberdade / Jonathan Franzen; tradução Sergio Flaksman —
São Paulo : Companhia das Letras, 2011.

Título original: Freedom.
ISBN 978-85-359-2138-0

1. Ficção norte-americana I. Título.

11-04060	CDD-813

Índice para catálogo sistemático:
1. Ficção : norte-americana   813

[2012]
Todos os direitos desta edição reservados à
EDITORA SCHWARCZ S.A.
Rua Bandeira Paulista 702 cj. 32
04532-002 — São Paulo — SP
Telefone (11) 3707-3500
Fax (11) 3707-3501
www.companhiadasletras.com.br
www.blogdacompanhia.com.br

Para Susan Golomb e Jonathan Galassi

Ide juntos,
Todos grandes vencedores. Eu, velho cágado,
Baterei asas até algum galho seco, e lá
Compadre, para nunca mais ser encontrado,
Lamentar-me até me perder.

O conto do inverno

BONS VIZINHOS

A notícia sobre Walter Berglund não circulou localmente — ele e Patty tinham se mudado para Washington dois anos antes e já não significavam mais nada para St. Paul —, mas o povo de Ramsey Hill não era leal à sua cidade a ponto de deixar de ler o *New York Times*. De acordo com uma longa e nada lisonjeira matéria do *Times*, Walter tinha deixado sua vida profissional em péssima situação na capital federal. Seus ex-vizinhos tiveram alguma dificuldade em conciliar os adjetivos com que o *Times* o qualificava ("arrogante", "presunçoso", "eticamente comprometido") com o vizinho generoso, sorridente e corado que trabalhava na 3M e viam pedalando até a condução para o trabalho todo dia, subindo a ladeira da Summit Avenue, em plena neve de fevereiro; parecia estranho que Walter, mais verde que o Greenpeace e cujas raízes eram sabidamente rurais, estivesse agora com problemas devidos a tramoias com a indústria do carvão e maus-tratos aos moradores do campo. Se bem que sempre tinha havido algo de estranho na família Berglund.

Walter e Patty foram os jovens pioneiros de Ramsey Hill — o primeiro casal de formação universitária a comprar uma casa na Barrier Street desde que o antigo coração de St. Paul sofrera um declínio considerável três décadas antes. Pagaram uma mixaria por sua casa vitoriana e depois se mataram por dez anos fazendo uma reforma completa. Nos primeiros tempos, alguém muito determinado incendiou a garagem e arrombou duas vezes o carro antes que a garagem fosse reconstruída. Motociclistas bronzeados acorriam para o terreno baldio do outro lado do acesso da casa para tomar Schlitz, grelhar salsichões e fazer roncar seus motores de madrugada, até que um dia Patty saiu de casa com roupas de exercício e disse, "Escutem aqui, sabem de uma coisa?". Patty não metia medo em ninguém, mas tinha sido uma atleta de destaque na escola secundária e na faculdade, e era dotada do destemor dos esportistas. Desde o primeiro dia em que se instalara naquela área, não tinha como deixar de chamar atenção. Alta, de rabo de cavalo, absurdamente jovem, empurrando um carrinho de bebê pelas ruas tomadas de carros depenados, garrafas de cerveja quebradas e neve velha coberta de vômito, ela parecia carregar todas as horas do dia nas bolsas de rede que pendiam do seu carrinho. Era possível imaginá-la, antes daquele momento, às voltas com os complexos preparativos relacionados ao bebê para uma complexa manhã de compras com o bebê; e, depois, podia-se vê-la à tarde, o rádio ligado na emissora pública, o *Livro de cozinha do Silver Palate*, fraldas de pano, o trabalho com divisórias e tinta à base de látex, em seguida o livro infantil *Boa noite, lua*, depois vinho Zinfandel. Ela já atingira o estágio pleno da coisa que apenas começava a acontecer no resto da rua.

Nos primeiros anos, quando ainda era possível ter um Volvo 240 sem ficar encabulado, o projeto coletivo de Ramsey Hill era readquirir certas habilidades elementares que os pais daqueles moradores tinham fugido dos subúrbios exatamente para desaprender, como de que maneira conseguir motivar a polícia local a de fato fazer o seu trabalho, e como proteger a bicicleta de um ladrão muito motivado, e quando era preciso se dar ao trabalho de expulsar um bêbado de suas cadeiras de jardim, e como ensinar gatos ferozes a cagar na caixa de areia das crianças dos outros, e como determinar se uma escola pública era ruim demais para se fazer qualquer tentativa de salvá-la. Havia também questões mais contemporâneas, como, era mesmo o caso de usar fraldas de pano? O trabalho valia a pena? E era verdade que ainda havia quem entregasse leite em casa em frascos de vidro? Os escoteiros eram aceitáveis do ponto de vista político? O trigo-sarraceno era mesmo necessário? Onde reciclar as pilhas? Como reagir quando uma pessoa pobre e de cor nos acusa de estragar sua vizinhança? É verdade que o verniz usado nas louças de cerâmica grossa Fiestaware contém uma quantidade perigosa de chumbo? Até que ponto o filtro de água da cozinha precisa ser moderno? O seu Volvo 240 às vezes não deixa de entrar em *overdrive* quando você aperta o botão de *overdrive*? Era melhor oferecer comida aos pedintes, ou nada? Seria possível criar filhos confiantes, felizes e brilhantes como nunca, com um emprego de tempo integral? Os grãos de café podiam ser moídos na véspera do uso, ou só na própria manhã? Alguém em toda a história de St. Paul já tivera alguma experiência positiva com um colocador de telhado? E um bom mecânico de Volvo? O seu 240 também tinha algum problema com o cabo do freio de mão, que tendia a emperrar? E o botão com a etiqueta enigmática no painel, que produzia um clique sueco perfeito, mas dava a impressão de não estar ligado a nada: que *diabo* era aquilo?

Em qualquer caso de dúvida, você podia recorrer a Patty Berglund, uma ensolarada transportadora do pólen social, uma abelha afável. Era uma das poucas mães de Ramsey Hill que não trabalhavam fora, e famosa por sua aversão a falar bem de si mesma ou mal de qualquer outra pessoa. Dizia que um dia desses podia ser "decapitada" por uma das janelas de guilhotina cujos cabos acabara de trocar. Seus filhos "deviam" estar morrendo de triquinose por causa da carne de porco que ela servia malpassada. E ela se perguntava se o seu "vício" nos vapores de removedor de tinta podia estar ligado de alguma forma ao fato de que "nunca mais" tinha lido um livro. Revelava que fora "proibida" de pôr fertilizante nas flores de Walter depois do que tinha acontecido "da última vez". Havia gente a quem aquele seu estilo autodepreciativo não agradava nem um pouco — detectavam aí certa condescendência, como se, ao exagerar seus pequenos defeitos, Patty tentasse obviamente demais poupar os sentimentos de donas de casa menos competentes. Mas a maioria achava sua humildade sincera, ou pelo menos divertida, e de qualquer maneira era difícil resistir àquela mulher de quem seus filhos gostavam tanto e que se lembrava não só do aniversário de cada um como do seu também, e vinha bater à sua porta dos fundos com uma travessa de biscoitos caseiros ou um cartão e um punhado de lírios-do-vale num vasinho de loja de quinquilharias que ela dizia que não precisava devolver.

Sabia-se que Patty fora criada na Costa Leste, num subúrbio de Nova York, e conseguira uma das primeiras bolsas integrais de mulheres para jogar basquete em Minnesota, onde, em seu último ano, segundo uma placa que ficava na parede do escritório de Walter em casa, chegara à reserva da seleção americana. Uma coisa estranha em relação a Patty, tendo em vista sua forte orientação familiar, era o fato de não ter uma ligação perceptível com suas raízes. Muitos meses se passavam sem que ela pusesse o pé fora de St. Paul, e não estava claro se alguém proveniente do Leste, nem mesmo seus pais, algum dia tinha vindo visitá-la. Se você lhe perguntasse à queima-roupa como eram seus pais, ela respondia que os dois ajudavam muito inúmeras pessoas, o pai tinha um escritório de advocacia em White Plains e a mãe era política, pois é, deputada do estado de Nova York. Depois assentia enfaticamente com a cabeça e dizia, "Pois é, é o que eles fazem", como se isso esgotasse o assunto.

Convencer Patty que alguém se comportava "mal" era um verdadeiro empreendimento. Quando lhe contaram que Seth e Merrie Paulsen iam dar uma enorme festa de Halloween para os gêmeos e tiveram o cuidado de convidar todas as crianças do quarteirão menos Connie Monaghan, Patty só comentou que era muito "estranho". No seu encontro seguinte com o casal Paulsen na rua, eles explicaram que tinham passado *o verão inteiro* tentando fazer a mãe de Connie Monaghan, Carol, parar de jogar pontas de cigarro da janela do quarto na piscininha rasa dos gêmeos. "É muito estranho mesmo", concordou Patty, balançando a cabeça, "mas, sabe, não é culpa da Connie." Mas os Paulsen não ficaram satisfeitos com "estranho". Queriam *sociopata*, queriam *passiva-agressiva*, queriam *má*. Precisavam que Patty escolhesse um desses epítetos e concordasse com eles que era aplicável a Carol Monaghan, mas Patty era incapaz de ir além de "estranho", e em resposta os Paulsen se recusaram a acrescentar Connie à sua lista de convidados. Patty ficou tão irritada com essa injustiça que levou seus filhos, mais Connie e uma amiguinha da escola, a uma plantação de abóboras e um passeio de charrete na tarde da festa, mas a pior coisa que ela diria em voz alta sobre o casal Paulsen era que aquela maldade deles com uma menina de sete anos era muito estranha.

Carol Monaghan era a única outra mãe da Barrier Street que morava lá havia tanto tempo quanto Patty. Mudara-se para Ramsey Hill no que se poderia chamar de um programa de intercâmbio funcional, tendo sido secretária de algum alto mandatário do condado de Hennepin que a fizera mudar-se da sua área depois de engravidá-la. Manter a mãe de seu filho ilegítimo na folha de pagamento do escritório: no final dos anos 70, não havia mais muitas jurisdições da área das Cidades Gêmeas (Minneapolis/St. Paul) onde isso fosse considerado procedimento aceitável de boa governança. Carol se transformou numa dessas funcionárias meio distraídas e relapsas numa repartição de licenciamento da cidade, enquanto uma pessoa de St. Paul com recomendação equivalente era contratada do outro lado do rio. O aluguel da casa na Barrier Street, ao lado da família Berglund, fora supostamente incluído no acordo; de outra maneira, não era fácil imaginar por que Carol teria concordado em ir morar numa vizinhança que, na época, não passava de um amontoado de cortiços. Uma vez por semana, no verão, um menino de olhos vazios usando um macacão do Departamento de Parques chegava ao final da tarde numa caminhonete 4 × 4 sem qualquer insígnia e passava um cortador pelo seu gramado, e no inverno o mesmo menino aparecia para tirar a neve de suas calçadas.

Ao final dos anos 80, Carol era a única moradora que não tinha chegado à área num esforço de retomada da vizinhança pela classe média. Fumava Parliament, oxigenava o cabelo, transformava as unhas em presas temíveis, alimentava a filha com produtos superindustrializados e chegava muito tarde em casa nas noites de quinta-feira ("É a noite de folga da mamãe", explicava ela, como se todas as mães tirassem uma noite de folga por semana), entrando em silêncio na casa dos Berglund com a chave que lhe tinham dado e recolhendo Connie adormecida no sofá onde Patty a acomodara com vários cobertores. Patty era implacavelmente generosa, oferecendo-se para tomar conta de Connie enquanto Carol trabalhava, fazia compras ou se dedicava aos seus afazeres de quinta à noite, e Carol contava com ela para muitas e muitas horas de cuidados gratuitos à filha. Não podia escapar à atenção de Patty que Carol retribuía aquela generosidade ignorando a filha de Patty, Jessica, e dedicando um carinho excessivo ao seu filho Joey ("Que tal mais um beijão aqui da coroa?"), e se aproximando muito de Walter nas ocasiões em que a vizinhança se reunia, com suas blusas finíssimas e seus saltos de garçonete, cobrindo de elogios a competência de Walter nos serviços domésticos e guinchando de rir de tudo que ele dizia; mas por muitos anos o pior que Patty já disse de Carol foi que as mães solteiras tinham uma vida muito dura e que se Carol às vezes era estranha com ela devia ser por uma questão de orgulho.

Para Seth Paulsen, que para o gosto da sua mulher falava um pouco demais de Patty, o casal Berglund era do tipo liberal superculpado que precisa perdoar todo mundo para que sua própria boa sorte seja perdoada; a quem falta a coragem do seu privilégio. Um dos problemas da teoria de Seth é que os Berglund nem eram tão privilegiados assim; a única propriedade que tinham era a casa, que haviam reformado com as próprias mãos. Outro problema, assinalado por Merrie Paulsen, era que Patty não era muito progressista e muito menos feminista (em casa com sua agenda de aniversários, assando aqueles malditos biscoitinhos de aniversário), e parecia totalmente alérgica à política. Se você mencionasse a ela alguma eleição ou um candidato qualquer, podia ver que ela se esforçava muito mas não conseguia manter a alegria de sempre — ficava agitada e assentia demais com a cabeça, começando a gaguejar. Merrie, que era dez anos mais velha que Patty e cuja aparência não negava nenhum desses anos, tinha atuado no grupo Estudantes para uma Sociedade Democrática de Madison e hoje em dia atuava com vigor na moda do Beaujolais *nouveau*. Quando Seth, num jantar, mencionou Patty pela terceira ou quarta vez, Merrie assumiu um tom vermelho *nouveau* no rosto e declarou que não havia *nenhuma* consciência mais ampla, *nenhuma* solidariedade, *nenhuma* substância política, *nenhuma* estrutura mensurável, *nenhum* senso verdadeiro de comunidade nos hábitos de aparente boa vizinha de Patty Berglund, era tudo conversa fiada de regressão às alegrias da vida de dona de casa e, aqui entre nós, na opinião de Merrie, se a gente raspasse um pouco aquele verniz de tudo bem, haveria encontrar alguma coisa bem áspera, egoísta, competitiva e reaganesca em Patty; era óbvio que ela só dava importância aos filhos e à sua casa — e *não* aos vizinhos, *nem* aos pobres, *nem* ao país, *nem* aos pais dela, nem mesmo ao respectivo marido.

E Patty era inegavelmente muito apaixonada pelo filho. Embora Jessica fosse a filha que dava aos pais mais motivos óbvios de orgulho — encantada com os livros, apaixonada pela natureza, flautista de talento, aguerrida no campo de futebol, cobiçada como *baby-sitter*, não bonita demais para ser moralmente deformada pela boa aparência, admirada até por Merrie Paulsen —, Joey era o filho sobre quem Patty nunca se cansava de falar. A seu modo risonho, confidente e autodepreciativo, ela despejava uma cachoeira de detalhes em estado bruto sobre suas dificuldades com ele. A maioria de suas histórias assumia a forma de queixa, mas ainda assim ninguém duvidava de sua adoração pelo menino. Lembrava uma mulher deplorando o comportamento de um namorado lindo mas meio boçal. Como se ficasse orgulhosa de ter o coração pisoteado por ele; como se o fato de manter o coração aberto para ele pisotear fosse a coisa principal, talvez a única coisa, que ela queria que o mundo soubesse a seu respeito.

"Ele é um pentelho", disse ela às outras mães durante o longo inverno da Guerra da Hora de Dormir, quando Joey decidiu garantir seu direito a ficar acordado até a mesma hora que Patty e Walter.

"Faz pirraça? Fica chorando?", perguntaram as outras mães.

"Está brincando?", respondeu Patty. "Quem me *dera* que ele chorasse. Chorar seria uma coisa normal, e acabaria parando."

"E o que ele faz?", perguntaram as mães.

"Ele questiona a base da nossa autoridade. Nós mandamos apagar as luzes, mas a posição dele é que só devia ir dormir na hora em que nós apagamos as nossas luzes, porque ele é exatamente igual a nós. E, juro por Deus, é uma coisa automática, a cada quinze minutos, garanto que ele fica olhando para o despertador, porque a cada quinze minutos ele grita, 'Ainda estou acordado! Ainda acordado!'. Num tom de *desprezo*, ou de sarcasmo, é *muito* estranho. E eu peço a Walter pelo amor de Deus para não cair na armadilha, mas não adianta, já são quinze para a meia-noite de novo, Walter entrou no quarto de Joey no escuro e estão discutindo mais uma vez sobre a diferença entre adultos e crianças, e se uma família é uma democracia ou uma ditadura benevolente, até que finalmente sou *eu* que perco totalmente a esportiva e fico deitada na cama, choramingando, 'Por favor, por favor, parem com isso'."

Merrie Paulsen não achava graça nas histórias de Patty. Tarde da noite, enfiando os pratos do jantar na máquina de lavar louça, observou para Seth que não era de espantar que Joey ficasse confuso com a distinção entre crianças e adultos — já que a mãe dele parecia sofrer de certa dúvida quanto a qual categoria ela própria pertencia. E Seth não tinha notado, nas histórias de Patty, como a disciplina sempre vinha de Walter, como se Patty não passasse de alguma espectadora incompetente a quem só coubesse ser engraçadinha?

"O que eu me pergunto é se ela é mesmo apaixonada por Walter," ponderou Seth com otimismo, desarrolhando uma última garrafa. "Quer dizer, fisicamente."

"O subtexto é sempre o mesmo: 'Meu filho é fora do comum'", disse Merrie. "Ela está sempre se queixando do quanto ele é capaz de prestar atenção nas coisas."

"Ora, a bem da verdade", disse Seth, "faz parte da teimosia dele. Uma paciência infinita para desafiar a autoridade de Walter."

"Tudo que ela diz sobre ele é uma forma de se gabar pelo avesso."

"E *você*, nunca se gaba?", implicou Seth.

"É provável", respondeu Merrie, "mas pelo menos tenho uma consciência mínima da maneira como as pessoas me ouvem. E a minha ideia do meu próprio valor não depende do quanto nossos filhos são fora do comum."

"Você é a mãe perfeita", implicou Seth.

"Não, Patty é que é", respondeu Merrie, aceitando mais um pouco de vinho. "Eu só sou muito boa."

As coisas, queixava-se Patty, eram sempre muito fáceis para Joey. Ele tinha cabelos dourados, era bonito e parecia ter de nascença todas as respostas para todas as provas que qualquer escola pudesse lhe aplicar, como se sequências de As, Bs, Cs e Ds em múltipla escolha fizessem parte da codificação de seu DNA. Ele se mostrava incrivelmente à vontade com vizinhos cinco vezes mais velhos. Quando sua escola ou sua patrulha de escoteiros o obrigava a vender doces ou bilhetes de rifa de porta em porta, ele falava com franqueza sobre a "vigarice" de que estava participando. Aperfeiçoou um sorriso altamente irritante de condescendência quando deparava com brinquedos ou jogos que os outros meninos tinham mas Patty e Walter se recusavam a comprar para ele. Para extinguir aquele sorriso, seus amigos faziam questão de dividir o que tinham com ele, de maneira que Joey se tornou um craque em videogames muito embora seus pais fossem contra o videogame, e desenvolveu uma familiaridade enciclopédica com o hip-hop que os pais faziam o possível e o impossível para manter distante de seus ouvidos de pré-adolescente. Não tinha mais que onze ou doze anos quando, à mesa do jantar, segundo Patty, chamou por acaso ou intencionalmente o próprio pai de "meu filho".

"Posso dizer que Walter não ficou nada feliz com isso", disse ela às outras mães.

"Mas é assim que os adolescentes todos se tratam hoje em dia", disseram as mães. "É uma coisa que tem a ver com o rap."

"Foi o que Joey disse", respondeu Patty. "Disse que era só uma palavra, e nem mesmo um palavrão. E é claro que Walter não concordou. E eu sentada lá, só pensando, 'Walter, Wal-ter, não a-cei-te pro-vo-ca-ção, nem a-di-an-ta dis-cu-tir', mas nada, ele cisma de explicar por que, por exemplo, apesar de 'garoto' não ser palavrão, você não pode usar com um homem adulto, especialmente se for preto, mas, é claro, o problema de Joey é que ele se recusa a admitir qualquer diferença entre crianças e adultos, e assim a discussão termina com Walter dizendo que ele vai ficar sem sobremesa, ao que Joey responde que nem queria, pois na verdade nem *gosta* mais de sobremesa, e eu lá sentada, só pensando, 'Walter, Wal-ter, não a-cei-te pro-vo--ca-ção', mas Walter não consegue — precisa *provar* a Joey que na verdade Joey sempre *adorou* sobremesa. Mas Joey se recusa a aceitar o que Walter diz. Mentindo descaradamente, é claro, mas diz que só se servia duas vezes de sobremesa em algumas ocasiões porque era de praxe, e não porque ele gostasse, e o pobre Walter, que não suporta que lhe contem mentiras, diz, 'Muito bem, se você não gosta de sobremesa, então que tal ficar *um mês* sem sobremesa?', e aí eu pensei, 'Ah, Walter, Wal-ter, is-so não vai a-ca-bar bem', porque Joey só responde, 'Fico *um ano* sem sobremesa, *nunca mais* como sobremesa, só na casa dos outros para não fazer desfeita', o que, por mais esquisito que pareça, é uma ameaça bem verossímil — ele é tão teimoso que provavelmente deve conseguir. E eu digo, 'Calma, pessoal, tempo, sobremesa é um alimento importante, não vamos exagerar', o que na mesma hora esvazia a autoridade de Walter, e como toda a discussão era para provar a autoridade dele, consigo desfazer o pouco que ele tinha conseguido de positivo."

A outra pessoa que tinha adoração incondicional por Joey era a filha de Carol Monaghan, Connie. Era uma pessoinha séria e calada com o hábito desconcertante de sustentar o olhar alheio sem piscar, como se ela e quem a fitasse não tivessem nada em comum. Era presença vespertina constante na cozinha de Patty, esforçando-se para moldar massa de biscoito em esferas geometricamente perfeitas, caprichando tanto que a manteiga derretia e fazia a massa escurecida cintilar. Patty formava onze bolinhas para cada uma de Connie, e, quando estas saíam do forno, Patty nunca deixava de pedir licença a Connie para comer o "único biscoito" (pequeno, mais chato e mais duro) "realmente incrível". Jessica, que era um ano mais velha que Connie, parecia conformada em ceder a cozinha para a garota ao lado enquanto lia seus livros ou brincava com seus terrários. Connie não representava ameaça alguma para uma menina tão equilibrada como Jessica. Connie não tinha a menor ideia do que era equilíbrio — era só profundidade, sem nenhuma largura. Quando coloria um desenho, concentrava-se, perdida em saturar uma ou duas áreas com uma caneta de ponta de feltro, deixando o resto em branco e ignorando os animados incentivos de Patty para usar outras cores.

A intensidade do interesse de Connie por Joey era evidente desde muito cedo para todas as mães da área, menos, ao que parecia, para Patty, talvez porque Patty fosse ela própria tão apaixonada por ele. No parque Linwood, onde Patty às vezes organizava esportes para as crianças, Connie ficava sentada à parte na grama, compondo guirlandas de cravos para ninguém, deixando os minutos escorrerem ao largo até ser a vez de Joey rebater ou ele acertar um bom chute na bola de futebol, o que despertava momentaneamente seu interesse. Ela era como um amigo imaginário, só que visível. Joey, em seu precoce autocontrole, raras vezes achava necessário maltratá-la diante dos amigos, e Connie, por sua vez, sempre que notava que os meninos estavam a ponto de adotar um comportamento de meninos, sabia perfeitamente que era hora de recuar e desmaterializar-se sem dar um pio. Sempre havia o dia de amanhã. Por muito tempo, também sempre havia a presença de Patty, ajoelhada em sua horta ou em cima de uma escada vestindo uma camisa de flanela salpicada de tinta, dedicada ao trabalho de Sísifo de manter a casa vitoriana bem pintada. Quando Connie não podia ficar ao lado de Joey, pelo menos podia ser-lhe útil fazendo companhia à mãe dele em sua ausência. "Seu dever de casa já está pronto?", perguntava Patty do alto da ladeira. "Quer alguma ajuda?"

"Minha mãe vai me ajudar quando chegar em casa."

"Ela vai estar cansada, já vai ser tarde. Você pode fazer uma surpresa para ela, e ficar com o dever pronto desde já. Quer fazer assim?"

"Não, eu espero."

Quando exatamente Connie e Joey começaram a trepar ninguém sabia. Seth Paulsen, sem nenhuma prova, simplesmente para deixar os outros perturbados, gostava de conjecturar que Joey tinha onze anos e Connie, doze. A especulação de Seth girava em torno da privacidade que lhes era conferida por uma casa na árvore que Walter ajudara Joey a construir numa antiga macieira silvestre do terreno baldio. Quando Joey terminou a oitava série, seu nome aparecia nas respostas de todos os meninos às extenuantes pesquisas casuais de pais e mães sobre o comportamento sexual de seus colegas, e mais tarde pareceu provável que Jessica tivesse tomado conhecimento de alguma coisa no final daquele verão — de uma hora para outra, sem explicar por quê, começou a demonstrar um desdém marcante tanto por Connie como pelo irmão. Mas ninguém nunca viu os dois a sós até o inverno seguinte, quando ingressaram juntos no mundo dos negócios.

Segundo Patty, a lição que Joey aprendera com suas incessantes discussões com Walter tinha sido a de que as crianças são obrigadas a obedecer aos pais porque os pais é que têm dinheiro. E a ideia se tornou mais uma amostra do quanto Joey era fora do comum: enquanto as outras mães deploravam o ar de direito adquirido com que seus filhos lhes exigiam dinheiro, Patty caricaturava aos risos a tristeza de Joey por depender de Walter para o seu sustento. Os vizinhos que contratavam Joey sabiam que seu empenho para abrir caminho na neve ou recolher folhas caídas era surpreendente, mas Patty dizia que no fundo ele odiava o pouco dinheiro que isso lhe rendia e sentia que usar a pá para limpar a neve da calçada de algum adulto o punha numa relação indesejável com o adulto em questão. Os esquemas ridículos para arrecadar dinheiro sugeridos nas publicações dos escoteiros — vender assinaturas de revistas de porta em porta, aprender alguns truques e cobrar entrada para espetáculos de mágica, adquirir as ferramentas para a prática da taxidermia e empalhar as trutas premiadas dos vizinhos —, todos recendiam igualmente a vassalagem ("sou um taxidermista da classe dominante") ou, pior, a caridade. E assim, inevitavelmente, em seu ímpeto de libertar-se de Walter, ele foi atraído pelo mundo empresarial.

Alguém, talvez a própria Carol Monaghan, pagava as mensalidades de Connie numa pequena escola católica, St. Catherine, onde as garotas usavam uniforme e não podiam exibir nenhuma joia, com a exceção de um anel ("simples, sem pedras"), um relógio ("simples, sem pedrarias") e dois brincos ("simples, sem pedras, no tamanho máximo de um centímetro"). Ocorre que uma das meninas mais populares da nona série na escola de Joey, a Central High, tinha voltado de uma viagem de família a Nova Yok com um relógio barato, amplamente admirado na hora do almoço, em cuja pulseira amarela de aparência mastigável um vendedor de rua da Canal Street tinha aplicado com calor letras plásticas de um cor-de-rosa de chiclete com um trecho de letra do Pearl Jam, NÃO ME CHAME DE FILHA, a pedido da garota. Como o próprio Joey mais tarde contaria em suas redações de candidatura a várias faculdades, ele imediatamente tomou a iniciativa de localizar o fornecedor daquele relógio no atacado e o preço de uma prensa a calor para aplicar letras em pulseiras. Investiu quatrocentos dólares de suas economias no equipamento, fez uma pulseira de amostra para Connie (dizendo PRONTA PARA O ATAQUE) exibir no St. Catherine, e então, usando Connie como mensageira, vendeu relógios personalizados a pelo menos um quarto das colegas de escola dela, a trinta dólares cada, antes que as freiras tomassem conhecimento do que vinha acontecendo e emendassem as regras de vestuário para proibir pulseiras de relógio com texto gravado. O que, evidentemente — como contou Patty às outras mães —, foi recebido por Joey como um absurdo.

"Não é um absurdo", disse-lhe Walter. "Você estava se beneficiando de uma restrição artificial ao comércio. Não vi você se queixar das regras quando elas funcionavam a seu favor."

"Mas eu fiz um investimento. Corri um risco."

"Estava explorando uma omissão nas regras, e a omissão foi remediada. Você não percebeu que isso ia acontecer?"

"E por que você não me avisou?"

"Foi o que eu fiz."

"Só me disse que eu podia perder dinheiro."

"Pois é, e nem perder dinheiro você perdeu. Só não ganhou tanto quanto esperava."

"Mas ainda tinha muito a ganhar."

"Joey, ganhar dinheiro não é um *direito*. Você está vendendo uma porcaria de que essas garotas não precisam, e algumas delas nem deviam ter comprado. É por isso que a escola de Connie tem uniforme e regras — para ser justa com todo mundo."

"Pois é — com todo mundo, *menos comigo*."

Pela maneira como Patty contava essa conversa, rindo da inocente indignação de Joey, ficou claro para Merrie Paulsen que Patty ainda não fazia ideia do que vinha acontecendo entre o filho dela e Connie Monaghan. Para se certificar, Merrie sondou um pouco mais. O que Patty achava que Connie vinha recebendo pela parte dela do trabalho? Estaria trabalhando por comissão?

"Ah, nós dissemos que ele devia dar metade dos lucros a ela", respondeu Patty. "Mas já era a ideia dele de qualquer jeito. Ele sempre é muito protetor com ela, apesar de ser mais novo."

"São como irmãos..."

"Não, na verdade," gracejou Patty, "ele trata Connie bem melhor que isso. Pergunte só a Jessica como é ser irmã dele."

"Ah, isso mesmo, rá rá", respondeu Merrie.

Para Seth, mais tarde, Merrie relatou, "É impressionante, ela realmente não faz a menor ideia".

"Acho errado", disse Seth, "a pessoa extrair prazer da ignorância de outro pai ou mãe. É desafiar o destino, você não acha?"

"Desculpe, mas é engraçado demais, uma delícia. Você vai ter de se privar de rir por nós dois e não mexer com o destino."

"Fico com pena dela."

"Bom, me perdoe, mas eu acho hilário."

Perto do fim daquele inverno, em Grand Rapids, a mãe de Walter desmaiou com uma embolia pulmonar no chão da loja de roupas femininas onde trabalhava. A Barrier Street conhecia a sra. Berglund por suas visitas na época do Natal, nos aniversários das crianças e no aniversário dela própria, no qual Patty sempre a levava a uma massagista local e a entupia de alcaçuz, macadâmia e chocolate branco, suas guloseimas favoritas. Merrie Paulsen se referia a ela, não sem alguma gentileza, como "srta. Bianca", pela semelhança com a ratinha matrona de óculos dos livros infantis das histórias de Bernardo e Bianca, de Margery Sharp. A sra. Berglund tinha um rosto enrugado como crepe, que já fora bonito, e tremores no queixo e nas mãos, uma das quais tinha sido bastante maltratada por uma artrite na infância. Estava exausta, fisicamente destruída, dizia Walter em tom amargo, devido a uma vida inteira de trabalhos forçados a que fora perigada por seu pai bêbado, no motel de beira de estrada de que os dois cuidavam perto de Hibbing, mas estava determinada a permanecer independente e vestir-se bem em seus anos de viuvez, de maneira que continuava a dirigir diariamente seu Chevrolet Cavalier até a loja de roupas. Ao saberem de seu desmaio, Patty e Walter seguiram na mesma hora para o norte, deixando Joey aos cuidados de sua desdenhosa irmã mais velha. Foi pouco depois do festival adolescente de sexo que Joey promoveu em seu quarto em desafio aberto a Jessica, e que só terminou com a morte súbita e o enterro da sra. Berglund, que Patty se transformou numa vizinha muito diferente, muito mais sarcástica.

"Ah, Connie, sei", dizia agora o seu estribilho, "uma garota ótima, tão quietinha e inofensiva, com uma mãe que é uma joia. Sabe, ouvi dizer que Carol está de namorado novo, um homem de verdade, bem forte, mais ou menos com metade da idade dela. Não seria terrível se elas se mudassem logo agora, depois de tudo que Carol fez para alegrar as nossas vidas? E Connie, ah, eu vou sentir muita saudade dela também. Rá rá. Tão quietinha, boazinha e agradecida por tudo."

Patty estava com péssima aparência, o rosto cinzento, maldormida, sub-nutrida. Demorara muito para começar a exibir idade, mas afinal Merrie Paulsen fora recompensada por sua longa espera.

"Agora não há dúvida de que ela descobriu", disse Merrie a Seth.

"Roubaram seu filhote — o maior dos crimes", disse Seth.

"Roubo, exatamente", disse Merrie. "Coitadinho de Joey, inocente e sem culpa, roubado por aquela poderosa intelectual da casa ao lado."

"Bom, ela é um ano e meio mais velha que ele."

"Cronologicamente."

"Diga o que quiser", retrucou Seth, "mas Patty adorava a mãe de Walter. Deve estar sofrendo bastante."

"Ah, eu sei, eu sei. Seth, eu sei. E agora posso ficar triste por ela de verdade."

Vizinhos mais próximos da família Berglund que o casal Paulsen conta-ram que a srta. Bianca tinha deixado de herança sua casinha de rato, à beira de um lago perto de Grand Rapids, exclusivamente para Walter e não para os dois irmãos dele. Dizem que houve certo desentendimento entre Walter e Patty em torno da maneira certa de cuidar da questão: Walter queria vender a casa e dividir o apurado com os irmãos, e Patty insistia com ele para respeitar o desejo materno de recompensá-lo por ter sido um bom filho. O irmão mais novo era militar de carreira e vivia no deserto de Mojave, na base local da Força Aérea, enquanto o mais velho tinha dedicado toda a vida adulta a dar prosseguimento ao programa iniciado pelo pai, de beber sem moderação, explorar a mãe deles financeiramente e, afora isso, relegá-la ao esquecimento. Walter e Patty sem-pre tinham levado as crianças para passar uma ou duas semanas na casa da mãe dele durante as férias de verão, carregando consigo muitas vezes uma ou duas das amigas de Jessica da vizinhança, que descreviam a propriedade como rústica, no meio de um bosque e nem tão horrível assim em matéria de insetos. Como uma gentileza, talvez, para com Patty, que parecia vir se dedicando, por seu lado, a algum consumo imoderado de bebidas — o rosto dela de manhã, quando saía para recolher o *New York Times* embrulhado em azul e o *Star--Tribune* embrulhado em verde da varandinha em frente à casa, era puro branco-Chardonnay —, Walter acabou concordando em conservar a casa para as férias, e em junho, assim que as aulas acabaram, Patty viajou para lá com Joey para ajudá-la a esvaziar as gavetas, limpar e pintar a casinha enquan-to Jessica ficava em casa com Walter e fazia um curso de férias sobre poesia.

Vários vizinhos, entre os quais não se incluiu o casal Paulsen, levaram seus meninos para visitar a casinha à beira do lago naquele verão. Encontraram Patty com uma disposição muito melhor. Um pai em particular incitou Seth a imaginá-la bronzeada e descalça, usando um maiô inteiro preto e jeans sem cinto, imagem muito ao gosto de Seth. Em público, todos observaram como Joey se mostrava atento e animado, e como ele e Patty pareciam estar se divertindo juntos. Os dois fizeram todos os visitantes participarem de um complicado jogo de salão que chamavam de Associações. Patty ficava até tarde diante do móvel que continha a TV de sua sogra, distraindo Joey com seu vasto conhecimento dos seriados televisivos cômicos dos anos 60 e 70. Joey, tendo descoberto que aquele lago não aparecia identificado nos mapas locais — na verdade não passava de um açude maiorzinho —, decidira batizá-lo de lago Sem Nome, e Patty pronunciava esse nome em tom carinhoso e sentimental, "nosso lago Sem Nome". Quando Seth Paulsen soube por um dos pais que tinham ido até lá que Joey trabalhava muitas horas por dia na casa, limpando calhas, cortando mato e raspando tinta, ponderou se Patty estaria pagando um bom salário por seus serviços, se esse acerto faria parte do acordo. Mas ninguém sabia dizer.

Quanto a Connie, bastava que os Paulsen olhassem por uma das janelas que dava para sua casa para vê-la à espera. Era de fato uma garota muito paciente, tinha o metabolismo de um peixe no inverno. Trabalhava à noite servindo mesas no W. A. Frost, mas passava as tardes inteiras dos dias de semana esperando nos degraus da frente da casa enquanto caminhões de sorvete passavam e crianças menores brincavam, e nos fins de semana se instalava numa cadeira de jardim atrás da casa, espiando ocasionalmente na direção do trabalho ruidoso, desordenado e violento de derrubada de árvores e construção que o novo namorado de sua mãe, Blake, tinha empreendido com seus amigos não sindicalizados do ramo da construção, mas quase sempre só esperando.

"E então, Connie, o que tem acontecido de interessante na sua vida?", perguntou-lhe Seth da entrada da casa.

"Além de Blake?"

"É, além de Blake."

Connie refletiu um pouco e depois sacudiu a cabeça. "Nada", disse ela.

"Está entediada?"

"Mais ou menos."

"Tem ido ao cinema? Leu algum livro?"

Connie fixou em Seth seus olhos bem abertos, seu olhar de não-temos--nada-em-comum. "Eu vi *Batman*."

"E Joey? Vocês estavam sempre juntos, aposto que está com saudade dele."

"Ele vai voltar", disse ela.

Depois que a antiga questão das pontas de cigarro foi resolvida — Seth e Merrie admitiram que podiam ter exagerado na contagem das pontas de cigarro na piscininha durante o verão; e que podem ter tido uma reação igualmente excessiva —, descobriram em Carol Monaghan uma rica fonte de histórias sobre a atividade local do Partido Democrata, em que Merrie vinha se envolvendo cada vez mais. Em tom casual, Carol lhes contava coisas de arrepiar os cabelos sobre as sujeiras da máquina, os dutos subterrâneos por onde corria a lama, as concorrências armadas, as barreiras de sigilo permeáveis, operações matemáticas peculiares, e se divertia à grande com o horror de Merrie. Merrie acabou adotando Carol como sua amostra de estimação em carne e osso da corrupção política que Merrie pretendia combater. E a melhor parte de Carol é que ela aparentemente nunca mudava — continuava a se enfeitar nas noites de quinta-feira para quem fosse, ano após ano após ano, mantendo viva a tradição do patriarcado na política municipal americana.

E então, um belo dia, ela mudou. E muita gente andava mudando por toda a área. O prefeito da cidade, Norm Coleman, converteu-se em republicano, e um ex-profissional da luta livre venceu as eleições para governador. No caso de Carol, o catalisador foi seu novo namorado, Blake, um jovem operador de retroescavadeira de cavanhaque que conhecera do outro lado do balcão da repartição de licenciamento, e por quem mudou radicalmente de aparência. Livrou-se dos penteados mais complexos e das roupas de garota de programa, passou a usar calças justas, um corte repicado e menos maquiagem. Uma Carol que ninguém jamais tinha visto, uma Carol feliz de verdade, saltava animada da picape F-250 de Blake, deixando escapar hinos do rock que ribombavam pela rua, depois batia a porta do lado do passageiro com um vigoroso empurrão. Logo Blake começou a passar as noites na casa dela, andando de um lado para o outro com uma camiseta dos Vikings, as botas de trabalho desamarradas e uma lata de cerveja na mão, e dali a pouco estava abatendo com a serra elétrica cada uma das árvores do quintal atrás da casa e pintando o sete com uma retroescavadeira alugada. No para-choque de sua picape figuravam as palavras SOU BRANCO E ELEITOR.

O casal Paulsen, que pouco antes tinha terminado uma reforma havia muito adiada, hesitou em se queixar do barulho e da sujeira da obra, e Walter, por outro lado, era gentil demais ou estava ocupado além da conta, mas quando Patty finalmente voltou para casa, no final de agosto, depois de seus meses de retiro com Joey, ficou de queixo caído, andando de um lado para o outro na rua, de porta em porta, com os olhos arregalados, dizendo cobras e lagartos de Carol Monaghan. "Desculpe", dizia ela, "mas o que aconteceu aqui? Será que alguém pode me dizer o que aconteceu? Alguém declarou guerra às árvores sem me dizer? Quem é esse lenhador enlouquecido da caminhonete? Como se explica isso? A casa não é mais alugada? E a pessoa pode derrubar todas as árvores sendo só locatária da casa? Como é que a pessoa pode arrancar a parede de trás de uma casa que nem é dela? Ela deu algum jeito de comprar a casa sem ninguém saber? Como é que ela pôde fazer isso? Ela não consegue nem trocar uma lâmpada sem chamar o meu marido! 'Desculpe incomodar na hora do jantar, Walter, mas quando eu aperto o interruptor não acontece nada. Você podia ir lá em casa ver o que é? E já que está aqui, meu bem, não quer me ajudar com o imposto? Preciso pagar amanhã, e o esmalte das minhas unhas ainda não secou.' E como uma pessoa assim consegue uma hipoteca para comprar a casa? Não tem uma pilha de contas vencidas da Victoria's Secret? Como é que ela pôde arranjar um namorado? Não tinha um sujeito gordo lá em Minneapolis? Será que alguém não devia dar a notícia para o sujeito gordo lá de longe?"

Foi só quando chegou à porta da família Paulsen, bem no final da sua lista de vizinhos a serem interrogados, que conseguiu algumas respostas. Merrie explicou que Carol Monaghan, de fato, não era mais inquilina da casa. A casa dela tinha sido uma das centenas de que a Secretaria de Habitação Municipal se apropriara ao longo dos anos de decadência, e agora estava vendendo a preço de banana.

"E como é que eu não fui informada?", quis saber Patty.

"Você nunca perguntou", disse Merrie. E não resistiu a acrescentar: "Você nunca demonstrou muito interesse por questões políticas".

"E você está dizendo que saiu barato."

"Muito barato. Sempre ajuda conhecer as pessoas certas."

"E o que você acha disso?"

"Acho um absurdo, tanto do ponto de vista fiscal quanto filosófico", disse Merrie. "E é esse um dos motivos pelos quais estou trabalhando com Jim Scheibel."

"Sabe, eu sempre adorei este bairro", disse Patty. "Adorava morar aqui, desde o começo. E agora, de uma hora para outra, estou achando tudo tão sujo e feio."

"Não fique deprimida, procure participar das coisas", disse Merrie, e lhe entregou alguns folhetos.

"Eu não queria estar na pele de Walter nessa hora", observou Seth assim que Patty foi embora.

"Fico sinceramente satisfeita de ouvir você dizer isso", rebateu Merrie.

"Fui só eu, ou você também percebeu um tom de descontentamento conjugal? Quer dizer, ajudar Carol a preencher as guias de imposto? Você sabia disso? Achei muito interessante, nunca tinha ouvido falar disso. E agora ele não foi capaz de proteger a linda vista que tinham das árvores de Carol."

"É um caso típico de regressão ao reaganismo", disse Merrie. "Ela achava que podia continuar vivendo numa bolha, criando um mundinho só dela. Uma casa de boneca."

O puxado que emergiu da poça de lama do jardim de trás da casa de Carol, um pouco a cada fim de semana ao longo dos nove meses seguintes, lembrava um gigantesco hangar de barco com três janelas horrorosas pontuando suas extensões laterais plásticas. Carol e Blake se referiam a ele como "o grande salão", um conceito até então inexistente em Ramsey Hill. Depois da polêmica das pontas de cigarro, os Paulsen tinham instalado uma cerca alta e plantado uma fileira de píceas ornamentais que desde então haviam crescido o suficiente para protegê-los daquele espetáculo. Só a perspectiva da casa dos Berglund não tinha nenhuma obstrução, e dali a pouco os demais vizinhos começaram a evitar as conversas com Patty, como nunca ocorrera antes, devido à sua fixação no que chamava de "hangar". Acenavam da rua e diziam olá de longe, mas tomavam o cuidado de não reduzir a velocidade para não serem sugados. O consenso entre as mães que trabalhavam fora era que Patty tinha tempo de sobra além da conta. Antigamente, ela era ótima com as crianças, a quem ensinava jogos e trabalhos manuais, mas agora quase todos os meninos da rua estavam na adolescência. Por mais que ela tentasse preencher seus dias, estava sempre ao alcance da visão ou dos sons da obra da vizinha. A intervalos de poucas horas, emergia de casa e andava de um lado para o outro de seu quintal, olhando para o grande salão como um animal cujo ninho tivesse sido perturbado, e às vezes, depois que anoitecia, ia bater na porta temporária do grande salão, feita de compensado.

"Oi, Blake, como vão as coisas?"

"Tudo caminhando."

"É o que estou vendo! Mas sabe de uma coisa? Essa serra circular faz muito barulho, e já são oito e meia da noite. O que você acha de parar por hoje?"

"Não acho muito boa ideia."

"E se por acaso eu pedisse para você parar?"

"Não sei. Que tal você me deixar acabar o trabalho?"

"Não acho bom, porque o barulho está me incomodando muito."

"Então, sabe de uma coisa? Azar o seu."

Patty emitiu uma risada alta e involuntária, parecida com um relincho. "Rá rá rá! Azar o meu?"

"É, escute aqui, me desculpe o barulho. Mas Carol me disse que vocês fizeram mais ou menos cinco anos de barulho quando reformaram a casa."

"Rá rá rá. Não me lembro de Carol ter se queixado."

"Porque vocês estavam fazendo o que precisavam fazer. Agora sou eu que estou fazendo o que preciso fazer."

"Só que o que você está fazendo é muito feio. Desculpe, mas é quase assustador. É — horrível e assustador. Falando sério. Objetivamente. Não que o problema seja esse. O problema é a serra circular."

"Você está numa propriedade particular, e agora precisa ir embora."

"Está bem, então acho que vou chamar a polícia."

"Nenhum problema, pode chamar."

Dava para ver o vulto de Patty andando de um lado para o outro na entrada da garagem, tremendo de frustração. Chamou várias vezes a polícia para se queixar do barulho, e algumas vezes ela veio e os guardas conversaram com Blake, mas logo se cansaram dos chamados dela e só foram voltar no mês de fevereiro, quando alguém rasgou os lindos e novos pneus de neve da F-250 de Blake, e Blake e Carol indicaram a casa dos vizinhos que haviam dado tantos telefonemas de queixa. O que resultou em Patty sair novamente andando pela rua, batendo nas portas e resmungando: "Quer dizer que eu sou a suspeita mais óbvia? A mãe da casa ao lado com dois filhos adolescentes. Uma bandida perigosa, certo? Eu, a louca de pedra! Ele tem o carro maior e mais feio da rua, com adesivos que são um insulto para quase todo mundo que não faz parte do movimento da Supremacia Branca, mas, Deus do céu, que mistério, quem mais pode ter pensado em rasgar os pneus dele além de mim?".

Merrie Paulsen estava convencida de que tinha sido exatamente Patty quem rasgara os pneus do carro de Blake.

"Não acho", disse Seth. "Quer dizer, é óbvio que ela está passando um mau bocado, mas não é mentirosa."

"Exatamente, mas também não ouvi Patty dizer com todas as letras que não tinha sido ela. Só posso esperar que ela tenha conseguido uma boa terapia em algum lugar. Bem que está precisando. De tratamento e de um bom emprego em tempo integral."

"A minha pergunta é: onde anda Walter?"

"Walter está se matando para ganhar um salário suficiente para ela poder ficar em casa o dia inteiro e virar uma dona de casa maluca. Está sendo um bom pai para Jessica e pelo menos funciona como uma espécie de princípio da realidade para Joey. E eu diria que com isso não deve sobrar tempo para mais nada."

A qualidade mais notável de Walter, além de seu amor por Patty, era a gentileza. Era o tipo de bom ouvinte que parecia achar qualquer um mais interessante e impressionante do que ele mesmo. Tinha a pele escandalosamente clara, um queixo fraco, cabelos cacheados de querubim, e usava os mesmos óculos de aro redondo desde sempre. Começara a carreira na 3M como advogado do departamento jurídico, mas não prosperou muito, sendo transferido para as áreas de filantropia e serviço comunitário, um beco sem saída corporativo em que a gentileza tinha grande valor. Na Barrier Street, vivia distribuindo entradas gratuitas para ótimos lugares em concertos de Arlo Guthrie com uma orquestra de câmara, e contando aos vizinhos as reuniões de que tinha participado com celebridades locais como Garrison Keillor e Kirby Puckett e, uma vez, Prince. Há pouco tempo, para surpresa geral, tinha deixado a 3M, tornando-se chefe de treinamento de uma ONG ecológica, a Nature Conservancy. Ninguém além dos Paulsen jamais suspeitara que ele pudesse cultivar tamanha reserva de insatisfação, mas Walter não se mostrava menos entusiasmado com a natureza do que com a vida cultural, e a única mudança aparente em sua vida era a inédita escassez de sua presença nos fins de semana em casa.

Essa escassez pode ter sido um dos motivos pelos quais não interferiu, como se podia esperar, na batalha entre Patty e Carol Monaghan. Sua reação, quando se falava do assunto com ele à queima-roupa, era dar um riso nervoso. "Nessa questão eu mantenho certa neutralidade", dizia ele. E na qualidade de observador neutro continuou por toda a primavera e o verão do segundo ano de Joey no curso colegial e pelo outono seguinte, quando Jessica seguiu para uma faculdade da Costa Leste e Joey saiu da casa dos pais e se mudou para a casa de Carol, Blake e Connie.

A mudança foi um gesto impressionante de sedição, e um punhal no coração de Patty — o começo do fim da vida dela em Ramsey Hill. Joey tinha passado os meses de julho e agosto em Montana, trabalhando na fazenda de um dos maiores doadores da Nature Conservancy, e tinha voltado com ombros largos de homem feito e mais cinco centímetros de altura. Walter, que normalmente não se gabava em público, tinha revelado ao casal Paulsen, num piquenique no mês de agosto, que o doador ligara para ele, dizendo como tinha ficado "abestalhado" com o destemor e a disposição infinita de Joey para o trabalho de derrubar bezerros e tocar os carneiros para um mergulho no tanque de tratamento. Já Patty, no mesmíssimo piquenique, já se mostrava com os olhos vazios de dor. Em junho, antes de Joey ir para Montana, ela o levara mais uma vez até o lago Sem Nome para ajudá-la a melhorar um pouco as condições da propriedade, e o único vizinho que os tinha visto lá descreveu uma tarde terrível em que presenciou mãe e filho se dilacerando sem parar, e tudo às vistas de quem quisesse assistir. Joey zombava dos maneirismos de Patty e, finalmente, a chamou de "idiota" na cara dela, ao que Patty respondeu: "Rá rá rá! Idiota! Meu Deus, Joey! A sua maturidade nunca deixa de me surpreender! Chamar sua mãe de idiota na frente dos outros! É irresistível em qualquer pessoa! Você virou mesmo um homem forte, grande e independente!".

No fim do verão, Blake tinha quase acabado as obras do grande salão e começou a aparelhá-lo com um equipamento blakiano composto de um PlayStation, uma mesa de totó, um barril refrigerado para servir cerveja, uma TV de tela grande, uma mesa de hóquei, um lustre de vidro colorido dos Vikings e poltronas mecânicas. Os vizinhos só podiam imaginar o sarcasmo de Patty à mesa de jantar comentando essas atrações, e as declarações de Joey de que estava sendo injusta e idiota, e as exigências furiosas de Walter para que pedisse desculpas a Patty, mas a noite em que Joey se transferiu para a casa ao lado não precisava ser imaginada, pois Carol Monaghan não se furtou de descrevê-la em voz alta e um tanto triunfante, para qualquer vizinho desleal aos Berglund a ponto de lhe dar ouvidos.

"Joey estava *tão* calmo, *tão* calmo", disse Carol. "Juro por Deus, ficou frio feito uma pedra de gelo. Fui até lá com Connie para dar apoio e para todo mundo saber que eu sou totalmente a favor desse acerto, porque, sabe como Walter é, sempre preocupado com os outros, e ia se perguntar se não podia ser demais para mim. E Joey foi da maior responsabilidade, como sempre. Só queria deixar tudo em pratos limpos, com todas as cartas na mesa. Explicou que ele e Connie tinham conversado muito comigo, e eu disse a Walter — porque sabia que ele ia ficar preocupado —, disse a ele que nem precisava se incomodar com as compras. Blake e eu agora formamos uma família, e não temos o menor problema em alimentar mais uma boca, e Joey sempre ajuda com os pratos e o lixo e é muito arrumado, e além do mais, eu disse a Walter, ele e Patty foram sempre tão generosos com a Connie, que comia na casa deles e tudo o mais. Queria que isso ficasse claro, porque foram muito generosos quando a minha vida não estava muito organizada, e eu sempre me senti muito grata por isso tudo. E Joey é tão responsável, e tão calmo. E me disse que, como Patty não deixa Connie nem mesmo entrar na casa deles, ele não tem escolha se quiser ficar com ela, e então eu disse que apoio totalmente a relação deles — se pelo menos os outros jovens fossem tão responsáveis como eles dois, o mundo seria um lugar bem melhor — e como era muito melhor para eles ficar na minha casa, em segurança e com toda a responsabilidade, em vez de andar por aí se metendo em situações complicadas. Eu sou muito grata a Joey, ele sempre vai ser bem-vindo na minha casa. Foi o que eu disse a eles. E eu sei que Patty não gosta de mim, sempre me olhou de cima para baixo e torceu o nariz para Connie. Eu sei disso. Sei das coisas que Patty é capaz de fazer. E sei que ela estava se preparando para ter algum ataque. Aí ela ficou com a cara toda contorcida, e ela, 'Você acha que ele está *apaixonado* pela sua filha?'. Numa voz muito aguda. Como se fosse impossível um garoto como Joey ser apaixonado por Connie, só porque eu não tenho diploma, essas coisas, ou minha casa é menor ou eu não venho de Nova York ou outro lugar assim, ou preciso trabalhar num emprego de tempo integral e religiosamente quarenta horas por semana, ao contrário dela. Mas com Walter eu achei que dava para conversar. Na verdade ele é um docinho. Estava com a cara muito vermelha, achei que porque estava encabulado, e disse, 'Carol, você e Connie precisam sair para a gente conversar em particular com Joey'. O que eu achei normal. Não fui lá criar problema, não sou de armar encrenca. Só que Joey não concordou. Disse que não tinha ido pedir permissão, mas só informar o que tinha decidido fazer, e que não tinha nada a discutir com eles. E foi aí que Walter perdeu a cabeça, completamente. Ficou tão enlouquecido que lágrimas corriam dos olhos dele — e isso é uma coisa que eu entendo, porque Joey é o caçula deles, e nem é por culpa de Walter que Patty é tão teimosa e resolveu tratar Connie tão mal que Joey não aguenta mais viver com eles. Mas começou a gritar a plenos pulmões, VOCÊ TEM SÓ DEZESSEIS ANOS E NÃO VAI SE MUDAR PARA LUGAR NENHUM ANTES DE TERMINAR O COLEGIAL. E Joey sorrindo para ele, frio feito uma pedra de gelo. Joey disse que não era contra a lei ele sair de casa, e que de qualquer maneira estava indo morar ali ao lado. Totalmente razoável. Quem me dera ter tido só um por cento da calma e da presença de espírito dele nos meus dezesseis anos. Ele é um garoto espetacular. Fiquei com pena de Walter, porque ele começou a berrar que não ia mais pagar os estudos de Joey, que Joey não ia poder voltar a Montana no ano que vem, e que ele só estava pedindo que Joey viesse jantar em casa e dormir na cama dele e fazer parte da família. E Joey só, 'Mas eu ainda faço parte da família', e na verdade, aliás, nunca disse que não fazia. Mas Walter saiu andando pela cozinha, batendo os pés, e por algum tempo achei que fosse atacar Joey, mas só perdeu totalmente o controle, e começou a berrar, FORA DAQUI, FORA DAQUI, NÃO QUERO MAIS SABER, FORA DAQUI, e depois saiu da cozinha e eu o ouvi andando pelo quarto de Joey, abrindo as gavetas ou coisa assim, Patty subiu as escadas correndo e eles começaram a gritar um com o outro, e Connie e eu abraçamos Joey, porque ele é a única pessoa razoável daquela família e ficamos com pena dele, e foi aí que eu vi que ele vir morar com a gente foi realmente a escolha certa para ele. Walter desceu as escadas de novo batendo com os pés no chão, e ouvimos Patty berrando como uma louca — tinha perdido de vez a cabeça — e Walter recomeçou a berrar, ESTÁ VENDO O QUE VOCÊ FEZ COM A SUA MÃE? Porque no fim das contas o problema todo é ela, entendeu, ela sempre acaba sendo a vítima. E Joey ficou ali parado, sacudindo a cabeça, porque é tudo tão óbvio. Por que ele haveria de querer viver naquele lugar?"

Embora alguns dos vizinhos tenham sem dúvida ficado satisfeitos com o fato de Patty colher a tempestade de um filho tão fora do comum, ainda assim ninguém jamais tinha gostado muito de Carol Monaghan na Barrier Street. Blake era considerado uma lástima, Connie todo mundo achava um tanto assustadora, e não havia quem confiasse muito em Joey. À medida que a notícia de sua insurreição começou a correr, as emoções que prevaleciam entre o povo de Ramsey Hill eram a compaixão por Walter, a ansiedade em torno da saúde psicológica de Patty e uma sensação predominante de alívio e gratidão por terem os filhos normais que tinham — como achavam bom aceitar a generosidade dos pais, como pediam ajuda inocentemente com seus deveres ou quando preenchiam seus formulários de candidatura a uma universidade, como concordavam em telefonar para dizer aonde tinham ido depois das aulas, como eram reveladores de suas pequenas mágoas cotidianas, como eram reconfortantemente previsíveis em seus embates com o sexo, a maconha e o álcool. A dor que emanava do lar dos Berglund era *sui generis*. Walter — sem saber, pelo menos todo mundo esperava, da ampla divulgação dada por Carol ao episódio em que tinha "perdido a cabeça" — reconheceu encabulado para vários vizinhos que ele e Patty tinham sido "demitidos" do cargo de pais, e que tentavam fazer o possível para não considerar o ato como algo pessoal. "De vez em quando ele vem estudar em casa", disse Walter, "mas agora parece que está preferindo passar as noites na casa de Carol. Vamos ver quanto isso dura."

"E Patty com isso tudo, como está indo?", perguntou Seth Paulsen.

"Nada bem."

"Um dia desses vamos ver se vocês dois vêm jantar em casa."

"Ótima ideia", disse Walter, "mas acho que Patty vai passar um tempo na casa antiga da minha mãe. Ela está reformando a casa, sabe."

"Estou preocupado com ela", disse Seth com segundas intenções quase perceptíveis.

"Eu também, um pouco. Mas já vi Patty jogar basquete com muita dor. Ela arrebentou o joelho no primeiro ano da faculdade e ainda assim tentou jogar mais duas partidas sem tratamento."

"Mas depois disso não teve de fazer uma operação que, hã, acabou com a carreira dela?"

"Eu estou falando do quanto ela é resistente, Seth. De ser capaz de ir em frente sentindo dor."

"Entendi."

Walter e Patty nunca foram jantar na casa dos Paulsen. Patty se manteve distante da Barrier Street, refugiada no lago Sem Nome, por longos períodos do inverno e da primavera seguintes, e, mesmo quando o carro dela estava parado diante de casa — por exemplo, no Natal, quando Jessica veio da faculdade e, segundo suas amigas, teve um "arranca-rabo" com Joey que resultou em fazê-lo passar mais de uma semana em seu antigo quarto, dando à poderosa irmã o período de Festas que ela queria —, Patty evitava as reuniões de vizinhos em que os biscoitos que fazia e a afabilidade que demonstrava eram antes constantes e tão bem-vindos. Às vezes era vista recebendo mulheres na faixa dos quarenta anos que, com base em seus penteados e nos adesivos que exibiam em seus Subarus, deviam ser antigas companheiras de basquete, e falava-se novamente que andava bebendo, mas era quase só uma fofoca, pois, apesar de seu comportamento sempre amistoso, ela nunca tinha feito uma amizade próxima e verdadeira em Ramsey Hill.

No ano-novo, Joey voltou para a casa de Carol e Blake. Boa parte do atrativo daquela casa era, supostamente, a cama que compartilhava com Connie. Joey era famoso entre os amigos por fazer uma oposição bizarra e militante à masturbação, e a mera menção da atividade nunca deixava de provocar nele um sorriso condescendente; alegava ter a ambição de ir até o fim da vida sem recorrer a ela. Vizinhos mais perspicazes, entre eles os Paulsen, suspeitavam que Joey gostava muito de ser a pessoa mais inteligente da casa. Transformou-se no príncipe do grande salão, cujos prazeres facultava a todos que favorecia com sua amizade (além de converter o barril de cerveja sem supervisão num tema de debate obrigatório nos jantares em família de todo o bairro). Seu comportamento com Carol beirava desconfortavelmente o galanteio, e Blake ele seduziu se apaixonando por todas as coisas que o próprio Blake adorava, sobretudo suas ferramentas elétricas e a picape, ao volante da qual aprendeu a dirigir. Pela maneira irritante como sorria do entusiasmo de seus colegas por Al Gore e pelo senador Wellstone, como se o liberalismo fosse uma fraqueza comparável ao autoabuso sexual, ele dava inclusive a impressão de ter adotado parte das opiniões políticas de Blake. No verão seguinte, foi trabalhar como operário de construção, em vez de voltar a Montana.

E todo mundo ficou com a impressão, justa ou injusta, de que Walter — a gentileza de Walter — era de algum modo responsável por tudo. Em vez de arrastar Joey de volta para casa pelos cabelos e obrigá-lo a se comportar, ele submergiu em seu trabalho na Nature Conservancy, onde bem depressa chegou a diretor executivo da seção estadual, deixando a casa vazia noite após noite, permitindo que os canteiros de flores fossem tomados pelas ervas daninhas e as sebes ficassem sem poda e as janelas, imundas, e a suja neve urbana engolisse o letreiro torto com o nome GORE LIEBERMAN ainda cravado no jardim diante da casa. Até os Paulsen deixaram de se interessar pela família Berglund, agora que Merrie decidira concorrer ao conselho municipal. Patty passou todo o verão seguinte no lago Sem Nome, e logo depois de voltar — um mês depois de Joey partir para a Universidade da Virgínia em circunstâncias financeiras desconhecidas em Ramsey Hill, e duas semanas depois da grande tragédia nacional —, um cartaz dizendo VENDE-SE surgiu na fachada da casa vitoriana em que ela e Walter tinham despendido metade de suas vidas. Walter já começara a se deslocar com frequência para um novo emprego em Washington. Embora os preços dos imóveis logo viessem a subir a alturas sem precedentes, o mercado local ainda estava próximo do ponto mais baixo a que chegara logo depois do Onze de Setembro. Patty supervisionou a venda da casa, por um preço desastroso, a um empenhado casal de profissionais liberais negros com filhos gêmeos de três anos de idade. Em fevereiro, o casal Berglund percorreu a vizinhança de porta em porta pela última vez, despedindo-se de todos com uma formalidade cortês; Walter perguntou pelos filhos de todos e manifestou seus melhores votos para cada um, enquanto Patty falava pouco mas exibia uma aparência estranhamente renovada, lembrando a jovem que empurrava seu carrinho pela rua antes mesmo que aquela vizinhança fosse um bairro digno do nome.

"É um prodígio", assinalou depois Seth Paulsen para Merrie, "que esses dois ainda estejam juntos."

Merrie sacudiu a cabeça. "Acho que eles ainda não conseguiram entender como é a vida."

TODO MUNDO ERRA
Autobiografia de Patty Berglund

Patty Berglund
(por sugestão de seu terapeuta)

1. Cordata

Se Patty não fosse ateia, agradeceria ao bom Deus pelas atividades esportivas nas escolas, porque foram elas que salvaram sua vida e lhe deram a primeira oportunidade de se realizar como pessoa. Ela manifesta uma gratidão especial a Sandra Mosher, da North Chappaqua Middle School, a Elaine Carver e Jane Nael, da Horace Greeley High School, a Ernie e Rose Salvatore, do Gettysburg Girl Basketball Camp, e a Irene Tradwell, da Universidade de Minnesota. Foi com esses esplêndidos treinadores que Patty aprendeu disciplina, paciência, concentração, trabalho de equipe e os ideais do espírito esportivo que lhe permitiram compensar a competitividade doentia e a falta de amor-próprio.

Patty foi criada no condado de Westchester, estado de Nova York. Era a mais velha de quatro irmãos, dos quais os três outros eram bem mais próximos do que seus pais desejavam. Era sensivelmente Mais Alta que as outras pessoas —, além de menos fora do comum e, como os testes demonstravam, Menos Inteligente. Chegou a atingir a altura de um metro e setenta e seis, praticamente a mesma de seu irmão e muito superior à das irmãs, e às vezes desejava ter chegado a um metro e oitenta, pois de qualquer maneira nunca iria mesmo caber naquela família. Ser capaz de ver melhor a cesta, de se desvencilhar das aglomerações e de girar com mais liberdade na defesa pode ter atenuado um pouco a agressividade de sua propensão à competitividade, possibilitando-lhe uma vida mais feliz depois dos estudos, ou talvez não, mas sempre era um ponto interessante de reflexão. Quando chegou ao nível das competições universitárias, costumava ser uma das jogadoras mais baixas em quadra, o que lhe lembrava sua posição na família e ajudava a manter a adrenalina sempre próxima dos níveis máximos.

A primeira recordação que Patty tem de ter praticado algum esporte coletivo com sua mãe na plateia é igualmente uma das últimas. Estava numa colônia de férias diurna de esportes para pessoas comuns no mesmo local onde suas duas irmãs participavam de uma colônia de férias diurna de artes para pessoas fora do comum, e um dia sua mãe e suas irmãs apareceram para ver as últimas rodadas de um jogo de *softball*. Patty ficou frustrada por estar na defesa e na posição mais distante, no *left field*, enquanto meninas que jogavam bem pior faziam besteiras mais perto do público e ela era obrigada a ficar esperando que alguém rebatesse uma bola bem longe, na direção de onde estava. Aos poucos ela foi se aproximando, bem devagarzinho, e foi assim que o jogo acabou. A primeira e a segunda bases estavam ocupadas pelo time adversário. O jogador com o taco rebateu uma bola fraca, que quicou e seguiu na direção do primeiro defensor, o *shortstop*, criança extremamente descoordenada na frente da qual Patty se lançou para recolher a bola e sair correndo, eliminando com um toque dela o corredor mais adiantado e depois saindo em perseguição da outra, uma menina sossegada que só deve ter chegado à primeira base por algum erro do arremessador. Patty partiu para ela sem hesitar, e a menina saiu correndo aos berros na direção oposta à que devia ter tomado, deixando aberto o caminho da base para ser eliminada automaticamente, mas Patty, em vez de se dirigir para lá, continuou correndo atrás dela e eliminou-a com o toque da bola enquanto a menina desabava encolhida no chão, gritando com a dor aparentemente horrível produzida pelo toque leve de uma luva.

Patty percebeu que não tinha demonstrado exatamente o mais elevado espírito esportivo. Alguma coisa havia acontecido com ela porque sua família estava assistindo. Na perua da família, numa voz ainda mais trêmula que de costume, sua mãe perguntou se ela precisava ser tão... *agressiva*. Se era mesmo necessário ter sido tão, bem... tão *agressiva*. Seria tão difícil para Patty deixar que seus companheiros de time também pegassem na bola? Patty respondeu que NENHUMA bola estava chegando ao lugar onde ela estava. E a mãe respondeu: "Eu acho bom que você goste de esportes, mas só se você conseguir aprender a cooperar e a se preocupar com o coletivo". E Patty respondeu: "Então por que não me manda para uma colônia de férias DE VERDADE, onde eu não seja a única pessoa que sabe jogar? Não dá para cooperar com gente que não consegue pegar nenhuma bola!". E a mãe retrucou: "Não sei se seria boa ideia estimular tanta agressividade e competitividade. Acho que não sou muito dada aos esportes, mas não vejo a menor graça em derrotar outra pessoa só pelo gosto de ganhar dela. Não seria muito mais divertido se todo mundo trabalhasse junto em alguma coisa construída por todos?".

A mãe de Patty era uma filiada profissional do Partido Democrata. E até hoje, no momento em que este texto está sendo escrito, é deputada estadual, Sua Excelência Joyce Emerson, conhecida por sua defesa dos espaços abertos, das crianças pobres e das Artes. O paraíso, para Joyce, é um espaço aberto onde crianças pobres possam praticar alguma forma de Arte à custa do Estado. Joyce nasceu com o nome Joyce Markowitz, no Brooklyn, em 1934, mas aparentemente não gostou de ser judia desde o momento em que adquiriu alguma consciência. (A autobiógrafa se pergunta se um dos motivos pelos quais a voz de Joyce sempre treme é o enorme esforço que exerceu a vida inteira para não revelar nenhum sinal de sotaque do Brooklyn.) Joyce ganhou uma bolsa para estudar artes liberais nas florestas do Maine, onde conheceu o pai extremamente *goy* de Patty, com quem se casou na Igreja Universalista Unitária de Todas as Almas, no Upper East Side de Manhattan. Na opinião desta autobiógrafa, Joyce teve o primeiro filho antes de estar emocionalmente pronta para a maternidade, embora a autobiógrafa possa não estar propriamente em condições de atirar a primeira pedra por esse motivo. Quando Jack Kennedy conquistou a candidatura democrata, em 1960, aquilo deu a Joyce uma desculpa nobre e convincente para sair de uma casa que parecia não conseguir parar de encher de bebês. E então vieram os direitos civis, e o Vietnã, e Bobby Kennedy — mais bons motivos para se manter longe de uma casa que já não tinha espaço suficiente para quatro crianças e mais uma babá de Barbados dormindo no porão. Joyce compareceu à sua primeira convenção nacional, a de 1968, comprometida com o falecido Bobby. Foi nomeada tesoureira e mais adiante presidente do partido no condado, e fez campanha para Teddy em 1972 e 1980. Todo verão, o dia inteiro, hordas de voluntários entravam e saíam num tropel pelas portas abertas da casa, carregando caixotes de material de campanha. Patty podia ficar seis horas seguidas do lado de fora treinando controle de bola e arremessos de bandeja sem que ninguém reparasse ou se incomodasse.

O pai de Patty, Ray Emerson, era advogado e humorista amador de cujo repertório constavam inclusive piadas de peido e imitações cruéis dos professores, dos vizinhos e dos amigos de seus filhos. Um tormento que ele gostava especialmente de infligir a Patty era imitar o sotaque da babá de Barbados, Eulalie, quando ela se afastava, repetindo a graça cada vez mais alto até Patty sair correndo da mesa de jantar mortificada enquanto os irmãos guinchavam de tanto rir. Piadas infinitas também eram feitas com a treinadora e mentora de Patty, Sandy Mosher, que Ray gostava de chamar de Saaaandra. Vivia perguntando a Patty se Saaaandra vinha recebendo muitas visitas de cavalheiros ou talvez, he he he, visitas de *damas*? E os irmãos faziam coro: Saaaandra, Saaaandra! Outro método divertido de atormentar Patty era esconder o cachorro da família, Elmo, e fingir que tinha sido submetido à eutanásia enquanto Patty estava no treino de basquete da tarde. Ou implicar com Patty por causa de certos erros factuais que ela tinha cometido muitos anos antes — perguntar como iam passando os cangurus da *Áustria*, e se ela tinha lido algum novo livro da escritora contemporânea Louisa May Alcott, ou se ainda achava que os fungos faziam parte do reino animal. "Vi um dos fungos de Patty correndo atrás de um caminhão outro dia", dizia seu pai. "Olhem só, vou mostrar como os fungos de Patty correm latindo atrás dos caminhões."

Quase toda noite o pai dela saía de casa depois do jantar para reuniões com pessoas pobres que ele defendia nos tribunais de graça ou por muito pouco dinheiro. Entre seus clientes gratuitos se encontravam porto-riquenhos, haitianos, travestis ou incapacitados mental ou fisicamente. Os problemas de alguns eram tão graves que Ray nem zombava deles pelas costas. Na medida do possível, porém, achava graça desses casos. Na décima série, para um projeto escolar, Patty assistiu a dois julgamentos de que seu pai participou. Um era um processo contra um desempregado morador de Yonkers que bebeu demais no Dia de Porto Rico e saiu à procura do irmão da mulher, decidido a furá-lo com uma faca, mas não conseguiu encontrá-lo e acabou furando um desconhecido num bar. Não só o pai dela, mas o juiz e até o promotor pareciam achar graça da infelicidade e da estupidez do réu. E ficavam o tempo todo trocando semipiscadelas. Como se a miséria, a feiura e anos de cadeia fossem apenas um espetáculo de segunda classe destinado a trazer alguma alegria a um dia de resto aborrecido.

No trem de volta para casa, Patty perguntou ao pai dela de que lado ele estava.

"Ah, boa pergunta", respondeu ele. "Você precisa entender que o meu cliente está mentindo. A vítima está mentindo. E o dono do bar está mentindo. Todos estão mentindo. Claro, meu cliente tem todo direito a uma defesa enérgica. Mas a pessoa também precisa estar a serviço da justiça. Às vezes o promotor, o juiz e eu trabalhamos juntos, tanto quanto o promotor trabalha com a vítima e eu com o acusado. Você já ouviu falar do antagonismo nas causas judiciais?"

"Já."

"Então. Às vezes o promotor, o juiz e eu temos o mesmo antagonista. Tentamos esclarecer os fatos e evitar decisões erradas. Se bem que, hã, não ponha isso no seu trabalho."

"Eu achava que estabelecer a verdade dos fatos fosse a função dos julgamentos."

"Exatamente. Isso você pode escrever no seu trabalho. O julgamento por um júri de cidadãos. Isso é importante."

"Mas a maioria dos seus clientes não é inocente?"

"Boa parte deles não merece as penas que os juízes querem dar."

"Mas muitos são totalmente inocentes, não é? Mamãe me disse que têm alguma dificuldade com o inglês, ou que a polícia não toma cuidado com quem prende, e que são vítimas de preconceito e da falta de oportunidade."

"Tudo isso é verdade, meu bem. Ainda assim, hã, sua mãe às vezes é um pouco sentimental demais."

Patty não se incomodava tanto com a zombaria dele quando o alvo era a mãe.

"Pense um pouco, você viu essas pessoas", disse ele. "Meu Deus. *El ron me puso loco.*"

Um fato importante sobre a família de Ray é que eles tinham muito dinheiro. Sua mãe e seu pai moravam numa grande propriedade ancestral nas montanhas do noroeste de Nova Jersey, numa bela casa modernista de pedra supostamente projetada por Frank Lloyd Wright e adornada com obras menores de impressionistas franceses famosos. A cada verão, todo o clã dos Emerson se reunia à margem do lago da propriedade para piqueniques de que Patty quase nunca conseguia gostar muito. Seu avô, August, tinha gosto em agarrar a neta mais velha pela barriga e sentá-la em sua coxa saltitante, o que lhe dava sabe Deus qual pequena satisfação, e não respeitava os limites físicos estabelecidos por Patty. A partir da sétima série, também começou a jogar duplas com Ray contra um de seus sócios e a mulher, usando roupas de tênis reveladoras, e a bolinação visual do sócio sempre a deixava encabulada e confusa.

Como o próprio Ray, seu avô comprara o direito de ser excêntrico em particular com Serviços Jurídicos Gratuitos; criou reputação defendendo recrutados que se recusavam a servir por razões de consciência e outros refratários às convocações para três guerras. Em seu tempo livre, que não era pouco, cultivava vinhas em sua propriedade e as fermentava num de seus galpões. Sua "vinícola" era chamada Doe Haunch e era a maior piada da família. Nos piqueniques de verão, August circulava em meio aos familiares de sandália de dedo e calção encharcado, tendo nas mãos uma de suas garrafas com os rótulos mal colados, enchendo os copos que os convidados tinham esvaziado discretamente na grama ou no meio do mato. "O que você achou?", perguntava ele. "É um bom vinho? Você gostou?" Parecia em parte um menino dedicado a um hobby e por outro lado um torturador decidido a castigar por igual todas as suas vítimas. Recorrendo ao exemplo europeu, August achava certo dar vinho às crianças, e quando as jovens mães se distraíam com o milho para descascar ou a competição de saladas decorativas, ele misturava seu Doe Haunch Reserva e o servia a crianças de até três anos de idade, segurando delicadamente seu queixo, se necessário, e vertendo a beberagem em sua boca, certificando-se de que engolissem. "Sabe o que é isso?", perguntava ele. "É vinho." Se alguma das crianças começava a se comportar de modo estranho, ele dizia: "O que você está sentindo se chama bebedeira. Você bebeu demais. Está embriagado". Isso com um desprezo não menos sincero por ser amistoso. Patty, sempre a mais velha das crianças, assistia essas cenas com um horror silencioso, deixando por conta de algum irmão ou primo mais novo dar o alarme: "Vovô está dando vinho para os pequenos!". Enquanto as mães vinham correndo ralhar com August e levar os filhos embora, e os pais riam em tom fescenino da obsessão de August com as ancas de corças fêmeas, Patty entrava no lago e ficava boiando nas águas mais quentes de suas partes rasas, deixando a água entrar em seus ouvidos e poupá-la de escutar sua família.

Porque era assim que funcionava: em todo piquenique, na cozinha da casa de pedra, sempre havia uma ou duas garrafas de algum fabuloso Bordeaux velho da lendária adega de August. Esse vinho era separado por insistência do pai de Patty, a um custo pessoal difícil de imaginar de súplicas e lisonjas, e era sempre Ray quem dava o sinal, o sutil aceno de cabeça, para seus irmãos e qualquer outro amigo homem que tivesse convidado, para abandonarem o piquenique e se juntarem a ele. E voltavam, os homens, dali a poucos minutos, com imensos copos bojudos cheios até a borda de um tinto excelente, Ray trazendo ainda uma garrafa francesa com talvez dois dedos de vinho no fundo, para serem divididos entre todas as mulheres e outros visitantes menos favorecidos. Não havia súplica que fizesse August ir buscar outra garrafa em sua adega; ele só oferecia mais Doe Haunch Reserva.

E a mesma coisa acontecia todo ano no Natal: os avós que vinham de carro de Nova Jersey em seu Mercedes último tipo (August trocava de carro todo ano, ou no máximo ano sim ano não), chegando à abarrotada casa de Ray e Joyce uma hora antes da hora antes da qual Joyce tinha implorado que não chegassem, e distribuindo presentes que eram um verdadeiro insulto. Ficou famosa a ocasião em que Joyce recebeu dois panos de prato com bastante uso. Normalmente Ray ganhava um dos grandes livros de arte da mesa de ofertas da Barnes & Noble, às vezes ainda trazendo a etiqueta que dizia 3,99 dólares. As crianças ganhavam pequenos artigos de plástico vagabundo de fabricação asiática: despertadorezinhos que não funcionavam, bolsinhas para moedas estampadas com o nome de alguma agência de seguros de Nova Jersey, bonequinhos de dedo chineses mal-acabados e francamente assustadores, ou conjuntos de varetas para misturar coquetéis. Enquanto isso, na universidade pela qual August se formara, uma biblioteca com o nome dele vinha sendo construída. Já que os irmãos de Patty se indignavam com a avareza dos avós e compensavam fazendo pedidos absurdos de butim natalino para os pais — Joyce ficava acordada até as três da manhã em toda véspera de Natal, embrulhando presentes selecionados de suas intermináveis e muito pormenorizadas listas de pedidos —, Patty tomou o rumo oposto e decidiu que a única coisa pela qual ia se interessar na vida era o esporte.

Seu avô tinha sido um atleta autêntico a certa altura da vida, estrela universitária das pistas e dos campos de futebol americano, e era provavelmente daí que vinham a estatura e os bons reflexos de Patty. Ray também jogara futebol americano, mas no Maine, para uma escola secundária que mal tinha contingente para formar um time inteiro. O esporte de que ele realmente gostava era o tênis, o único jogo que Patty detestava, embora jogasse bem. Estava convencida de que, no fundo, Björn Borg era um fracote. Com pouquíssimas exceções (como Joe Namath, por exemplo), não ficava muito impressionada com os atletas homens. Sua especialidade eram as paixonites pelos rapazes mais velhos ou bonitos o bastante para se revelarem escolhas inviáveis. No entanto, sendo uma pessoa muito cordata, ela saía com praticamente qualquer um que a convidasse. Achava que os rapazes mais tímidos ou impopulares levavam uma vida difícil, e sentia pena deles na medida do humanamente possível. Por algum motivo, muitos praticavam luta greco-romana. Na experiência de Patty, os praticantes de luta greco-romana eram corajosos, taciturnos, esquisitos, tinham testas abauladas e bons modos, e as meninas atléticas não lhes metiam medo. Um deles lhe revelara que nos primeiros anos do secundário ele e seus amigos a chamavam de A Macaca.

Em matéria de sexo propriamente dito, a primeira experiência de Patty foi ser estuprada numa festa aos dezessete anos por um aluno interno do último ano chamado Ethan Post. O único esporte que Ethan praticava era golfe, mas tinha mais de um metro e oitenta de altura e pelo menos vinte e cinco quilos a mais que Patty, e proporcionou-lhe algumas conclusões desanimadoras quanto à força muscular feminina em comparação à masculina. O que ele fez a Patty não lhe pareceu um estupro do tipo mais duvidoso. Quando começou a resistir, ela usou de alguma força, embora sem muita convicção, e por pouco tempo, porque antes de mais nada era a primeira vez na vida que se embebedava. Estava se sentindo tão magnificamente livre! Tudo indica que, na imensa piscina da casa de Kim McClusky, naquela linda noite quente de maio, Patty deve ter dado a impressão errada a Ethan Post. Ela já era cordata demais quando não bebia. Na piscina, deve ter exibido uma docilidade vertiginosa. No fim das contas, Patty tinha uma boa dose de culpa. Sua concepção de namoro era igual ao anúncio de certos safáris: "Mais primitivo, impossível". Situava-se em algum ponto entre Branca de Neve e a garota-detetive Nancy Drew. E Ethan, sem dúvida, tinha o ar arrogante que ela considerava atraente àquela altura da vida. Parecia o jovem galã de um romance para meninas adolescentes com veleiros na capa. Depois de estuprar Patty, ele pediu desculpas por ter sido mais violento do que pretendia, pelo que sentia muito.

Foi só quando passou o efeito das *piñas coladas*, na manhã seguinte bem cedo, no quarto que, sendo uma garota tão cordata, Patty dividia com a irmã menor para que a irmã do meio pudesse ter um quarto só para ela onde pudesse ser Criativa e desordeira: só então ela ficou indignada. Indignada por Ethan tê-la achado tão desprezível que podia estuprá-la e depois levá-la em casa. E ela *não* era desprezível. Ela já era, entre outras coisas, no seu primeiro ano do colegial, a recordista de todos os tempos em assistências numa temporada da Horace Greeley High School. Um recorde que ela própria quebraria com folga no ano seguinte! Também integrou a seleção estadual *num estado de que faziam parte o Brooklyn e o Bronx*. E ainda assim um menino que só jogava golfe e ela mal conhecia tinha achado que não havia nenhum problema em estuprá-la.

Para não acordar a irmã menor, Patty foi chorar no chuveiro. Foi, sem exagero, o pior momento da sua vida. Ainda hoje, quando pensa nos oprimidos do mundo todo e nas vítimas da injustiça, e na maneira como devem se sentir, sua mente retrocede àquele momento. Coisas que nunca antes lhe tinham ocorrido, como a injustiça que representa uma irmã mais velha ter de dividir o quarto e não lhe terem dado o antigo quarto de Eulalie no porão porque agora vivia cheio até o teto de material de campanha ultrapassado, assim como a injustiça de sua mãe acompanhar tão maravilhada o talento teatral da filha do meio mas nunca ir a nenhum dos jogos de Patty, lhe ocorreram naquela hora. Ficou tão indignada que quase decidiu falar com alguém. Mas ficou com medo de que sua treinadora ou suas companheiras de equipe soubessem que tinha andado bebendo.

A maneira como a história acabou sendo descoberta, apesar dos seus maiores esforços para mantê-la em segredo, foi que a treinadora Nagel ficou desconfiada e foi espiá-la no vestiário depois do jogo do dia seguinte. Mandou Patty se sentar na sua sala e interrogou-a sobre seus hematomas e seu ar infeliz. Patty teve a reação humilhante de confessar tudo aos prantos na mesma hora. Para seu total espanto, a treinadora então propôs levá-la a um hospital e registrar queixa na polícia. Patty tinha acabado de rebater quatro bolas, duas delas conquistando a primeira base, completando duas voltas e ainda executando várias grandes jogadas defensivas. Era óbvio que não estava gravemente machucada. E os pais dela, ainda por cima, tinham relações políticas de amizade com os pais de Ethan, o que ia contra a ideia toda. Ela ousava esperar que um pedido abjeto de desculpas por ter bebido no meio do período de treinamento, combinado à compaixão e à tolerância da treinadora, pudesse encerrar aquele caso. Mas, ah, como estava enganada.

A treinadora ligou para a casa de Patty e falou com sua mãe, que, como sempre, estava sem fôlego, de saída para uma reunião, e não tinha tempo para falar nem meios morais de admitir que não tinha tempo para falar, e a treinadora disse as seguintes palavras indeléveis no telefone bege do Departamento de Educação Física: "Sua filha acaba de me contar que foi estuprada ontem à noite por um rapaz chamado Ethan Post". Em seguida a treinadora escutou durante um minuto antes de dizer, "Não, ela acabou de me contar... Isso mesmo... Ontem à noite.... Está, sim". E entregou o telefone a Patty.

"Patty?", disse sua mãe. "Você está — bem?"

"Tudo bem."

"A senhora Nagel está me dizendo que ontem à noite aconteceu uma coisa?"

"O que aconteceu é que eu fui estuprada."

"Ah, meu Deus, meu Deus. Ontem à noite?"

"Foi."

"Eu estava em casa hoje de manhã. Por que você não me disse nada?"

"Não sei."

"Por quê, por quê, por quê? Por que você não me disse alguma coisa?"

"É que talvez na hora não parecesse uma coisa tão séria."

"É, mas depois você foi e contou para a senhora Nagel."

"Não", disse Patty. "Ela só é mais observadora que você."

"Eu mal vi você hoje de manhã."

"Não estou dizendo que é sua culpa. Só estou falando."

"E você acha que pode ter sido... Que pode ter sido..."

"Estuprada."

"Não posso acreditar nisso", disse a mãe dela. "Vou até aí buscar você."

"A treinadora Nagel quer me levar a um hospital."

"Mas você não está se sentindo bem?"

"Já disse. Está tudo bem."

"Então fique aí mesmo, e não façam nada antes de eu chegar."

Patty desligou o telefone e disse à treinadora que sua mãe estava vindo.

"Vamos enfiar esse garoto na cadeia por muito tempo", disse a treinadora.

"Ah não não não não não", disse Patty. "Não vamos."

"Patty."

"Não vai ser assim."

"Vai, se você quiser."

"Não, é verdade, não vai. Meus pais são ligados aos Post na política."

"Escute aqui", disse a treinadora. "Isso não tem nada a ver com nada. Está me entendendo?"

Patty tinha bastante certeza de que a treinadora, nesse caso, estava enganada. O dr. Post era cardiologista, casado com uma mulher de família muito rica. Tinham uma das casas que pessoas como Teddy Kennedy, Ed Muskie e Walter Mondale vinham visitar quando precisavam de dinheiro de campanha. Ao longo dos anos, Patty tinha ouvido seus pais contando muitas histórias do "jardim" da casa dos Post. O "jardim", pelo que diziam, era mais ou menos do tamanho do Central Park, só que mais bonito. Pode ser que alguma das irmãs nota dez, adiantadas na escola e artisticamente talentosas, pudesse ter trazido algum problema para a família Post, mas era absurdo imaginar a estudante grandalhona e medíocre, a atleta da família, conseguindo perfurar a armadura dos Post.

"Nunca mais vou beber", disse ela, "e assim o problema vai se resolver."

"Talvez para você", disse a treinadora, "mas não para alguma outra menina. Olhe para os seus braços. Olhe o que ele fez. Ele vai fazer a mesma coisa com mais alguém se você não conseguir fazê-lo parar."

"São só uns arranhões e umas manchas roxas."

A treinadora fez um discurso motivacional sobre a importância de tomar o partido das companheiras de equipe, que no caso eram todas as moças que Ethan pudesse conhecer na vida. A ideia é que Patty precisava se sacrificar um pouco pelo time, dar queixa e deixar a treinadora informar o internato particular em New Hampshire onde Ethan estudava, para ele ser expulso e não receber o diploma, e que, se Patty não fizesse nada disso, estaria deixando o time na mão.

Patty começou a chorar de novo, porque preferia morrer a deixar o time na mão. No começo do inverno, com gripe, ela jogara mais da metade de uma partida de basquete antes de desmaiar à beira da quadra e ser obrigada a receber hidratação endovenosa. O problema é que na véspera ela não estivera com o time dela. Tinha ido para a festa com sua amiga do time de hóquei na grama, Amanda, cuja alma aparentemente jamais teria descanso antes de induzir Patty a experimentar *piña colada*, servida aos baldes na festa da casa dos Mc-Clusky. *El ron me puso loca*. Nenhuma das outras meninas presentes à piscina praticava algum esporte. Só por ter ido até lá, Patty tinha traído o verdadeiro time a que realmente pertencia. E tinha recebido o castigo. Ethan não tinha estuprado nenhuma das meninas mais oferecidas, tinha estuprado Patty, porque ali não era o lugar dela, e ela nem mesmo sabia beber.

Ela prometeu à treinadora que ia pensar.

Ficou chocada de ver sua mãe no ginásio, e sua mãe estava obviamente chocada por encontrar-se ali. Estava usando seus sapatos de salto de todo dia e lembrava Cachinhos de Ouro perdida na floresta enquanto contemplava aqueles equipamentos de metal nu, o piso impregnado de fungos, e as bolas aglomeradas em grandes sacos de rede. Patty se aproximou dela e submeteu-se ao abraço. Como sua mãe era muito menor que ela, Patty sentiu-se mais ou menos como um antigo relógio de pé que Joyce tentava carregar e trocar de posição. Livrou-se do abraço e conduziu a mãe até a pequena sala envidraçada da treinadora, para que a conferência necessária pudesse ocorrer.

"Olá, sou Jane Nagel", disse a treinadora.

"Sim, nós — já nos conhecemos", disse Joyce.

"Ah, é verdade, nós nos encontramos uma vez", disse a treinadora.

Além de sua elocução forçada, Joyce tinha uma postura muito ereta, evidentemente forçada, e a máscara de um Sorriso Simpático adequado para quase todas as ocasiões públicas e privadas. Como nunca levantava a voz, nem quando estava enfurecida (sua voz só ficava mais trêmula e tensa quando ela estava com raiva), seu Sorriso Simpático podia ser exibido mesmo em momentos de conflito dilacerante.

"Não, foi mais de uma vez", corrigiu ela. "Foram várias vezes."

"É mesmo?"

"Tenho certeza."

"Mas eu acho que não foram", disse a treinadora.

"Vou esperar lá fora," disse Patty, fechando a porta atrás de si.

A conferência mãe-treinadora não durou muito tempo. Logo Joyce emergiu da sala batendo os calcanhares e disse, "Vamos embora".

A treinadora, de pé na porta por trás de Joyce, dirigiu um olhar significativo a Patty. O olhar significava *Não se esqueça do que eu disse sobre o trabalho em equipe.*

O carro de Joyce era o único que ainda restava em seu quadrante do estacionamento dos visitantes. Ela enfiou a chave na ignição mas não deu a partida no carro. Patty perguntou o que ia acontecer agora.

"Seu pai está no escritório dele", disse Joyce. "Vamos direto para lá."

Mas não virou a chave.

"Desculpe essa história toda", disse Patty.

"O que eu não entendo", respondeu bruscamente a mãe, "é como uma atleta forte como você — quer dizer, como é que Ethan, ou seja lá quem for — "

"Ethan. Foi Ethan."

"Como é que qualquer pessoa — ou Ethan", disse ela. "Você diz que não tem dúvida de que foi Ethan. Mas como ele conseguiu — se foi Ethan — como ele pode ter conseguido...?" A mãe cobriu a boca com os dedos. "Ah, quem me dera que tivesse sido praticamente qualquer outra pessoa. O dr. Post e a mulher são amigos tão próximos de — tão próximos de tantas coisas boas. E não conheço Ethan muito bem, mas — "

"Eu mal conheço esse rapaz!"

"Então como isso foi acontecer?"

"Quero ir para casa."

"Não. Você precisa me responder. Sou sua mãe."

Quando se ouviu dizendo essas palavras, Joyce ficou encabulada. Parecia ter tomado consciência de quanto era estranho ela precisar lembrar a Patty quem era a mãe dela. E Patty, por sua vez, ficava muito satisfeita por conseguir despertar essas dúvidas. Se Joyce era mãe dela, então como não tinha vindo ao primeiro jogo do torneio estadual, em que Patty quebrou o recorde de todos os tempos do time feminino da Horace Greeley com trinta e dois pontos? De algum modo, as mães de todas as outras meninas tinham encontrado tempo para vir ao jogo.

Mostrou os pulsos a Joyce.

"Foi *isto* que aconteceu", disse ela. "Quer dizer, isto foi parte do que aconteceu."

Joyce olhou uma vez para seus hematomas, estremeceu e depois se virou,

51

como se tomada de respeito pela privacidade de Patty. "Que horror", disse ela. "Você tem razão. É uma coisa horrível."

"A treinadora Nagel acha que eu devia ir a um hospital, dar queixa na polícia e contar tudo ao diretor da escola de Ethan."

"Eu entendi o que a sua treinadora quer. Por ela, a castração era o castigo certo no caso. O que eu quero saber é o que *você* acha."

"Não sei o que eu acho."

"Se você quiser ir à polícia agora", disse Joyce, "nós vamos à polícia. Mas você precisa me dizer se é isso que você prefere."

"Acho melhor contar primeiro para o papai."

E então enveredaram as duas pela Saw Mill Parkway. Joyce sempre levava as irmãs de Patty para as aulas de Pintura, Violão, Balé, Japonês, Retórica, Teatro, Piano, Esgrima e Júri Simulado, mas Patty quase nunca andava de carro com Joyce. Na maioria dos dias de semana, chegava em casa tarde no ônibus das atletas. Quando tinha jogo, a mãe ou o pai de alguém a deixava em casa. Quando ela e as amigas ficavam sem carona, ela sabia que nem devia se dar ao trabalho de ligar para os pais; era melhor apelar logo para o serviço de radiotáxi de Westchester e para uma das notas de vinte dólares que a mãe a obrigava a levar sempre consigo. Nunca lhe ocorria usar aquelas notas de vinte para nenhuma outra coisa além de táxis, ou ir a nenhum outro lugar depois dos jogos, voltando sempre direto para casa, onde tirava o papel-alumínio que cobria seu jantar às dez ou onze da noite e descia direto ao porão para lavar seu uniforme, enquanto comia e assistia a reprises. Muitas vezes adormecia lá mesmo.

"Só vou lhe fazer uma pergunta hipotética", disse Joyce, enquanto dirigia. "Você acha que pode ser suficiente Ethan lhe pedir desculpas formais?"

"Ele já se desculpou."

"Por —"

"Por ter sido bruto."

"E o que você respondeu?"

"Não disse nada. Só que queria ir para casa."

"Mas ele pediu desculpas por ter sido bruto."

"Não pediu desculpas de verdade."

"Está certo. Você é quem sabe."

"Eu só quero que ele saiba que eu *existo*."

"O que *você* quiser — querida."

Joyce pronunciou esse "querida" como a primeira palavra de uma língua estrangeira que estivesse começando a aprender.

Como teste ou castigo, Patty disse: "Talvez, quem sabe, se ele pedisse desculpas de verdade, sinceras, pudesse ficar por isso mesmo". E olhou com cautela para a mãe, que se esforçava (pelo que pareceu a Patty) para conter a alegria.

"Pois isso me parece uma solução praticamente ideal", disse Joyce. "Mas só se você achar que vai ficar realmente satisfeita."

"Não ia ficar."

"Como assim?"

"Eu disse que não ia ficar satisfeita."

"Achei que tinha acabado de dizer que sim."

Patty recaiu num pranto muito desolado.

"Desculpe", disse Joyce. "Eu entendi mal?"

"ELE ME ESTUPROU COMO SE EU NÃO FOSSE NADA. E ACHO QUE NEM FUI A PRIMEIRA."

"Como é que você pode saber, Patty?"

"Quero ir para o hospital."

"Escute, estamos quase chegando ao escritório do seu pai. Como você não está tão machucada assim, acho melhor — "

"Mas eu já sei o que ele vai dizer. Eu sei o que ele vai querer que eu faça."

"Ele vai querer que você faça o que for melhor para você. Às vezes ele não consegue deixar as coisas claras, mas ele ama você acima de tudo."

Joyce não poderia ter feito nenhuma outra afirmação em que Patty desejasse acreditar com maior fervor. Que desejasse, com todo o seu ser, que fosse verdade. Será que seu pai teria a crueldade de implicar com ela e ridicularizá-la de tantas maneiras se, na realidade, não a amasse em segredo acima de tudo? Mas agora ela já tinha dezessete anos, e na verdade não era nada burra. Sabia que era possível amar alguém acima de tudo e ainda assim não gostar tanto da pessoa, porque estava ocupado com outras coisas.

Havia um certo cheiro de naftalina no recesso mais íntimo do escritório do pai, que ele tomara de seu sócio já falecido sem mandar trocar o tapete ou as cortinas. De onde exatamente vinha aquele cheiro de naftalina era um desses mistérios.

"Esse merdinha é um canalha e um bandido!", foi a resposta de Ray ao saber da notícia que a mulher e a filha lhe trouxeram do crime de Ethan.

"Não tão pequeno assim, infelizmente", disse Joyce com uma risada seca.

"Esse merdinha é um bandido canalha", disse Ray. "Nunca prestou!"

"Então agora vamos ao hospital?", perguntou Patty. "Ou direto à polícia?"

O pai dela disse à mãe que ligasse para o dr. Sipperstein, o velho pediatra, envolvido na política do Partido Democrata desde os tempos de Roosevelt, e verificasse se ele estava disponível para uma emergência. Enquanto Joyce ligava, Ray perguntou a Patty se ela sabia o que era um estupro.

Ela ficou olhando para ele.

"Só para verificar", disse ele. "Você sabe qual é a definição legal."

"Ele fez sexo comigo contra a minha vontade."

"Você chegou a dizer não?"

"'Não', 'pare', 'não quero'. De qualquer maneira, era evidente. Eu estava tentando arranhá-lo e me livrar dele."

"Então ele é um merdinha que só merece desprezo."

Ela nunca tinha ouvido o pai falar dessa maneira, e ficou agradecida, mas só num plano abstrato, porque não soava muito convincente.

"Dave Sipperstein disse que pode nos receber às cinco no consultório", relatou Joyce. "Gosta tanto de Patty que eu acho que cancelaria até um jantar, se precisasse."

"Sei", disse Patty, "tenho certeza de que sou a número um entre seus doze mil pacientes." Então contou sua história ao pai, e o pai lhe explicou por que a treinadora Nagel estava enganada e ela não podia dar queixa à polícia.

"Chester Post não é um sujeito fácil", disse Ray, "mas faz muita coisa por este condado. Diante da, hã, posição dele, uma acusação como esta vai ter muita repercussão. Todo mundo vai saber quem está fazendo a acusação. Todo mundo. Bom, o prejuízo dos Post não é problema nosso. Mas é quase garantido que você vai acabar se sentindo mais violada pelo inquérito e pelo julgamento e pelo noticiário do que está se sentindo agora. Mesmo que eles façam um acordo, admitam a culpa e ele nem vá a julgamento. Mesmo que ele seja condenado com *sursis*, ou mesmo que o processo corra sob segredo de justiça. Ainda assim, o registro do processo permanece."

Joyce disse, "Mas isso tudo é *ela* quem decide, e não —"

"Joyce", Ray a silenciou com a mão erguida. "Os Post podem pagar os melhores advogados do país. E depois que a acusação vier a público, acaba o prejuízo do acusado. Ele não tem nenhum motivo para querer acelerar o processo. Na verdade, é vantagem para ele atacar ao máximo a sua reputação antes das audiências ou do julgamento."

Patty abaixou a cabeça e perguntou o que o pai achava que devia fazer.

"Vou ligar para o Chester agora", disse ele. "Você vai ser examinada pelo dr. Sipperstein para sabermos se você está bem."

"E pedir que ele testemunhe", disse Patty.

"Isso, e ele pode testemunhar se for necessário. Mas não vai haver julgamento, Patty."

"Quer dizer que não acontece nada com ele? E aí ele estupra outra moça no fim da semana que vem?"

Ray levantou as duas mãos. "Deixe que eu, ah. Deixe que eu fale com o senhor Post. Pode ser que ele aceite algum acordo. Algum tipo de sentença alternativa discreta. Uma espada em cima da cabeça de Ethan."

"Mas isso não é *nada*."

"Na verdade, meu doce, é bastante. É uma garantia de que ele não vai fazer a mesma coisa com mais ninguém. Ele precisa admitir que é culpado."

Parecia um absurdo imaginar Ethan de macacão laranja sentado numa cela por causar-lhe um mal que no fim das contas era principalmente psicológico. Ela já fizera treinamentos de velocidade tão penosos quanto aquele estupro. Sentia-se mais dolorida no dia seguinte de um jogo duro de basquete do que agora. Além disso, como atleta, você se acostuma com as mãos dos outros no seu corpo — massageando um músculo contraído, fazendo marcação cerrada em cima de você, disputando uma bola solta, amarrando um tornozelo torcido, corrigindo uma posição, alongando os tendões da perna.

Ainda assim, a sensação de injustiça se transformou num desconforto físico. Até mesmo mais real, de certa forma, que seu corpo dolorido, malcheiroso e suarento. A injustiça tinha uma forma, um peso, uma temperatura e uma textura, e um gosto medonho.

No consultório do dr. Sipperstein, ela se submeteu aos exames como uma boa atleta. Depois que tornou a se vestir, ele perguntou se ela já tivera relações sexuais antes daquilo.

"Não."

"Achei que não. E anticoncepcionais? A outra pessoa usou algum tipo de proteção?"

Ela assentiu com a cabeça. "Foi aí que eu tentei me livrar. Quando vi o que ele tinha posto."

"Um preservativo."

"Foi."

Tudo isso e mais alguma coisa o dr. Sipperstein anotou na ficha de Patty. Em seguida, tirou os óculos e disse, "Você vai ter uma vida boa, Patty. O sexo é uma coisa ótima, que você vai aproveitar até o fim da vida. Mas dessa vez não foi bom, não é?".

Em casa, uma das suas irmãs estava no jardim fazendo alguma coisa como malabarismos com chaves de fenda de tamanhos diferentes. Outra estava lendo uma edição integral de Gibbon. A que vinha subsistindo à base de iogurte e rabanete estava no banheiro, mudando mais uma vez a cor dos cabelos. O verdadeiro lar de Patty no meio de tanta simulação e excentricidade era um banco com assento de espuma um tanto mofado, encaixado numa plataforma de alvenaria no canto onde ficava a TV do porão. A fragrância do óleo que Eulalie usava nos cabelos ainda estava presente no banco anos depois de Eulalie ter sido despedida. Patty desceu para o banco com um copo de sorvete de pecã e respondeu que não quando sua mãe chamou perguntando se ia subir para jantar.

Mary Tyler Moore estava começando quando seu pai desceu, depois de tomar seu martíni e jantar, e convidou Patty para um passeio de carro com ele. Àquela altura, Mary Tyler Moore reunia todo o conhecimento que Patty tinha de Minnesota.

"Posso acabar de ver esse programa antes?", perguntou ela.

"Patty."

Sentindo-se cruelmente roubada, ela desligou a televisão. O pai a levou de carro até a escola e parou debaixo de uma luz forte no estacionamento. Baixaram as janelas, deixando entrar o cheiro dos gramados primaveris, como aquele em que ela fora estuprada não muitas horas antes.

"Então", disse ela.

"Ethan negou tudo", disse seu pai. "Disse que foi só um pouco mais violento que o normal, e que você estava de acordo."

A autobiógrafa devia descrever as lágrimas da moça no carro dizendo que caíam como uma chuva que começa despercebida mas num tempo espantosamente curto deixa tudo encharcado. Ela perguntou ao pai se tinha falado diretamente com Ethan.

"Não, só com o pai dele, duas vezes", respondeu ele. "E estaria mentindo se dissesse que as conversas foram agradáveis."

"Então é óbvio que o senhor Post acha que estou mentindo."

"Bem, Patty, Ethan é filho dele. Ele não conhece você tão bem quanto nós."

"E você, acredita em mim?"

"Acredito."

"E mamãe?"

"Claro que sim."

"Então o que eu faço?"

O pai se virou para ela como um advogado. Como um adulto que se dirige a outro adulto. "Deixe para lá," disse ele. "Desista. Siga em frente."

"O quê?"

"Esqueça. Vá em frente. Aprenda a tomar mais cuidado."

"Como se nunca tivesse acontecido?"

"Patty, os convidados da festa eram todos amigos dele. Todos vão dizer que viram você se embriagar e ser agressiva com ele. Vão dizer que vocês dois estavam atrás de uma cerca que fica a menos de dez metros da piscina, e que ninguém escutou nada de anormal."

"A festa era muito barulhenta. Música alta e muita gente gritando."

"Também vão dizer que viram vocês dois indo embora mais tarde e entrando no carro dele. E o mundo inteiro vai ver um rapaz de Exeter destinado a ir para Princeton que teve a responsabilidade de usar um preservativo, e ainda foi um cavalheiro, deixando a festa e indo levar você em casa."

A chuvinha enganadora estava molhando a gola da camiseta de Patty.

"Na verdade você não está do meu lado, não é", disse ela.

"Claro que sim."

"Você passa o tempo todo dizendo 'claro', 'claro'."

"Escute aqui. O advogado vai querer saber por que você não gritou."

"Fiquei com vergonha! Essas pessoas não eram minhas amigas!"

"Mas você percebe que vai ser difícil um juiz ou um júri entender? Você só precisava gritar, e estaria a salvo."

Patty nem se lembrava do motivo por que não tinha gritado. E tinha de admitir que, em retrospecto, aquilo parecia estranhamente cordato da parte dela.

"Mas eu lutei."

"Foi, mas você é uma atleta de alto nível estudantil. Quem joga de *shortstop* se arranha e se machuca o tempo todo, não é? Nos braços? Nas coxas?"

"Você disse ao senhor Post que eu sou virgem? Quer dizer, era?"

"Não achei que fosse da conta dele."

"Talvez você devesse ligar de novo para ele e contar."

"Escute", disse o pai dela. "Querida. Eu sei que é horrivelmente injusto. Fico morrendo de pena de você. Mas às vezes o melhor é aprender alguma coisa e cuidar para nunca mais se ver na mesma situação. Dizer para si mesma, 'eu errei, tive um certo azar', e depois deixar. Deixar, ah, de lado. Deixar para trás."

Ele virou a chave pela metade, de modo que as luzes do painel se acenderam. Continuou com a mão na chave.

"Mas ele cometeu um crime", disse Patty.

"Foi, mas é melhor, hã. A vida nem sempre é justa, Patty. O senhor Post disse que Ethan podia até pedir desculpas por não ter sido mais cavalheiro. Bem. Você aceita?"

"Não."

"Achei que não fosse aceitar."

"A treinadora Nagel acha que eu devia ir à polícia."

"A treinadora Nagel devia cuidar dos arremessos à cesta", disse o pai dela.

"Beisebol", disse Patty. "Estamos na temporada do beisebol."

"A menos que você queira passar todo o seu último ano sendo humilhada em público."

"Basquete é no inverno. Beisebol é na primavera, quando o tempo fica mais quente."

"Estou perguntando: é assim que você quer passar seu último ano na escola?"

"A treinadora Carver é que dá basquete", disse Patty. "A treinadora Nagel é de beisebol. Está entendendo?"

O pai deu partida no motor.

No último ano, em vez de ser humilhada em público, Patty se transformou numa jogadora de verdade, não só um talento promissor. Praticamente se mudou para centro de treinamento. Foi suspensa por três partidas por empurrar pelas costas com o ombro uma atacante de New Rochelle que tinha dado uma cotovelada em sua companheira de equipe Stephanie, e quebrou todos os recordes da escola que tinha estabelecido no ano anterior, e quase superou o recorde de pontos. Aumentar seu perímetro de arremesso seguro foi um modo de adquirir um gosto suplementar pelas arremetidas para a cesta. Ela não dava mais ouvidos para a dor.

Na primavera, quando o representante local da assembleia do estado resolveu não se candidatar mais depois de longos anos de serviço e a liderança do partido escolheu a mãe de Patty para concorrer em seu lugar, os Post se ofereceram para organizar um evento de arrecadação de fundos no luxo verde de seu famoso jardim. Joyce pediu a permissão de Patty antes de aceitar a oferta, dizendo que não faria nada que Patty não achasse aceitável, mas Patty já não se importava mais com o que Joyce fizesse ou deixasse de fazer, e respondeu-lhe com essas palavras. Quando a família da candidata se reuniu para a foto obrigatória, ninguém se ofendeu com Patty por ela não ter comparecido. Seu ar de amargura não teria ajudado muito a candidatura de Joyce.

2. Melhores amigas

Devido à sua incapacidade de rememorar seu estado de consciência nos primeiros três anos de faculdade, a autobiógrafa suspeita que simplesmente não tinha consciência nenhuma. A sensação era de estar desperta, mas na realidade devia sofrer de sonambulismo. De outro modo seria difícil entender como, por exemplo, ela se tornou a melhor amiga de uma moça muito perturbada que costumava persegui-la.

Parte da culpa — embora a autobiógrafa deteste ter de admitir — pode caber aos campeonatos da chamada Liga dos Dez Grandes e ao mundo artificial criado para os estudantes que participavam dela, sobretudo os rapazes, mas também, já desde o final da década de 1970, as moças. Patty foi para Minnesota em julho para uma colônia de férias especial destinada a atletas estudantis, seguida de um período especial de orientação para calouros, só atletas, e então foi morar num dormitório especial para atletas, só fazia amigas atletas, comia exclusivamente na mesa das atletas, dançava em grupo nas festas com suas companheiras de equipe e tomou o cuidado de nunca se matricular em alguma cadeira em que não houvesse vários outros atletas ao lado dos quais pudesse se sentar e com quem (se sobrasse algum tempo) pudesse estudar. Os atletas não precisavam viver assim, mas em Minnesota era o caso da maioria, e Patty exagerou ainda mais em sua adesão a um Mundo Só de Atletas do que a maioria, porque lá era possível! Porque ela conseguira afinal ir embora de Westchester! "Você deve ir *para onde quiser*", disse Joyce a Patty, o que significava: é grotesco e repulsivo frequentar uma universidade estadual medíocre como a de Minnesota quando se tem ótimas ofertas da Vanderbilt e da Northwestern (que também me dariam uma imagem melhor). "A escolha é inteiramente *sua*, pessoal, e vamos dar apoio a *qualquer coisa* que você decidir", disse Joyce, o que significava: não vá pôr a culpa no seu pai e em mim se estragar sua vida para sempre com suas decisões idiotas. A aversão transparente de Joyce a Minnesota, juntamente com a distância que separava Minnesota de Nova York, foi um fator decisivo para Patty decidir ir para lá. Pensando hoje em retrospecto, a autobiógrafa percebe a si mesma quando mais jovem como uma dessas adolescentes muito infelizes, tão furiosas com os pais que precisava entrar para algum culto em que pudesse comportar-se melhor, ser mais amistosa e mais generosa e subserviente do que jamais conseguiria ser de novo em casa. E, no caso dela, o culto era o basquete.

A primeira não atleta a atraí-la para além dos limites do culto e tornar-se importante para ela foi essa moça perturbada, Eliza, que Patty, claro, de início nem percebia ser perturbada. Eliza era exatamente meio bonita. Sua cabeça começava linda no alto e ia ficando mais feia quanto mais a gente olhasse para baixo. Tinha lindos cabelos castanhos cheios e ondulados, olhos grandes e impressionantes, depois um nariz arrebitado bonitinho, mas depois, em torno da boca, seu rosto ficava comprimido e miniaturizado de um modo estranho, lembrando mais ou menos um bebê prematuro, e ela tinha um queixo mínimo. Usava sempre calças de veludo frouxas que ameaçavam cair dos seus quadris, e camisas apertadas de manga curta que comprava no departamento de meninos de brechós e só abotoava até o meio, e Keds vermelhos, e um casaco grande de pele de cordeiro verde-abacate. Cheirava a cinzeiro, mas tentava não fumar perto de Patty, a menos que estivessem ao ar livre. Numa ironia à época imperceptível para Patty mas hoje claramente visível para a autobiógrafa, Eliza tinha muito em comum com as irmãs menores de Patty, todas metidas a artistas. Possuía uma guitarra elétrica preta e um lindo amplificador pequeno, mas, nas poucas vezes em que Patty a convenceu a tocar em sua presença, Eliza ficou furiosa com ela, o que de outro modo quase nunca acontecia (pelo menos não num primeiro momento). Disse que Patty estava fazendo pressão sobre ela, deixando-a envergonhada, e que era por isso que sempre errava depois dos primeiros acordes da canção. Pediu que Patty não prestasse uma atenção muito óbvia, mas mesmo quando Patty lhe deu as costas para ler uma revista, não adiantou nada. Eliza jurava que no minuto em que Patty tornou a sair do quarto conseguiu tocar de novo a canção perfeitamente. "Mas agora? Nem pensar."

"Desculpe", disse Patty. "Desculpe ter esse efeito sobre você."

"Eu toco essa música incrivelmente bem quando você não está escutando."

"Eu sei, eu sei, acredito."

"É verdade. Não faz diferença você acreditar."

"Mas eu acredito!"

"O que estou *dizendo*", explicou Eliza, "é que não faz *diferença* você acreditar, porque a minha capacidade de tocar muito bem essa música quando você não está escutando é simplesmente um fato objetivo."

"Talvez você pudesse tentar outra música", argumentou Patty.

Mas Eliza já estava arrancando os plugues. "Pare. Está bom? Não quero que você me console."

"Desculpe, desculpe, desculpe", disse Patty.

Tinha conhecido Eliza na única aula em que uma atleta e uma poeta tinham alguma chance de se conhecer, Introdução às Ciências da Terra. Patty entrava e saía dessa turma especialmente grande com dez outras atletas calouras, um bando de meninas na maioria ainda mais altas que ela, todas vestidas com trajes de moletom marrom da equipe da universidade ou com casacos cinzas lisos, todas com os cabelos em vários estágios de secagem. Havia várias garotas inteligentes no bando, entre elas a amiga da vida toda da autobiógrafa, Cathy Schmidt, que mais tarde viraria defensora pública e certa vez participou do programa de perguntas e respostas *Jeopardy!*, em rede nacional, por duas noites seguidas, mas o anfiteatro superaquecido, aqueles trajes esportivos e os cabelos molhados e a proximidade de outros corpos atléticos cansados nunca deixavam de comunicar a Patty uma certa pasmaceira por contágio. Uma queda de energia por contágio.

Eliza gostava de sentar-se na fila atrás dos atletas, diretamente atrás de Patty, mas tão escarrapachada na cadeira que só deixava visíveis seus fartos cachos escuros. Suas primeiras palavras a Patty foram murmuradas por trás no ouvido desta, no começo de uma aula. Ela disse: "Você é a maior".

Patty virou-se para ver quem estava falando e viu montes de cabelo. "Como disse?"

"Vi você jogando ontem à noite," disse a cabeleira. "Você é genial, e linda."

"Ora, obrigada."

"Eles precisam deixar você mais tempo em quadra."

"Pois é, rá rá, acho exatamente a mesma coisa."

"Você devia *exigir* que eles deixem você mais tempo em quadra. Entendeu?"

"É, mas são muitas ótimas jogadores no time. E não sou eu que resolvo."

"Pode ser, mas você é a melhor de todas", disse a cabeleira.

"Ora, muito obrigada pelo elogio!", respondeu Patty em tom alegre, para encerrar a conversa. Àquela altura, ela acreditava que era por ser desprendida e ter espírito de equipe que os elogios pessoais diretos a deixavam tão encabulada. A autobiógrafa hoje acha que os elogios eram como uma bebida de que ela inconscientemente tinha a prudência de evitar uma gota que fosse, visto que sofria de uma sede infinita.

Quando a aula acabou, ela se cercou das companheiras de quadra e cuidou de não tornar a olhar para a pessoa com todo aquele cabelo. Supôs ser uma estranha coincidência que uma fã sua se sentasse bem atrás dela na aula de Ciências da Terra. Havia cinquenta mil estudantes na universidade, mas menos de quinhentos deles (sem contar ex-jogadoras, amigos e familiares das atuais) consideravam os esportes femininos uma opção respeitável de entretenimento. Se você fosse Eliza e quisesse sentar-se diretamente atrás do banco de reservas (para que Patty, ao sair da quadra, não tivesse como deixar de vê-la e a seus cabelos quando se debruçava sobre um caderno), tudo que precisava fazer era chegar à quadra quinze minutos antes do jogo. E então, depois da campainha final e do cumprimento ritual às adversárias, a coisa mais fácil do mundo era interceptar Patty perto da porta do vestiário e entregar-lhe uma folha arrancada do caderno e dizer: "Você pediu para ficar mais tempo em quadra, como eu lhe falei para fazer?".

Patty ainda não sabia o nome daquela pessoa, mas a pessoa evidentemente sabia o seu, porque a palavra PATTY estava escrita na folha de papel cerca de cem vezes, em letras explosivas de histórias em quadrinhos com contornos concêntricos a lápis para dar-lhes a aparência de gritos que ecoavam no ginásio, como se todos os presentes gritassem o nome dela em coro, o que não podia ser mais distante da realidade, dado que o ginásio costumava ficar noventa por cento vazio, Patty estava no primeiro ano e só passava uma média de menos de dez minutos em quadra por jogo, ou seja, não era exatamente um nome muito conhecido. Os gritos delineados a lápis enchiam toda a folha de papel menos um desenho miúdo de uma jogadora controlando a bola. Patty sabia que a jogadora devia ser ela, porque usava seu número e quem mais podia estar retratada numa página coberta com o nome PATTY? Como tudo que Eliza fazia (o que Patty logo haveria de descobrir), o desenho era super-refinado até certo ponto e, de resto, mal-acabado e ruim. A maneira como o corpo da jogadora aparecia muito abaixado e descrevendo uma curva violenta enquanto se virava era excelente, mas o rosto e a cabeça pareciam uma mulher genérica num livreto de primeiros socorros.

Olhando para aquela folha de papel, Patty pôde antecipar a sensação de queda que teria alguns meses depois ao comer *brownies* de maconha em companhia de Eliza. Uma coisa muito estranha e assustadora, mas de que era difícil se defender.

"Obrigada pelo desenho", disse ela.

"Por que não usam mais você?", perguntou Eliza. "Você passou praticamente toda a segunda metade do jogo no banco."

"Depois que abrimos uma vantagem grande — "

"Você é brilhante e eles deixam você no banco? Isso eu não consigo entender." Os cachos de Eliza sacudiam como um salgueiro numa ventania; estava muito contrariada.

"Dawn, Cathy e Shawna jogaram muito bem", disse Patty. "Seguraram a vantagem maravilhosamente."

"Mas você é muito melhor do que elas."

"Preciso ir tomar uma ducha. Obrigada de novo pelo desenho."

"Talvez neste ano não, mas ano que vem, no máximo, todo mundo só vai querer saber de você", disse Eliza. "Você vai atrair muita atenção. Você precisa começar a aprender a se proteger."

Foi tão ridículo que Patty precisou parar e esclarecer. "Excesso de atenção nunca foi o maior dos problemas para o basquete feminino."

"E os homens? Você sabe se proteger dos homens?"

"Como assim?"

"Quer dizer, você sabe avaliar bem em matéria de homem?"

"No momento, não tenho tempo para muita coisa além de treinar e jogar."

"Parece que você não sabe como é maravilhosa. E como isso é perigoso."

"Eu sei que sou boa em esportes."

"É uma espécie de milagre, que você não está aproveitando plenamente."

"Bem, eu não bebo, o que ajuda muito."

"E por que você não bebe?", retrucou Eliza imediatamente.

"Porque não posso quando estou treinando. Nem mesmo um gole."

"Você treina todos os dias do ano?"

"Bem, tive uma experiência ruim com bebida na escola, também por isso."

"O que aconteceu — alguém te estuprou?"

O rosto de Patty ficou em brasa e assumiu cinco expressões diferentes ao mesmo tempo. "Caramba", disse ela.

"Foi isso que aconteceu?"

"Vou tomar uma ducha."

"Olha só, é exatamente disso que estou falando!", exclamou Eliza muito excitada. "Você nem me conhece, estamos conversando há menos de dois minutos, e você praticamente acaba de me contar que sobreviveu a um estupro. Você é completamente desprotegida!"

Patty ficou tão assustada e constrangida naquele momento que não percebeu as falhas daquela lógica.

"Eu sei me proteger", disse ela. "E está dando certo."

"Está certo. Tudo bem." Eliza deu de ombros. "É a sua segurança, não a minha."

O estrondo de interruptores pesados ecoou no ginásio enquanto as luzes se apagavam.

"Você joga alguma coisa?", perguntou Patty, para compensar o fato de não ter sido mais cordata.

Eliza baixou os olhos para seu próprio corpo. Tinha a pélvis muito larga e baixa, e os pés pequenos um pouco para dentro, calçados com seus Keds. "Eu tenho jeito de esportista?"

"Não sei. *Badminton?*"

"Detesto ginástica", disse Eliza, rindo. "Detesto qualquer esporte."

Patty riu também, aliviada por ter conseguido mudar de assunto, embora tenha ficado confusa.

"Nem mesmo jogo bola 'como uma menina', nem 'corro como uma menina'", disse Eliza. "Eu me recuso a jogar ou a correr, e ponto final. Quando uma bola cai nas minhas mãos, fico esperando até alguém vir buscar. Quando queriam que eu corresse, assim, para a primeira base, eu ficava um tempo parada e depois, saía andando."

"Meu Deus", disse Patty.

"Foi mesmo, e quase não consegui me formar por causa disso", disse Eliza. "Só consegui o diploma porque meus pais conheciam a psicóloga da escola. E me deram crédito por ir pedalando todo dia para a escola."

Patty assentiu com a cabeça, um tanto insegura. "Mas você gosta de basquete, não é?"

"É, adoro", disse Eliza. "O basquete é uma coisa fascinante."

"Bom, se é assim, então você não pode dizer que odeia qualquer esporte. Acho que você detesta é se exercitar."

"Exatamente. Isso mesmo."

"Bom, então é isso."

"É isso. E então, vamos ser amigas?"

Patty riu. "Se eu disser que sim, só vou provar que você tem razão quando diz que eu não tomo o devido cuidado com pessoas que mal conheço."

"Estou achando que você disse não."

"Que tal a gente esperar para ver como fica?"

"Ótimo. Gostei de ver você tomando esse cuidado — muito bem."

"Está vendo? Está vendo?" Patty já estava rindo de novo. "Sou mais cuidadosa do que você achava!"

A autobiógrafa não tem dúvida de que, se Patty tivesse mais consciência de quem era e se estivesse prestando um mínimo de atenção ao mundo à sua volta, jamais teria conseguido ser tão boa jogadora de basquete universitário. O sucesso nos esportes é um território da cabeça quase vazia. Chegar a uma perspectiva de onde pudesse ver Eliza como era (a saber, perturbada) teria interferido em seu jogo. Ninguém se transforma numa pessoa capaz de converter oitenta e oito por cento dos lances livres refletindo profundamente sobre cada coisa que lhe acontece.

Eliza não gostou de nenhuma das outras amigas de Patty, e nem mesmo tentava sair com elas. Referia-se coletivamente ao grupo como "as suas lésbicas" ou "as lésbicas", embora metade delas fosse heterossexual. Em pouco tempo, Patty começou a sentir que vivia em dois mundos mutuamente excludentes. Havia o mundo Só dos Atletas, onde passava a maior parte do seu tempo e onde preferia levar pau em psicologia a deixar de ir ao mercado, comprar tudo que precisava e levar à casa de uma companheira de time que tinha torcido o tornozelo ou pegado uma gripe, e do outro lado o estreito e sombrio Mundo de Eliza, onde não precisava se dar ao trabalho de ser tão boa. O único ponto de contato entre os dois mundos era a Arena Wiliams, onde Patty, enquanto passava por um grupo de defensoras para converter uma bandeja fácil ou para dar um passe de lado sem olhar, sentia um pouco mais de orgulho e prazer quando Eliza estava assistindo. Mas mesmo esse ponto de contato tinha vida curta, pois quanto mais tempo Eliza passava com Patty, menos parecia lembrar o quanto se interessava pelo basquete.

Patty sempre tivera amigas, no plural, nunca nada muito intenso. Seu coração se alegrava toda vez que via Eliza esperando do lado de fora do ginásio depois de um treino, e sabia que a noite ia ser instrutiva. Eliza a levava para ver filmes legendados e a fazia ouvir com muita atenção os discos de Patti Smith ("Acho lindo você ter o mesmo nome da minha artista predileta", dizia ela, deixando de levar em conta a grafia diferente e o fato de que o nome verdadeiro de Patty era Patrizia, que Joyce lhe dera para ser diferente e que Patty tinha vergonha de dizer em voz alta) e lhe emprestava livros de poesia de Denise Levertov e Frank O'Hara. Depois que o time de basquete terminou a temporada com oito vitórias, onze derrotas e eliminado na primeira rodada das finais do campeonato (apesar dos catorze pontos e das muitas assistências de Patty), Eliza também ensinou Patty a gostar muito, mas muito mesmo, do *chablis* Paul Masson.

O que Eliza fazia com o resto do tempo que lhe sobrava era um tanto nebuloso. Parecia haver vários "homens" (ou seja, rapazes) em sua vida, e ela às vezes falava de shows de música que assistia, mas quando Patty manifestou alguma curiosidade por esses shows, Eliza disse que antes Patty precisava escutar todas as fitas que Eliza tinha gravado para ela; e Patty vinha tendo certa dificuldade com essas fitas. Ela gostava de Patti Smith, que parecia entender como ela se sentiu no banheiro na manhã seguinte ao estupro, mas o Velvet Underground, por exemplo, a fazia se sentir sozinha. Admitiu certa vez para Eliza que sua banda favorita eram os Eagles, e Eliza comentou, "Não tem nenhum problema, os Eagles são ótimos", mas não havia nenhum disco dos Eagles no quarto de Eliza do dormitório.

Os pais de Eliza eram ambos psicoterapeutas famosos das Cidades Gêmeas e moravam em Wayzata, onde ninguém era rico, e havia um irmão mais velho, primeiranista do Bard College, que Eliza descrevia como uma pessoa diferente. Quando Patty perguntou, "Diferente em que sentido?", Eliza respondeu, "Em todos os sentidos". A própria Eliza tinha completado sua formação secundária em três escolas diferentes da área, e só se matriculou na Universidade de Minnesota porque seus pais se recusaram a sustentá-la se não continuasse a estudar. Era uma aluna de uma mediocridade distinta da mediocridade de Patty, que consistia em tirar a mesma nota mediana em todas as matérias. Eliza tirava dez em inglês e três em todo o resto. Seus únicos outros interesses conhecidos, além do basquete, eram a poesia e o prazer.

Eliza estava decidida a fazer Patty experimentar maconha, mas Patty tinha uma atitude muito protetora em relação a seus pulmões, e foi assim que chegaram à história dos *brownies*. Foram no Fusca de Eliza até a casa de Wayzata, repleta de esculturas africanas e deserta de pais, que tinham ido a um congresso de fim de semana. A ideia era preparar um belo jantar com receitas de Julia Child, mas beberam vinho além da conta para cozinhar e acabaram comendo crackers com queijo e preparando os *brownies*, ingerindo com eles grande quantidade de droga. Parte de Patty pensava, pois passou mal durante dezesseis horas seguidas, "*Nunca mais* eu faço isso". Era como se tivesse ido tão contra seu programa de treinamento que nunca mais conseguiria se recuperar, um sentimento realmente desolador. Também ficou com medo de Eliza — percebeu de repente que tinha uma espécie de paixonite por Eliza, e que portanto era de suma importância que ficasse imóvel e se contivesse, para não descobrir que era bissexual. Eliza perguntava o tempo todo como ela estava se sentindo, e ela respondia a cada vez, "Estou bem, obrigada", o que lhes parecia invariavelmente hilariante. Ouvindo Velvet Underground, Patty entendeu muito melhor a banda, que era uma banda *muito* indecente, de uma indecência muito semelhante à que ela estava sentindo ali em Wayzata, cercada por máscaras africanas. Era um alívio perceber, à medida que o efeito ia passando, que mesmo muito doida ela tinha conseguido se controlar e Eliza não tinha encostado nela: que nada de lésbico ia acontecer.

Patty estava curiosa quanto aos pais de Eliza, e queria ficar lá até eles chegarem, mas Eliza foi inflexível em dizer que a ideia era péssima. "São o amor da vida um do outro", disse ela. "Fazem tudo juntos. Têm consultórios com a mesma decoração no mesmo edifício, escrevem juntos todos os seus artigos e livros, fazem apresentações conjuntas nos congressos, e *nunca* falam sobre o trabalho em casa, por causa do segredo profissional. Têm até uma daquelas bicicletas duplas, com dois selins e dois pares de pedais."

"E daí?"

"Daí que são estranhos, você não vai gostar deles e por isso vai deixar de gostar de mim."

"Meus pais também não são grande coisa", disse Patty.

"Mas pode acreditar que é outra coisa. Eu sei do que estou falando."

Voltando para a cidade no Fusca, com o sol sem calor da primavera de Minnesota atrás delas, tiveram sua primeira meia briga.

"Você precisa passar o verão aqui", disse Eliza. "Não pode ir embora."

"Não é muito realista", disse Patty. "A ideia é eu trabalhar no escritório do meu pai e ir a Gettysburg em julho."

"Por que você não pode ficar aqui e depois ir direto para o seu campo de treinamento? Podemos arranjar empregos e você pode continuar indo todo dia ao ginásio."

"Preciso ir para casa."

"Mas por quê? Você detesta a sua casa."

"Se eu ficar aqui, vou encher a cara de vinho toda noite."

"Nada disso. Vamos estabelecer regras rigorosas. As regras que você quiser."

"Eu volto no outono."

"E quando voltar podemos morar juntas?"

"Não, já prometi a Cathy que ia ficar no quarto quádruplo dela."

"Sempre pode dizer que mudou de ideia."

"Não posso."

"Que loucura! Eu quase nunca estou com você!"

"Eu vejo você mais que praticamente qualquer pessoa. Adoro estar com você."

"Então por que não fica aqui no verão? Não confia em mim?"

"Por que não haveria de confiar em você?"

"Não sei. Só não consigo entender por que você pode preferir trabalhar com o seu pai. Ele não cuidou de você, não te protegeu, e eu vou proteger. Ele não defende seus interesses, e eu defendo."

Era verdade que Patty ficava desalentada só de pensar em voltar para casa, mas parecia necessário castigar-se por ter comido *brownies* de maconha. Seu pai também vinha se esforçando com ela, mandando-lhe cartas de verdade, escritas à mão ("Sentimos a sua falta na quadra de tênis") e oferecendo-lhe o antigo carro da avó, que ele achava que não devia mais dirigir. Depois de um ano longe de casa, ela estava com remorsos por ter sido tão fria com ele. Quem sabe fora um erro? E então foi passar o verão em casa, e descobriu que nada tinha mudado e não cometera erro nenhum. Via TV até meia-noite, acordava às sete todo dia e corria oito quilômetros, depois passava os dias destacando nomes em documentos legais e esperando a chegada da correspondência, que quase sempre continha uma longa carta datilografada de Eliza, dizendo o quanto sentia falta dela, e contando histórias sobre seu patrão "indecente" no cinema de arte onde ela vinha trabalhando de bilheteira, e exortando Patty a responder imediatamente, o que esta fazia o possível para obedecer, usando velhas folhas de papel timbrado e a máquina elétrica do escritório cheirando a naftalina do seu pai.

Numa das cartas Eliza escreveu, *acho que cada uma de nós precisa criar regras para a proteção e o desenvolvimento da outra.* Patty não acreditou que adiantasse, mas respondeu mandando três regras para a amiga. *Nunca fumar antes da hora do jantar. Exercitar-se todo dia e desenvolver alguma aptidão atlética. E Frequentar todas as aulas e fazer os trabalhos de TODAS as matérias (e não só de inglês).* Sem dúvida ela devia ter ficado perturbada com o espírito muito diferente das regras de Eliza para ela — *Beber somente nas noites de sábado e só na presença de Eliza; Nada de ir a festas mistas se não for acompanhada de Eliza; e Contar TUDO para Eliza —*, mas seu juízo não estava funcionando muito bem e, em vez disso, ficou animada de ter uma melhor amiga tão intensa. Entre outras coisas, ter essa amiga fornecia a Patty armadura e munição contra a irmã do meio.

"E então, que tal a vida em Mi-ne-sooo-ta?", começava uma conversa típica com sua irmã. "Já começou a comer *milho* todo dia? Já viu Babe, o Boi Azul da história de Paul Bunyan? Já esteve em *Brainerd*?"

Alguém pode achar que Patty, sendo bem treinada para a competição e três anos e meio mais velha que essa irmã (embora só dois anos à frente dela nos estudos), já teria encontrado maneiras de lidar com essas tentativas bobas de humilhação da parte dela. Mas havia alguma deficiência congênita no coração de Patty — ela nunca deixava de ficar chocada com a falta de afeto fraterno no comportamento da irmã. A irmã também era realmente Criativa, e portanto sempre pronta a surgir com novas maneiras de deixar Patty sem resposta.

"Por que você sempre fala comigo com essa voz estranha?", era a melhor defesa atual de Patty.

"Estava só perguntando como vai a sua vida em Mi-ne-sooo-ta."

"Você está cacarejando. Parece um *cacarejo*."

O que era respondido por um silêncio de olhos cintilantes. E então: "É a Terra dos Dez Mil Lagos!".

"Vá embora, por favor."

"Você arrumou algum namorado por lá?"

"Não."

"Namorada?"

"*Não*. Mas fiquei muito amiga de uma garota."

"Essa que escreve tantas cartas para você? Ela também joga alguma coisa?"

"Não. É poeta."

"Caramba." A irmã deu a impressão de algum interesse. "Como ela se chama?"

"Eliza."

"Eliza Doolittle. Ela escreve muitas cartas. Tem certeza de que não é sua namorada?"

"Ela é escritora! E uma escritora bem interessante."

"É que sempre ouvimos rumores dos vestiários. A micose que não ousa dizer seu nome."

"Você é tão nojenta", disse Patty. "Ela tem uns três namorados diferentes, e é muito legal."

"Brainerd, Mi-ne-sooo-ta", foi a resposta da irmã. "Você precisa me mandar um cartão-postal de Babe, o Boi Azul, de Brainerd." E se afastou cantando "I'm Getting Married in the Morning" com um exagero de *vibrato*.

No outono, de volta à faculdade, Patty conheceu o rapaz chamado Carter, que foi, por falta de palavra melhor, seu primeiro namorado. Hoje a autobiógrafa percebe que não foi nada acidental tê-lo conhecido logo depois de obedecer à terceira regra de Eliza e contar a ela que um cara que ela conhecia da sala de exercícios, um segundanista da equipe de luta greco-romana, a tinha convidado para jantar. Eliza quis conhecer o lutador antes, mas havia limites até para a obediência de Patty. "Ele parece ótima pessoa", disse ela.

"Sinto muito, mas em matéria de homens você não é de confiança", disse Eliza. "Você achava que o sujeito que a estuprou era boa pessoa."

"Não estou certa de ter formado esse juízo a respeito dele. Só fiquei animada quando ele se interessou por mim."

"Bom, e agora um outro sujeito se interessou por você."

"É, mas estou sóbria."

Chegaram a um acordo combinando que Patty passaria no quarto que Eliza ocupava fora do *campus* (recompensa de seus pais por ter tido um emprego de verão) assim que saísse do jantar, e que se não chegasse lá antes das dez horas Eliza iria atrás dela. Quando chegou à casa fora do *campus*, depois de um jantar nada especial, ela encontrou Eliza em seu quarto do andar de cima com um rapaz chamado Carter. Estavam em extremidades opostas do sofá, com os pés só de meias, sola contra sola, na almofada do centro, e pedalavam empurrando os pés um do outro no que podia ou não ser pura camaradagem. No aparelho de som de Eliza, tocava o novo disco do DEVO.

Patty hesitou na entrada do quarto. "Vocês dois querem ficar sozinhos?"

"Não, nada disso, não não não não não, queremos você aqui", exclamou Eliza. "Carter e eu... aconteceu muito tempo atrás, não foi?"

"Muito tempo", respondeu Carter com dignidade e, pensou Patty mais tarde, uma ligeira irritação. Ele pousou os pés no chão.

"Um vulcão extinto", disse Eliza enquanto se punha de pé para fazer as apresentações. Patty nunca tinha visto a amiga com um rapaz antes, e ficou impressionada com as diferenças em sua personalidade — seu rosto estava corado, ela tropeçava nas palavras e emitia o tempo todo umas risadinhas um tanto forçadas. Parecia ter esquecido que Patty tinha vindo à sua casa para conversar sobre seu encontro. Tudo agora girava em torno de Carter, amigo de uma das escolas secundárias que ela tinha cursado, que resolvera trancar matrícula na faculdade, trabalhar numa livraria e ir a shows de música. Carter tinha um cabelo escuro muito liso e de uma tonalidade interessante (hena, mais tarde se revelou), lindos olhos de cílios compridos (rímel, mais tarde se revelou) e nenhum defeito físico notável afora seus dentes, que eram encavalados, estranhamente pequenos e pontudos (a manutenção básica de uma criança de classe média, tal como a ortodontia, tinha se esvaído pelas rachaduras do amargo divórcio entre seus pais, mais tarde se revelou). Patty gostou na mesma hora do fato de ele não parecer ter vergonha dos dentes. Ela fez o possível para lhe dar uma boa impressão, tentando provar que merecia ser amiga de Eliza, quando Eliza enfiou uma taça de vinho diante do seu rosto.

"Não, obrigada", disse Patty.

"Mas é sábado à noite", disse Eliza.

Patty pensou em assinalar que as regras não a *obrigavam* a beber nas noites de sábado, mas na presença de Carter percebeu objetivamente o quanto aquelas regras eram estranhas, e como era estranho, aliás, que ela precisasse vir contar a Eliza como tinha sido seu jantar com o lutador. E assim ela mudou de ideia, tomou o vinho e mais outra taça enorme, que a deixou encalorada e se sentindo muito bem. A autobiógrafa sabe o quanto é aborrecido ficar lendo sobre as sensações de outra pessoa ao beber, mas às vezes é pertinente para a história. Quando Carter se levantou para ir embora, por volta da meia-noite, ofereceu uma carona a Patty até o dormitório, e à porta do prédio onde ela morava perguntou se podia lhe dar um beijo de boa-noite ("tudo bem", pensou ela, "ele é amigo de Eliza"), e depois que passaram algum tempo se beijando, de pé no ar frio de outubro, ele perguntou se ela queria sair com ele no dia seguinte, ela pensou, "Caramba, esse rapaz é *rápido*".

Verdade seja dita: aquele inverno foi a melhor temporada atlética de toda a sua vida. Ela não teve nenhum problema físico, e a treinadora Treadwell, depois de lhe fazer uma palestra áspera sobre a necessidade de ser menos desprendida e tornar-se mais líder, escalou-a como ala em todos os jogos. A própria Patty ficou admirada ao ver como as adversárias maiores que ela lhe pareciam de repente mover-se em câmera lenta, como era fácil simplesmente estender a mão e roubar-lhes a bola, e quantos de seus arremessos de longe caíam na cesta, jogo após jogo. Mesmo quando ela era marcada por duas adversárias, o que acontecia com frequência cada vez maior, sentia uma ligação pessoal e especial com a cesta, sabendo sempre onde ela estava e sempre certa de que ela era a jogadora predileta da cesta na quadra, quem melhor alimentava sua boca redonda. Mesmo fora da quadra ela existia com especial intensidade, que lhe dava a impressão de uma pressão intensa por trás das sobrancelhas, uma sonolência alerta ou uma vaguidão concentrada sempre presente, fizesse o que fizesse. Dormiu esplendidamente todo aquele inverno, e nunca chegou a acordar de todo. Mesmo quando levava uma cotovelada na cabeça, ou as felizes companheiras de equipe formavam uma pirâmide em cima dela ao final do jogo, ela quase não sentia nada.

E o lance entre ela e Carter fazia parte disso. Carter tinha um desinteresse perfeito por esportes e parecia não se incomodar com o fato de que, durante as semanas mais movimentadas, ela só tinha poucas horas no total para ele, às vezes só o suficiente para uma trepada no apartamento dele e voltar correndo para o *campus*. Em certos aspectos, mesmo agora, essa relação parece ideal à autobiógrafa, embora por certo menos ideal quando especula realisticamente com quantas outras Carter estaria trepando nos seis meses que em Patty o considerou seu namorado. Esses seis meses foram o primeiro de dois períodos indiscutivelmente felizes na vida de Patty, quando tudo se encaixava. Ela adorava os dentes sem correção de Carter, sua humildade autêntica, suas carícias habilidosas, sua paciência com ela. Ele tinha muitas qualidades preciosas, Carter! Fosse descrevendo para ela alguma técnica excruciantemente delicada no sexo ou admitindo a absoluta falta de planos para qualquer carreira ("Acho que minha vocação maior é para ser uma espécie de chantagista discreto"), sua voz era sempre baixa, contida e autodepreciativa — o pobre e pervertido Carter não se via a uma luz muito favorável como membro da raça humana.

A própria Patty continuava a tê-lo em alta conta, perigosamente alta, até a noite de sábado em abril em que voltou mais cedo de Chicago, aonde ela e a treinadora Treadwell tinham ido de avião para o almoço de confraternização e a cerimônia de premiação dos melhores do ano em todo o país (Patty foi incluída como reserva entre as alas), e surpreendeu Carter na festa que estava dando para o seu aniversário. Da rua ela viu luzes em seu apartamento, mas precisou tocar a campainha quatro vezes, e a voz que afinal respondeu no interfone era a de Eliza.

"*Patty?* Mas você não está em Chicago?"

"Voltei mais cedo. Abre a porta para mim."

Ouviu um estalido no interfone, seguido de um silêncio tão comprido que Patty tocou a campainha mais duas vezes. Finalmente Eliza, de Keds e casaco de carneiro, desceu correndo a escada e saiu pela porta. "Oi, oi, oi, oi!", disse ela. "Não acredito que você chegou!"

"Por que você não abriu a porta para mim?", perguntou Patty.

"Não sei, achei que era melhor descer e vir ver você, as coisas estão uma loucura lá em cima, achei melhor descer para a gente poder conversar." Eliza estava com os olhos muito brilhantes, e suas mãos não paravam de se mexer. "Muitas drogas lá em cima, por que não vamos a algum outro lugar, que bom que você chegou, caramba, olha só, oi! Como é que você está? Como foi em Chicago? E o almoço?"

Patty franziu a testa. "Está dizendo que eu não posso subir para ver o meu namorado?"

"Bem, não, mas, não, mas — namorado? A palavra não é bem essa, você não acha? Achei que era só Carter. Quer dizer, sei que você gosta dele, mas — "

"Quem mais está lá em cima?"

"Ah, sabe, outras pessoas."

"Quem?"

"Ninguém que você conheça. Escuta, vamos a outro lugar, que tal?"

"Mas quem, por exemplo?"

"Ele achava que você só ia voltar amanhã. Amanhã à noite vocês vão jantar juntos, não é?"

"Consegui um voo mais cedo para me encontrar com ele."

"Ah, meu Deus, não vá me dizer que está apaixonada por ele? Precisamos conversar, você precisa se proteger melhor, achei que vocês só estavam se divertindo, quer dizer, você nunca tinha usado a palavra 'namorado', senão eu saberia, não é? E se você não me contar tudo não tenho como proteger você. Você desobedeceu a uma das regras, não acha?"

"Você também não seguiu as minhas", respondeu Patty.

"Porque, juro por Deus, não é o que você está pensando. Eu sou sua amiga. Mas tem outra pessoa lá que certamente não é sua amiga."

"Uma garota?"

"Escute, eu vou mandar ela ir embora. Vamos nos livrar dela e depois nós três podemos comemorar." Eliza deu um risinho. "Ele arrumou do melhor, melhor, melhor pó, excelente, para comemorar o aniversário dele."

"Espere um pouco. São só vocês três? A festa toda?"

"É um barato, um barato, você devia experimentar. O campeonato acabou, não é? Eu dou um jeito de ela ir embora, daí você sobe e a gente continua a festa. Ou podemos ir para a minha casa, só você e eu, se você esperar um minutinho eu vou pegar um pouco de pó e vamos para a minha casa. Você precisa experimentar. Não tem como entender se não experimentar."

"Deixar Carter com outra pessoa e ir consumir drogas pesadas com você. Me parece um plano excelente."

"Meu Deus, Patty, sinto muito. Não é o que você está pensando. Ele disse que ia dar uma festa, depois arranjou o pó e mudou um pouco os planos, e depois descobri que só tinha me chamado porque a outra pessoa não viria se fosse para ficar sozinha com ele."

"Você podia ter ido embora," disse Patty.

"Mas a gente já estava em plena festa, e se você experimentasse ia ver por que eu não fui embora. Juro a você que só fiquei por causa disso."

A noite não terminou, como devia, com o esfriamento ou a ruptura da amizade entre Patty e Eliza, e Patty preferiu terminar com Carter e pedir desculpas por não ter falado mais com Eliza sobre os sentimentos que tinha por ele, e com Eliza se desculpando por não ter prestado mais atenção nela e prometendo obedecer mais às suas próprias regras e não consumir mais drogas pesadas. Hoje fica claro para a autobiógrafa que duas parceiras disponíveis e uma duna de pó na mesa de cabeceira eram exatamente a ideia que Carter fazia de uma ótima festa de aniversário. Mas Eliza se mostrava tão histérica de remorso e preocupação que contava suas mentiras de modo muito convincente, e na manhã seguinte, antes que Patty tivesse uma hora para pensar nas coisas e concluir que sua suposta melhor amiga tinha feito alguma coisa muito errada com seu namorado, Eliza apareceu ofegante à porta do dormitório de Patty, usando o que constituía a seu ver uma roupa de corrida (uma camiseta de Lena Lovich, short de boxe até o joelho, meias pretas e Keds), dizendo que tinha acabado de dar três voltas na pista de seiscentos metros e pedindo com insistência que Patty lhe ensinasse alguns exercícios de ginástica. Estava muito animada com um plano de estudarem juntas toda noite, muito animada com seu carinho por Patty e o medo de perdê-la; e Patty, tendo aberto dolorosamente os olhos para a natureza de Carter, preferiu fechá--los para a de Eliza.

A marcação de Eliza em toda quadra continuou até Patty concordar em passar o verão em Minneapolis com ela, momento a partir do qual Eliza começou a aparecer menos e perdeu todo interesse pelos exercícios físicos. Patty passou boa parte daquele verão muito quente sozinha num apartamento sublocado em Dinkytown, sentindo pena de si mesma e entregando-se a uma baixa de seu amor-próprio. Não entendia por que Eliza fizera tanta questão de morar com ela para chegar em casa quase sempre às duas da manhã, isso quando chegava. Eliza, é verdade, sempre sugeria a Patty que experimentasse novas drogas, fosse a certos shows ou encontrasse outra pessoa com quem pudesse dormir, mas Patty estava temporariamente desgostosa com o sexo e permanentemente rompida com as drogas e a fumaça de cigarro. Além disso, seu emprego de verão no departamento de Educação Física mal dava para pagar o aluguel, e ela se recusava a fazer como Eliza e pedir infusões de dinheiro dos pais, de maneira que se sentia cada vez mais incapaz e solitária.

"Por que somos amigas?", perguntou afinal uma noite, quando Eliza fazia os devidos estragos na aparência para sair mais uma vez.

"Porque você é genial e linda", respondeu Eliza. "Você é a pessoa de quem eu mais gosto no mundo."

"Sou uma atleta. Sou sem graça."

"Não! Você é Patty Emerson, nós moramos juntas, e estou adorando."

Foram as palavras exatas que ela usou, pois a autobiógrafa se lembra nitidamente de cada uma.

"Mas nós não *fazemos* nada", disse Patty.

"E o que você queria fazer?"

"Estou pensando em ir passar um tempo na casa dos meus pais."

"O quê? Está brincando? Você nem gosta deles! Precisa ficar aqui comigo."

"Mas você sai praticamente toda noite."

"Bom, vamos começar a fazer mais coisas juntas."

"Mas você sabe que eu não quero fazer esse tipo de coisa."

"Bom, então vamos ao cinema. Vamos ao cinema agora mesmo. O que você quer ver? Quer ir ver *Dias de Paraíso*?"

E assim começou mais um período de pressão, que durou o suficiente para Patty ultrapassar aquele solavanco do verão e não bater em retirada. Foi durante essa terceira lua de mel de sessões duplas de cinema, bebedeiras de vinho e desgaste profundo dos sulcos dos discos de Blondie que Patty começou a ouvir falar no músico Richard Katz. "Meu Deus do céu", disse Eliza, "acho que estou apaixonada. Acho que vou ter de começar a me comportar bem. Ele é tão grande. Parece que estou sendo esmagada por uma estrela de nêutrons. Parece que estou sendo apagada por um apagador gigante."

O apagador gigante acabara de se graduar no Macalester College, trabalhava em demolição e tinha formado uma banda punk chamada Traumatics, de cujo sucesso seguro Eliza estava mais que convencida. O único obstáculo a essa sua idealização de Katz eram os amigos que ele escolhia. "Ele mora com esse sujeito caxias e sanguessuga chamado Walter", disse ela, "uma espécie de *groupie* engomadinho, é estranho, uma coisa que eu não entendo. Num primeiro momento achei que ele era o empresário do Katz, mas é careta demais para isso. Um dia eu saio do quarto de Katz de manhã e encontrei *Walter* sentado à mesa da cozinha com uma salada de frutas imensa que tinha feito. Estava lendo o *New York Times*, e a primeira coisa que ele me perguntou é se eu tinha visto alguma boa *peça de teatro* ultimamente. Uma peça de teatro! É a dupla mais desencontrada que eu já vi. Você precisa conhecer Katz para entender como é estranho."

Poucas circunstâncias já foram mais penosas para a autobiógrafa, a longo prazo, do que a coesão da amizade entre Walter e Richard. Superficialmente, pelo menos, os dois formavam um par havia mais tempo ainda que Patty e Eliza. Algum gênio na administração dos dormitórios do Macalester College tinha decidido juntar no mesmo quarto de dormitório um rapaz responsável do interior de Minnesota e um guitarrista egocêntrico, compulsivo, errático e malandro de Yonkers, Nova York. A única coisa que esse funcionário podia saber com certeza que tinham em comum era serem ambos bolsistas. Walter tinha cabelos claros e era alto e magro, e embora mais alto que Patty era bem mais baixo que Richard, que tinha mais de um metro e noventa, ombros pesados e cabelos tão escuros quanto os de Walter eram claros. Richard tinha uma forte semelhança (percebida e assinalada, ao longo dos anos, por muito mais gente do que apenas Patty) com o ditador líbio Muammar Khadafi. Tinha o mesmo cabelo preto, as mesmas faces morenas e esburacadas, a mesma máscara sorridente de homem-forte-satisfeito-passando-a-tropa-e-os-lançadores-
-de-foguete-em-revista,* e parecia uns quinze anos mais velho que o amigo. Walter dava a impressão do "diretor-estudante" que os times de escolas secundárias às vezes usam como assistente do técnico e que vai de terno e gravata

---

* Patty só iria ver uma foto de Khadafi muitos anos depois da faculdade, e mesmo então, embora tenha percebido de imediato a semelhança com Richard Katz, não deu importância ao fato de que a Líbia parecia ter o chefe de Estado mais bonito do mundo.

aos jogos, onde fica de pé à beira da quadra com uma prancheta. Os atletas tendem a tolerar esse tipo de assistente técnico porque geralmente é um grande estudioso do jogo em profundidade, e esse elemento parecia fazer parte do nexo Walter-Richard, porque Richard, embora irritável e indigno de confiança em quase todos os aspectos, levava a música muito a sério, e Walter tinha conhecimento especializado suficiente para apreciar uma produção como a de Richard. Mais tarde, quando Patty conheceu melhor os dois, viu que no fundo talvez não fossem tão diferentes assim — que ambos se esforçavam, embora de modos muito diversos, para ser boas pessoas.

Patty conheceu o apagador numa úmida manhã de domingo de agosto, quando voltou de sua corrida e o encontrou sentado no sofá da sala, que diminuía com seu tamanho, enquanto Eliza tomava uma ducha em seu banheiro indescritível. Richard usava uma camiseta preta e lia um livro de bolso com um imenso V na capa. Suas primeiras palavras a Patty, emitidas apenas depois que ela encheu um copo de chá gelado e ficou ali parada, encharcada de suor, tomando seu chá, foram: "E você, quem é".

"Como?"

"O que está fazendo aqui."

"Eu *moro* aqui", respondeu ela.

"Está bem, entendi." Richard a examinou meticulosamente da cabeça aos pés, parte por parte. Ela teve a impressão de que, a cada parte dela em que seus olhos pousavam, mais ela era pregada na parede atrás de suas costas, de modo que, quando ele acabou de examiná-la por inteiro, ela se tornou totalmente bidimensional e presa à parede. "Você já viu o álbum de recortes?", perguntou ele.

"Hum. Álbum de recortes?"

"Vou lhe mostrar", disse ele. "Você vai ficar interessada."

Foi até o quarto de Eliza, voltou e entregou a Patty um fichário de três furos, e sentou-se de novo com seu livro como se tivesse esquecido a presença dela. O fichário era do tipo antigo encapado de pano azul-claro, em que a palavra PATTY estava inscrita em maiúsculas com tinta preta. Continha, até onde Patty pôde ver, todas as fotos suas já publicadas na página de esportes do *Minnesota Daily*; todos os cartões-postais que ela enviara a Eliza; cada tira de fotos que as duas tinham tirado espremidas numa cabine automática; e todos os instantâneos com flash de ambas doidonas no fim de semana dos *brownies*. O álbum pareceu um tanto estranho e excessivo a Patty, mas o que mais lhe provocou foi tristeza por Eliza — tristeza e pena por ter duvidado do quanto a outra realmente gostava dela.

"Ela é uma garota bem estranha", disse Richard do sofá.

"Onde você achou este álbum?", perguntou Patty. "Você sempre remexe as coisas das pessoas quando dorme na casa dos outros?"

Ele riu. "*J'accuse!*"

"E aí, remexe ou não?"

"Muita calma. Estava bem atrás da cama. Em plena vista, como diz a polícia."

O chuveiro de Eliza parou de fazer barulho.

"Ponha de volta lá", pediu Patty. "Por favor."

"Imaginei que você fosse ficar interessada", disse Richard, sem se mexer do sofá.

"Por favor, ponha de volta no lugar onde encontrou."

"Estou ficando com a impressão de que você não tem um álbum do mesmo tipo."

"Agora, por favor."

"Muito estranha, essa menina", disse Richard, pegando o fichário das mãos dela. "Foi por isso que perguntei qual era a sua história."

O ar falso dos modos de Eliza com os homens, o vazamento constante de risinhos, a tagarelice e os cabelos atirados para trás eram algo que uma amiga dela podia começar a detestar em pouco tempo. Seu desespero em agradar Richard se misturou no espírito de Patty com a esquisitice daquele álbum e a extrema carência que ele evidenciava, e a deixou, pela primeira vez, um tanto constrangida de ser amiga de Eliza. O que era singular, pois Richard não parecia nem um pouco constrangido de estar dormindo com ela, e por que Patty, no final das contas, deveria se importar com o que ele pensava sobre a amizade entre as duas?

Era quase o último dia dela naquele ninho de baratas quando ela se encontrou com Richard de novo. Ele estava de novo no sofá, sentado com os braços cruzados e batendo com força no chão seu pé calçado com botas pesadas, e apertando os olhos enquanto Eliza, de pé, tocava seu violão da única maneira que Patty já a ouvira tocar: com a maior insegurança. "Não perca o ritmo", disse ele. "Bata o pé no chão." Mas Eliza, que transpirava de tanta concentração, parou de tocar de todo quando percebeu que Patty tinha entrado.

80

"Não consigo tocar na frente dela."

"Claro que consegue", disse Richard.

"Na verdade ela não consegue mesmo", disse Patty. "Fica nervosa por minha causa."

"Interessante. Por que será?"

"Não tenho a menor ideia", disse Patty.

"Ela se esforça demais para dar apoio", disse Eliza. "Fico sentindo o quanto ela quer que eu consiga tocar bem."

"Que absurdo", disse Richard a Patty. "Você precisa querer que ela erre tudo."

"Está bem", disse Patty. "Eu quero que você erre tudo. Você consegue? Parece que você leva o maior jeito para isso."

Eliza olhou para ela, surpresa. Patty também se surpreendeu consigo mesma. "Desculpe, vou para o meu quarto", disse ela.

"Antes vamos ver Eliza errar tudo", disse Richard.

Mas Eliza estava soltando a correia da guitarra e desligando o amplificador.

"Você precisa estudar com um metrônomo", disse Richard. "Você tem um metrônomo?"

"Não foi boa ideia", disse Eliza.

"E por que *você* não toca alguma coisa?", perguntou Patty a Richard.

"Fica para a próxima", disse ele.

Mas Patty estava se lembrando do constrangimento que sentira quando ele tinha encontrado o álbum. "Uma música só", disse ela. "Um *acorde*. Toque um acorde. Eliza me disse que você toca muito."

Ele sacudiu a cabeça. "Venha ver um dos meus shows."

"Patty nunca vai a shows", disse Eliza. "Não gosta da fumaça."

"Sou atleta", disse Patty.

"É, isso eu vi", disse Richard, dirigindo-lhe um olhar significativo. "Estrela do time de basquete. Você joga de quê — pivô? Ala? Não tenho ideia do que é ser alta para uma garota."

"Não sou considerada muito alta."

"Mas ainda assim é bem alta."

"Sou."

"A gente estava quase de saída", disse Eliza, pondo-se de pé.

"Você tem jeito de quem podia ter jogado basquete", disse Patty a Richard.

"Uma boa maneira de quebrar um dedo."

"Na verdade, nem tanto", disse ela. "Quase nunca acontece."

Não foi um comentário muito interessante, ou que fizesse o enredo avançar, e ela sentiu de imediato que Richard estava pouco se lixando para o fato de ela jogar basquete.

"Talvez eu vá a um dos seus shows", disse ela. "O próximo é quando?"

"Você não pode ir, o pessoal fuma demais", disse Eliza em tom desagradável.

"Eu aguento," disse ela.

"É mesmo? Essa é nova."

"Traga uns tampões de ouvido", disse Richard.

Em seu quarto, depois de escutar os dois partindo, Patty começou a chorar por motivos que se sentia triste demais para examinar. Em seu encontro seguinte com Eliza, trinta e seis horas depois, pediu desculpas por ter se comportado tão mal, mas Eliza estava de excelente humor a essa altura e lhe disse que não se incomodasse, que estava pensando em vender a guitarra e que teria o maior prazer em levar Patty para ouvir Richard.

Seu show seguinte foi numa noite de meio de semana em setembro, num clube noturno mal ventilado chamado Longhorn, onde os Traumatics iam tocar antes dos Buzzcocks. Praticamente a primeira pessoa que Patty viu quando ela e Eliza chegaram foi Carter. Ele estava de pé, praticamente engalfinhado com uma loura de uma beleza grotesca, num minivestido de lantejoulas. "Merda", disse Eliza. Patty acenou bravamente para Carter, que exibiu seus maus dentes e veio em sua direção, um retrato da afabilidade, com as lantejoulas a reboque. Eliza baixou a cabeça e saiu puxando Patty na direção de um grupo de punks cercados por uma nuvem de fumaça de cigarro, bem perto do palco. Ali encontraram um rapaz de cabelo claro que Patty imaginou ser o famoso companheiro de quarto de Richard antes mesmo que Eliza dissesse, numa voz alta e monocórdia, "Olá, Walter, como vai".

Sem ter conhecido Walter ainda, Patty não tinha ideia de como era pouco habitual que ele respondesse a esse cumprimento com um aceno frio de cabeça, em vez de um sorriso amigável do Meio-Oeste.

"Esta aqui é minha melhor amiga, Patty", disse Eliza. "Ela pode ficar aqui com você um segundo enquanto vou até o camarim?"

"Acho que eles já vão entrar", disse Walter.

"É só um segundo", disse Eliza. "Só tome conta dela, está bem?"

"Por que não vamos todos até lá", disse Walter.

"Não, você precisa ficar aqui guardando o meu lugar", disse Eliza a Patty. "Eu volto já."

Walter ficou olhando com ar triste enquanto ela atravessava uma massa de corpos e desaparecia. Não parecia tão caxias quanto Eliza tinha feito Patty acreditar que era — usava um suéter de gola em V e cabelos um pouco grandes e encaracolados de um louro avermelhado, e tinha exatamente a aparência do que era, ou seja, um estudante do primeiro ano de direito — mas se destacava bastante no meio daqueles punks com seus trajes e cabelos mutilados, e Patty, que de repente ficara com vergonha das próprias roupas, de que sempre gostara até um minuto antes, ficou feliz por ele ser tão comum.

"Obrigada por ficar aqui comigo", disse ela.

"Acho que vamos ficar aqui de pé por algum tempo", disse Walter.

"Prazer em conhecê-lo."

"Prazer em conhecê-la também. Você é a craque de basquete."

"Eu mesma."

"Richard me falou de você." Virou-se para ela. "Você toma muitas drogas?"

"Não! Meu Deus. Por quê?"

"Porque a sua amiga toma."

Patty não sabia o que fazer com a expressão do seu rosto. "Perto de mim, pelo menos, não."

"Bem, é o motivo de ela ter ido até os camarins."

"Sei."

"Desculpe. Eu sei que ela é sua amiga."

"Não, é uma informação interessante."

"Parece que ela tem muito dinheiro."

"É, recebe dos pais dela."

"Certo, os pais."

Walter parecia tão preocupado com o sumiço de Eliza que Patty ficou calada. Sentia-se de novo morbidamente competitiva. Mal se dava conta de estar interessada em Richard, mas ainda assim lhe parecia injusto que Eliza pudesse estar usando mais que ela mesma, sua pessoa natural e meio bonita — que pudesse estar usando os recursos recebidos dos pais —, para captar a atenção de Richard e comprar acesso a ele. Como Patty era boba em relação à vida! E como tudo naquele palco lhe parecia feio! Os fios nus, o cromado frio das peças da bateria, os microfones utilitários, a fita vedante de sequestrador e os refletores tipo canhão: tudo lhe parecia tão cru.

"Você costuma ir a muitos shows?", perguntou Walter.

"Não, nunca. Uma vez."

"Trouxe tampões de ouvido?"

"Não. Vou precisar?"

"Richard toca muito alto. Pode usar os meus. São quase novos."

Do bolso da camisa tirou um saquinho contendo duas larvas esbranquiçadas de espuma de borracha. Patty baixou os olhos para elas e fez o possível para emitir um sorriso simpático. "Não, obrigada", disse.

"Sou um sujeito muito limpo", disse ele, a sério. "Você não corre nenhum risco de saúde."

"Mas e você, não vai usar nada?"

"Vou dividir ao meio. Você vai precisar de alguma proteção."

Patty ficou vendo enquanto ele dividia cuidadosamente os tampões de ouvido.

"Acho que vou ficar com eles na mão e esperar para ver se preciso", disse ela.

Ficaram ali de pé quinze minutos. Eliza finalmente apareceu deslizando e balançando, com ar radiante, bem no momento em que as luzes baixaram e o público se aproximou do palco. A primeira coisa que Patty fez foi deixar cair os tampões de ouvido. Houve muito mais empurrões do que a situação parecia impor. Alguém muito gordo e vestido de couro se encaixou em suas costas e a imprensou contra a beira do palco. Eliza já estava sacudindo os cabelos e saltitando de expectativa, de maneira que coube a Walter afastar o gordo com um empurrão e permitir a Patty ficar de pé ereta.

Os Traumatics que entraram correndo em cena eram formados por Richard, seu baixista da vida toda Herrera, e dois garotos magrelas que pareciam mal saídos do secundário. Na época, Richard era mais exibido do que se tornaria mais tarde, depois que ficou claro que jamais chegaria a ser um ídolo e lhe pareceu melhor comportar-se como um anti-ídolo. Ele pulava na ponta dos pés, dava meias piruetas com a mão segurando o braço da guitarra, e assim por diante. Informou a plateia de que a banda ia tocar todas as músicas que sabia, o que devia levar uns vinte e cinco minutos. Em seguida ele e a banda perderam totalmente o controle, produzindo uma onda tão intolerável de barulho que Patty não conseguia discernir nenhum ritmo naquilo. A música dava a impressão de comida quente demais para se poder sentir o gosto, mas a falta de ritmo ou melodia não impedia o núcleo central de punks da plateia de começar a pular no mesmo lugar, dar ombradas uns nos outros e pisar em todos os pés femininos disponíveis. Tentando ficar fora do alcance, deles, Patty separou-se de Walter e Eliza. O barulho era simplesmente insuportável. Richard e dois outros traumáticos berravam nos microfones, *Odeio a luz do sol! Odeio a luz do sol!*, e Patty, que gostava bastante da luz do sol, recorreu a seus truques de jogadora de basquete para conseguir fugir de lá imediatamente. Mergulhou na massa com os cotovelos bem altos, emergiu do meio da imundície de cara para Carter e sua garota cintilante e continuou andando até se ver na calçada ao ar cálido e renovado de setembro, sob um céu de Minnesota que ainda apresentava uma surpreendente claridade crepuscular.

Ficou parada junto à porta da Longhorn, acompanhando os fãs dos Buzzcocks que chegavam atrasados e esperando para ver se Eliza viria à sua procura. Mas foi Walter, e não Eliza, quem apareceu.

"Estou bem", disse ela. "Só descobri que não é o tipo de coisa que eu gosto."

"Posso levar você em casa?"

"Não, você devia voltar. E pode dizer a Eliza que eu vou voltar sozinha para casa, que ela não precisa se preocupar."

"Não acho que ela esteja nem um pouco preocupada. Deixe eu levar você em casa."

Patty disse que não, Walter insistiu, ela insistiu em recusar, ele insistiu em levar. Em seguida ela entendeu que ele não tinha carro, e estava se oferecendo para pegar o ônibus com ela, e ela insistiu em recusar de novo desde o início, ao que ele tornou a insistir em acompanhá-la. Muito mais tarde, ele contou que já estava ficando caído por ela enquanto esperavam no ponto do ônibus, mas uma sinfonia equivalente não se fazia ouvir na cabeça de Patty. Ela se sentia culpada por estar abandonando Eliza, arrependida de ter deixado cair os tampões de ouvido e de não ter ficado para ver Richard cantar mais um pouco.

"Estou me sentindo como se tivesse sido reprovada num teste lá dentro", disse ela.

"Mas você gosta desse tipo de música?"

"Gosto de Blondie. Gosto de Patti Smith. Acho que no fundo não, não gosto desse tipo de música."

"Então posso perguntar por que você veio?"

"Bem, Richard me convidou."

Walter assentiu com a cabeça, como se aquilo tivesse um sentido particular para ele.

"Richard é boa pessoa?", perguntou Patty.

"Muito!", disse Walter. "Quer dizer, depende. Sabe, a mãe dele fugiu de casa quando ele era pequeno, e se transformou numa fanática religiosa. O pai dele trabalhava nos Correios, bebia e teve câncer de pulmão quando Richard estava no secundário. Richard cuidou dele até ele morrer. É um sujeito muito leal, só que não tanto com as mulheres. Na verdade, ele não trata as mulheres muito bem, se é isso que você quer saber."

Patty já tinha intuído esse fato, e por algum motivo não ficou abatida com a informação.

"E você?", quis saber Walter.

"Eu o quê?"

"Você é boa pessoa? É a minha impressão. Apesar..."

"Apesar?"

"Eu detesto a sua amiga!", explodiu ele. "Não acho que ela seja uma boa pessoa. Na verdade, acho que é uma pessoa horrível. Mente e é maldosa."

"Bem, mas é minha melhor amiga", respondeu Patty em tom ofendido. "E ela não é nada horrível comigo. Talvez vocês dois tenham começado com o pé esquerdo."

"Ela sempre leva você a lugares e deixa você plantada enquanto vai cheirar pó com os outros?"

"Não, na verdade isso nunca tinha acontecido."

Walter não disse nada, só ficou entregue à sua antipatia. Não havia ônibus à vista.

"Às vezes eu me sinto muito bem ao ver como ela me curte", disse Patty depois de algum tempo. "Às vezes não tanto assim. Mas quando é..."

"Nem me passa pela cabeça que possa existir gente que não curta você", disse Walter.

Ela sacudiu a cabeça. "Alguma coisa está errada comigo. Adoro todas as minhas outras amigas, mas sinto sempre que existe um muro entre mim e elas.

Como se todas fossem um tipo de pessoa e eu fosse outro. Mais competitiva e egoísta. No fim das contas, menos boa. De algum modo eu sempre acabo me sentindo como se estivesse fingindo quando estou com elas. Com Eliza não preciso fingir nada. Posso ser simplesmente eu mesma e ainda assim ser *melhor* do que ela. Quer dizer, não sou nada boba. Eu sei que ela é uma pessoa bem doida. Mas uma parte minha adora estar com ela. Você às vezes sente a mesma coisa com Richard?"

"Não", respondeu Walter. "Na verdade costuma ser bem desagradável estar com ele a maior parte do tempo. Havia uma coisa que me agradava muito nele no começo, no primeiro ano. Ele é totalmente dedicado à música, mas também tem muita curiosidade intelectual, coisa que eu admiro muito."

"É porque você é uma pessoa boa de verdade", disse Patty. "Você gosta dele do jeito que é, não pelo que faz você sentir. Deve ser essa a diferença entre nós dois."

"Mas você me parece uma pessoa boa de verdade!", disse Walter.

Patty sabia, no fundo, que ele estava tendo a impressão errada acerca dela. E o erro que ela cometeu, o erro realmente importante para toda a vida, foi o de aderir à visão que Walter tinha dela, apesar de saber que não estava certa. Ele parecia tão convencido de que ela era boa que no fim das contas acabou derrotando suas resistências.

Quando finalmente chegaram de volta ao *campus*, naquela primeira noite, Patty percebeu que vinha falando de si havia uma hora sem se dar conta de que Walter se limitava a fazer perguntas, sem responder a nenhuma. A ideia de demonstrar alguma simpatia recíproca e se interessar por ele agora lhe parecia simplesmente cansativa, porque não sentia atração por ele.

"Posso ligar para você uma hora dessas?", perguntou ele à porta de seu dormitório.

Ela explicou que não teria muita disponibilidade para a vida social nos meses seguintes, devido aos treinamentos. "Mas foi muita delicadeza sua ter me trazido em casa", disse ela. "Muito obrigada."

"Você gosta de teatro? Tenho uns amigos com quem costumo ir ao teatro. Não estou falando de sairmos só nós dois num encontro."

"É que estou tão ocupada."

"Esta cidade tem ótimas peças de teatro", persistiu ele. "Aposto que você ia gostar."

Oh, Walter: será que ele sabia que seu traço mais interessante, nos meses que Patty se dedicou a conhecê-lo, era ser amigo de Richard Katz? Terá percebido como, cada vez que Patty se encontrava com ele, arrumava algum modo despretensioso de conduzir a conversa na direção de Richard? Será que ele não desconfiou, naquela primeira noite, quando ela concordou em deixá-lo ligar para ela, que ela estava pensando em Richard?

Quando entrou e subiu para o quarto, ela encontrou preso à porta um recado que Eliza lhe mandara por telefone. Ficou sentada na cama com os olhos ardendo da fumaça em seu cabelo e em suas roupas, até Eliza ligar de novo para o telefone do corredor, com o barulho da música ao fundo, e a censurar por tê-la deixado muito assustada ao desaparecer daquele jeito.

"Foi você que desapareceu", disse Patty.

"Fui só dar um alô a Richard."

"E só voltou meia hora depois."

"E Walter?", perguntou Eliza. "Foi embora com você?"

"Ele me trouxe em casa."

"Argh, que nojo. E ele contou o quanto me odeia? Acho que na verdade ele tem é ciúme de mim. Acho que ele tem algum lance com Richard. Talvez um lance gay."

Patty olhou para os dois lados no corredor para ter certeza de que ninguém estava ouvindo. "Foi você que levou as drogas para o Carter no aniversário dele?"

"O quê? Não ouvi."

"FOI VOCÊ QUE LEVOU AQUELAS COISAS QUE VOCÊ E O CARTER ESTAVAM USANDO NO ANIVERSÁRIO DELE?"

"Não estou ouvindo!"

"O PÓ DO ANIVERSÁRIO DE CARTER. FOI VOCÊ QUE LEVOU PARA ELE?"

"Não! Meu Deus! Foi por isso que você foi embora? É por isso que ficou chateada? Foi isso que Walter lhe disse?"

Patty, com o queixo trêmulo, desligou o telefone e passou uma hora tomando banho.

Seguiu-se outro período de marcação por pressão de Eliza, mas dessa vez à meia força, porque agora também estava cercando Richard. Quando Walter cumpriu sua ameaça de telefonemas para Patty, ela se sentiu inclinada a sair com ele, tanto por sua ligação com Richard quanto pelo frisson de ser desleal a

Eliza. Walter teve o tato de não tornar a falar de Eliza, mas Patty nunca deixou de perceber a opinião que ele tinha sobre sua amiga, e alguma parte virtuosa dela gostava da ideia de se dedicar a alguma atividade cultural em vez de encher a cara de vinho com soda e ficar ouvindo os mesmos discos mil vezes. Acabou vendo duas peças e um filme com Walter ao longo do outono. Depois que a temporada de basquete começou, ela também o via sentado sozinho nas arquibancadas, muito corado, adorando o jogo e acenando sempre que ela olhava em sua direção. Começou a ligar para ela nos dias seguintes aos jogos para cobrir de elogios seu desempenho e dar mostras de um tipo de compreensão sutil de sua estratégia em campo, coisa que Eliza nunca sequer se dera ao trabalho de simular. Quando ele não a encontrava em casa e deixava um recado, Patty tinha o frisson suplementar de ligar de volta na esperança de conseguir falar com Richard, mas Richard, infelizmente, nunca estava em casa quando Walter não atendia.

Nos minúsculos intervalos entre os blocos de tempo que passava respondendo às perguntas de Walter, ela conseguiu descobrir que ele vinha de Hibbing, Minnesota, e que pagava parte dos seus estudos com o que ganhava em meio expediente como carpinteiro para o mesmo mestre de obras que empregava Richard como operário, e que precisava levantar às quatro da manhã para estudar. Sempre começava a bocejar em torno das nove da noite, o que Patty, devido a seus horários igualmente apertados, gostava de ver quando saía com ele. A eles se juntavam, como Walter tinha prometido, três amigas dele do curso secundário e da faculdade, três moças inteligentes e criativas cujos problemas de excesso de peso e cujos vestidos com muitas pregas teriam provocado comentários ácidos da parte de Eliza caso ela as visse. Foi com essa troica de adoradoras que Patty começou a descobrir o quanto Walter era prodigiosamente especial.

Segundo as amigas, Walter fora criado num quartinho apertado atrás do escritório de um motel chamado Whispering Pines, com um pai alcoólatra, um irmão mais velho que lhe dava surras regulares, um irmão mais novo que copiava com o máximo capricho as zombarias do mais velho, e a mãe, cujos problemas físicos e o amor-próprio abalado prejudicavam tanto seu desempenho que na alta temporada, durante o verão, Walter muitas vezes passava as tardes inteiras fazendo faxina nos quartos e depois registrava os hóspedes retardatários enquanto o pai bebia com seus amigos do grupo de veteranos e a mãe dormia. O que era um suplemento à sua função familiar rotineira de ajudar o pai a manter as instalações do motel, desde pavimentar o estacionamento a desentupir ralos e consertar a caldeira de água quente. O pai contava com sua ajuda, e Walter sempre correspondia na esperança permanente de conquistar seu apreço, o que as amigas diziam ser impossível, todavia, porque Walter era sensível e intelectualizado demais, e interessado de menos por caça, picapes e cerveja (ao contrário dos irmãos). Apesar de trabalhar num emprego não remunerado que no fim das contas o ocupava durante o ano inteiro, Walter ainda conseguia fazer papéis principais em montagens estudantis de peças e musicais, inspirar a devoção perene em vários amigos de infância, aprender a cozinhar e a costurar com a mãe, dedicar-se a seu interesse pela natureza (peixes tropicais; formigueiros; atendimento de emergência para passarinhos caídos do ninho; prensagem de flores) e ser o orador da formatura de sua classe. Conseguiu uma bolsa de estudos numa das universidades de elite, mas em vez disso preferiu ir para Macalester, próxima o bastante de Hibbing para poder tomar um ônibus nos fins de semana e ajudar a mãe a combater o renitente declínio físico do motel (parece que a essa altura o pai tinha enfisema e ficara incapacitado). Walter havia sonhado em ser diretor ou ator de cinema, mas em vez disso fora estudar direito porque, como contaram que ele dissera, "Alguém nessa família precisa ganhar dinheiro".

Contra o bom senso — já que não tinha atração por Walter — Patty se sentia competitiva e vagamente ofendida pela presença de outras moças no que podiam ter sido encontros, e ficava gratificada ao perceber que era ela, e não as outras, quem trazia certo brilho aos olhos dele e quem fazia um rubor incontrolável surgir em seu rosto. Ela, Patty, gostava de estar no centro das atenções. Mais ou menos em qualquer situação. Na última peça que assistiram, em dezembro, no Guthrie, Walter chegou momentos antes de a cortina abrir, coberto de neve, com livros de bolso de presente para as outras meninas e, para Patty, uma enorme poinsétia que tinha trazido no ônibus e depois pelas ruas cobertas de neve, e tivera imensa dificuldade para deixar guardada na chapelaria. Ficou claro para todas, até mesmo para Patty, que dar livros interessantes para as outras moças enquanto para ela dava uma planta tinha a intenção contrária do desrespeito. O fato de Walter não estar investindo seu entusiasmo em alguma versão mais esbelta de suas amigas simpáticas e dedicadas, e sim em Patty, que aplicava toda a sua inteligência e criatividade sobretudo em inventar novas maneiras aparentemente indiferentes de mencionar Richard Katz, era espantoso e alarmante mas também, inegavelmente, lisonjeiro. Depois da peça, Walter carregou a poinsétia até o quarto dela no dormitório, no ônibus e atravessando mais ruas e calçadas cobertas de neve semiderretida. O cartão, que ela abriu ao chegar em seu quarto, dizia *Para Patty, com grande afeto, de seu fã e admirador.*

Foi bem nessa época que Richard finalmente deu o fora em Eliza. Ao que parece, era especialista em foras brutais. Eliza estava transtornada quando ligou para Patty e lhe contou, reclamando que "aquele veado" tinha virado Richard contra ela, que Richard não lhe dava a menor *chance*, e que Patty precisava ajudar e marcar um encontro entre ela e Richard, que se recusava a falar com ela, abrir a porta do apartamento ou até —

"Estou na época das finais", disse Patty com frieza.

"Você podia ir até lá e eu ia com você", disse Eliza. "Só preciso estar com ele para poder explicar."

"Explicar o quê?"

"Que ele precisa me dar uma chance! Que eu mereço ser ouvida!"

"Walter não é gay", disse Patty. "É uma coisa que você inventou na sua cabeça."

"Ah, meu Deus, agora ele virou você também contra mim!"

"Não", respondeu Patty. "Não é assim."

"Vou até aí agora e a gente bola um plano."

"Tenho prova final de história amanhã de manhã. Preciso estudar."

Patty ficou sabendo então que Eliza tinha parado de frequentar as aulas seis semanas antes, por estar tão amarrada em Richard. Era culpa *dele*, ela tinha desistido de tudo por ele, e agora ele a punha para fora e ela precisava evitar que os pais descobrissem que ia ser reprovada em tudo, ela ia agora ao dormitório de Patty e Patty precisava ficar lá e esperar por ela, para poderem bolar algum plano.

"Estou muito cansada", disse Patty. "Preciso estudar e depois dormir."

"Não acredito! Ele virou vocês dois contra mim! As duas pessoas de quem eu mais gosto no mundo!"

Patty conseguiu se livrar do telefonema, correu para a biblioteca e ficou lá até a hora de fechar. Estava convencida de que Eliza estaria à sua espera na porta do dormitório, fumando um cigarro atrás do outro e determinada a mantê-la acordada até o meio da noite. Ela detestava ter de pagar aquele pesado tributo à amizade, mas também estava resignada, e assim achou estranhamente decepcionante chegar de volta a seu dormitório e não encontrar nem sinal de Eliza. Quase resolveu ligar para ela, mas o alívio e o cansaço superaram sua culpa.

Três dias se passaram sem notícias de Eliza. Na noite anterior à partida de Patty para os feriados de Natal, ela finalmente ligou para Eliza a fim de verificar se estava tudo bem, mas o telefone tocou e tocou. Ela tomou o avião para casa em Westchester envolta num nevoeiro de culpa e preocupação que só ficou mais denso a cada uma de suas tentativas frustradas, do telefone da cozinha dos pais, de entrar em contato com a amiga. Na véspera de Natal, ela chegou ao ponto de ligar para o Motel Whispering Pines, em Hibbing, Minnesota.

"Que presente de Natal maravilhoso!", disse Walter. "Você ligar."

"Ah, bem, obrigada. Na verdade estou ligando para saber de Eliza. Ela praticamente desapareceu."

"Sorte a sua," disse Walter. "Richard e eu fomos obrigados a desligar o telefone da parede."

"Quando?"

"Faz dois dias."

"Ah, bom, já é um alívio."

Patty continuou conversando com Walter, respondendo a suas muitas perguntas, descrevendo o consumismo desvairado dos irmãos na época natalina e os momentos anuais de humilhação pelos quais ela passava com toda a família, lembrando como ela já era velha quando tinha parado de acreditar em Papai Noel, a bizarra troca de alfinetadas sexuais e escatológicas entre seu pai e sua irmã do meio, as "queixas" da irmã do meio, dizendo que seus cursos do primeiro ano em Yale eram muito fáceis, e o arrependimento da mãe, vinte anos depois, de sua decisão de parar de comemorar o Hanuká e outras festividades judaicas. "E como vão as coisas do seu lado?", perguntou Patty a Walter depois de meia hora.

"Bem", respondeu ele. "Estou assando um bolo com a minha mãe. Richard está jogando damas com meu pai."

"Gostei da ideia. Queria estar aí."

"Eu também queria que você estivesse aqui. Podíamos sair para caminhar com sapatos de neve."

"Gostei dessa ideia também."

O que era verdade, e Patty não sabia mais se era a presença de Richard que tornava Walter interessante ou se ele podia ser interessante por conta própria — por sua capacidade de dar sempre a impressão de que o lugar onde estava era um recanto agradável.

O horrível telefonema de Eliza aconteceu na noite de Natal. Patty atendeu na extensão do porão, onde estava assistindo sozinha a um jogo de basquete da NBA. Antes que sequer tivesse tempo de pedir desculpas, a própria Eliza pediu desculpas pelo silêncio e disse que tinha perdido muito tempo com consultas médicas. "Dizem que estou com leucemia," contou ela.

"Não."

"Vou começar o tratamento depois do ano-novo. Meus pais são as únicas outras pessoas que sabem, e você não pode contar a ninguém. Especialmente a Richard. Jura que não conta para ninguém?"

A nuvem de culpa e preocupação de Patty se condensou numa tempestade de sentimentos. Chorou, chorou e perguntou a Eliza se ela tinha *certeza*, se os médicos tinham *certeza*. Eliza explicou que vinha se sentindo cada vez mais cansada desde o outono, mas que não quis contar a ninguém, porque tinha medo de que Richard lhe desse o fora se por acaso ela estivesse com mononucleose, mas que finalmente começou a se sentir tão mal que foi consultar um médico, e o veredicto tinha chegado dois dias depois: leucemia.

"Do tipo ruim?"

"Todas são do tipo ruim."

"Mas é do tipo que dá para curar?"

"A chance de conseguir bons resultados com o tratamento é boa", disse Eliza. "Vou saber melhor daqui a uma semana."

"Vou voltar mais cedo. Posso ficar com você."

Mas Eliza, estranhamente, não queria mais que Patty ficasse com ela.

Quanto à tal história do Papai Noel: a autobiógrafa não tem a menor simpatia por pais que mentem, mas reconhece que existem diferenças de grau na mentira. Há as mentiras que se contam às pessoas para quem estamos preparando uma festa-surpresa, mentiras contadas para o bem, e as mentiras que se contam às pessoas para fazê-las passar vergonha por acreditar nelas. Num Natal, já adolescente, Patty ficou tão irritada com os comentários sobre sua crença infantil prolongada na existência de Papai Noel (que persistira mesmo depois de dois irmãos mais novos terem perdido a fé) que se recusou a sair do quarto para a ceia de Natal. O pai dela, vindo conversar, dessa vez parou de zombar e lhe disse seriamente que a família tinha preservado suas ilusões porque a inocência era uma coisa linda e sentiam um amor especial no caso dela por conta disso. O que foi uma coisa muito boa de escutar e ao mesmo tempo uma óbvia cascata, desmentida pelo prazer que todos encontravam em rir dela. Patty achava que os pais têm o dever de ensinar os filhos a reconhecer a realidade sempre que deparam com ela.

Digamos apenas que Patty, nas muitas semanas de inverno que passou bancando a Florence Nightingale para Eliza — saindo a pé em meio a uma nevasca para comprar-lhe sopa, fazendo faxina na cozinha e no banheiro, ficando acordada até tarde com ela vendo TV quando devia estar dormindo antes de um jogo, às vezes adormecendo com os braços em volta da amiga emaciada, submetendo-se a declarações extremas de afeto ("Você é meu anjo bom", "Vendo seu rosto eu me sinto no céu" etc. etc.) e se recusando, durante todo esse tempo, a ligar de volta para Walter e explicar por que não tinha mais tempo para sair com ele —, deixou de perceber várias bandeiras vermelhas. Não, disse Eliza, a quimioterapia dela não era do tipo que faz cair o cabelo. E não, não era possível marcar as sessões de tratamento nos horários em que Patty poderia passar para pegá-la na clínica. E não, ela não queria desistir do apartamento para ficar na casa dos pais, e, sim, os pais vinham sempre visitá-la, era só um acaso que nunca coincidisse com as vindas de Patty, e, não, não era incomum que pacientes de câncer se autoaplicassem antieméticos com uma seringa como a que Patty vislumbrou no chão debaixo da mesa de cabeceira de Eliza.

Pode-se dizer que a maior das bandeiras vermelhas tenha sido a maneira como ela, Patty, evitava Walter. Ela o viu em dois jogos no mês de janeiro e falou rapidamente com ele, mas ele faltou a muitos jogos depois disso, e a explicação consciente que ela se dava para não retornar muitas das ligações posteriores dele era sua vergonha de admitir quanto tempo estava passando com Eliza. Mas onde estava a vergonha em cuidar de uma amiga sofrendo de câncer? E, da mesma forma, até que ponto lhe seria difícil, quando estava na quinta série, abrir seus ouvidos para a zombaria das colegas em relação a Papai Noel, se tivesse o mínimo interesse em conhecer a realidade? Ela jogou fora o vaso com a poinsétia, embora a planta ainda estivesse viva.

Walter acabou se encontrando com ela no fim de fevereiro, no final do dia

94

de muita neve do jogo dos Gophers contra a UCLA, seu adversário mais importante da temporada. Patty já estava de mau humor com o mundo naquele dia, devido a uma conversa telefônica matinal com a mãe, que fazia aniversário. Patty resolveu não falar sobre a própria vida para descobrir mais uma vez que Joyce não estava ouvindo e não dava a mínima para a importância do adversário da sua equipe, mas nem teve oportunidade de exercer esse autocontrole, pois Joyce estava tão eletrizada com a irmã do meio de Patty, que tinha feito um teste para o papel principal numa montagem *off* Broadway de *A convidada do casamento* por insistência especial de seu professor de Yale e conseguiu ficar como substituta da protagonista, o que parecia uma façanha e tanto, que podia resultar no afastamento temporário de Yale da irmã, a qual moraria na casa dos pais e se dedicaria em tempo integral ao teatro; e Joyce estava radiante.

Quando Patty viu Walter contornando a esquina de tijolinhos da Biblioteca Wilson, virou-se e saiu andando depressa, mas ele veio correndo atrás dela. A neve se acumulara em seu chapéu de pelo; o rosto dele estava vermelho como a luz de um farol de navegação. Embora ele tentasse sorrir e se mostrar simpático, sua voz tremia quando perguntou a Patty se ela tinha recebido algum dos seus recados telefônicos.

"É que eu tenho andado muito ocupada", disse ela. "Desculpe, de verdade. Eu não ter ligado de volta."

"Foi alguma coisa que eu *disse*? Você ficou ofendida de algum modo?"

Ele estava magoado e irritado, o que ela detestava.

"Não, não, de maneira alguma", disse ela.

"Eu teria ligado mais, só que não queria ficar incomodando."

"Só estou mesmo muito, muito ocupada", murmurou ela enquanto a neve caía.

"A pessoa que atende seu telefone começou a falar comigo com uma voz cada vez mais aborrecida, porque eu sempre deixo o mesmo recado."

"Bom, é que o quarto dela fica ao lado do telefone, é por isso. Dá para entender. Ela anota muitos recados."

"*Não* estou entendendo", disse Walter, quase chorando. "Você quer que eu deixe você em paz? É isso?"

Ela detestava esse tipo de cena, detestava.

"A verdade é que eu estou só muito ocupada", disse ela. "E tenho um jogo importante hoje à noite, só isso."

"Não", disse Walter, "alguma coisa está errada. O que foi? Você está com um ar tão infeliz!"

Ela não queria falar sobre a conversa com a mãe, porque estava tentando trazer a cabeça para a questão do jogo e era melhor não ficar remoendo essas coisas. Mas Walter exigiu com tamanho desespero uma explicação — de um modo que ia além dos sentimentos dele, quase que em nome da *justiça* — que ela se sentiu obrigada a dizer alguma coisa.

"Escute", disse ela, "você precisa jurar que não vai contar para o Richard", embora ela percebesse, no momento mesmo em que falava do assunto, que jamais tinha entendido o porquê dessa proibição, "mas Eliza está com leucemia. É uma coisa horrível."

Para surpresa dela, Walter caiu na risada. "Não me parece nada provável."

"Pois é verdade", disse ela. "Ache você provável ou não."

"Está bem. E ela continua consumindo heroína?"

Um fato a que ela raramente prestava atenção antes — que ele era dois anos mais velho do que ela — de repente se fez presente.

"Ela está com leucemia", disse Patty. "Não sei dessa história de heroína."

"Até Richard tem o juízo de não se meter com essa porcaria. O que, pode acreditar, não é dizer pouco."

"Eu não sei de nada disso."

Walter assentiu com a cabeça e sorriu. "Então você é realmente um doce de pessoa."

"Não sei de nada disso", repetiu ela. "Mas agora preciso ir comer e me preparar para o jogo."

"Hoje à noite eu não posso ir ver você jogar", disse ele enquanto se virava para ir embora. "Eu bem que queria, mas Harry Blackmun vai dar uma conferência, e eu preciso ir."

Ela se virou para ele, irritada. "Nenhum problema."

"Ele é juiz da Suprema Corte. Escreveu *Roe vs. Wade*."

"Eu sei", disse ela. "Minha mãe tem praticamente um altar em que queima incenso para ele. Não precisa me explicar quem é Harry Blackmun."

"Está bem. Desculpe."

A neve rodopiava entre os dois.

"Está bem, então não incomodo mais você", disse Walter. "Sinto muito por Eliza. Espero que ela fique bem."

A autobiógrafa não culpa ninguém além de si mesma — nem Eliza, nem Joyce, nem Walter — pelo que aconteceu em seguida. Como toda jogadora, ela passara por várias fases de erros de arremesso e tinha disputado vários jogos abaixo das suas possibilidades, mas mesmo nas piores noites ela se sentia segura por fazer parte de alguma coisa maior — da equipe, do espírito esportivo, da ideia de que o esporte era *importante* — e encontrava um verdadeiro conforto nos gritos de estímulo de suas irmãs companheiras de equipe e em seus rituais cômicos contra o azar no intervalo entre o primeiro e o segundo tempo, as variações sobre os temas da bola furada e dos dedos frouxos, as frases feitas que ela própria tinha gritado mil vezes antes. Ela sempre queria a bola, porque a bola sempre a tinha salvado, a bola era o que Patty tinha certeza de possuir na vida, a bola sempre fora sua companheira leal nos infindáveis verões da sua infância. E todos os rituais que as pessoas repetem na igreja e parecem insípidos ou falsos para os não crentes — os tapas na palma da mão depois de cada cesta, o aglomerado de abraços depois de cada lance livre convertido, os toques das palmas erguidas com cada companheira que saía da quadra, os gritos permanentes dizendo "Vamos lá, SHAWNA!" ou "Grande jogada, CATHY!" e "CESTA, UHUU, UHUU!" — tinham se tornado tão naturais para ela e faziam tanto sentido, como formas de apoio necessárias para um alto desempenho automático, que a ideia de ficar envergonhada por eles lhe pareceria mais absurda do que se envergonhar do fato de que correr de um lado para o outro da quadra a fazia suar muito. Os esportes femininos não eram só graça e leveza, claro. Por baixo dos abraços havia rivalidades encruadas, juízos morais e uma impaciência profunda, Shawna culpando Patty por passar bolas demais para Cathy e de menos para ela própria, Patty se irritando cada vez que a pivô reserva Abbie Smith transformava mais uma posse de bola num arremesso que não conseguia converter, Mary Jane Rorabacker cultivando um ressentimento permanente contra Cathy por não convidá-la a dividir o quarto com Patty e Shawna no segundo ano embora as duas tenham jogado juntas na St. Paul Central School, todas as estreantes sentindo um alívio culpado quando uma recruta promissora, rival em potencial, jogava mal sob pressão etc. etc. etc. Mas os esportes de competição se baseavam num ato de devoção, numa profissão de fé, e depois que aquilo se impregnava na pessoa, fosse no curso secundário ou, em último caso, no colegial, você não precisava mais pensar em nada importante quando se dirigia ao ginásio e vestia o uniforme, você sabia a

Resposta à Pergunta, a Resposta era a Equipe, e quaisquer pensamentos venais de cunho pessoal eram deixados de lado.

É possível que Patty, na agitação que se seguiu a seu encontro com Walter, tenha se esquecido de comer direito. Mas não há dúvida de que alguma coisa estava errada desde o momento em que chegou à Williams Arena. A equipe da UCLA era toda grande e usava muito o jogo físico, e três das jogadoras que começaram em quadra tinham pelo menos um metro e oitenta, e a estratégia da treinadora Treadwell para o jogo era forçar o desgaste delas na transição e fazer as jogadoras menores, especialmente Patty, atacar em velocidade antes que as adversárias tivessem tempo de armar a defesa. Para a defesa delas, o plano era usar de muita agressividade e tentar provocar as duas principais cestinhas do adversário a acumular faltas desde cedo. Ninguém esperava que as Gophers vencessem, mas se ganhassem chegariam entre as vinte principais equipes do ranking extraoficial do país — mais alto do que jamais tinham chegado durante a carreira de Patty. Assim, aquela era uma péssima noite para ela perder a fé.

Ela sentia uma fraqueza diferente no seu núcleo. Seus movimentos tinham o desembaraço de sempre nas arrancadas, mas seus músculos lhe davam uma impressão de inelasticidade. Os gritos das companheiras de equipe lhe davam nos nervos, e uma constrição no peito, um certo embaraço, a impedia de gritar de volta com elas. Conseguiu isolar todos os pensamentos sobre Eliza, mas em vez disso se descobriu refletindo como, embora sua carreira fosse se encerrar dali a uma temporada e meia, sua irmã do meio podia se transformar numa atriz famosa pela vida inteira, e como tinha sido portanto um investimento duvidoso de seu tempo e de seus recursos dedicar-se tanto ao esporte, e com quanto descuido ela havia ignorado os anos de insinuações da mãe nesse sentido. Nada disso, pode-se dizer com certeza, era recomendado como modo de pensar antes de um jogo importante.

"Só jogue como sempre, jogue bem", disse a treinadora Treadwell. "Quem é a líder?"

"Eu sou a líder."

"Mais alto."

"*Eu* sou a líder!"

"Mais alto."

"EU SOU a líder."

Se você já jogou algum esporte de equipe, vai saber que, com essas palavras, Patty se sentiu imediatamente mais forte, mais centrada e mais dotada de espírito de liderança. É engraçado como isso funciona — a transfusão de confiança através de meras palavras. Ela se sentiu bem durante o aquecimento e quando trocou um aperto de mão com a capitã adversária e sentiu os olhos da outra equipe tentando avaliá-la, sabendo que deviam ter dito a elas que era uma cestinha impressionante e sempre puxava os ataques de sua equipe, ela se revestiu de sua fama como se fosse uma armadura completa. Depois que o jogo tem início, porém, e a confiança começa a se esvair, a transfusão de fora para dentro da quadra deixa de ser possível. Patty converteu uma cesta num arremesso próximo com uma das mãos, e sua noite mais ou menos acabou ali. Já no segundo minuto de jogo, soube pelo nó que sentia na garganta que ia jogar pior do que nunca. Sua contrapartida na equipe adversária tinha cinco centímetros, quase quinze quilos e um alcance vertical diabólico a mais que ela, mas o problema não era apenas físico, nem principalmente físico. O problema era o defeito da sua postura. Em vez de reagir com ardor competitivo à vantagem física das adversárias, e de correr sem descanso atrás da bola, como a treinadora lhe dissera para fazer, sentiu-se derrotada pela injustiça: ficou com pena de si mesma. As adversárias começaram a marcar sob pressão na quadra toda e descobriram que a marcação funcionava de maneira espetacular. Shawna pegou um rebote e passou para Patty, mas ela foi encurralada num canto e perdeu a bola. Ela tornou a receber a bola mas caiu fora da quadra. Tornou a receber a bola, fez uma finta e passou direto para as mãos de uma defensora, como se a desse de presente. A treinadora pediu tempo e disse a ela para se colocar mais à frente da quadra nas transições, mas as adversárias estavam à sua espera lá também. Um passe longo saiu das suas mãos direto para a arquibancada. Tentando lutar contra o nó na garganta, tentando se enfurecer, ela fez carga numa adversária e a falta foi marcada. Ela não conseguia saltar. Errou dois arremessos de dentro do garrafão, e a treinadora a tirou da quadra para uma conversa.

"Onde está a minha garota? Cadê a minha líder?"

"Hoje eu estou sem gás."

"Você tem gás de sobra, só precisa encontrar. Está aí dentro. Procure direito."

"Está bem."

"Grite comigo. Bote para fora."

Patty abanou a cabeça. "Não quero botar para fora."

A treinadora, agachada, olhou direto para ela, e Patty, recorrendo a toda sua força de vontade, obrigou-se a olhá-la nos olhos.

"Quem é a minha líder?"

"Sou eu."

"Grite."

"Não consigo."

"Você quer que eu deixe você no banco? É isso que você quer?"

"Não!"

"Então volte para lá. Precisamos de você. Seja qual for o problema, conversamos sobre ele mais tarde. Certo?"

"Certo."

E essa nova transfusão se transformou diretamente em hemorragia, sem circular nem uma vez pelo corpo de Patty. Ela ficou na quadra em consideração a suas companheiras de equipe, mas reverteu a seu antigo costume de ser desprendida, de acompanhar as jogadas em vez de organizá-las, de passar em vez de arremessar, e depois a seu costume ainda mais antigo de ficar rondando pela beira da quadra e tentar um ou outro arremesso de longe, alguns dos quais poderiam ter sido convertidos em alguma outra noite, mas não naquela. Como é difícil a pessoa se esconder numa quadra de basquete! Patty era suplantada pela defesa mais e mais vezes, e cada vez parecia tornar a próxima ainda mais provável. O que ela estava sentindo se tornou muito familiar mais adiante em sua vida, quando entrou em contato com a depressão grave, mas naquela noite de fevereiro era uma novidade horrenda sentir o jogo rodopiando à sua volta, totalmente fora de seu controle, e intuir que a importância de tudo que acontecia, cada chegada ou escapada da bola, cada batida pesada de seus pés no chão, cada momento em que tentava de novo marcar uma adversária plenamente concentrada e determinada, cada tapa animador das companheiras de equipe durante o intervalo, era o quanto ela era ruim, o quanto seu futuro era vazio e o quanto toda resistência era inútil.

A treinadora por fim a deixou sentada no banco na primeira metade do segundo tempo, quando sua equipe perdia por uma diferença de vinte e cinco pontos. Ela reviveu um pouco assim que se viu a salvo no banco. Reencontrou a voz e começou a exortar as companheiras de equipe e levantar as mãos para trocar toques com elas como uma novata ansiosa, chafurdando na degradação de se ver reduzida a chefe de torcida num jogo de que devia ter sido a estrela, aceitando a vergonha de ser consolada com um excesso de delicadeza pelas companheiras compadecidas. Sentiu que merecia plenamente aquele aviltamento e aquela vergonha, depois da maneira como tinha jogado mal. Chafurdar naquela merda foi o melhor que ela fez no dia.

Depois, no vestiário, ela aturou o sermão da treinadora com os ouvidos fechados e então ficou sentada num banco, soluçando por meia hora. Suas amigas tiveram o respeito de deixá-la fazer o que queria em paz.

Com sua parca forrada de plumas e seu gorro do time, ela foi até o Auditório Northrop, esperando que a conferência de Blackmun ainda estivesse em andamento, mas o local estava escuro e trancado. Pensou em voltar ao seu dormitório e ligar para Walter, mas percebeu que o que realmente queria agora era mandar o treinamento às favas e encher a cara de vinho. Caminhou pelas ruas cobertas de neve até o apartamento de Eliza, e lá percebeu que o que *realmente* queria era brigar aos gritos com a amiga.

Eliza, no interfone, alegou que era tarde e que estava cansada.

"Não, você precisa me deixar subir", disse Patty. "Não tem escolha."

Eliza abriu a porta e depois se deitou no sofá. Estava de pijama, ouvindo algum tipo de jazz vibrante. O ar estava denso de letargia e fumaça estagnada. Patty se postou de pé ao lado do sofá, sem tirar a parca, com a neve derretendo dos seus tênis, e observou como Eliza respirava devagar e como levou tempo para que o impulso de falar se concretizasse — vários movimentos faciais aleatórios foram ficando cada vez menos aleatórios e finalmente se aglutinaram numa pergunta murmurada: "Como foi o jogo".

Patty não respondeu. Depois de algum tempo, ficou claro que Eliza esquecera a sua presença.

Não fazia muito sentido gritar ofensas para ela no momento, de maneira que Patty preferiu revistar o apartamento. Os apetrechos e a droga surgiram imediatamente, bem no chão junto à cabeceira do sofá — Eliza se limitara a jogar uma almofada por cima de tudo. Embaixo de uma pilha de coletâneas de poesia e revistas de música estava o fichário azul de três furos. Até onde Patty pôde dizer, nada tinha sido acrescentado a ele desde o verão. Ela percorreu os papéis e as contas de Eliza, procurando alguma coisa de ordem médica, mas não achou nada. O disco de jazz estava tocando com repetição automática. Patty desligou o aparelho e sentou-se junto à mesinha de centro com o álbum, a droga e os apetrechos à sua frente. "Acorde", disse ela.

Eliza apertou ainda mais os olhos.

Patty cutucou sua perna. "Acorde."

"Preciso de um cigarro. A químio de hoje acabou comigo."

Patt levantou-a, puxando pelo ombro.

"Oi", disse Eliza, com um sorriso borrado. "Que bom ver você."

"Não quero mais ser sua amiga," disse Patty. "Nunca mais quero ver você."

"Por quê?"

"Não quero, só isso."

Eliza fechou os olhos e sacudiu a cabeça. "Mas eu preciso de você para me ajudar", disse ela. "Estou tomando drogas por causa da dor. Por causa do câncer. Queria lhe contar. Mas fiquei com vergonha." Escorregou de lado e voltou a ficar deitada.

"Você não está com câncer", disse Patty. "É uma mentira que você inventou porque tem alguma ideia maluca a meu respeito."

"Não, estou com leucemia. Estou com leucemia, sem a menor dúvida."

"Eu vim até aqui para lhe dizer em pessoa, por cortesia. Mas agora estou indo."

"Não. Você precisa ficar. Estou com um problema de drogas, e você precisa me ajudar."

"Não tenho como ajudar. Você precisa ir para a casa dos seus pais."

Houve um longo silêncio. "Me arruma um cigarro", disse Eliza.

"Eu odeio os seus cigarros."

"Eu achei que você sabia como são os pais", disse Eliza. "E que você nunca é a pessoa que eles queriam."

"Não sei de nada a seu respeito."

Houve mais um silêncio. E então Eliza disse: "Você sabe o que vai acontecer se você for embora, não sabe? Eu vou me matar".

"Ah, grande motivo para eu ficar e ser sua amiga," respondeu Patty. "Vai ser muito divertido para nós duas."

"Só estou dizendo que é o mais provável que eu faça. Você é a única coisa que eu amo e é linda e real."

"Não sou uma coisa", disse Patty, corrigindo a injustiça.

"Você já viu alguém se injetando? Eu peguei o jeito muito bem."

Patty pegou a seringa e as drogas e guardou tudo no bolso da parca. "Qual é o telefone dos seus pais?"

"Não ligue para eles."

"Vou ligar para eles. Você não tem escolha."

"E vai ficar comigo? Vai vir me visitar?"

"Vou", mentiu Patty. "Agora me dê o telefone deles."

"Eles vivem perguntando por você. Acham que você é uma boa influência na minha vida. Você vai ficar comigo?"

"Vou", tornou a mentir Patty. "Qual é o telefone deles?"

Quando os pais chegaram, depois da meia-noite, exibiam a expressão soturna de pessoas interrompidas em sua longa trégua em lidar exatamente com aquele tipo de coisa. Patty estava fascinada de por fim os conhecer, mas o sentimento evidentemente não era correspondido. O pai usava barba e tinha olhos escuros muito fundos, a mãe era miúda e calçava botas de couro de salto alto, e juntos eles emitiam uma poderosa vibração sexual que lembrou a Patty o cinema francês e os comentários de Eliza de que eram o amor da vida um do outro. Patty não se incomodaria se lhe dirigissem algumas palavras de desculpas por deixarem a filha solta assediando terceiros como ela, ou algumas palavras de gratidão por ter mantido a filha fora das mãos deles nos últimos dois anos, ou algumas palavras de admissão de quem dera o dinheiro para financiar aquela última crise. Mas, assim que a pequena família nuclear se viu reunida na sala, desdobrou-se um estranho drama diagnóstico em que parecia não haver papel algum para Patty.

"Que drogas?", disse o pai.

"Hum, heroína", respondeu Eliza.

"Heroína, cigarros, bebida. E o que mais? Mais alguma coisa?"

"Um pouco de pó de vez em quando. Menos, ultimamente."

"Mais alguma coisa?"

"Não, só isso."

"E a sua amiga? Também está tomando?"

"Não, ela é a estrela do time de basquete", disse Eliza. "Eu *contei* para vocês. Ela é totalmente careta, e ótima pessoa. Ela é o *máximo*."

"E ela sabia que você estava tomando?"

"Não, eu disse a ela que estava com câncer. Ela não sabia de nada."

"E isso está acontecendo desde quando?"

"Desde o Natal."

"E ela acreditou em você. Você inventou uma mentira dessas e ela acreditou."

Eliza deu um risinho.

"Foi, eu acreditei nela", disse Patty.

O pai nem olhou na direção dela. "E o que é isto aqui", disse ele, pegando o fichário azul.

"É o meu Álbum de Patty", disse Eliza.

"Parece alguma espécie de álbum de uma obsessão", disse o pai para a mãe.

"E então ela ameaçou ir embora", disse a mãe, "e você respondeu que ia se matar."

"Mais ou menos isso", admitiu Eliza.

"Uma obsessão completa", comentou o pai, folheando o álbum.

"E você está mesmo pensando em suicídio?", perguntou a mãe. "Ou foi só uma ameaça para a sua amiga não ir embora?"

"Principalmente uma ameaça", disse Eliza.

"Principalmente?"

"Está bem, não estou na verdade pensando em me matar."

"Mas ainda assim você entende que agora temos de levar isso a sério", disse a mãe. "Não temos alternativa."

"Bom, acho que agora vou embora", disse Patty. "Tenho aula de manhã."

"Que tipo de câncer você fingiu que tinha?", perguntou o pai. "Em que lugar do corpo?"

"Eu disse que era leucemia."

"No sangue. Um câncer imaginário no seu sangue."

Patty pôs a droga na almofada de uma poltrona. "Vou deixar isto aqui", disse ela. "Preciso mesmo ir embora."

Os pais olharam para ela, trocaram um olhar, e assentiram com a cabeça.

Eliza se levantou do sofá. "Quando é que vou ver você? Amanhã?"

"Não", disse Patty. "Acho que não."

"Espere!" Eliza veio correndo e segurou Patty pela mão. "Eu fiz uma cagada enorme, mas vou melhorar, e aí vamos nos ver de novo. Certo?"

"Está bem", mentiu Patty enquanto os pais se aproximavam para afastar a filha.

Do lado de fora, o céu ficara mais limpo e a temperatura caíra a quase vinte graus negativos. Patty aspirou várias golfadas profundas de limpeza para dentro dos pulmões. Estava livre! Estava livre! E, ah, como gostaria agora de voltar e jogar novamente a partida contra a UCLA. Mesmo à uma da manhã, mesmo de estômago vazio, ela estava pronta para jogar como nunca. Desceu correndo a rua de Eliza por simples entusiasmo com sua liberdade, ouvindo as palavras da treinadora pela primeira vez, três horas depois de terem sido proferidas, ouvindo-a dizer que era só um jogo, que todo mundo jogava mal às vezes, que amanhã ela voltaria a ser quem sempre tinha sido. Sentia-se pronta a se dedicar mais intensamente do que nunca a ficar em forma e aperfeiçoar ainda mais seus fundamentos, pronta para ir mais ao teatro com Walter, pronta para dizer à mãe, "Gostei muito da notícia sobre a peça de teatro!". Pronta para se tornar uma pessoa melhor em todos os sentidos. Em sua animação, corria tão às cegas que não viu o gelo negro na calçada até sua perna esquerda escorregar horrivelmente de lado por trás de sua perna direita, seu joelho se rasgar todo e ela ficar caída no chão.

Não há muito a dizer sobre as seis semanas seguintes. Passou por duas cirurgias, a segunda por causa de infecção provocada pela primeira, e se tornou uma craque no uso de muletas. A mãe veio de avião para acompanhar a primeira cirurgia e tratou os funcionários do hospital como se fossem caipiras de inteligência questionável, obrigando Patty a pedir desculpas em seu nome e a mostrar-se especialmente cordata sempre que a mãe estava fora do quarto. Quando ficou claro que Joyce podia ter tido razão em não confiar naqueles médicos, Patty ficou tão arrasada que nem mesmo lhe falou da segunda operação até o dia seguinte. Garantiu a Joyce que não havia necessidade de tomar de novo o avião — ela tinha mil amigas para cuidar dela.

Walter Berglund aprendeu com a mãe como cuidar de mulheres com problemas de locomoção, e se aproveitou da longa incapacidade de Patty para reinserir-se em sua vida. No dia seguinte à sua primeira cirurgia, apareceu com um pinheirinho de um metro de altura e sugeriu que ela podia preferir uma planta viva a flores de corte de curta duração. Depois disso, dava um jeito de visitar Patty quase todos os dias, menos nos fins de semana, quando ia a Hibbing ajudar os pais, e logo se tornou querido de suas amigas atletas pela delicadeza. As mais feias ficavam satisfeitas ao ver como ele lhes dava mais atenção que os sujeitos que só se importavam com a aparência, e Cathy Schmidt, a mais animada de todas, declarou que Walter era tão inteligente que devia entrar para a Suprema Corte. Era uma novidade no Mundo do Esporte Feminino, ter um homem ali no meio com que todo mundo se sentia tão à vontade e natural, um sujeito que podia se encontrar com elas no corredor durante os intervalos das aulas e ser considerado mais uma das meninas. E todo mundo percebeu que ele era louco por Patty, e todo mundo, menos Cathy Schmidt, concordou que essa paixão era uma coisa excelente.

Cathy, como já disse, era mais esperta que o resto. "Você não curte ele tanto assim, não é?", perguntou ela.

"Acho que sim", disse Patty. "Mas ao mesmo tempo acho que não."

"Então... vocês dois não estão..."

"Não! Nada. Acho que eu nem devia ter contado a ele que fui estuprada. Ele ficou todo nervoso quando eu contei. Todo... *carinhoso* e... *protetor* e... *perturbado*. E agora ele parece estar esperando por uma permissão por escrito, ou que eu tome a iniciativa. E nesse sentido as muletas não estão ajudando nem um pouco. Mas eu me sinto como se um ótimo cachorro, treinado por conta própria, me seguisse para todo lado."

"O que não é muito bom", disse Cathy.

"Não, não é. Mas também não consigo me livrar dele, porque ele me trata tão incrivelmente bem, e eu adoro conversar com ele."

"Você está mais ou menos gostando dele."

"Isso mesmo. Talvez até um pouco mais para mais que para menos. Mas—"

"Mas não tão mais assim."

"Isso mesmo."

Walter se interessava por tudo. Lia cada palavra do jornal e da revista *Time*, e em abril, depois que Patty voltou a ficar semiambulatória, começou a convidá-la para palestras, filmes de arte e documentários que, não fosse por ele, ela nem sonharia em ir ver. Fosse por causa do quanto ele a amava ou do vazio deixado em sua agenda pela contusão, era a primeira vez que outra pessoa conseguia enxergar através de seu exterior de desportista e ver luzes acesas lá dentro. Embora ela se sentisse inferior a Walter em praticamente todas as categorias do conhecimento humano afora o esporte, sentia-se grata a ele por deixar claro que na verdade ela era dotada de uma opinião própria e que suas opiniões podiam divergir das dele. (O que era um contraste reconfortante com Eliza, a qual, se você perguntasse quem era o atual presidente dos Estados Unidos, responderia rindo que não tinha a menor ideia enquanto trocava o

106

disco no aparelho de som.) Walter se inflamava com opiniões sérias e singulares sobre todo tipo de questão — detestava o papa e a Igreja Católica, mas era a favor da revolução islâmica no Irã, que esperava fosse conduzir a medidas melhores de conservação de energia nos Estados Unidos; gostava da nova política de controle populacional da China, e achava que os Estados Unidos deveriam adotar alguma medida semelhante; preocupava-se menos com o acidente nuclear de Three Mile Island do que com o preço baixo da gasolina e a necessidade de construção de sistemas de transporte de alta velocidade sobre trilhos que tornassem o carro de passeio obsoleto etc. etc. — e Patty encontrou seu papel quando começou a aprovar com obstinação muitas coisas que ele reprovava. Gostava especialmente de discordar dele em relação à Sujeição das Mulheres. Numa tarde, quase no final do semestre, tomando café juntos na sede da Organização dos Estudantes, os dois tiveram uma conversa memorável sobre o professor de Arte Primitiva de Patty, cujas aulas ela descrevia elogiosamente para Walter como um modo de lhe sugerir de maneira sutil aquilo de que sentia falta em sua personalidade.

"Que horror", disse Walter. "Parece um desses professores de meia-idade que só sabem falar de sexo."

"Bom, mas ele estava falando de estatuetas da fertilidade", disse Patty. "Não é culpa dele se a única escultura que conhecemos de cinquenta mil anos atrás fala de sexo. Além disso, ele tem uma barba branca, o que já basta para me deixar com pena dele. Quer dizer, para me fazer pensar. Ele está lá, em cima do estrado, e quer falar todas essas coisas indecentes sobre as 'jovens de hoje', entende, e nossas 'coxas finas' e tudo mais, e sabe que está nos deixando constrangidas, e sabe que tem aquela barba e é um sujeito de meia-idade, enquanto nós todos somos, sabe como é, mais novos. Mas ainda assim não consegue evitar de dizer essas coisas. Acho que deve ser tão difícil. Não conseguir evitar de passar vergonha."

"Mas é uma coisa ofensiva!"

"E além disso", disse Patty, "acho que ele realmente gosta de coxas bem grossas. Acho que na verdade é disso que ele está falando: ele gosta daquele tipo da Idade da Pedra. Sabe como: mulheres gordas. O que é bonitinho e dá pena, mas ele gosta tanto de arte antiga."

"Mas você, que é feminista, não fica ofendida?"

"Não acho que eu seja realmente feminista."

"Inacreditável!", disse Walter, muito vermelho. "Você não é a favor da emenda da igualdade de direitos?"

"Bem, eu não sou muito politizada."

"Mas você só veio aqui para Minnesota porque ganhou uma bolsa para jogar basquete, o que nem podia ter acontecido há alguns anos. Você só veio para cá graças às leis federais feministas. Você só está aqui graças às leis de igualdade entre os sexos no sistema de ensino!"

"Mas isso é uma simples questão de justiça", disse Patty. "Se metade dos alunos são do sexo feminino, precisam receber metade das verbas para o esporte."

"Mas isso é feminismo!"

"Não, é justiça simples. Porque, tipo assim, Ann Meyers? Você sabe quem é? Ela era uma grande estrela na UCLA e acabou assinando com a liga profissional, o que é ridículo. Ela é uma garota e tem mais de um metro e noventa e cinco. Nunca vai jogar. Os homens são atletas melhores que as mulheres e sempre vão ser. É por isso que cem vezes mais gente vai ver os jogos de basquete masculino do que os de basquete feminino — os homens são capazes de fazer muito mais do ponto de vista atlético. É besteira negar esse fato."

"Mas se você quiser ser médica, e não deixarem você entrar na escola de medicina porque preferem alunos homens?"

"Seria uma injustiça, também, mas eu não quero ser médica."

"O *que* você quer, afinal?"

Mais ou menos sem pensar, como sua mãe se empenhava tanto em promover carreiras impressionantes para as filhas, e também porque sua mãe tinha sido, na opinião de Patty, uma mãe precária, Patty tendia a querer ser dona de casa e uma mãe fora do comum. "Quero morar numa linda casa antiga e ter dois filhos", disse ela a Walter. "Quero ser uma mãe excelente."

"E quer ter uma profissão também?"

"Criar os filhos é a carreira que eu quero."

Ele franziu a testa e assentiu com a cabeça.

"É o seguinte", disse ela, "não sou uma pessoa muito interessante. Sou muito menos interessante que suas outras amigas."

"Isso não tem nem um pingo de verdade", disse ele. "Você é incrivelmente interessante."

"Bom, agradeço muito por você falar assim, mas acho que não faz muito sentido."

"Acho que existe muito mais dentro de você do que você acha que merece ser apreciado."

"E eu acho que você não tem uma visão muito realista de mim", disse Patty. "Aposto que você não seria capaz de dizer uma coisa interessante a meu respeito."

"Bom, só para começar, o seu talento de jogadora", disse Walter.

"Quicar uma bola na quadra. Muito interessante."

"E a maneira como você pensa", disse ele. "Você achar que esse professor nojento é um doce e dá pena."

"Mas você não concorda comigo?"

"E a maneira como você fala da sua família. A maneira como conta histórias sobre eles. O fato de ter se afastado deles e de ter começado uma vida própria aqui. Tudo isso é incrivelmente interessante."

Patty nunca tinha estado com um homem tão obviamente apaixonado por ela. O assunto sobre o qual estavam falando implicitamente, claro, era o desejo que Walter sentia de pôr as mãos nela. Ainda assim, quanto mais tempo ela passava com ele, mais Patty começava a sentir que, muito embora ela não fosse boa pessoa — ou talvez *porque* não fosse boa pessoa, por ser morbidamente competitiva e atraída por coisas insalubres —, ela era de fato uma pessoa razoavelmente interessante. E Walter, de tanto insistir febrilmente naquilo, vinha conseguindo aos poucos se tornar por sua vez interessante para ela.

"Se você é tão feminista assim", disse ela, "por que é amigo de Richard? Ele não é um sujeito que não respeita as mulheres?"

O rosto de Walter se anuviou. "Sem dúvida, se eu tivesse uma irmã, nunca apresentaria Richard a ela."

"Por quê?", perguntou Patty. "Porque ele iria tratá-la mal? Ele é cruel com as mulheres?"

"Não porque queira. Ele gosta de mulheres. É que ele acaba com elas muito depressa."

"Porque somos permutáveis? Porque somos simples objetos?"

"Não é uma questão política", disse Walter. "Ele é a favor da igualdade de direitos. É mais como se fosse o vício dele, ou um dos vícios. Sabe, o pai dele bebia muito, e Richard não bebe. Mas é a mesma coisa que esvaziar todas as bebidas da casa no ralo depois de uma bebedeira. É assim que ele trata as garotas depois que se cansa delas."

"Que coisa horrível."

"É, não é uma coisa que eu admire muito nele."

"Mas vocês ainda são amigos, apesar de você ser feminista."

"Você não deixa de ser leal a um amigo só porque ele não é perfeito."

"Não, mas tenta ajudá-lo a se transformar numa pessoa melhor. Explica o que está errado nas coisas que ele faz."

"É isso que você fazia com Eliza?"

"É verdade, nisso você tem razão."

Na conversa seguinte que ela teve com Walter, ele a convidou finalmente para um encontro a dois, cinema-e-depois-jantar. O filme (o que era a cara de Walter) era uma sessão gratuita, um filme grego em preto e branco chamado *O ogro de Atenas*. Enquanto se instalaram no departamento de artes da universidade, cercados de assentos vazios, esperando o filme começar, Patty descreveu seus planos para o verão seguinte, que consistiam em passar algum tempo na casa dos pais de Cathy Schmidt nos subúrbios de Minneapolis, continuar a fisioterapia, e preparar-se para voltar às quadras na temporada seguinte. Inesperadamente, no cinema vazio, Walter lhe perguntou se ela não preferia ir morar no quarto que Richard estava deixando, de mudança para Nova York.

"Richard vai embora?"

"Vai", respondeu Walter. "Tudo que é interessante em matéria de música acontece em Nova York. Ele e Herrera querem reorganizar a banda e tentar alguma coisa por lá. E eu ainda tenho três meses de contrato do apartamento."

"Ora veja só", disse Patty compondo o rosto com cuidado. "E eu iria morar no quarto dele."

"Bom, não vai ser mais o quarto dele", disse Walter, "mas o seu. De lá até o ginásio é uma caminhada curta. Pode ser bem mais fácil do que ter de vir de ônibus ou trem de Edina."

"Quer dizer que você está me convidando para ir *morar* com você."

Walter corou e evitou os olhos dela. "Você tem um quarto só seu, claro. Mas sim, se você quiser jantar comigo e sair, eu também ia adorar. Acho que eu sou alguém em quem você pode confiar, que vai respeitar seu espaço mas também vai estar lá se você quiser companhia."

Patty perscrutou o rosto dele, fazendo força para entender bem. Sentia-se ao mesmo tempo (a) ofendida e (b) muito triste de saber que Richard estava indo embora. Quase chegou a sugerir a Walter que era melhor ele beijá-la primeiro, se ia convidá-la para morar com ele, mas estava tão ofendida que naquele momento preferia não ser beijada. E então as luzes do cinema se apagaram.

Na memória da autobiógrafa, o enredo de *O ogro de Atenas* gira em torno de um tímido contador ateniense com óculos de aro de osso que um dia está andando na rua e vê o próprio retrato na primeira página de um jornal, debaixo da manchete O OGRO DE ATENAS AINDA À SOLTA. Os passantes logo começam a apontar para ele e a persegui-lo, e ele está à beira de ser capturado quando é salvo por um bando de terroristas ou criminosos que o confundem com seu chefe, que é um monstro. O bando tem um plano ousado de explodir o Partenon ou coisa parecida, e o herói passa o tempo todo tentando explicar para eles que é apenas um tímido contador, e não o Ogro, mas os bandidos contam tanto com a sua ajuda, e o resto da cidade está tão decidido a acabar com ele, que chega um momento incrível em que ele tira os óculos e *se transforma no destemido líder do bando* — o Ogro de Atenas! E diz, "Muito bem, rapazes, nosso plano vai ser o seguinte".

Patty viu o filme imaginando Walter como o contador e pensando no momento em que iria tirar seus óculos do mesmo modo. Depois, enquanto jantavam no Vescio's, Walter interpretou o filme como uma parábola sobre o comunismo na Grécia do pós-guerra e explicou a Patty como os Estados Unidos, precisando de parceiros para a Otan no sul da Europa, vinham patrocinando havia muito a repressão política naquela região. O contador, disse ele, era uma figura do Homem Comum que acaba aceitando sua responsabilidade e se junta à luta pela violência contra a repressão de direita.

Patty estava tomando vinho. "Não concordo com nada disso", disse ela. "Acho que o filme conta a história de um personagem que nunca chegou a ter uma vida de verdade, por ser uma pessoa tão responsável e controlada, e na verdade não tem a menor ideia do que é capaz. E só se sente plenamente vivo quando é confundido com o Ogro. Apesar de só ter sobrevivido alguns dias depois disso, ele não se importa de morrer porque no fim das contas acabou fazendo alguma coisa da vida, percebendo o potencial que tinha."

Walter ficou pasmo com essas palavras. "Mas a morte dele é totalmente sem sentido" disse ele. "Ele não consegue nada."

"Mas então por que ele muda?"

"Por solidariedade com o bando que salva a vida dele. Ele percebe que tem uma responsabilidade com eles. Eles estavam em minoria, e precisavam dele, e ele foi leal. E morreu por lealdade."

"Meu Deus", admirou-se Patty, "você é de uma correção a toda prova."

"Pois não é assim que eu me sinto", disse Walter. "Às vezes eu me acho o sujeito mais imbecil da face da Terra. Quem me *dera* conseguir ser desonesto. Quem me *dera* só pensar em mim mesmo o tempo todo, como Richard, tentando ser algum tipo de artista. E não é por causa da minha correção que eu não consigo. É porque simplesmente não tenho estrutura para isso."

"Mas o contador também achava que não tinha estrutura para isso. E se surpreendeu consigo mesmo."

"Foi, mas o filme não é realista. O sujeito da foto no jornal não era só parecido com o ator, era *ele*. E se ele se entregasse para as autoridades, poderia ter esclarecido tudo depois de algum tempo. O erro dele foi sair correndo. É por isso que eu digo que é uma parábola. Não é uma história realista."

Patty achou estranho estar tomando vinho com Walter, que era totalmente abstêmio, mas estava num humor perverso e rapidamente bebeu um bocado. "Tire os óculos", disse ela.

"Não", respondeu Walter. "Senão não vou ver você."

"Qual o problema? Sou só eu. Só Patty. Tire."

"Mas eu adoro ver você! Adoro olhar para você!"

Seus olhos se encontraram.

"É por isso que você quer que eu vá morar com você?", perguntou Patty. Ele corou, "É".

"Bem, então talvez o melhor fosse a gente ir dar uma olhada no seu apartamento, para eu poder resolver."

"Hoje à noite?"

"É."

"Você não está cansada?"

"Não. Não estou cansada."

"E o joelho, não está doendo?"

"Meu joelho está ótimo, obrigada."

Pela primeira vez ela estava pensando só em Walter. Se você lhe perguntasse, enquanto descia a rua 4 de muletas envolta pelo ar macio e propiciatório de maio, se tinha alguma esperança de deparar com Richard no apartamento, ela responderia que não. Ela queria sexo *agora*, e se Walter tivesse um pingo de bom senso teria evitado o apartamento assim que ouviu a TV ligada do outro lado da porta — teria levado Patty para algum outro lugar, qualquer outro lugar, para o quarto dela, qualquer canto. Mas Walter acreditava no verdadeiro amor e parecia ter medo de encostar a mão em Patty antes de ter certeza de ser correspondido. Ele a levou direto para o apartamento, onde Richard estava sentado na sala com os pés descalços em cima da mesa de centro, com um violão no colo e um caderno de espiral a seu lado no sofá. Estava vendo um filme de guerra, tomando uma Pepsi gigante, mascando tabaco e cuspindo numa lata de tomate de setecentos e cinquenta gramas. Tirando isso, a sala estava limpa e despojada.

"Achei que você tinha ido ver um show", disse Walter.

"O show era uma merda", disse Richard.

"Você se lembra de Patty, não é?"

Patty avançou timidamente de muletas até ficar mais visível. "Oi, Richard."

"Patty que não é considerada alta", disse Richard.

"Eu mesma."

"Apesar de ser bem alta. Por sorte Walter finalmente conseguiu atrair você até aqui. Eu estava começando a ficar preocupado, achando que nunca ia acontecer."

"Patty está pensando em vir morar aqui no verão", disse Walter.

Richard levantou as sobrancelhas. "É mesmo."

Era mais magro, mais novo e mais atraente do que na lembrança dela. Foi horrível como de uma hora para outra ela passou a querer negar que tivesse pensado em morar ali com Walter ou imaginado ir para a cama com ele aquela noite. Mas não havia como negar o fato de que estava ali. "Estou procurando um lugar perto do ginásio", disse ela.

"Claro. Faz sentido."

"Ela estava querendo ver o seu quarto", disse Walter.

"O quarto está meio desarrumado."

"Você fala como se em algum momento não estivesse", disse Walter com um riso alegre.

"Às vezes passo por períodos de desarrumação relativamente menos grave", disse Richard. Desligou a TV esticando o dedão do pé. "Como vai sua amiguinha Eliza?", perguntou a Patty.

"Ela não é mais minha amiga."

"Eu já tinha contado", disse Walter.

"Queria ouvir de fonte segura. Ela é uma porra-louca total, não é? Eu não percebi logo de cara, mas, porra, depois ficou claro."

"Cometi o mesmo erro", disse Patty.

"Walter foi o único que viu a verdade desde o primeiro dia. A Verdade Sobre Eliza. Nem é um mau título."

"Minha vantagem foi que ela me detestou à primeira vista", disse Walter. "E aí eu pude ver quem ela era com mais clareza."

Richard fechou seu caderno e cuspiu saliva marrom dentro da lata. "Vou deixar vocês em paz, crianças."

"Você está trabalhando em alguma coisa?", perguntou Patty.

"A merda de sempre, que ninguém consegue ouvir. Estava tentando escrever alguma coisa sobre essa gata, Margaret Thatcher. A nova primeira--ministra da Inglaterra."

"Gata é um exagero e tanto no caso de Margaret Thatcher", disse Walter. "Velha viúva se aplica melhor."

"O que você acha da palavra 'gata'?", perguntou Richard a Patty.

"Ah, não sou do tipo exigente."

"Walter diz que eu não devia usar. Diz que é uma forma de tratamento aviltante. Na minha experiência, as próprias gatas nunca se incomodaram."

"Parece que você saiu direito dos anos 60", disse Patty.

"Parece um homem de Neanderthal", disse Walter.

"Dizem que os homens de Neanderthal tinham um crânio enorme", disse Richard.

"Assim como os bois," replicou Walter. "E outros ruminantes."

Richard riu.

"Achava que atualmente só os jogadores de beisebol mascavam tabaco", disse Patty. "É bom?"

"Pode experimentar, se está a fim de ficar vomitando", disse Richard, levantando-se. "Eu vou sair de novo. E deixar vocês dois sozinhos."

"Espere, eu quero experimentar", disse Patty.

"Não é uma boa ideia", disse Richard.

"Não, eu realmente quero experimentar."

O clima entre ela e Walter estava irreparavelmente desfeito, e agora ela estava curiosa para ver se tinha o poder de fazer Richard ficar em casa. Finalmente tinha encontrado a oportunidade de demonstrar o que vinha tentando explicar a Walter desde a noite em que haviam se conhecido — que ela não era uma boa pessoa, e não servia para ele. Era também, claro, uma oportunidade para Walter arrancar os óculos, comportar-se como um ogro e expulsar o rival. Mas Walter, nesse momento como em todos, só queria que Patty conseguisse o que queria.

"Deixe ela experimentar", disse ele.

Ela lhe dirigiu um sorriso agradecido. "Obrigada, Walter."

O tabaco era mentolado e queimou intensamente suas gengivas. Walter trouxe uma caneca de café para ela cuspir, e ela ficou sentada no sofá qual uma participante de um experimento, esperando a nicotina fazer efeito, e apreciando ser alvo de tanta atenção. Mas Walter estava prestando atenção em Richard, também, e quando o coração dela começou a disparar ela teve a súbita lembrança de Eliza dizendo que Walter era meio apaixonado por seu amigo; lembrou-se dos ciúmes de Eliza.

"Richard está todo animado com Margaret Thatcher", disse Walter. "Ele acha que ela representa os excessos que hão de conduzir inevitavelmente o capitalismo à autodestruição. Ele deve estar escrevendo uma canção de amor."

"Você me conhece bem", disse Richard. "Uma canção de amor para a senhora com o cabelão."

"Nós discordamos quanto à possibilidade de uma revolução marxista", explicou Walter a Patty.

"Humm," disse ela, cuspindo.

"Walter acha que o Estado liberal é capaz de se reformar", disse Richard. "Acha que a burguesia americana vai aceitar por conta própria restrições cada vez maiores às liberdades pessoais."

"Costumo ter ótimas ideias para canções, que Richard inexplicavelmente sempre rejeita."

"A canção do uso eficiente de combustível. A canção sobre o transporte público. A canção sobre o seguro saúde. Uma canção falando do imposto sobre bebês."

"É território virgem, em matéria de conteúdo para canções de rock", disse Walter.

"Dois Filhos é Bom, Quatro Filhos é Demais."

"Dois Filhos é Bom — *Zero* Filhos é Melhor."

"Já estou vendo as massas tomando as ruas."

"Primeiro você precisa ficar incrivelmente famoso", disse Walter. "Depois as pessoas prestam atenção no que você disser."

"Vou procurar fazer isso." Richard virou-se para Patty. "Tudo bem por aí?"

"Humm", disse ela, ejetando a massa mascada na caneca de café. "Entendi o que você disse sobre a náusea."

"Só faça o possível para não vomitar no sofá."

"Tudo bem com você?", perguntou Walter.

A sala oscilava e pulsava. "Não consigo acreditar que você goste disso", disse Patty a Richard.

"Mas eu gosto."

"Tudo bem com você?", tornou a perguntar Walter.

"Tudo bem. Só preciso ficar sentada bem quietinha."

Na verdade estava enjoadíssima. Não havia nada a fazer além de ficar sentada no sofá e ouvir Walter e Richard trocar alfinetadas sobre política e música. Walter, com grande entusiasmo, mostrou a ela o compacto simples dos Traumatics e obrigou Richard a tocar os dois lados do disco no aparelho de som. A primeira canção era "Odeio a luz do sol", que ela já tinha ouvido no show durante o outono, e que agora lhe pareceu o equivalente sonoro da absorção de um excesso de nicotina. Mesmo a um volume baixo (Walter, nem é preciso dizer, tinha um respeito patológico pelos vizinhos), a canção lhe transmitiu uma sensação mórbida e lúgubre. Ela sentia o olhar de Richard fixo nela enquanto ouvia sua voz de barítono cantando, e percebeu que não tinha se enganado sobre o modo como olhara para ela nas outras ocasiões em que tinham se encontrado.

Em torno das onze, Walter começou a bocejar incontrolavelmente.

"Sinto muito", disse ele. "Preciso levar você para casa agora."

"Pode deixar que volto andando sozinha. E as minhas muletas ainda podem servir como arma de defesa."

"Não", disse ele. "Vamos com o carro de Richard."

"Não, você precisa ir dormir, coitadinho. Richard talvez possa me levar. Não pode?", perguntou a ele.

Walter fechou os olhos e emitiu um suspiro infeliz, como se tivesse ultrapassado seus limites.

"Claro", disse Richard. "Eu levo você."

"Mas antes ela precisa ver o seu quarto", disse Walter, ainda de olhos fechados.

"Fique à vontade", disse Richard. "A condição do quarto fala por si mesma."

"Não, eu quero um guia", disse Patty, lançando-lhe um olhar significativo.

As paredes e o teto do quarto dele eram pintados de preto, e a desordem absoluta que a influência de Walter tinha suprimido na sala aqui se espalhava sem freios. Havia LPs e capas de LP por toda parte, além de várias latas cheias de cuspe, mais um violão, prateleiras abarrotadas de livros, um tumulto de meias e roupas de baixo, e lençóis escuros embaralhados onde era interessante e de certa forma nada desagradável imaginar que Eliza tinha sido vigorosamente abatida.

"Uma cor bem alegre!", disse Patty.

Walter tornou a bocejar. "Claro que vou pintar tudo."

"A não ser que Patty goste de preto", disse Richard da porta.

"Nunca tinha pensado em preto", disse ela. "É interessante."

"Para mim, uma cor muito repousante", disse Richard.

"Quer dizer que você vai se mudar para Nova York", disse ela.

"Vou."

"Legal. Quando?"

"Daqui a duas semanas."

"Ah, na mesma época em que vou para lá. Meus pais fazem vinte e cinco anos de casados. E estão planejando algum Evento pavoroso."

"Você é de Nova York?"

"Do condado de Westchester."

"Eu também. Mas possivelmente de outra parte do condado."

"Bem, dos subúrbios."

"Muito diferente de Yonkers."

"Já passei por Yonkers de trem mais de mil vezes."

"Exatamente o que eu queria dizer."

"E você vai de carro para Nova York?", perguntou Patty.

"Por quê?", perguntou Richard. "Quer uma carona?"

"Talvez! Você me leva?"

Ele balançou a cabeça. "Preciso pensar."

Os olhos do pobre Walter estavam se fechando, e ele praticamente não estava vendo essa negociação. A própria Patty estava sem fôlego de tanta culpa e confusão, e saiu muletando depressa na direção da porta, onde, de longe, agradeceu a ele pela noite.

"Desculpe eu ter ficado tão cansado", disse ele. "Tem certeza de que não quer que eu leve você em casa?"

"Eu levo", disse Richard. "Vá para a cama."

Walter estava com um aspecto muito infeliz, mas pode ter sido só sua exaustão. Em plena rua, sob um ar favorável, Patty e Richard caminharam em silêncio até chegarem ao Impala enferrujado de Richard, que parecia se empenhar ao máximo em não encostar nela enquanto ela se sentava e lhe entregava suas muletas.

"Eu achava que você devia ter uma van", disse ela enquanto ele se instalava a seu lado. "Achava que todas as bandas tinham vans."

"Herrera é que tem uma van. Este é o meu meio de transporte pessoal."

"E é nele que vamos para Nova York."

"É, escute uma coisa." Ele enfiou a chave na ignição. "Você precisa resolver para que lado você vai. Está entendendo? Desse jeito não é justo com Walter."

Ela olhou direto para a frente através do para-brisa. "O que não é justo?"

"Dar esperança a ele. Dar corda."

"Você acha que estou fazendo isso?"

"Ele é uma pessoa fora do comum. E leva tudo muito, muito a sério. Com ele você precisa tomar cuidado."

"Eu sei", respondeu ela. "Você não precisava me dizer."

"Bem, então o que você veio fazer aqui? Eu tive a impressão —"

"De quê? Teve a impressão de quê?"

"De que interrompi alguma coisa. Mas aí, quando eu tentei ir embora..."

"Meu Deus, você é *mesmo* um cretino."

Richard assentiu, como se não se importasse nem um pouco com o que Patty achava dele, ou como se estivesse cansado de ouvir mulheres idiotas lhe dizerem coisas idiotas. "Quando eu tentei ir embora", disse ele, "você deu a impressão de não entender a deixa. O que não tem problema, a escolha é sua. Eu só queria ter certeza de que você sabe que vai partir o coração de Walter em mil pedaços."

"Não quero falar sobre isso com você."

"Ótimo. Não vamos falar sobre isso. Mas você tem estado muito com ele, não é? Praticamente todo dia, não é? Faz muitas semanas."

"Nós somos amigos. Saímos juntos."

"Ótimo. E você sabe como é a situação em Hibbing."

"Sei. A mãe dele precisa de ajuda para cuidar do motel."

Richard deu um sorriso desagradável. "É isso que você sabe?"

"Além disso, o pai dele não está bem, e os irmãos dele não fazem nada."

"E foi isso que ele lhe contou. Só isso."

"O pai dele tem enfisema. A mãe dele é inválida."

"E ele está trabalhando vinte e cinco horas por semana em construção e ainda assim tirando notas altas no curso de direito. E ainda assim, todo dia, tem todo esse tempo para passar com você. Que sorte a sua ele ter tanto tempo de sobra. Mas você é uma gata bonitinha, e merece, não é? E também está muito contundida. Isso *e* ser bonitinha: já tem direito a nem perguntar nada para ele."

Patty ardia com a sensação de injustiça. "Sabe", disse ela com voz hesitante, "ele sempre me disse como você trata mal as mulheres. Ele sempre fala disso."

O que não deu a impressão de interessar nem um pouco a Richard. "Só estou tentando entender essa história no contexto de você ser tão amiguinha da pequena Eliza", disse ele. "Agora está fazendo mais sentido. Não fez, da primeira vez que vi você. Achei que fosse uma moça boazinha dos subúrbios."

"Quer dizer que também sou uma cretina. É isso que você quer dizer? Eu sou uma cretina e você é um cretino."

"Exatamente. Você é quem sabe. Ninguém Aqui é Uma Pessoa Legal. Pode ser. Só estou pedindo para *você* não tratar Walter mal."

"Não estou tratando!"

"Só estou dizendo o que eu penso."

"Bom, está pensando tudo errado. Eu gosto do Walter. Gosto de verdade."

"Mas ainda assim acho que você não sabe que o pai dele está morrendo do fígado e o irmão mais velho está preso por roubo de carro, e o outro irmão gastando todo o soldo que recebe do Exército nas prestações do Corvette de coleção que comprou. E Walter está dormindo em média quatro horas por noite enquanto vocês saem como bons amigos, só para você ter acesso à minha casa e poder dar em cima de mim."

Patty ficou muda.

"De fato eu não sabia disso tudo", disse ela depois de algum tempo. "Não tinha todas as informações. Mas você não devia ser amigo dele se tem problema quando alguém dá em cima de você."

"Ah, quer dizer que a culpa é minha. Entendi."

"Me desculpe, mas é um pouco, sim."

"Não vou mais discutir", disse Richard. "Você precisa pensar bem e arrumar a sua cabeça."

"Eu sei que preciso", disse Patty. "Mas você de qualquer modo é um cretino."

"Escute aqui, eu levo você a Nova York, se é isso que você quer. Dois cretinos na estrada. Pode ser divertido. Mas, se é isso que você quer, precisa me fazer um favor: parar de dar corda ao Walter."

"Está bem. Agora por favor me deixe em casa."

Talvez devido à nicotina, ela passou a noite inteira acordada passando em revista esses acontecimentos, tentando fazer o que Richard recomendou e arrumar a cabeça. Mas era um estranho kabuki mental, porque ao mesmo tempo que dava voltas e mais voltas em torno da questão de saber que tipo de pessoa ela era, e como ia ser no fim das contas sua vida, um fato concreto permanecia fixo e imutável em seu centro: ela queria sair pela estrada com Richard e, além disso, ia fazer a viagem. A triste verdade é que a conversa que tiveram no carro tinha sido animadora e ao mesmo tempo um grande alívio para ela — animadora porque Richard a deixava animada e um alívio porque, finalmente, depois de meses tentando ser alguém que não era, ou não era exatamente, ela se sentia e queria agir como a pessoa que na verdade era, sem fingimento. Era por isso que sabia que ia acabar encontrando um modo de fazer a viagem. Ela só precisava superar sua culpa em relação a Walter e sua tristeza por não ser o tipo de pessoa que os dois queriam que ela fosse. Como ele tinha feito bem em não se precipitar no caso dela! Como tinha sido sensível em relação à sua dúvida secreta! Quando ela se dava conta do quanto ele tinha razão e era perceptivo em relação a ela, mais triste e culpada se sentia por decepcioná-lo, e se via devolvida ao beco sem saída da indecisão.

E então, por quase uma semana, não teve notícias dele. Desconfiava que ele estivesse mantendo distância a conselho de Richard — que Richard lhe tivesse feito uma preleção de fundo misógino sobre a infidelidade das mulheres e a necessidade de proteger melhor seu coração. Na imaginação de Patty, seria um grande serviço que Richard lhe prestava, e uma coisa terrível pela desilusão que havia de provocar em Walter. Não conseguia parar de pensar em Walter carregando uma planta imensa para ela no ônibus, na vermelhidão de poinsétia do rosto do rapaz. Lembrou as noites em que, no corredor do dormitório dela, ele tinha sido encurralado pela Chata da Ala, Suzanne Storrs, que penteava os cabelos de lado por cima da cabeça com o repartido bem baixo, e como ele ouviu com toda a paciência o monótono discurso de Suzanne sobre a dieta que fazia, os males da inflação e o superaquecimento do quarto dela, além de sua decepção generalizada com os administradores e os professores da universidade, enquanto Patty, Cathy e suas outras amigas riam de *Ilha da Fantasia*: como Patty, para todos os efeitos incapacitada pelo joelho, preferiu não se levantar para ir salvar Walter de Suzanne, por medo de que Suzanne depois disso viesse para o quarto dela e infligisse sua chatice a todas as outras, e como Walter, embora perfeitamente capaz de brincar com Patty sobre os problemas de Suzanne, e embora sem dúvida preocupado com todo o trabalho que tinha pela frente e com o horário em que precisava acordar, deixou que Suzanne o encurralasse novamente em outras noites, porque ela simpatizara com ele e lhe inspirava pena.

Basta dizer que Patty não conseguia exatamente decidir para que lado ia. Não voltaram a se falar até Walter ligar para ela de Hibbing para pedir desculpas pelo sumiço e contar que seu pai estava em coma.

"Oh, Walter, estou sentindo a sua falta!", exclamou ela, embora aquilo fosse *exatamente* o tipo de coisa que Richard recomendaria que ela não dissesse.

"Eu também!"

Ela se lembrou de perguntar detalhes sobre o estado do pai dele, muito embora só tivesse sentido fazer as perguntas certas se ela estivesse disposta a ir em frente com ele. Walter falou de falência do fígado, edema pulmonar, um prognóstico de merda.

"Sinto muito," disse ela. "Mas escute. Em relação ao quarto — "

"Ah, você não precisa resolver nada disso agora."

"Não, mas eu preciso lhe dar uma resposta. Se você for alugar para alguma outra pessoa — "

"Eu prefiro alugar para você."

"Bem, eu sei, e até posso querer, mas preciso viajar semana que vem, e pensei em ir para Nova York de carro com Richard. Já que ele vai na mesma época."

Qualquer suspeita de que Walter pudesse não estar percebendo as implicações foi dissipada por seu silêncio repentino.

"Mas você não tem uma passagem de avião?", perguntou ele finalmente.

"É reembolsável", mentiu ela.

"Então tudo bem", disse ele. "Mas você sabe que Richard não é muito confiável."

"É verdade, eu sei, eu sei", respondeu ela. "Você tem razão. Só achei que podia economizar um dinheirinho, que depois podia usar para o aluguel." (Um aprofundamento da mentira. Os pais dela é que tinham comprado a passagem.) "Faço questão de pagar o aluguel de junho, haja o que houver."

"Não faz o menor sentido se você não for para lá."

"Bom, eu devo ir, o que estou dizendo é que ainda não tenho certeza."

"Está bom."

"É o que eu quero. Só não tenho certeza. Por isso, se aparecer outro inquilino, você devia aceitar. Mas eu pago o mês de junho, sem dúvida."

Houve outro silêncio antes de Walter, com uma voz desalentada, dizer que precisava desligar.

Empolgada por ter levado a cabo aquela difícil conversa, Patty ligou para Richard e lhe garantiu que tinha feito a escolha necessária, ao que Richard respondeu que a data de partida ainda estava um tanto incerta e ele pretendia parar no caminho para ver um ou dois shows em Chicago.

"Contanto que eu esteja em Nova York antes do sábado que vem", disse Patty.

"Isso mesmo, a festa do aniversário de casamento. Onde vai ser?"

"No Mohonk Mountain House, mas você só precisa me deixar em Westchester."

"Vou ver o que dá para fazer."

Não é muito divertido cair na estrada com um motorista que considera você, e talvez todas as mulheres, um pé no saco, mas Patty só foi saber disso depois que já tinha embarcado. Os problemas começaram com a data de partida, que precisou ser adiantada por causa dela. Depois, um problema mecânico na van fez Herrera se atrasar, e como era com amigos de Herrera que Richard pretendia ficar em Chicago, e como Patty de qualquer maneira não estava incluída no combinado, tudo indicava que a situação por lá ficaria constrangedora. Patty também não era muito competente em matéria de calcular distâncias, e assim, quando Richard se atrasou três horas para passar e pegá-la e só foram sair de Minneapolis no final da tarde, ela não imaginou como estaria tarde quando chegassem a Chicago e como era importante percorrer a I-94 num tempo bom. A culpa não era *dela* de terem saído tão atrasados. E ela nem achava excessivo pedir, perto de Eau Claire, que parassem para ela ir ao banheiro, e depois, uma hora mais tarde, perto de lugar nenhum, para comer alguma coisa. Ela tinha caído na estrada, e queria aproveitar! Mas o banco traseiro estava cheio de equipamentos que Richard nunca deixava fora de suas vistas, e suas necessidades básicas eram satisfeitas por um naco de fumo de mascar (tinha uma latona no piso para cuspir), e embora não reclamasse das muletas, pelo quanto atrasavam e complicavam tudo que ela fazia, tampouco disse para ela se recostar e curtir a paisagem. Durante a travessia de Wisconsin, a cada minuto do caminho, a despeito da grosseria dele e da irritação mal disfarçada diante das necessidades humanas mais razoáveis de Patty, ela sentia a pressão quase física do interesse dele em *trepar*, o que também não ajudava muito a tornar mais leve a atmosfera no carro. Não que ela não se sentisse muito atraída por ele. Mas ela precisava de algum tempo e espaço para respirar, e mesmo levando em conta sua juventude e inexperiência, a autobiógrafa admite envergonhada que seu meio de ganhar esse tempo e espaço era conduzir a conversa, perversamente, para Walter.

Num primeiro momento, Richard não queria conversar sobre ele, mas depois que ela conseguiu começar ficou sabendo de muitas coisas sobre os tempos de Walter na faculdade. Sobre os grupos de estudo que tinha organizado — sobre a explosão populacional, sobre a reforma do colégio eleitoral — e que quase nenhum outro aluno tinha assistido. Sobre os programas pioneiros de música New Wave que ele produziu durante quatro anos na rádio do *campus*. Sobre seu abaixo-assinado para melhorar a vedação das janelas nos dormitórios do Macalester College. Sobre os editoriais que tinha escrito para o jornal da faculdade falando, por exemplo, das bandejas do refeitório que ele manipulava na esteira rolante: calculou quantas famílias de St. Paul poderiam ser alimentadas só com os restos de uma noite, lembrando aos colegas que outros seres humanos precisariam se ver às voltas com a manteiga de amendoim que eles espalhavam por toda parte, e de como ele adotara uma postura filosófica diante do hábito que os colegas tinham de derramar três vezes mais leite que o necessário em seus flocos de cereal e depois deixar tigelas cheias de leite imprestável nas bandejas: será que achavam que o leite era um alimento gratuito e infinito como a água, sem nenhuma consequência ambiental? Richard contou tudo isso no mesmo tom protetor que adotara com Patty duas semanas antes, um tom de remorso estranhamente carinhoso em relação a Walter, como se lhe provocasse algum incômodo a dor que Walter causava a si próprio malhando em ferro frio contra as duras realidades da vida.

"E ele tinha namoradas?", perguntou Patty.

"Sempre escolhia mal", disse Richard. "Se apaixonava pelas gatas mais impossíveis. As que já tinham namorado. As metidas com as artes, que frequentavam outro tipo de círculo. Houve uma segundanista de que ele não desistiu durante todo o último ano. Cedeu a ela o horário de sexta-feira à noite que tinha na rádio e ficou com a tarde de terça. E eu só soube tarde demais para impedir a troca. Ele reescrevia os trabalhos dela, ia com ela ao teatro. Era uma coisa horrível de acompanhar, o modo como ela manipulava Walter. Estava sempre aparecendo no nosso quarto de surpresa."

"Que engraçado", disse Patty. "Por que será?"

"Ele nunca escuta os meus avisos. É muito teimoso. E não é muito fácil de perceber, mas ele sempre vai atrás da aparência. As mais bonitas e bem-feitas de corpo. Nessa questão ele é muito ambicioso. E por isso não foi muito feliz nos tempos da faculdade."

"E a menina que vivia aparecendo no seu quarto. Você gostava dela?"

"Não gostava do que ela estava fazendo com Walter."

"Um tema que se repete muito na sua vida, não é?"

"A menina tinha um gosto de merda e o horário na rádio sexta-feira à noite. A certa altura, só havia um modo de fazer Walter ver as coisas com clareza. Sobre o tipo de gata com quem estava se metendo."

"Ah, quer dizer que você está fazendo um favor a ele. Entendi."

"Todo mundo é moralista."

"Não, estou falando sério. Estou percebendo por que você não respeita as mulheres. Se você só vê, desde sempre, as garotas que querem que você traia seu melhor amigo. Fica claro que é uma situação muito esquisita."

"Você eu respeito", disse Richard.

"Rá rá rá."

"Você tem uma cabeça boa. Eu não me incomodaria de ficar com você durante o verão, se você quiser passar um tempo em Nova York."

"Não me parece muito viável."

"Só estou dizendo que eu iria gostar."

Ela teve mais ou menos três horas para cultivar essa fantasia — contemplar as luzes traseiras dos carros que trafegavam para um lado e para o outro pela grande metrópole, pensando como seria ser a gata de Richard, se alguma mulher que ele respeitava podia fazê-lo mudar, imaginando-se nunca mais de volta para Minnesota, tentando visualizar o apartamento que podiam encontrar para morar, saboreando a ideia de atiçar Richard contra sua desdenhosa irmã do meio, conjecturando sobre a consternação da família perante o quanto ela ficara moderna, e imaginando seu sumiço de cada noite — antes de chegarem à realidade da Área Sul de Chicago. Eram duas da manhã e Richard não conseguiu encontrar o edifício onde moravam os amigos de Herrera. Trilhos de trem e um rio escuro e ameaçador estavam o tempo todo no caminho deles. As ruas estavam desertas salvo por um ou outro táxi aventureiro e ocasionalmente Jovens Negros Assustadores do tipo que costuma aparecer no noticiário.

"Um mapa poderia ajudar", disse Patty.

"As ruas são numeradas. Não era para ser tão difícil."

Os amigos de Herrera eram artistas. O edifício em que moravam, que Richard finalmente localizou com a ajuda de um chofer de táxi, parecia desabitado. Tinha uma campainha pendendo de dois fios, mas que, para surpresa deles, funcionava. Alguém afastou um pedaço de lona que cobria uma das janelas da frente e depois desceu para reclamar com Richard.

"Desculpe, cara", disse Richard. "Mas atrasamos muito na estrada. Só precisamos de um lugar para dormir umas noites."

O artista estava usando uma cueca vagabunda e molhada. "Acabamos de começar a tapar as goteiras do quarto hoje", disse ele. "Ainda está bem molhado. Herrera não tinha falado de chegar no fim de semana?"

"Ele não ligou ontem para vocês?"

"Ligou. E eu disse para ele que o quarto de hóspedes está uma zona."

"A gente não liga. E agradece. Preciso levar umas coisas para dentro."

Patty, inútil para carregar o que fosse, ficou tomando conta do carro enquanto Richard o esvaziava lentamente. O quarto que lhes deram tinha um cheiro pesado que ela era jovem demais para reconhecer como massa para aplicar em paredes pré-fabricadas do tipo *dry wall*, jovem demais para achar familiar e reconfortante. A única luz vinha de uma fôrma de alumínio presa a uma escada coberta de respingos de massa.

"Deus do céu," disse Richard. "Quem está trabalhando aqui, um bando de macacos?"

Por baixo de uma pilha empoeirada e respingada de massa de pedaços de lona plástica havia um colchão de casal sem cobertas, todo manchado de ferrugem.

"Imagino que não esteja à altura do seu padrão tipo Sheraton", disse Richard.

"Algum lençol?", perguntou Patty timidamente.

Ele foi revirar o espaço principal e voltou com uma colcha indiana, um cobertor fino e uma almofada de chenile. "Você dorme aqui", disse ele. "Posso ficar no sofá."

Ela lhe lançou um olhar interrogativo.

"Está tarde", disse ele. "Você precisa dormir."

"Tem certeza? Aqui tem bastante espaço. Você não vai caber direito num sofá."

Ela estava morta, mas queria ficar com ele e tinha levado o equipamento necessário, e sentia uma certa urgência de levar aquilo a cabo logo, registrar o fato irrevogavelmente nos livros, antes de ter tempo de pensar demais e mudar de ideia. E muitos anos se passaram, quase metade da vida, antes que ela conhecesse — e ficasse devidamente perplexa com — o motivo que levou Richard a ficar inesperadamente tão cavalheiresco no meio da noite. Naquela ocasião, no meio daquela obra úmida de massa, ela só pôde supor que tivesse se equivocado de algum modo em relação a ele, ou que tivesse acabado com o tesão dele se comportando como um pé no saco e por sua inutilidade para carregar o que fosse.

"Ali tem uma coisa que passa por banheiro", disse ele. "Talvez você tenha mais sorte que eu e encontre o interruptor de luz."

Ela lhe dirigiu um olhar de desejo de que ele se desviou depressa e de propósito. A surpresa e a mágoa com aquilo, a tensão da viagem, a tensão da chegada, o horror daquele quarto: ela apagou a luz e se deitou de roupa e chorou muito tempo, tomando o cuidado de manter o choro inaudível, até sua decepção se dissolver em sono.

Na manhã seguinte, acordada às seis da manhã pela luz feroz do sol, enfurecendo-se totalmente por ter ficado horas esperando que alguém começasse a se mover naquele apartamento, ela decidiu encher o saco dos outros de verdade. Aquele dia inteiro representou uma espécie de nadir da vida inteira

126

em matéria de cordialidade. Os amigos de Herrera eram fisicamente estranhos e deram-lhe a impressão de que ela era praticamente uma não pessoa por nunca entenderem suas alusões culturais bem informadas. Deram-lhe três breves oportunidades de provar seu valor, depois do que passaram a ignorá-la brutalmente, depois do quê, para seu grande alívio, saíram do apartamento com Richard, que voltou sozinho com uma caixa de roscas para o café da manhã.

"Vou dar um jeito naquele quarto hoje", disse ele. "Fico doente de ver o trabalho de merda que estão fazendo lá. Que tal lixar um pouco de parede?"

"Eu tinha pensado em ir até a beira do lago, ou coisa assim. Quer dizer, aqui está tão quente. Ou talvez a algum museu."

Ele a fitou com ar grave. "Você está pensando em ir a um museu."

"Qualquer coisa, só para sair um pouco e aproveitar Chicago."

"Podemos sair hoje à noite. O Magazine vai tocar. Você conhece o Magazine?"

"Não conheço ninguém. Você ainda não percebeu?"

"Você está de mau humor. Quer voltar logo para a estrada."

"Não quero fazer nada."

"Se a gente conseguir limpar o quarto, você vai dormir melhor hoje à noite."

"Nem quero saber. Mas não estou com a menor vontade de lixar parede."

A área da cozinha era um chiqueiro nauseabundo que nunca tinha passado por uma faxina, exalando um cheiro de doença mental. Sentada no sofá onde Richard tinha dormido, Patty tentou ler um dos livros que trouxera na esperança de deixá-lo impressionado, um romance de Hemingway em que o calor, o mau cheiro, seu cansaço, o nó que sentia na garganta e os discos do Magazine que Richard não parava de tocar tornavam impossível concentrar-se. Quando o calor ficou intolerável, ela entrou no quarto que ele estava revestindo de massa e lhe disse que ia sair para dar uma volta.

Ele estava sem camisa, os pelos do peito colados e lisos devido ao suor que escorria. "A região aqui não serve muito para isso", disse ele.

"Bom, quem sabe você vem comigo."

"Daqui a mais uma hora."

"Não, deixe para lá", disse ela. "Eu vou sozinha mesmo. Eles nos deram uma chave?"

"Você está pensando mesmo em sair sozinha daqui de muletas?"

"Estou, a não ser que você queira vir comigo."

"O que, como acabei de dizer, eu posso até fazer daqui a uma hora."

"Bom, não estou com vontade de esperar uma hora."

"Nesse caso", disse Richard, "a chave está na mesa da cozinha."

"Por que você está me tratando tão mal?"

Ele fechou os olhos e deu a impressão de contar até dez em silêncio. Era óbvio o quanto ele desgostava das mulheres e das coisas que elas diziam.

"Por que você não toma um banho frio", disse ele, "e espera eu acabar."

"Sabe, ontem houve um momento em que eu achei que você estava gostando de mim."

"Eu gosto de você. Só estou trabalhando um pouco."

"Ótimo", disse ela. "Pode trabalhar."

Nas ruas, ao sol da tarde, fazia mais calor que no apartamento. Patty se locomovia com uma agilidade considerável, tentando não chorar obviamente demais, tentando dar a impressão de que sabia aonde estava indo. O rio, quando ela chegou às suas margens, parecia mais benigno que à noite, quase tomado por plantas e pela poluição e não maligno e voraz. Do outro lado ficavam ruas mexicanas enfeitadas para algum feriado mexicano recente ou iminente, ou talvez enfeitadas o tempo todo. Encontrou uma *taquería* com ar-condicionado onde olharam muito para ela mas ninguém a incomodou, e ela pôde sentar-se, tomar uma Coca-Cola e espojar-se no seu sofrimento de menina. Seu corpo queria tanto Richard, mas o resto via bem que ela tinha cometido um Erro ao vir com ele: que tudo que ela esperava da parte dele e de Chicago era uma fantasia pura e simples de sua cabeça. Expressões de que ela se lembrava do espanhol aprendido na escola secundária, *lo siento, hace mucho calor* e *¿qué quiere la señora?*, insistiam em brotar em meio ao burburinho. Ela invocou toda a sua coragem e pediu três *tacos*, que devorou enquanto acompanhava o infindável desfile de ônibus pela janela, cada um arrastando atrás de si um rastro cintilante de imundície. O tempo passava de um modo peculiar que a autobiógrafa, com sua experiência hoje abundante de tardes assassinadas, pode agora identificar como *depressivo* (interminável e ao mesmo tempo de uma rapidez nauseante, repleto de segundo a segundo, vazio de conteúdo de hora a hora); até que finalmente, à medida que se encerrava o expediente, grupos de jovens trabalhadores entraram e começaram a dedicar um excesso de atenção a ela, falando em espanhol de suas muletas, o que a obrigou a ir embora.

Enquanto voltava, o sol se mostrava como um globo alaranjado no final das ruas que corriam de leste a oeste. A intenção de Patty, como agora se permitia perceber, tinha sido sair por tempo suficiente para deixar Richard muito preocupado com ela, e nisso ela parecia ter fracassado por completo. Não havia ninguém no apartamento. As paredes do quarto dela estavam quase acabadas, o chão fora escrupulosamente varrido, a cama, arrumada para ela com lençóis e travesseiros de verdade. Em cima da colcha indiana havia um bilhete de Richard, em maiúsculas microscópicas, dando o endereço de um clube noturno e instruções de como chegar lá tomando o trem elevado. E concluía: ADVERTÊNCIA: PRECISEI LEVAR NOSSOS ANFITRIÕES COMIGO.

Antes de decidir se saía ou não, Patty se deitou para um cochilo e só despertou horas mais tarde, muito desorientada, com a volta dos amigos de Herrera. Saiu pulando numa perna só até a sala e lá ficou sabendo, com o mais desagradável deles, o de cueca da noite anterior, que Richard tinha saído com outras pessoas e mandara dizer a Patty que não esperasse por ele — mas que voltaria com tempo de sobra para seguirem viagem até Nova York.

"Que horas são agora?", perguntou ela.

"Mais ou menos uma."

"Da manhã?"

O amigo de Herrera a olhou com desprezo. "Não, é que estamos passando por um eclipse total."

"E aonde Richard foi?"

"Saiu com umas garotas que conheceu. Não disse para onde."

Como já foi dito, Patty não era muito boa para calcular distâncias rodoviárias. Para chegar a Westchester a tempo de ir com sua família para a Mohonk Mountain House, ela e Richard precisariam sair de Chicago às cinco da manhã. Ela só acordou muito depois disso, deparando com um dia cinzento tempestuoso, uma outra cidade, uma outra estação. Richard continuava desaparecido. Patty comeu umas roscas velhas e virou algumas páginas do seu Hemingway até as onze, quando até ela percebeu que as contas não tinham como fechar.

Tomou coragem e ligou para seus pais, a cobrar.

"Chicago!", disse Joyce. "Não acredito. Está perto do aeroporto? Consegue pegar um avião? Achamos que a essa altura você já estaria chegando. Seu pai quer sair cedo, por causa do tráfego de fim de semana."

"Eu me atrapalhei", disse Patty. "Desculpe."

"Bom, será que você consegue chegar lá amanhã de manhã? O jantar só vai ser amanhã à noite."

"Vou fazer tudo que puder", disse Patty.

Joyce, a essa altura, já estava na Assembleia Estadual havia três anos. Se em seguida ela não tivesse enumerado para Patty todos os parentes e amigos da família que estavam convergindo para Mohonk a fim de prestigiar aquele importante tributo a um casamento, a incrível animação com que os três irmãos de Patty estavam aguardando o evento, e como ela (Joyce) se sentia incrivelmente honrada com o afeto que lhe chegava, transbordante, dos quatro cantos do país, é possível que Patty tivesse feito o necessário para chegar a tempo. Na realidade, porém, uma calma e uma certeza estranhas tomaram conta dela enquanto ouvia a mãe falar. Uma chuva leve começara a cair sobre Chicago; cheiros agradáveis de concreto molhado e do lago Michigan chegaram até Patty pela brisa que agitava as cortinas de lona. Com uma falta de ressentimento inédita, um olhar frio que acabara de adquirir, Patty olhou para si mesma e viu que ninguém seria prejudicado, nem mesmo sentiria muito, se ela simplesmente deixasse de ir ao aniversário de casamento. A maior parte do caminho já tinha sido percorrida. Ela viu que já estava quase livre, e dar o último passo lhe pareceu um tanto terrível, mas não terrível no mau sentido, se é que isso quer dizer alguma coisa.

Estava sentada ao lado de uma janela, sentindo o cheiro da chuva e observando o vento curvar as ervas e o mato que cresciam no teto de uma fábrica havia muito abandonada, quando recebeu o telefonema de Richard.

"Mil desculpas", disse ele. "Estou chegando aí daqui a uma hora."

"Nem precisa se apressar", respondeu ela. "Já é tarde demais há muito tempo."

"Mas a festa é amanhã de noite."

"Não, Richard, amanhã era o jantar. Eu precisava chegar lá *hoje*. Antes das cinco da tarde."

"Merda. Está de brincadeira comigo?"

"Você se esqueceu mesmo disso?"

"Agora está tudo meio misturado na minha cabeça. Já faz algum tempo que eu não durmo."

"Está bem, de qualquer modo. Agora não tem mais a menor pressa. Acho que vou voltar para casa."

E foi o que ela fez. Empurrou a mala escada abaixo e desceu atrás com suas muletas, parou um táxi de passagem na Halstead Street, pegou o ônibus Greyhound para Minneapolis e mais um até Hibbing, onde Gene Berglund estava morrendo num hospital luterano. Fazia uns cinco graus e caía uma chuva forte nas ruas vazias do começo da manhã no centro de Hibbing. As faces de Walter estavam mais coradas do que nunca. Diante da parada do ônibus, no carro de alto consumo de gasolina de seu pai, fedendo a cigarro, Patty jogou os braços em torno do seu pescoço e resolveu descobrir se ele sabia beijar, e ficou muito satisfeita de constatar que ele sabia direitinho.

3. A liberdade de mercado estimula a concorrência

Devido à possibilidade de que, em relação aos pais de Patty, uma nota de queixa ou mesmo de censura declarada tenha se insinuado nestas páginas, a autobiógrafa deixa aqui registrada sua profunda gratidão para com Joyce e Ray por pelo menos uma coisa, a saber, o fato de nunca a terem encorajado a ser Criativa em Artes, ao contrário do que fizeram com suas irmãs. O fato de Joyce e Ray terem deixado Patty de lado, por mais que a magoasse quando era jovem, lhe parece cada vez mais benigno quando ela pensa nas irmãs, que passaram recentemente dos quarenta anos e vivem sozinhas em Nova York, sentindo-se excêntricas demais ou com direitos demais para manter qualquer relação prolongada, mas ainda aceitando subsídios dos pais enquanto se esforçam para conseguir algum sucesso artístico que foram convencidas a crer que lhes estava destinado. No fim das contas, foi melhor ter sido considerada burra e opaca, em vez de brilhante e fora do comum. Assim, é uma surpresa agradável que Patty seja só um pouquinho Criativa, e nada embaraçoso que não seja mais.

Uma coisa ótima do jovem Walter era o quanto ele torcia para Patty vencer. Enquanto Eliza antes só demonstrava pequenos respingos insatisfatórios de parcialidade a seu favor, Walter lhe dedicava abundantes infusões de hostilidade contra qualquer um (seus pais, seus irmãos) que a deixasse aborrecida. E como ele era tão intelectualmente honesto em outros aspectos da vida, tinha uma credibilidade impecável quando criticava sua família e se alistava nos planos questionáveis que ela formulava para lidar com isso. Podia não ser exatamente o que ela queria num homem, mas era insuperável em sua dedicação, provendo Patty do apoio fervoroso de que, naquela época, ela precisava mais ainda que de amor.

Hoje é fácil ver que Patty teria feito bem se tivesse dedicado alguns anos a construir uma carreira e uma identidade pós-atlética mais sólida, adquirindo certa experiência com outros tipos de homem e, no geral, acumulando mais maturidade antes de se lançar à condição de mãe. Entretanto, muito embora sua carreira como jogadora de basquete universitário estivesse acabada, ainda havia um relógio que marcava o tempo de ataque em sua cabeça, ela ainda responderia automaticamente à campainha, e precisava continuar vencendo mais do que nunca. E o meio que tinha para vencer — a melhor jogada óbvia que tinha à mão para derrotar a mãe e as irmãs — era se casar com o homem mais correto de Minnesota, ir morar numa casa maior, melhor e mais interessante que a de qualquer outro membro da família, produzir bebês e, como mãe, fazer tudo que Joyce nunca tinha feito. E Walter, apesar de ser um feminista convicto e membro-estudante que renovava a cada ano sua filiação à organização Crescimento Populacional Zero, adotou todo o programa doméstico de Patty sem reservas, porque ela era *de fato* tudo que ele queria numa mulher.

Casaram-se três semanas depois da formatura dela na faculdade — quase exatamente um ano depois de ela ter tomado o ônibus para Hibbing. Coube à mãe de Walter, Dorothy, franzir a testa e exprimir alguma preocupação, a seu modo suave, hesitante e ainda assim muito obstinado, diante da determinação de Patty em se casar no tribunal do condado de Hennepin, e não deixar que os pais lhe organizassem um casamento de verdade em Westchester. Não seria melhor, perguntava Dorothy com doçura, incluir a família Emerson? Ela entendia que Patty não era próxima da família, mas, ainda assim, será que mais tarde não se arrependeria de excluí-los dessa ocasião tão momentosa? Patty tentou descrever para Dorothy como seria um casamento em Westchester: duzentos ou mais dos amigos mais próximos de Joyce e Ray, além dos maiores financiadores das campanhas de Joyce; pressão de Joyce sobre Patty para escolher a irmã do meio como dama de honra e deixar a outra irmã executar uma dança expressiva durante a cerimônia; um consumo desenfreado de champanhe que acabaria levando Ray a fazer alguma piada sobre lésbicas perto das jogadoras de basquete amigas de Patty. Os olhos de Dorothy ficaram um pouco rasos d'água, talvez por dó de Patty ou talvez de tristeza ante a frieza e impiedade de Patty em relação à família. Não seria possível, insistiu ela docemente, organizar uma cerimônia particular modesta em que tudo fosse tal como Patty queria?

Um dos motivos, não o menos importante, para Patty não querer um grande casamento era o fato de que Richard seria o padrinho de Walter. Nesse ponto, sua posição era clara e, ao mesmo tempo tinha a ver com o medo do que poderia acontecer se Richard conhecesse sua irmã do meio. (A autobiógrafa, aqui, finalmente toma coragem e revela o nome da irmã: Abigail.) Já era desagradável que Eliza tivesse ficado com Richard; vê-lo se envolver com Abigail, por uma única noite que fosse, teria deixado Patty arrasada para sempre. E não é preciso dizer que ela nem tocou nesse assunto com Dorothy. Disse que simplesmente achava não ser uma pessoa muito dada a cerimônias.

Numa espécie de concessão, ela levou Walter para conhecer sua família na primavera, antes de casar-se com ele. É penoso para a autobiógrafa reconhecer que ficava um pouco encabulada de mostrá-lo à família e, pior, que este pode ter sido outro motivo para ela não querer um grande casamento. Ela o amava (e *ainda* ama, *ainda* ama) por qualidades que faziam muitíssimo sentido para ela no mundo particular onde viviam a dois, mas não eram necessariamente evidentes para o tipo de olho crítico que ela estava certa de que as irmãs, sobretudo Abigail, haveriam de assestar nele. Seus risos nervosos, seu rosto que corava à toa, até mesmo sua extrema gentileza: esses atributos eram caros a ela no contexto mais amplo daquele homem. Até mesmo um motivo de orgulho. Mas a parte implacável dela, que o convívio com a família sempre dava a impressão de realçar, não tinha como deixar de lamentar que ele não tivesse um metro e noventa e fosse um homem muito seguro de si.

Joyce e Ray, diga-se em louvor de ambos, e talvez em seu alívio secreto por Patty ter acabado se revelando heterossexual (secreto porque Joyce, por exemplo, sempre se mostrava exaustivamente Acolhedora com a Diferença), se comportaram da melhor maneira possível. Sabendo que Walter nunca estivera em Nova York, nomearam-se elegantes embaixadores da cidade, insistindo com Patty para que o levasse a exposições nos museus que a própria Joyce estava ocupada demais em Albany para ter visto, e depois os encontrassem para jantar em restaurantes aprovados pelo *Times*, entre eles um no SoHo que, àquela altura, ainda era uma área escura e aventurosa. O medo que Patty sentira de seus pais zombarem de Walter deu lugar à preocupação de que Walter pudesse passar para o lado deles e não conseguisse ver por que ela não podia suportá-los: que começasse a achar que o verdadeiro problema era a própria Patty, perdendo a fé cega na bondade dela, à qual àquela altura, em menos de um ano com ele, ela já se aferrava desesperadamente.

Por sorte, Abigail, que era frequentadora assídua de restaurantes caros e fez questão de transformar vários dos jantares em desconfortáveis mesas de cinco, estava no auge de sua antipatia. Incapaz de imaginar outro motivo para que os outros pudessem se reunir além de escutá-la, tagarelava sobre o mundo teatral de Nova York (por definição um mundo injusto, pois não avançara nada desde seu início como substituta); sobre o "lixo nojento" que era um professor de Yale com quem ela tivera divergências Criativas insuperáveis; sobre uma amiga sua chamada Tammy que produzira com dinheiro próprio uma montagem de *Hedda Gabler* em que ela própria (Tammy) tivera uma atuação brilhante no papel principal; sobre ressacas, as leis que controlavam os aluguéis e perturbadores incidentes sexuais ocorridos com terceiros que Ray, sempre tornando a encher a própria taça de vinho, lhe pedia com insistência para detalhar. No meio do último jantar, no SoHo, Patty ficou de saco tão cheio com o sequestro por Abigail da atenção que todos deveriam dedicar a Walter (que educadamente ouvia cada palavra de Abigail) que disse com todas as letras à irmã que calasse a boca e deixasse os outros falarem. Seguiu-se um intervalo desconfortável de manuseio silencioso de copos e talheres. E então Patty, fazendo gestos cômicos de quem tira água de um poço, fez Walter falar sobre si mesmo. O que hoje, em retrospecto, aparece claramente como um equívoco, porque Walter na época tinha um interesse apaixonado pelas políticas públicas e, desconhecendo como eram os políticos de verdade, acreditava que uma deputada estadual poderia interessar-se por saber o que ele pensava.

Perguntou a Joyce se ela sabia o que era o Clube de Roma. Ela admitiu que não. Walter explicou que o Clube de Roma (ele convidara um de seus membros para ministrar uma palestra no Macalester College dois anos antes) se dedicava a discutir os limites do crescimento. A teoria econômica dominante, tanto marxista quanto defensora do livre mercado, disse Walter, tomava como certo que o crescimento econômico era sempre uma coisa positiva. Ta-

xas de crescimento do PIB da ordem de um ou dois por cento eram considera-
das modestas, e uma taxa de crescimento populacional de um por cento era
considerada desejável, disse ele, mas ainda assim, se projetássemos esses cres-
cimentos para daqui a cem anos, os números eram assustadores: um mundo
com dezoito bilhões de habitantes e um consumo mundial de energia dez
vezes maior que o de hoje. E se projetasse para *dali* a cem anos, os números
eram simplesmente impossíveis. E por isso o Clube de Roma vinha procurando maneiras mais racionais e piedosas de refrear o crescimento do que simplesmente destruir o planeta e deixar todos morrerem de fome ou chacinarem
uns aos outros.

"O Clube de Roma", disse Abigail. "Tem alguma coisa a ver com o Playboy Club da Itália?"

"Não", respondeu Walter em voz baixa. "É um grupo de pessoas que
contestam a maneira como vemos o crescimento. Quer dizer, todo mundo
está tão obcecado com o crescimento mas, se você for pensar bem, para um
organismo maduro, o crescimento é basicamente um câncer, não é? Se alguma coisa começar a crescer na sua boca, ou no seu intestino grosso, é ruim,
não é? Então esse grupo de intelectuais e filantropos se reuniu e está tentando
pensar sem antolhos, e influenciar as políticas de governo nas mais altas esferas, tanto na Europa quanto no resto do hemisfério ocidental!"

"As Coelhinhas de Roma", disse Abigail.

"*Mam*ma-la-mia!*", disse Ray com um sotaque italiano grotesco.

Joyce pigarreou bem alto. *En famille*, sempre que Ray começava a falar
bobagens e indecências por causa do vinho, ela se limitava a refugiar-se em seus
devaneios joycianos particulares, mas na presença do futuro genro não tinha
como deixar de ficar constrangida. "Walter está falando de uma ideia muito interessante", disse ela. "É uma ideia que não conheço bem, e nem esse... clube.
Mas sem dúvida é uma visão muito interessante da situação mundial."

Walter, sem perceber o discreto gesto de cortar o próprio pescoço que
Patty lhe fazia, seguiu em frente. "O motivo por que precisamos de algo como
o Clube de Roma", disse ele, "é que uma discussão racional sobre o crescimento precisa começar fora do processo político de todo dia. E você deve saber
disso, Joyce. Quem quer se eleger nem pode falar em reduzir *um pouco* o
crescimento, quanto mais em reverter o processo. É um suicídio político."

"Sem a menor dúvida", disse Joyce com um riso seco.

"Mas *alguém* precisa falar do assunto, e tentar influenciar as decisões políticas, porque de outro modo vamos acabar com o planeta. Vamos nos asfixiar com a multiplicação da nossa própria espécie."

"E por falar em asfixia, papai", disse Abigail, "essa garrafa é só sua ou eu também posso tomar um pouco?"

"Vamos pedir mais uma", disse Ray.

"Acho que não é preciso", disse Joyce.

Ray ergueu a mão que usava para deter Joyce. "Joyce — muita — calma. Está tudo bem."

Patty, com um sorriso congelado, ficou contemplando os grupos elegantes e plutocráticos instalados em outras mesas à agradável e discreta luz do restaurante. Não há dúvida de que não existia melhor lugar no mundo para estar do que Nova York. Esse fato era a base da satisfação da sua família consigo mesma, a plataforma a partir da qual tudo o mais podia ser ridicularizado, a garantia de sofisticação adulta que lhes valia o direito de se comportar como crianças. Ser Patty e estar sentada naquele restaurante do SoHo era enfrentar uma força com que ela não tinha a menor chance de competir. Sua família considerava Nova York seu território, e jamais cederia terreno. Nunca mais voltar aqui — esquecer que cenas em restaurantes como aquele tinham existido — era sua única opção.

"Você não bebe muito vinho", disse Ray a Walter.

"Mas sem dúvida poderia beber, se quisesse", respondeu Walter.

"Este aqui é um ótimo *amarone*, se você quiser experimentar um pouco."

"Não, obrigado."

"Tem certeza?" Ray balançou a garrafa para Walter.

"Ele tem certeza, sim!", exclamou Patty. "E já disse a mesma coisa nas últimas quatro noites! Preste atenção, Ray! Nem todo mundo quer encher a cara, se comportar mal e ser grosseiro. Certas pessoas gostam de conversar como adultos em vez de ficar duas horas fazendo piadinhas sujas."

Ray sorriu como se ela tivesse sido engraçada. Joyce desdobrou seus óculos de leitura para examinar o menu de sobremesas enquanto Walter corava e Abigail, com uma torção espástica do pescoço e muitas rugas amargas na testa, disse, "'Ray?' 'Ray?' Para nós agora ele é 'Ray'?".

Na manhã seguinte, Joyce disse a Patty com voz trêmula, "Walter é muito mais — não sei dizer se a palavra certa é conservador, ou qual seja, acho que não exatamente conservador em relação ao processo democrático, o poder correndo de baixo para cima, e prosperidade para todos, não exatamente *autocrático*, mas, de certa forma sim, quase conservador — do que eu esperava".

Ray, dois meses mais tarde, na formatura de Patty, com um sorriso de desprezo mal contido, disse a Patty: "Walter ficou tão vermelho falando daquela história de crescimento, meu Deus, que achei que ele fosse ter um *ataque*".

E Abigail, seis meses depois disso, no único Dia de Ação de Graças que Patty e Walter cometeram a sandice de ir comemorar em Westchester, disse a Patty: "Como vão as coisas com o *Clube de Roma*? Você já conseguiu a senha? Já se sentou nas cadeiras de couro?".

Patty, no aeroporto La Guardia, soluçando, disse a Walter, "Odeio a minha família!".

E Walter, com bravura, respondeu: "Vamos fazer a nossa!".

Pobre Walter. Primeiro deixou de lado seus sonhos de ser ator e cineasta por sentir uma obrigação financeira com seus pais, e então, assim que o pai o libertou, morrendo, ele se emparelhou com Patty e abandonou suas aspirações de salvar o planeta e foi trabalhar para a 3M, de modo que Patty pudesse ter sua excelente casa antiga e lá ficar com as crianças. E tudo aconteceu quase sem conversa alguma. Ele ficava animado com os planos que a deixavam animada, dedicava-se de corpo e alma à reforma da casa e a defendê-la da família. Foi só muitos anos mais tarde — depois que Patty começou a decepcioná-lo — que ele passou a ter uma postura mais indulgente com o resto da família Emerson e a dizer que Patty tinha muita sorte, pois fora a única a escapar do naufrágio dos Emerson e sobreviver para contar a história. Disse que Abigail, perdida e precisando correr atrás de restos de alimento emocional numa ilha de grande escassez (a ilha de Manhattan!), devia ser perdoada por monopolizar as conversas num esforço para se nutrir. Disse que Patty devia se apiedar de suas irmãs, e não culpá-las, por não terem tido a força ou a sorte de escapar: por serem tão famintas. Mas tudo isso só viria muito mais tarde. Naqueles primeiros anos, seu entusiasmo por Patty era tão inflamado que, para ele, ela não tinha como errar. E foram anos muito bons.

A competitividade de Walter não era dirigida para dentro da família. Quando ela o conheceu, ele já tinha vencido esse jogo. Na mesa de pôquer da família Berglund, ele recebeu todos os ases menos talvez a beleza e a facilidade com as mulheres. (Este foi para o irmão mais velho — atualmente casado com a terceira esposa jovem, que trabalha duro para sustentá-lo.) Walter não só sabia da existência do Clube de Roma, lia romances difíceis e apreciava Igor Stravinski, como também podia soldar uma junta de canos de cobre, fazer acabamentos de carpintaria, identificar passarinhos pelo canto e cuidar bem de uma mulher problemática. Era a tal ponto o vencedor da sua família que podia se dar ao luxo de viagens regulares para ajudar os demais.

"Acho que agora você vai ter de conhecer o lugar onde passei a infância", disse ele a Patty à porta do ponto de ônibus de Hibbing, depois que ela abandonou no meio sua viagem de carro com Richard. Estavam no Crown Victoria do pai dele, cujos vidros embaçaram com suas exalações quentes e densas.

"Quero ver o seu quarto", disse Patty. "Quero ver tudo. Acho você uma pessoa maravilhosa!"

Ao ouvir essas palavras, ele precisou passar mais um bom tempo beijando Patty antes de retomar sua ansiedade. "Seja como for", disse ele, "ainda estou envergonhado de levar você à minha casa."

"Não fique. Você devia ver a *minha*. É um circo de horrores."

"Bem, aqui nem é tão interessante. É só a vida desolada comum da Zona do Ferro."

"Vamos lá então. Eu quero ver tudo. E quero dormir com você."

"Ótima ideia", disse ele, "mas acho que a minha mãe vai ficar meio atrapalhada com isso."

"Quero dormir *perto* de você. E depois tomar café com você."

"Isso a gente pode dar um jeito."

Na verdade, o panorama no Motel Whispering Pines deixou Patty um tanto chocada, desencadeando um momento de dúvida quanto à decisão de ter ido até Hibbing; perturbou aquele estado de espírito comedido em que ela acorrera para junto de um sujeito que, fisicamente, não provocava nela o mesmo que seu melhor amigo. O motel, visto de fora, nem era tão feio, e havia uma quantidade nada deprimente de carros no estacionamento, mas os aposentos em que a família vivia, por trás da recepção, eram de fato muito diferentes do que ela conhecia em Westchester. Realçavam um universo até então invisível de privilégios, os seus privilégios de moradora dos subúrbios ricos; e ela sentiu uma inesperada pontada de saudade de casa. O piso era coberto de um carpete esponjoso, num declive perceptível na direção do riacho que passava pelos fundos. Na sala de jantar/estar havia um cinzeiro de cerâmica do tamanho de uma calota de automóvel, em forma de torre medieval, bem ao alcance do sofá onde Gene Berglund costumava ler suas revistas sobre caça e pesca e ver a programação que a antena do motel (montada, como ela veria na manhã seguinte, no topo de um pinheiro decapitado por trás da fossa séptica) era capaz de extrair das estações das Cidades Gêmeas de Minneapolis e St. Paul e de Duluth. O quartinho de Walter, que ele dividia com o irmão mais novo, ficava no ponto mais baixo do declive e estava sempre úmido com as emanações do riacho. Pelo meio do carpete corria uma linha de resíduo grudento da fita isolante que Walter estendera quando criança para demarcar seu espaço privativo. A parafernália de sua próspera infância estava toda arrumada na parede do fundo: manuais e prêmios de escotismo, uma coleção completa de biografias resumidas dos presidentes americanos, uma coleção parcial de volumes da *World Book Encyclopedia*, esqueletos de animais de pequeno porte, um aquário vazio, coleções de selos e moedas, um termômetro/barômetro científico com fios que o ligavam à janela. Na porta empenada do quarto havia um aviso feito em casa de Não Fumar, com as letras em lápis de cera vermelho, o N e o F um tanto hesitantes mas bem altos em seu desacato.

"Meu primeiro gesto de rebeldia", disse Walter.

"Quantos anos você tinha?", perguntou Patty.

"Não sei. Uns dez, talvez. Meu irmão caçula era muito asmático."

Do lado de fora, a chuva caía forte. Dorothy dormia em seu quarto, mas Walter e Patty fervilhavam de desejo. Ele lhe mostrou o "bar" que seu pai gerenciava, o impressionante peixe de rio empalhado e preso à parede, da espécie conhecida como *walleye*, o balcão de compensado de vidoeiro que ele ajudara o pai a construir. Até ser internado pouco tempo antes, Gene começava a beber e fumar atrás daquele balcão todo fim de tarde, esperando os amigos saírem do trabalho e virem beber alguma coisa.

"Você está vendo quem eu sou", disse Walter. "É daqui que eu saí."

"Adorei que você tenha saído daqui."

"Não sei bem o que você quer dizer, mas tudo bem."

"Só que eu admiro muito você."

"Muito bom. Acho eu." Foi até o balcão e examinou as chaves penduradas. "Que tal o quarto 21?"

"É bom?"

140

"Muito parecido com todos os outros."

"Completei vinte e um anos de idade. Então está perfeito."

O quarto 21 estava cheio de superfícies desbotadas e desgastadas que, em lugar de terem sido novamente revestidas, haviam sido submetidas a décadas de esfregação vigorosa. A umidade do riacho era perceptível mas não insuportável. As camas eram baixas e de tamanho comum, não *queen size*.

"Você não precisa ficar, se não quiser", disse Walter, pondo a maleta dela no chão. "Posso levar você de volta ao ponto do ônibus amanhã de manhã."

"Não! Está ótimo. Não vim aqui para passar férias. Vim para ver você, e tentar ajudar em alguma coisa."

"Ótimo. Só estou com medo de não ser realmente o que você quer."

"Bem, não precisa mais se preocupar."

"Mas eu continuo preocupado mesmo assim."

Ela o deitou numa das camas e tentou acalmá-lo com seu corpo. Dali a pouco, porém, a preocupação dele tornou a arder. Ele se endireitou e perguntou por que ela tinha querido fazer de carro com Richard. Era uma pergunta que ela se permitira esperar que ele não fizesse.

"Não sei", disse ela. "Acho que eu queria ver como era a viagem de carro."

"Hum."

"Tinha uma coisa que eu precisava descobrir. Não sei explicar de outro modo. Era uma coisa que eu precisava entender. Eu descobri, e agora vim para cá."

"O que você descobriu?"

"Descobri onde eu queria estar, e com quem."

"Foi bem rápido."

"Foi uma besteira, um engano", disse ela. "Ele tem um jeito de olhar para as pessoas que você deve saber qual é. E a pessoa precisa de algum tempo para entender o que ela realmente quer. Não me condene por isso."

"Só fico impressionado de você ter conseguido entender tudo em tão pouco tempo."

Ela teve o impulso de começar a chorar, entregou-se a esse impulso, e Walter se transformou por um tempo em sua melhor encarnação de consolador.

"Ele não me tratou nada bem", disse ela em meio às lágrimas. "E você é exatamente o contrário. E eu preciso tanto, tanto, do contrário disso agora. Pode me tratar bem, por favor?"

"Posso tratar você bem", disse ele, afagando sua cabeça.

"Garanto que você não vai se arrepender."

Foram exatamente as palavras que ela disse, na arrependida lembrança da autobiógrafa.

Eis outra coisa que a autobiógrafa relembra com nitidez: a violência com que Walter agarrou seus ombros naquele momento, a fez rolar para ficar deitada de costas e deitou-se sobre ela, pressionando-a entre as pernas, com uma expressão no rosto que ela nunca tinha visto. Era uma expressão de raiva, e ele ficava bonito com ela. Era como se cortinas se abrissem e desvendassem de repente uma visão máscula e bela.

"*Não é por sua causa*", disse ele. "Entendeu? Eu amo tudo em você. Cada parte sua. Cada *centímetro*. Desde a primeira vez que eu vi você. Entendeu?"

"Entendi," disse ela. "Quer dizer, obrigada. Eu imaginava alguma coisa assim, mas é bom ouvir com todas as letras."

Mas ele ainda não tinha terminado.

"Você entende que eu tenho um... um..." Procurou pela palavra certa. "Um problema. Com Richard. Eu tenho um *problema*."

"Que problema?"

"Não confio nele. Gosto muito dele, mas não confio."

"Ah, meu Deus", disse Patty, "pois devia confiar. Ele evidentemente gosta de você também. Protege você o tempo todo."

"Nem sempre."

"Bom, comigo ele protegeu. Você sabe o quanto ele admira você?"

Walter lançou-lhe um olhar furioso de cima para baixo. "Então por que você foi com ele? Por que ele ficou com você em Chicago? Que *porra* foi essa? Eu não consigo entender!"

Ao ouvi-lo dizer *porra*, e ao ver como ele parecia horrorizado com a própria raiva, ela começou novamente a chorar. "Meu Deus, por favor, por favor, meu Deus, por favor", disse ela, "eu estou aqui, não estou? Estou aqui por sua causa! E não aconteceu nada em Chicago. Nada, eu juro."

Ela o puxou para junto de si, beijou-o com força nos lábios. Mas em vez de apalpar seus seios ou tirar suas calças jeans, como Richard certamente teria feito, ele se levantou e começou a andar de um lado para o outro do quarto 21.

"Não sei se está certo", disse ele. "Porque, sabe, eu não sou um idiota. Tenho olhos e ouvidos, e não sou *um idiota*. Realmente não sei o que fazer agora."

Foi um alívio ouvi-lo dizer que não era um idiota e que sabia da coisa de Richard; mas ela julgou não ter mais nenhum meio para tentar convencê-lo de que estava tudo bem. Ficou simplesmente deitada ali na cama, ouvindo a chuva bater no telhado, sabendo que podia ter evitado toda aquela cena se nunca tivesse entrado no carro de Richard; sabendo que merecia castigo. No entanto, era difícil imaginar um desdobramento melhor para a situação. E tudo era uma prévia perfeita das cenas das madrugadas dos anos futuros. A linda raiva de Walter sendo desperdiçada enquanto ela chorava, ele a castigava e se desculpava por lhe impor o castigo, dizendo que estavam ambos exaustos e que estava tarde, o que era sempre fato: tão tarde que já era cedo.

"Vou tomar um banho", disse ela finalmente.

Ele estava sentado na outra cama, com o rosto enterrado nas mãos. "Desculpe", disse ele. "Mas na verdade não é com você."

"Mas quer saber de uma coisa? Essa frase não é uma das minhas favoritas."

"Desculpe. Acredite ou não, eu digo isso com a melhor das intenções."

"E 'desculpe' também não é uma palavra muito cotada na minha lista."

Sem tirar as mãos do rosto, ele perguntou se ela queria ajuda no banho.

"Não precisa", disse ela, embora fosse uma produção e tanto tomar banho sem molhar o joelho engessado e envolto em ataduras. Quando ela emergiu do banheiro de pijama, meia hora mais tarde, Walter dava a impressão de não ter movido um músculo. Ela ficou parada diante dele, olhando de cima para baixo para seus cachos de cabelos claros e seus ombros estreitos. "Escute aqui, Walter", disse ela. "Posso ir embora amanhã cedo se você quiser. Mas agora eu preciso dormir. E você também devia ir para a cama."

Ele assentiu com a cabeça.

"Sinto muito ter ido até Chicago com Richard. A ideia foi minha, e não dele. Você devia botar a culpa em mim, e não nele. Mas agora você está me deixando muito mal com essa história."

Ele fez que sim e se levantou.

"Me dá um beijo de boa-noite?", disse ela.

Ele deu, e foi muito melhor do que brigar, tão melhor que dali a pouco estavam os dois debaixo das cobertas apagando o abajur. A luz do dia já se infiltrava pelas bordas das cortinas — o amanhecer vinha cedo em maio nas regiões mais ao norte do país.

"Eu não sei de muita coisa sobre sexo", confessou Walter.

"Bem", disse ela, "nem é muito complicado."

E assim começaram os anos mais felizes da vida deles. Para Walter, especialmente, foi uma época vertiginosa. Ele possuiu a garota que queria, a garota que podia ter ido embora com Richard mas preferiu ficar com ele, e então, três dias depois, no hospital luterano, seu conflito da vida inteira com o pai se encerrou com a morte deste. (Não existe pai mais derrotado do que aquele que morre.) Patty estava com Walter e Dorothy no hospital naquela manhã, e as lágrimas dos dois a levaram a verter algumas por conta própria, e lhe pareceu, enquanto voltavam de carro para o motel quase em silêncio, que já estava praticamente casada.

No estacionamento do motel, depois que Dorothy entrou e foi se deitar um pouco, Patty viu Walter fazer uma coisa estranha. Ele correu de um lado para o outro do estacionamento, dando saltos enquanto corria, dando um pulo na ponta dos pés para dar a volta e correr de volta. A manhã estava linda e ensolarada, com um vento forte e constante soprando do norte, e os pinheiros ao longo do riacho chegavam a sussurrar. No final de um de seus piques, Walter ficou pulando no mesmo lugar com os dois pés, depois deu as costas para Patty e saiu correndo pela Route 73, até percorrer toda a curva e desaparecer de vista, e só voltou dali a uma hora.

Na tarde seguinte, no Quarto 21, em plena luz do dia, com as janelas abertas e o vento enfunando as cortinas desbotadas, os dois riram, choraram e treparam com uma alegria cuja seriedade e inocência quase partem o coração da autobiógrafa quando se recorda, choraram mais um pouco, treparam mais um pouco e depois ficaram deitados lado a lado com os corpos suados, os corações repletos, escutando o sussurro dos pinheiros. Patty tinha a impressão de ter tomado uma droga poderosa cujo efeito nunca passava, ou de ter caído num sonho de uma incrível nitidez do qual não despertava nunca, mas em que permanecia plenamente consciente, de segundo a segundo a segundo, e que não era uma droga nem um sonho mas só a vida acontecendo com ela, uma vida só com presente e sem passado, um romance diferente de qualquer romance que já tivesse imaginado. Por causa do Quarto 21! Como ela poderia ter imaginado o Quarto 21? Era um quarto tão lindamente limpo e antiquado, e Walter, um sujeito tão lindamente limpo e antiquado. E ela estava com vinte e um anos e podia sentir toda aquela vinte-e-unidade no vento jovem, limpo e forte que lhe chegava do Canadá. Sua pequena amostra da eternidade.

Mais de quatrocentas pessoas vieram ao enterro do pai de Walter. Em nome de Gene, embora nunca tenha chegado a conhecê-lo, Patty ficou orgulhosa com a grande afluência a seu funeral. (Nada como morrer cedo para ter um enterro concorrido.) Gene era um sujeito hospitaleiro, que gostava de caçar, pescar e passar o tempo com os amigos, muitos deles veteranos de guerra, que tivera a má sorte de se tornar alcoólatra, ter estudado pouco e casado com uma pessoa que investiu suas esperanças, seus sonhos e seu melhor amor no filho do meio, e não no marido. Walter jamais perdoou Gene por ter obrigado Dorothy a se esfalfar tanto no motel, mas para falar com franqueza, na opinião da autobiógrafa, embora Dorothy fosse incrivelmente gentil, também era sem dúvida um desses tipos de mártir. A recepção depois do enterro, num salão de recepção luterano, foi o curso-relâmpago de imersão total de Patty na extensa família de Walter, um festival de bolos em fôrma de pudim e obstinação de ver o lado bom de todas as coisas. Todos os cinco irmãos vivos de Dorothy compareceram, assim como o irmão mais velho de Walter, recém-libertado da cadeia, acompanhado de sua (primeira) mulher bonitona mas com certo ar de vagabunda e os dois filhos do casal, assim como o taciturno irmão mais novo de uniforme de gala do exército. A única pessoa importante que faltou, na verdade, foi Richard.

Walter ligou para ele dando a notícia, claro, muito embora tenha sido complicado, pois a ligação exigira um esforço para localizar Herrera, o contrabaixista sempre difícil de encontrar, em Minneapolis. Richard tinha acabado de chegar a Hoboken, Nova Jersey. Depois de apresentar seus pêsames telefônicos a Walter, Richard disse que estava em péssimas condições financeiras e sentia muito mas não teria como ir ao enterro. Walter pensou que tudo bem, mas depois disso passou vários anos reclamando de Richard por não ter feito um esforço, o que não era inteiramente justo, já que Walter no íntimo tinha ficado furioso com Richard e nem mesmo *queria* que ele fosse ao enterro. Mas Patty teve o bom senso de não ser a pessoa que diria isso a Walter.

Quando fizeram a viagem a Nova York, um ano mais tarde, ela sugeriu a Walter que procurasse Richard e passasse uma tarde com ele, mas Walter respondeu que tinha ligado duas vezes para Richard nos últimos meses ao passo que Richard não havia tomado a iniciativa de ligar para ele *uma vez* sequer. Patty disse, "Mas ele é o seu melhor amigo", e Walter respondeu, "Não, minha melhor amiga é *você*", ao que Patty respondeu, "Bem, pelo menos ele é o seu melhor amigo homem, e você devia falar com ele". Mas Walter lembrou que sempre tinha sido assim — que ele sempre se sentia mais como o que procura do que como o procurado; que havia entre eles dois certo gosto por andar no fio da navalha, uma concorrência para nunca ser o primeiro a piscar ou demonstrar alguma carência — e que ele estava farto daquilo. Disse que já não era a primeira vez que Richard fizera esse número de desaparecimento. Se Richard quisesse continuar amigo dele, disse Walter, quem sabe dessa vez se dava ao trabalho de telefonar. Embora Patty suspeitasse que Richard ainda pudesse estar encabulado por causa do episódio de Chicago e tentara não atrapalhar a felicidade pessoal de Walter, e que portanto podia caber a Walter assegurar-lhe que ainda seria bem recebido, mais uma vez teve o bom senso de não dizer nada nem fazer pressão.

Enquanto Eliza via um lance gay na relação entre Walter e Richard, a autobiógrafa hoje vê antes uma concorrência entre irmãos. Depois que Walter se cansou de ser maltratado e esmurrado pelo irmão mais velho e de por sua vez maltratar e esmurrar seu irmão mais novo, não havia concorrência satisfatória na sua família. Ele precisava de mais um irmão para amar, odiar e com quem competir. E a questão que sempre atormentou Walter, no parecer da autobiógrafa, era se Richard era um irmão mais novo ou mais velho, o fracassado ou o herói, o amigo amado e problemático ou o rival a temer.

Como no caso de Patty, Walter afirmava ter começado a amar Richard à primeira vista. Tinha acontecido em sua primeira noite no Macalester College, depois que seu pai o deixara no alojamento e voltara correndo para chegar logo a Hibbing, onde a garrafa de Canadian Club o chamava do bar. Walter enviara uma bela carta a Richard no verão, um endereço que lhe fora fornecido pela administração do dormitório, mas Richard não respondeu. Numa das camas do quarto deles no dormitório havia uma caixa de violão, um caixote de papelão e uma sacola de lona. Walter só foi ver o proprietário daquela bagagem mínima depois do jantar, num encontro no salão do dormitório. Foi um momento que ele mais tarde descreveria muitas vezes para Patty: como, de pé num canto, longe de todo mundo, estava esse rapaz de quem ele não conseguia despregar os olhos, um sujeito muito alto e coberto de acne, com os cabelos encaracolados formando um capacete em torno da cabeça e uma camiseta do Iggy Pop, totalmente diferente dos outros calouros e sem rir, nem mesmo sorrir educadamente, do discurso carregado de piadinhas do inspetor residen-

146

te. Walter sempre sentia muita pena de gente que tentava ser engraçada, e ria alto para recompensá-las por seus esforços, no entanto percebeu na mesma hora que queria ser amigo daquela pessoa alta que nem sorria. Esperava que fosse ele seu companheiro de quarto, e era.

E o mais notável é que Richard gostou dele. Começou com o fato de Walter vir da cidade onde Bob Dylan tinha sido criado. No quarto deles, depois da reunião, Richard bombardeou Walter de perguntas sobre Hibbing, como era o cenário, e se Walter tinha conhecido pessoalmente alguém da família Zimmerman. Walter explicou que o motel ficava a vários quilômetros da cidade, mas o próprio motel deixou Richard impressionado, assim como o fato de Walter ter obtido uma bolsa integral com um pai alcoólatra. Richard contou que não tinha respondido a carta de Walter porque o pai dele tinha morrido de câncer cinco semanas antes. E disse que, como Bob Dylan era um babaca, o tipo mais lindamente puro de babaca, que fazia qualquer jovem músico também querer ser um babaca, ele sempre imaginara que Hibbing era um lugar repleto de babacas. Walter, com suas faces cobertas de penugem, sentado naquele quarto de dormitório, escutando atentamente seu companheiro de quarto e fazendo o possível para impressioná-lo, era uma clara refutação dessa teoria.

Já naquela primeira noite Richard fez comentários sobre garotas que Walter nunca mais esqueceu. Disse que ficara muito mal impressionado com a alta proporção de garotas acima do peso em Macalester. Disse que tinha passado a tarde andando pelas ruas da vizinhança, tentando descobrir onde as garotas locais se reuniam. Disse que tinha ficado pasmo com a quantidade de pessoas que tinha acenado e trocado algum cumprimento com ele. Até as garotas mais bonitas tinham sorrido e dito olá. Em Hibbing também era assim? Contou que, no enterro do pai, tinha conhecido uma prima muito gostosa que infelizmente só tinha treze anos e agora estava mandando cartas sobre suas aventuras masturbatórias. Embora Walter nunca tenha precisado de muito estímulo para ser solícito com as mulheres, a autobiógrafa não tem como deixar de pensar na especialização polarizadora que costuma derivar da rivalidade entre irmãos, e se perguntar se a obsessão de Richard por arrumar garotas não terá dado a Walter um incentivo adicional para não competir nesse campo em especial.

Fato importante: Richard não tinha a menor proximidade com a mãe. Ela nem foi ao enterro do pai. Pelo que o próprio Richard contou a Patty (muito mais tarde), a mãe era uma mulher instável que com o tempo se transformou numa fanática religiosa mas não antes de transformar num inferno a vida do sujeito que a engravidara aos dezenove anos. O pai de Richard era saxofonista e boêmio, morando no Greenwich Village. A mãe era uma jovem alta e rebelde anglo-saxã, branca e protestante de boa família e autocontrole deficiente. Depois de quatro anos tumultuados de bebedeiras e infidelidades em série, ela deixou por conta do sr. Katz a criação do filho dos dois (primeiro ainda no Village, depois em Yonkers) enquanto ela partia para a Califórnia, descobria Jesus e paria mais quatro crianças. O sr. Katz deixou de ser músico mas não, infelizmente, de beber. Acabou trabalhando para os Correios e nunca mais tornou a se casar, e pode-se dizer com certeza que suas várias jovens namoradas, nos anos anteriores à ruína que a bebida acabou por lhe trazer, pouco fizeram para comparecer com a presença materna estabilizadora de que Richard carecia. Uma delas depenou o apartamento deles antes de desaparecer; outra tirou a virgindade de Richard enquanto tomava conta dele à noite. Pouco depois desse episódio, o sr. Katz mandou Richard passar as férias com a mãe e a família, mas ele não aguentou nem uma semana. Em seu primeiro dia na Califórnia, toda a família se reuniu à sua volta de mãos dadas para dar graças a Deus por sua chegada em segurança, e ao que tudo indica as coisas só foram ficando ainda mais estranhas a partir daí.

Os pais de Walter, que só frequentavam a igreja socialmente, abriram sua casa para o órfão compridão. Dorothy gostou especialmente de Richard — e pode até, na verdade, ter tido a seu jeito certa queda por ele — e sempre o convidava para passar as férias em Hibbing. E Richard nem precisava que o convidassem duas vezes, pois não tinha mais para onde ir. Encantou Gene por demonstrar interesse pelo manejo de armas de fogo e, de maneira mais geral, por não ser do tipo dos "garotos metidos" das cidades grandes com quem Gene temia que Walter se envolvesse, e ainda impressionou Dorothy por não se incomodar em ajudar na casa. Como já foi assinalado, Richard tinha um desejo forte (embora intermitente) de ser boa pessoa, e se mostrava escrupulosamente bem-educado com as pessoas que, como Dorothy, considerava Boas. A maneira como ele a tratava, interessando-se em detalhes por algum ensopado comum que ela tinha feito, perguntando onde ela tinha encontrado a receita e onde uma pessoa podia aprender como manter uma dieta bem equilibrada, parecia a Walter fingida e condescendente, pois a possibilidade de que Richard um dia viesse a fazer compras e preparar ele próprio um ensopado era nula, e porque Richard sempre revertia à aspereza do seu comportamento habitual assim que Dorothy saía da sala. Mas Walter competia com ele, e embora Walter possa não ter se destacado muito na conquista das meninas da cidade, o terreno de ouvir o que as mulheres tinham a dizer com uma atenção sincera era sem dúvida um domínio em que triunfava, e que guardava com grande zelo. A autobiógrafa, assim, se considera mais fidedigna do que Walter no que diz respeito à autenticidade do respeito de Richard pela bondade humana.

O que era inquestionavelmente admirável em Richard era seu empenho em aperfeiçoar-se e preencher o vácuo deixado pela ausência dos pais. Tinha sobrevivido à infância graças à música e à leitura de livros que escolhia idiossincraticamente, e parte do que o ligava a Walter era o intelecto de Walter e sua ética do trabalho. Richard era muito lido em certas áreas (existencialismo francês, literatura latino-americana), mas não tinha método nem sistema, e nutria uma admiração genuína pela organização intelectual de Walter. Embora dedicasse a Walter o respeito de nunca tratá-lo com a hiperpolidez que reservava para as pessoas que considerava Boas, adorava ouvir Walter falar sobre suas ideias e pedir-lhe explicações sobre suas convicções políticas fora do comum.

A autobiógrafa desconfia que Richard também encontrasse uma vantagem competitiva perversa em travar amizade com um garoto não muito seguro do norte do país. Era um modo de se diferenciar do pessoal "moderno" de Macalester, que vinha de famílias mais privilegiadas. Richard tratava essas pessoas com o mesmo desdém (inclusive as meninas, embora isso não excluísse trepar com elas quando surgia a oportunidade) que elas próprias dedicavam a pessoas como Walter. O documentário sobre Bob Dylan, *Don't look back*, foi tão importante para Richard e para Walter que Patty o alugou e o viu com Walter, numa noite quando as crianças eram pequenas, para poder assistir à famosa cena em que Dylan sobrepuja em brilho e humilha o cantor Donovan numa festa para a cena moderna de Londres, pelo puro prazer de pentelhar os outros. Embora Walter sentisse pena de Donovan — e, pior, ficasse com vergonha por não querer ser mais parecido com Dylan e menos com Donovan —, Patty achou a cena fascinante. A nudez eletrizante da competitividade de Dylan! O que ela sentiu foi: temos de admitir que vencer é uma delícia. A cena a ajudou a entender por que Richard tinha preferido ficar amigo de Walter, que não era nada musical, e não do pessoal "moderno".

Intelectualmente, Walter era sem dúvida o irmão mais velho, e Richard, o seguidor. Ainda assim, para Richard, ser inteligente, como ser bom, não passava de um benefício acessório ao empenho central competitivo. E era disso que Walter falava quando dizia que não confiava no amigo. Jamais conseguiu se livrar da sensação de que Richard escondia muita coisa dele; de que havia um lado oculto em seu hábito de sempre sair à noite por motivos que nunca reconhecia; que ele só se contentava em ser amigo de Walter na medida em que concordavam que ele tinha direito à primeira mordida. Richard era especialmente indigno de confiança sempre que alguma garota entrava em cena, e Walter ficava com raiva dessas garotas por serem mesmo que por um instante mais irresistíveis que ele. O próprio Richard nunca via as coisas da mesma forma, porque se cansava das garotas muito depressa e sempre acabava dando-lhes um pé na bunda; sempre voltava para Walter, de quem nunca se cansava. Mas a Walter parecia *desleal* da parte do amigo empregar tanta energia em correr atrás de gente de que nem mesmo gostava. Walter se sentia fraco e desimportante por estar sempre lá, deixando que Richard voltasse para ele. Vivia atormentado pela desconfiança de que amava Richard mais do que Richard o amava, e que se empenhava mais do que Richard em fazer a amizade entre eles dar certo.

A primeira grande crise entre eles ocorreu no último ano, dois anos antes de Patty conhecê-los, quando Walter ficou encantado com a segundanista má, que se chamava Nomi. Nas palavras de Richard (como Patty ouviu uma vez), a história não podia ser mais clara: seu amigo sexualmente ingênuo estava sendo explorado por uma mulher que não valia nada e que nem gostava dele, e Richard por fim se encarregou de mostrar a que ponto ela não prestava. Segundo Richard, a garota nem merecia ser objeto de competição, era só um mosquito que ele abateu a tapa. Mas Walter via as coisas de maneira muito diversa. Ficou tão furioso com Richard que passou semanas sem falar com ele. Ocupavam um apartamento de dois quartos, do tipo reservado aos alunos do quarto ano, e toda noite, quando Richard atravessava o quarto de Walter a caminho de seu quarto mais privativo, parava para travar conversas unilaterais que um observador desinteressado até poderia achar engraçadas.

Richard: "Ainda não está falando comigo. Impressionante. Quanto tempo isso ainda vai durar?".

Walter: silêncio.

Richard: "Se você não quiser que eu me sente e fique vendo você ler, basta dizer".

Walter: silêncio.

Richard: "O livro é interessante? Você não está virando as páginas".

Walter: silêncio.

Richard: "Sabe o que você está parecendo? Uma garota. As garotas é que se comportam assim. Isso é ridículo, Walter. E está me deixando puto".

Walter: silêncio.

Richard: "Se você está esperando que eu vá pedir desculpas, pode tirar o cavalo da chuva, e estou dizendo desde já. Fico com pena de você ficar magoado, mas a minha consciência está limpa".

Walter: silêncio.

Richard: "Você entende, não é, que é só por sua causa que eu continuo aqui. Se você tivesse me perguntado, há quatro anos, quais eram as probabilidades de eu me formar, eu diria que ficavam entre muito pequenas e nulas".

Walter: silêncio.

Richard: "É sério, estou um pouco decepcionado".

Walter: silêncio.

Richard: "Escute aqui. Se eu fosse viciado em drogas e você jogasse o meu bagulho fora, eu ficaria puto com você, mas também iria entender que você estava tentando me fazer um favor".

Walter: silêncio.

Richard: "Vá lá, a analogia não é muito boa, visto que na verdade eu, por assim dizer, também usei a droga, em vez de simplesmente jogar tudo fora. Mas se você estivesse a ponto de se entregar a um vício terrível, enquanto eu só fiz um uso recreativo, a partir do princípio de que é um desperdício jogar fora drogas em estado de uso...".

Walter: silêncio.

Richard: "Está certo, a analogia é imbecil".

Walter: silêncio.

Richard: "Mas foi engraçada. Você devia estar rindo".

Walter: silêncio.

Pelo menos é assim que a autobiógrafa imagina a situação, com base no testemunho posterior das duas partes. Walter manteve seu silêncio até as férias da Semana Santa, quando foi sozinho para casa e Dorothy conseguiu extrair dele o motivo para não ter trazido Richard. "Você precisa aceitar as pessoas do jeito que elas são", disse-lhe Dorothy. "Richard é um bom amigo, e você devia ser leal a ele." (Dorothy era muito apegada à lealdade — que dava algum sentido à sua vida não muito agradável —, e Patty ouviu muitas vezes Walter citar aquela sua recomendação; parecia atribuir-lhe um sentido quase bíblico.) Lembrou à mãe que Richard tinha sido extremamente *desleal* ao roubar uma garota de que ele gostava, mas Dorothy, ela própria talvez sob o efeito da magia katziana, disse que não acreditava que Richard tivesse feito aquilo com o propósito deliberado de magoá-lo. "É bom ter amigos na vida", disse ela. "Se você quiser ter amigos, precisa saber que ninguém é perfeito."

Um detalhe adicional que tornou mais irritante aquele desentendimento acerca da segundanista foi o fato de que as moças que Richard atraía invariavelmente adoravam música,* e que Walter, sendo o admirador mais antigo e mais fiel de Richard, competia amargamente com elas. Garotas que em outra situação podiam ter sido simpáticas com o melhor amigo do namorado, ou pelo menos tolerantes em relação a ele, julgavam ser necessário dedicar a Walter um tratamento gélido, porque os admiradores mais sérios precisam sempre sentir que existe uma ligação singular entre eles e o objeto de sua admiração; preservam zelosamente esses pontos de conexão, por menores ou mais imaginários que sejam, para justificar essa sensação de singularidade. As garotas consideravam compreensivelmente impossível ser ainda mais ligadas a Richard do que enlaçadas em coito com ele, misturando secreções. Walter, aos olhos delas, era apenas um inseto de irrelevância que as incomodava, muito embora fosse *Walter* que tivesse transformado Richard em Anton von Webern e Benjamin Britten, fosse ele quem dera a Richard um arcabouço político para suas primeiras canções mais revoltadas, fosse *Walter* que Richard realmente amava de um modo significativo. E já era desagradável o bastante ser tratado com uma frieza tão sistemática pelas garotas mais gostosas, mas pior ainda era a desconfiança de Walter — confessada a Patty nos anos em que não tinham segredos um para o outro — de que no fundo ele não era diferente de nenhuma daquelas garotas; de que também era uma espécie de parasita

---

* Ocorreu a Patty, na viagem de ônibus de Chicago até Hibbing, que Richard talvez a tenha rejeitado pelo fato de ela não adorar música tanto assim, o que o incomodava. Não que ela pudesse fazer alguma coisa a respeito.

grudado a Richard, tentando se sentir mais atualizado e melhor quanto a si mesmo devido àquela ligação singular com ele. E o pior de tudo era sua desconfiança de que Richard sabia disso, e que isso o deixava mais solitário e mais reservado.

A situação era especialmente espinhosa no caso de Eliza, que não se limitava a ignorar Walter mas se empenhava especialmente em lhe causar o maior desconforto possível. Como, perguntava-se Walter, Richard era capaz de dormir com uma pessoa tão deliberadamente desagradável com seu melhor amigo? Walter já era adulto o suficiente, a essa altura, para não dar um novo gelo no amigo, mas parou de cozinhar para Richard, e o principal motivo pelo qual continuava a assistir às apresentações de Richard era para demonstrar seu desagrado com Eliza e, mais tarde, para tentar constranger Richard a não cheirar o pó de que ela o mantinha abastecido. Claro que não havia maneira de constranger Richard a nada. Nem na época, nem nunca.

Os detalhes das conversas deles a respeito de Patty são, infelizmente, desconhecidos, mas a autobiógrafa gosta de pensar que não devem ter sido nada parecidas com suas conversas sobre Nomi ou Eliza. É possível que Richard tenha aconselhado Walter a ser mais firme com ela, e que Walter tenha respondido com alguma bobagem sobre ela ter sido estuprada ou estar andando de muletas, mas poucas coisas são mais difíceis de imaginar que as conversas de outras pessoas a nosso respeito. O que Richard sentia pessoalmente por Patty acabaria ficando mais claro para ela — a autobiógrafa está chegando lá, embora bem devagar. Por enquanto, basta assinalar que ele migrou para Nova York e lá ficou, e que por muitos anos Walter esteve tão ocupado construindo sua própria vida com Patty que raramente parecia sentir falta dele.

O que estava acontecendo era que Richard estava se tornando mais Richard, e Walter, mais Walter. Richard foi morar em Jersey City, após ter decidido que era possível beber socialmente e então, depois de um período que mais tarde descreveria como "consideravelmente dissoluto", concluir que não, no fim das contas não era nada possível. Enquanto tinha morado com Walter, evitara o álcool que tinha levado o pai à ruína, só cheirava quando outras pessoas compravam o pó, e estava sempre progredindo na carreira musical. Sozinho, durante um bom tempo sua vida foi uma confusão. Ele e Herrera levaram três anos para reconstituir os Traumatics, com a bela e doida loura Molly Tremain participando dos vocais, e lançar seu primeiro LP,

Saudações do fundo do poço da mina, pelo menor dos selos existentes. Walter foi vê-los tocar no Entry quando vieram a Minneapolis, mas estava de volta em casa com Patty e Jessica, na época um bebê, trazendo seis exemplares do LP, antes das dez e meia da noite. Richard inventara um emprego suplementar construindo deques em coberturas urbanas, para o tipo de morador rico da parte sul de Manhattan que se sentia descolado graças ao convívio com artistas e músicos, ou melhor, que não se incomodava se o dia de trabalho do construtor do deque de sua cobertura começasse às duas da tarde e terminasse poucas horas depois, e se em decorrência disso ele precisasse de três semanas para fazer o trabalho de cinco dias. O segundo disco da banda, *Se você não tiver reparado*, não atraiu mais atenção que o primeiro, mas o terceiro, *Esplendor reacionário*, foi lançado por uma gravadora um pouco maior e acabou incluído em várias listas de Dez Melhores do Ano. Dessa vez, quando Richard esteve em Minnesota, ligou antes e pôde passar uma tarde inteira na casa de Patty e Walter com a cortês mas entediada e quase o tempo todo calada Molly, que era ou não sua namorada.

Aquela tarde — pelas poucas coisas que, para sua surpresa, a autobiógrafa recorda dela — foi especialmente agradável para Walter. Patty estava ocupadíssima com as crianças e suas tentativas de levar Molly a emitir algum polissílabo, mas Walter teve tempo de mostrar todas as reformas que vinha fazendo na casa, e os lindos e ativos rebentos que tinha produzido com Patty, além de ver Richard e Molly consumindo a melhor refeição de toda a turnê e, em destaque nada menor, adquirir dados preciosos com Richard sobre o panorama da música alternativa, informações em que Walter logo se baseou para comprar discos de todos os artistas que Richard tinha mencionado, que ouvia enquanto trabalhava na reforma, impressionando os vizinhos e colegas que se imaginavam atualizados em matéria de música, e sentindo que tinha conseguido o melhor dos dois mundos. O estado da rivalidade entre ele e Richard se revelou muito satisfatório para ele naquele dia. Richard estava pobre, desanimado e magro demais, e sua mulher era estranha e infeliz. Walter, agora inquestionavelmente o irmão mais velho, podia ficar à vontade para apreciar o sucesso de Richard como um acessório próprio que conferia algum condimento especial a ele, realçando o quanto era *hip*.

Àquela altura, a única coisa que podia ter atirado Walter de volta às coisas ruins que sentia na faculdade, quando era atormentado por sua sensação de *estar perdendo* para a pessoa que amava demais para não julgar importante derrotar, teria sido alguma sequência de acontecimentos patologicamente bizarra. As coisas em casa precisariam ter azedado muito. Walter precisaria ter conflitos terríveis com Joey, e não conseguir compreender o garoto e conquistar seu respeito, e ver-se reproduzindo de maneira geral sua relação com o próprio pai, e a carreira de Richard precisaria ter melhorado inesperadamente em algum momento tardio, e Patty precisaria apaixonar-se violentamente por Richard. E qual era a probabilidade de tudo isso acontecer?

Infelizmente, maior que zero.

É com hesitação que atribuímos muita importância explanatória ao sexo, porém a autobiógrafa estaria negligenciando sua obrigação caso não dedicasse um desconfortável parágrafo ao tema. A verdade deplorável é que Patty em pouco tempo passou a achar que o sexo era um tanto tedioso e sem sentido — repetir sempre a mesma repetição — e a praticá-lo apenas por causa de Walter. E, sim, sem a menor dúvida, a não praticar muito bem. Geralmente havia alguma outra coisa que preferiria estar fazendo. Na maioria das vezes, ela preferia dormir. Ou algum ruído vinha do quarto de uma das crianças, funcionando para distraí-la ou despertar alguma preocupação. Ou ela se dedicava ao cálculo mental de quantos minutos de um jogo universitário de basquete na Costa Oeste ela ainda conseguiria assistir quando afinal pudesse religar a televisão. Mas mesmo as tarefas domésticas mais simples, como cuidar do jardim, fazer a limpeza ou as compras, podiam lhe parecer irresistíveis e urgentes em comparação a uma trepada, e depois que a pessoa metia na cabeça que precisava relaxar logo e satisfazer-se logo para poder descer e finalmente plantar as marias-sem-vergonha que esperavam em suas caixinhas de plástico, estava tudo acabado. Ela tentou atalhos, tentou a medida preventiva de cuidar de Walter com a boca, tentou dizer a ele que estava com sono e que ele podia ir em frente e se divertir sem se preocupar com ela. Mas a constituição do pobre Walter o fazia importar-se menos com a própria satisfação que com o prazer dela, ou pelo menos fazer o prazer dele depender do dela, e ela jamais conseguiu encontrar uma boa maneira de lhe dizer como isso a deixava numa posição ruim, porque, se fosse mesmo falar, isso acarretava dizer a ele que não sentia por ele o mesmo desejo que ele por ela: que ansiar por sexo com o parceiro era uma das coisas (vá lá, a coisa mais importante) de que tinha decidido abrir mão em troca de todas as coisas boas da vida em comum do casal. Confissão bem difícil de fazer para o homem amado. Walter tentou tudo que pôde imaginar para tornar o sexo melhor para ela, exceto a única coisa que talvez pudesse ter funcionado, que era parar de procurar algum meio de tornar o sexo melhor para ela e simplesmente uma noite dessas forçá-la a debruçar-se sobre a mesa da cozinha e arremeter contra ela por trás. Mas um Walter que pudesse ter tomado essa atitude não seria Walter. Ele era quem era, e queria que Patty desejasse a pessoa que ele era. Queria que as coisas fossem recíprocas! E assim o problema de pagar-lhe um boquete era que em troca ele sempre queria praticar sexo oral nela, o que provocava muitas cócegas em Patty. Com o tempo, ao cabo de anos de resistência, ela conseguiu fazê-lo parar totalmente de tentar. E sentiu-se culpadíssima, mas também *furiosa* e *irritada* por ele fazê-la sentir-se tão fracassada. O cansaço de Richard e Molly, na tarde em que vieram visitá-los, pareceu a Patty o cansaço de pessoas que tinham passado a noite inteira acordados trepando, o que é muito revelador do estado de espírito que a dominava naquela época, do ponto de esgotamento a que o sexo tinha chegado para ela, da totalidade da imersão de Patty em apenas ser a mãe de Jessica e Joey, de que nem mesmo ficou com inveja dos dois por aquilo. O sexo lhe parecia uma diversão para jovens que não tinham nada melhor para fazer. Certamente, nem Richard nem Molly lhe pareceram muito animados com ele.

E então os Traumatics seguiram em frente — para sua próxima apresentação, em Madison, e depois para o lançamento de mais discos de títulos estranhos que um certo tipo de crítico, e mais cerca de cinco mil pessoas no mundo, gostavam de ouvir, e shows em locais menores frequentados por sujeitos brancos bem instruídos mas mal ajambrados que já não eram tão jovens quanto tinham sido — enquanto Patty e Walter seguiam em frente com suas vidas rotineiras quase sempre muito absorventes, em que os trinta minutos semanais de tensão sexual eram um desconforto crônico mas pouco grave, como a umidade da Flórida. A autobiógrafa reconhece a possível ligação entre esse desconforto pouco grave e os erros muito graves que Patty vinha cometendo como mãe naqueles anos. Enquanto os pais de Eliza tinham errado, algum tempo antes, por curtirem demais um ao outro e curtirem Eliza de menos, pode-se talvez dizer que Patty cometeu o erro oposto com Joey. Mas são tantos os outros erros, não propriamente ligados à atuação como mãe, a serem relatados nestas páginas, que parece desumanamente penoso falar também dos equívocos de Patty em relação a Joey; a autobiógrafa teme que isso a fizesse estender-se no chão e nunca mais se levantar.

O que aconteceu primeiro foi que Walter e Richard voltaram a ser grandes amigos. Walter conhecia muita gente, mas a voz que ele mais queria encontrar quando chegava em casa e ligava a secretária eletrônica era a de Richard, dizendo coisas como, "Oi, estou falando de Jersey City. Não sei se você poderia me convencer de que a situação no Kuwait não é tão ruim quanto me parece. Ligue para mim". Tanto pela frequência dos telefonemas de Richard quanto pela maneira menos defendida como falava nos últimos tempos com Walter — dizendo-lhe que não conhecia mais ninguém como ele e Patty, que eles eram sua ligação com um mundo de sanidade e esperança —, Walter acabou metendo na cabeça que Richard gostava e precisava mesmo dele, e não estava apenas aceitando passivamente sua amizade. (Eis o contexto em que Walter citava com gratidão o conselho que a mãe lhe dera em relação à lealdade.) Sempre que uma nova turnê trazia os Traumatics para a área, Richard arranjava tempo para visitá-los, geralmente sozinho. Interessou-se sobretudo por Jessica, que ele afirmava ser uma Alma Autenticamente Boa nos moldes de sua avó, e a bombardeava com perguntas atentas sobre seus escritores prediletos e seu trabalho voluntário na cozinha local para desabrigados. Embora Patty pudesse ter desejado uma filha que fosse mais parecida com ela, e para a qual a experiência que ela acumulara e os erros que cometera pudessem ser vistos como recursos reconfortantes, quase sempre sentia imenso orgulho de ter uma filha tão sensata quanto à maneira como o mundo funcionava. Gostava de ver Jessica através dos olhos de Richard, cheios de admiração, e quando ele e Walter saíam juntos, Patty se sentia segura ao ver os dois entrando juntos no carro, o ótimo sujeito com quem ela se casara e o sujeito muito atraente com quem não. O carinho de Richard por Walter fazia que ela própria visse Walter com bons olhos; seu carisma tinha a propriedade de ratificar tudo que tocava.

Uma sombra que se fazia perceber era a reprovação com que Walter encarava a situação de Richard com Molly Tremain. Molly tinha uma linda voz, mas era depressiva e possivelmente bipolar, passando muitíssimo tempo sozinha em seu apartamento do Lower East Side, fazendo frilas de revisão de textos à noite e dormindo o dia inteiro. Molly estava sempre disponível quando Richard queria vê-la, e Richard afirmava que ela não tinha o menor problema de ser sua amante ocasional, mas Walter não conseguia livrar-se da suspeita de que a relação entre os dois se apoiava em grandes equívocos. Ao longo dos anos, Patty extraiu de Walter várias revelações perturbadoras que Richard lhe fizera em particular, entre as quais "Às vezes eu acho que vim ao mundo para enfiar meu pênis nas vaginas do máximo de mulheres que eu conseguir" e "A ideia de praticar sexo com a mesma pessoa pelo resto da minha vida é para mim igual à morte". A suspeita de Walter, de que Molly acreditava em segredo que Richard acabaria por superar esses sentimentos, por fim se revelaria correta. Molly era dois anos mais velha que Richard, e quando de repente resolveu que queria ter um filho antes que fosse tarde demais, Richard se viu obrigado a explicar por que aquilo nunca iria acontecer. Em pouco tempo as coisas entre eles ficaram tão mal que ele a largou de todo e ela, por sua vez, deixou a banda.

Ocorre que a mãe de Molly era uma das editoras de Artes do *New York Times*, fato que pode explicar por que os Traumatics, apesar das vendas bem abaixo de dez mil discos e plateias de pouco menos de cem espectadores, tinham merecido várias resenhas no jornal ("Sempre originais, jamais conhecidos", "Inabaláveis diante da indiferença, os Traumatics persistem na carreira"), além de críticas breves de cada um dos seus discos posteriores a *Caso você não tenha reparado*. Coincidência ou não, *Loucos de felicidade* — o primeiro disco que gravaram sem Molly e, mais tarde se veria, o último da banda — foi ignorado não só pelo *Times* mas até pelos semanários gratuitos que vinham sendo havia muito um dos bastiões do apoio aos Traumatics. O que aconteceu, explicou Richard num jantar de fim de tarde com Walter e Patty quando a banda passou mais uma vez despercebida pelas Cidades Gêmeas, foi que ele vinha obtendo atenção da imprensa a crédito desde o início, sem jamais perceber, e que a imprensa tinha finalmente concluído que uma proximidade maior da obra dos Traumatics jamais se tornaria necessária para o conhecimento cultural ou a credibilidade de ninguém, e assim não era mais o caso de lhe renovar o crédito.

Patty, levando tampões de ouvido, foi com Walter ao show daquela noite. As Sick Chelseas, um quarteto de assonantes meninas locais pouco mais velhas que Jessica, abriu a noite para os Traumatics, e Patty se pegou tentando adivinhar qual das quatro Richard vinha cantando nos bastidores. Não estava com ciúme das garotas, ficava triste por Richard. Finalmente percebiam, tanto ela quanto Walter, que apesar de bom músico e bom letrista Richard não estava tendo a melhor das vidas: na verdade não estava brincando nem um pouco quando falava mal da própria existência e declarava sua admiração e sua inveja por ela e Walter. Depois que as Sick Chelseas acabaram de tocar, seus amigos e amigas de menos de vinte anos saíram do local e deixaram para trás não mais de trinta tenazes fãs dos Traumatics — brancos, homens, mal ajambrados e ainda menos jovens do que já tinham sido — para ouvir a apresentação feita por Richard sem nenhuma expressão no rosto ("Queremos agradecer a vocês por terem vindo a este Bar 400 e não ao outro Bar 400, mais popular... Acho que nós cometemos o mesmo engano") e depois uma ruidosa interpretação da faixa-título do novo disco —

Que cabeças pequenas nesses carros gigantes!
Loucos de felicidade, sentados ao volante!
E mil locutoras sorrindo nas lojas
Um muro de tevês! Começo a me sentir
LOUCO DE FELICIDADE! LOUCO DE FELICIDADE!

e, mais tarde, uma interminável canção e mais tipicamente repulsiva, "TCBY", que consistia principalmente em sons de guitarra que lembravam lâminas de barbear e cacos de vidro, por cima dos quais Richard cantava seus versos —

Você pode ser comprado
Pode ser chacinado

Iogurte banal de marca atraente
O gato ontem comeu no balcão

Tecno creme, amarelo bege
Delícia criada pela vaca de presépio

Você pode ser surrado
Pode ser enterrado

Jovens pisados sufocados e incultos
A quem o yahoo só ensina o consumo

Não pode ser isto o melhor do país
Não pode ser isto o melhor do país

e finalmente sua canção lenta, de sonoridade *country*, "O outro lado do balcão", que deixou os olhos de Patty úmidos de tristeza por ele —

Existe uma porta sem letreiro para lugar nenhum
Do outro lado do balcão
E tudo que eu sempre quis
Foi me perder nesse espaço com você
A notícia da nossa extinção
Corre atrás de nós pelo vácuo
Entramos na rua errada depois do telefone público
E nunca mais ninguém nos viu.

A banda era boa — Richard e Herrera tocavam juntos havia quase vinte anos — mas era difícil imaginar uma banda que fosse boa a ponto de superar a desolação daquela casa de espetáculos tão apertada. Depois de um único bis, "Odeio a luz do sol", Richard não saiu pelo lado do palco, mas simplesmente encostou a guitarra no apoio e pulou para a pista.

"Simpático vocês terem ficado", disse ele ao casal Berglund. "Eu sei que vocês acordam cedo."

"Foi ótimo! Você estava ótimo!"

"Falando sério, acho que é o melhor disco que você já gravou", disse Walter. "As músicas são ótimas. Mais um grande passo à frente."

"Pois é." Richard, distraído, passava em revista os fundos da plateia, tentando descobrir se alguma das Sick Chelseas ainda estaria por lá. E uma delas, claro, estava. Não a baixista de uma beleza convencional em que Patty teria apostado, mas a baterista alta, mal-humorada e de ar descontente, que evidentemente fez mais sentido assim que Patty pensou um pouco melhor. "Tem uma pessoa esperando para falar comigo", disse Richard. "Vocês devem estar querendo ir logo para casa, mas podemos sair daqui todos juntos se preferirem."

"Não, pode ir", disse Walter.

"Adorei ouvir você tocar, Richard", disse Patty. Pousou uma mão amiga no braço dele e então ficou observando-o caminhar na direção da baterista mal-humorada.

No caminho para casa em Ramsey Hill, a bordo do Volvo da família, Walter não parava de falar das qualidades de *Louco de felicidade* e do gosto degradante do público americano, que acorria aos milhões para a Dave Matthews Band e nem mesmo sabia da *existência* de Richard Katz.

"Desculpe", disse Patty. "Mas pode me lembrar por que Dave Matthews não presta?"

"Por praticamente tudo, menos a competência técnica", respondeu Walter.

"Está certo."

"Mas talvez acima de tudo pela banalidade das letras. 'Preciso ser livre, tão livre, *yeah, yeah*. Não sei viver sem a minha liberdade, *yeah, yeah*.' Mais ou menos em todas as músicas."

Patty riu. "Você acha que Richard vai transar com aquela menina?"

"Sem dúvida vai tentar", disse Walter. "E provavelmente conseguir."

"Acho que não tocavam muito bem. As meninas."

"Tocavam bem mal. Se Richard transar com ela, não é para confirmar o talento da banda."

Em casa, depois de verificar se as crianças estavam bem, ela vestiu uma camiseta sem mangas, um short curto de algodão, e veio à procura de Walter na cama. Era muito fora do comum no caso dela, mas felizmente não inédito a ponto de provocar algum comentário ou interrogatório; e Walter não precisava de muita insistência para atender a seus desejos. Nem foi grande coisa, só uma surpresinha de fim de noite, mas ainda assim, em retrospecto, a autobiógrafa acredita que talvez tenha sido quase o ponto alto da vida do casal. Ou ainda, mais precisamente, o ponto final: a última vez em que ela se lembra de ter se sentido segura e a salvo no casamento. Sua proximidade com Walter no Bar 400, a lembrança da cena do primeiro encontro entre eles, o conforto de estar na presença de Richard, o calor do carinho que os unia como casal, o simples prazer de receber aquele velho amigo tão querido, e depois o raro pitéu, para ambos, do desejo súbito e intenso de Patty de sentir Walter dentro de si: *o casamento estava funcionando.* E não parecia haver o menor motivo para que não continuasse a funcionar, talvez até funcionar cada vez melhor.

Algumas semanas mais tarde, Dorothy caiu no chão da loja de roupas em Grand Rapids. Patty, em palavras que lhe lembraram sua própria mãe, manifestou a Walter sua preocupação com a qualidade do atendimento hospitalar que ela recebeu, tragicamente confirmada quando Dorothy sofreu falência múltipla dos órgãos e morreu. A dor de Walter foi ao mesmo tempo excessiva, provocada não só pela perda da mãe mas também pelo caráter truncado de toda a vida dela, e só um pouco atenuada pelo fato de que aquela morte era também um alívio e uma libertação para ele — o fim da responsabilidade que ela representava, um corte da principal amarra que ainda o prendia a Minnesota. Patty ficou surpresa pela intensidade de sua própria dor. Como Walter, Dorothy sempre acreditara no melhor de Patty, que ficou triste por não ter sido feita, nem no caso de uma pessoa de espírito tão generoso quanto Dorothy, uma exceção à regra de que todo mundo acaba morrendo sozinho. Que Dorothy em sua gentileza eternamente confiante tenha precisado atravessar desacompanhada as portas amargas da morte: foi uma punhalada no coração de Patty.

E também ficou com pena de si mesma, claro, como ocorre com todo mundo que fica com pena de quem sofre uma morte solitária. Ajudou a cuidar do enterro num estado mental cuja fragilidade a autobiógrafa espera que explique, pelo menos em parte, a maneira como reagiu mal ao descobrir que uma menina mais velha da vizinhança, Connie Monaghan, vinha abusando sexualmente de Joey. A litania dos erros que Patty passou a cometer em seguida a essa descoberta excederia em muito a extensão do presente documento, já tão longo. A autobiógrafa ainda sente tanta vergonha do que fez com Joey que nem conseguiria transformar os acontecimentos numa narrativa com sentido. Quando você de repente se descobre num beco atrás da casa do vizinho, às três da manhã, rasgando os pneus da picape que ele dirige, pode alegar insanidade temporária para se defender no tribunal. Mas funcionará também como defesa moral?

Pela defesa: Patty tentou, desde o início, avisar Walter que tipo de pessoa era. Chegou a *dizer* a ele que tinha problemas sérios.

Pela acusação: Walter estava tomando os devidos cuidados. Foi Patty quem partiu em seu encalço em Hibbing e se atirou em cima dele.

Pela defesa: Mas ela estava tentando fazer uma coisa boa, e ter uma vida boa! E depois desistiu de todo mundo e se empenhou muito em ser excelente mãe e dona de casa.

Pela acusação: Mas tudo pelo motivo errado. Rivalidade com a mãe e as irmãs. Queria que seus filhos fossem um libelo contra elas.

Pela defesa: Ela amava os filhos!

Pela acusação: Amava Jessica na medida certa, mas Joey ela amava em excesso. Sabia o que estava fazendo e não parou, porque estava furiosa com Walter por não ser o que realmente queria, e por ser mau-caráter e julgar que merecia alguma compensação por ter sido uma estrela competidora presa na armadilha de uma vida de dona de casa.

Pela defesa: Mas o amor simplesmente acontece. Não era culpa *dela* sentir tanto prazer com qualquer bobagem que tivesse a ver com Joey.

Pela acusação: Foi culpa dela. Ninguém pode ser apaixonado além da conta por biscoitos e sorvete e depois dizer que não é culpa sua ter chegado aos cento e cinquenta quilos.

Pela defesa: Mas ela não sabia! Achava que estava fazendo a coisa certa, dando aos filhos a atenção e o amor que seus pais não lhe tinham dado.

Pela acusação: Ela sabia sim, porque Walter lhe disse, disse de novo e tornou a dizer.

Pela defesa: Mas Walter não inspirava confiança. Ela achava que devia sempre tomar o lado de Joey e ser a policial boa, porque Walter era sempre o tira mau.

Pela acusação: O problema não estava entre Walter e Joey. O problema era entre Patty e Walter, e ela sabia perfeitamente disso.

Pela defesa: Ela ama Walter!

Pela acusação: Os autos sugerem o contrário.

Pela defesa: Bem, nesse caso Walter também não ama Patty. Não ama Patty de verdade. Ama uma ideia errada que formou a seu respeito.

Pela acusação: Seria bem conveniente, caso fosse verdade. Para azar de Patty, ele não se casou com ela apesar de ela ser quem era, mas exatamente por causa disso. Pessoas boas não se apaixonam necessariamente por seus iguais.

Pela defesa: Não é justo dizer que ela não ama Walter!

Pela acusação: Se ela não sabe se comportar, não faz diferença se ama ou não.

Walter sabia que Patty tinha rasgado os pneus da picape pavorosa do pavoroso vizinho deles. Nunca chegaram a falar sobre isso, mas ele sabia. E era devido ao fato de nunca terem falado a respeito que ela sabia que ele sabia. O vizinho, Blake, estava construindo um anexo pavoroso nos fundos da casa da sua namorada pavorosa, a mãe pavorosa de Connie Monaghan, e naquele inverno Patty achava proveitoso beber uma garrafa ou mais de vinho toda noite, e depois acordar suada de ansiedade e raiva no meio da noite, caminhando de um lado para o outro pelo primeiro piso da casa, entregue a uma insanidade esmagadora. Havia uma arrogância imbecil em Blake que, em seu estado de privação de sono, ela achava equivalente à arrogância imbecil do promotor especial que forçou Bill Clinton a mentir sobre Monica Lewinsky e a arrogância imbecil dos deputados que em seguida votaram a favor de seu impeachment pela mesma razão. Bill Clinton era um caso raro de político que não parecia hipócrita a Patty — que não se passava por pessoa certinha — e ela era uma dos milhões de mulheres americanas que não hesitariam um segundo antes de dar para ele. Arriar os quatro pneus do pavoroso Blake foi o mais leve dos golpes que pensou desferir em defesa de seu presidente. O que de maneira alguma pretende justificar seus atos, apenas evidenciar seu estado de espírito.

Um agravante mais direto era o fato de que Joey, naquele inverno, agia como se admirasse Blake. Joey era inteligente demais para ter uma admiração *verdadeira* por Blake, mas estava atravessando um período de revolta adolescente que o obrigava a gostar das coisas que Patty mais detestava, a fim de afastá-la de si. E era algo que ela provavelmente merecia, devido aos milhares de erros que tinha cometido por amá-lo em excesso, mas, à época, não achava que merecesse. Sentia-se como se tivesse levado uma chicotada no rosto. E devido a certas coisas monstruosamente maldosas que se vira capaz de dizer a Joey, nas várias ocasiões em que ele a provocou a ponto de fazê-la perder o controle e responder com violência, sempre fez o possível para dar vazão à sua dor e à sua raiva atingindo terceiros, como Blake e Walter.

Não achava que fosse alcoólatra. Não era alcoólatra. Só estava ficando parecida com o pai, que às vezes fugia da família bebendo além da conta. Houve época em que Walter certamente ficava *satisfeito* ao ver que ela gostava de beber um ou dois copos de vinho depois que as crianças iam dormir. Dizia que tinha crescido sentindo náuseas com o cheiro do álcool e que aprendera a adorar senti-lo no hálito de Patty, porque vinha do fundo dela e ele a adorava por dentro. Era o tipo de coisa que ele às vezes dizia a ela — o tipo de declaração a que ela jamais conseguia responder à altura, mas de qualquer maneira a deixava enlevada. Mas depois que uma ou duas taças se transformaram em seis ou oito, tudo mudou. Walter precisava que ela se mantivesse sóbria à noite, para ouvir tudo que ele achava moralmente defeituoso no filho de ambos, enquanto ela precisava não se manter sóbria para não ter de ouvir. Não era alcoolismo, era autodefesa.

E aqui: eis aqui uma séria deficiência pessoal de Walter: ele era incapaz de aceitar que Joey não fosse como ele. Se Joey fosse tímido e inseguro com as garotas, se Joey gostasse do papel de filho, se Joey quisesse um pai que lhe ensinasse coisas, se Joey fosse invariavelmente honesto, se Joey tomasse o lado dos mais fracos, se Joey amasse a natureza, se Joey fosse indiferente ao dinheiro, ele e Walter se dariam muito bem. Mas Joey, desde que deixou de ser um bebê, era uma pessoa mais nos moldes de Richard Katz — elegante sem fazer força, asperamente seguro de si, totalmente concentrado em alcançar o que queria, impermeável a sermões moralizantes, sem o menor medo das meninas —, e Walter levava toda a frustração e todo o desapontamento que sentia com seu filho e o depositava aos pés de Patty, como se a culpa fosse dela. Ele passara quinze anos implorando o apoio dela quando tentava castigar Joey, para ajudá-lo a impor respeito às proibições vigentes a videogames, aos excessos de TV e às músicas que degradavam as mulheres, mas Patty não conseguia se impedir de amar Joey tal como ele era. Admirava sua habilidade e achava graça em seu talento para driblar as proibições: ele sempre lhe parecia um menino incrível. Um dos melhores alunos da turma, esforçado, popular na escola, esplendidamente empreendedor. Talvez, se ela fosse mãe solteira, tivesse se preocupado mais com a disciplina. Mas Walter se encarregava disso, e ela se permitia achar que tinha uma amizade incrível com o filho. Adorava as imitações maldosas que ele fazia de professores de que não gostava, transmitia a ele sem a menor censura a maledicência obscena dos vizinhos, sentava-se na cama dele com os joelhos erguidos e enlaçados pelos braços e não recuava diante de nada para fazê-lo rir, nem mesmo Walter era terreno vedado. Não achava que estava sendo infiel a Walter quando fazia Joey rir das excentricidades do pai — sua abstinência de bebida, sua insistência em ir de bicicleta ao trabalho, mesmo quando chovia e fazia frio, sua incapacidade de se defender

165

de gente chata, seu ódio aos gatos, seu veto a toalhas de papel, seu entusiasmo pelo teatro difícil — porque essas eram as coisas que ela própria tinha aprendido a amar nele, ou pelo menos a achar particularmente engraçadas, e queria que Joey visse Walter como ela o via. Ou pelo menos era essa a maneira como racionalizava seus atos, pois, para ser honesta consigo mesma, o que ela queria era que Joey ficasse encantado com ela.

E não via como ele pudesse mostrar-se *leal e dedicado* à garota vizinha. Achava que Connie Monaghan, concorrentezinha ardilosa, tinha conseguido adquirir algum tipo de ascendência obscena sobre ele. Levou um tempo desastrosamente longo até perceber a seriedade da ameaça Monaghan, e nos meses durante os quais subestimou os sentimentos de Joey pela garota — achando que poderia simplesmente manter Connie congelada do lado de fora e que bastava zombar de maneira leviana de sua mãe cafona e do namorado tapado da mãe para que dali a pouco Joey também estivesse rindo deles —, conseguiu fazer desandar quinze anos de empenho em ser boa mãe. Foi uma cagada em grande estilo, a de Patty, depois da qual ficou totalmente fora dos eixos. Tinha brigas terríveis com Walter em que ele a culpava por tornar Joey incontrolável e ela não conseguia se defender, pois não se permitia pôr para fora a convicção doentia que carregava no peito, de que Walter tinha posto a perder a amizade dela com o filho. Dormindo na mesma cama que ela, sendo marido dela, obrigando Patty a se alinhar aos adultos, Walter levara Joey a acreditar que Patty fazia parte do campo inimigo. Ela odiava Walter por isso, e se arrependia do casamento. Joey saiu da casa dos pais para a das Monaghan e fez todos pagarem por seus erros com lágrimas amargas.

Embora isso mal descreva a superfície das coisas, já é mais do que a autobiógrafa pretendia dizer sobre esses anos, e agora reunirá sua coragem para seguir em frente.

Um pequeno benefício de ter toda a casa à sua disposição era que Patty podia ouvir a música que quisesse, especificamente a música *country* a cujos primeiros acordes Joey sempre gritava de aflição e repulsa, e que Walter, com seus gostos de programador de rádio universitária, só conseguia tolerar restrita a uma lista muito limitada e basicamente *vintage*: Patsy Cline, Hank Williams, Roy Orbison, Johnny Cash. Patty também adorava os mesmos cantores, mas não menos Garth Brooks e as Dixie Chicks. Assim que Walter saía para o trabalho de manhã, ela regulava o volume num nível incompatível com qualquer reflexão, e se impregnava de dores de cotovelo tão parecidas com a sua que a reconfortavam e tão diferentes da sua que acabavam por lhe parecer meio engraçadas. Patty gostava principalmente das letras e das histórias que elas contavam — Walter já tinha desistido muito antes de despertar seu interesse por Ligeti ou Yo La Tengo — e nunca se cansava dos homens mentirosos, das mulheres fortes e do espírito indômito da humanidade.

Ao mesmo tempo, Richard estava formando o Walnut Surprise, seu novo conjunto de *country* alternativo, com três garotos cujas idades somadas não eram muito maiores que a dele. Richard talvez até tivesse persistido com os Traumatics, lançando novos discos no vazio, não fosse um bizarro acidente que só podia mesmo ter acontecido com Herrera, seu velho amigo e contrabaixista, perto de cuja desorganização e péssima aparência Richard dava a impressão de um sujeito de terno cinza de flanela. Resolvendo que Jersey City era burguesa demais (!) e depressiva de menos para ele, Herrera se mudou para Bridgeport, Connecticut, onde foi morar num cortiço. Um dia se apresentou num comício em Hartford em favor de Ralph Nader e outros candidatos do Partido Verde depois de organizar um espetáculo chamado Dopplerplus, composto de um velho brinquedo Polvo alugado de um parque de diversões em cujos tentáculos instalou sete amigos que tocavam cantos fúnebres em pequenos amplificadores enquanto o brinquedo girava e distorcia o som que produziam de forma interessante. A namorada de Herrera mais tarde contou a Richard que o Dopplerplus foi "incrível" e "um enorme sucesso" para "as mais de cem" pessoas que compareceram ao comício, mas depois, quando Herrera estava arrumando tudo, sua van começou a descer uma ladeira, Herrera correu atrás dela, enfiou o braço pela janela e pegou o volante, o que deu uma guinada na van, que bateu de lado num muro e o amassou. De algum modo ele acabou de carregar a van e voltou dirigindo até Bridgeport, tossindo sangue, e lá quase expirou de ruptura do baço, da fratura de cinco costelas e mais a clavícula e de um pulmão perfurado antes de sua namorada conseguir chegar com ele ao hospital. O acidente, depois das decepções de *Louco de felicidade*, pareceu um sinal cósmico a Richard, e, como ele não conseguiria viver sem produzir música, passou a ser acompanhado por um jovem fã seu que tocava muito bem *pedal steel guitar*, e assim nasceu o Walnut Surprise.

A vida pessoal de Richard não ia muito melhor que a de Walter e Patty. Perdeu vários milhares de dólares na turnê anterior dos Traumatics, "emprestou" a Herrera, que não tinha seguro-saúde, mais alguns milhares para cobrir as despesas médicas, e sua situação doméstica, da maneira como a descreveu no telefone para Walter, estava em petição de miséria. O que tornou toda a sua existência viável, por quase vinte anos, foi o imenso apartamento térreo em Jersey City pelo qual pagava um aluguel tão baixo que era quase simbólico. Richard não conseguia jogar nada fora, e seu apartamento era tão grande que nem precisava. Walter estivera lá numa de suas viagens a Nova York, e contou que o *hall* em frente à porta de Richard estava abarrotado de restos de equipamentos de som, colchões e peças sobressalentes para sua picape, e que o pátio dos fundos vinha se enchendo de material e restos de seu trabalho de construção de deques de madeira. E o melhor de tudo era que ainda havia uma sala no porão bem debaixo do apartamento dele, onde os Traumatics podiam ensaiar (e, mais tarde, chegaram a gravar) sem perturbar muito os demais moradores. Richard sempre tivera o cuidado de manter um bom entendimento com eles, mas depois do rompimento com Molly cometeu o erro medonho de ir um pouco mais longe e se envolver com uma vizinha do edifício.

Naquele momento, a única pessoa que viu o erro foi Walter, que se considerava singularmente qualificado a detectar qualquer embromação nas relações entre seu amigo e as mulheres. Quando Richard lhe disse, pelo telefone, que tinha chegado a hora de deixar as infantilidades para trás e manter uma relação de verdade com uma mulher adulta, um alarme disparou na cabeça de Walter. A mulher era uma equatoriana chamada Ellie Posada. Estava com quase quarenta anos e tinha dois filhos cujo pai, um motorista de limusine, sofreu uma colisão fatal depois que seu carro enguiçou na Pulaski Skyway. (Não escapou à atenção de Patty que, embora Richard lidasse com muitas garotas mais jovens na hora de se divertir, as mulheres com quem no fim das contas teve relações mais duradouras eram sempre da mesma idade ou mais velhas que ele.) Ellie trabalhava para uma empresa de seguros e morava no mesmo andar que Richard. Por quase um ano, este manteve Walter informado de como os filhos dela, inesperadamente, tinham começado a se apegar a ele, e vice-versa, de como era bom chegar em casa e encontrar Ellie, de como as mulheres que não eram Ellie tinham se tornado desinteressantes, de como não comia tão bem nem se sentia tão saudável desde que tinha morado com Walter, e (o que fez o alarme de Walter tocar ainda mais alto) de como toda a indústria de seguros era na verdade fascinante. Walter comentou com Patty que tinha percebido algo de reveladoramente distraído, ou teórico, ou distante, no tom de voz de Richard ao longo de todo aquele ano supostamente feliz, e não ficou nem um pouco surpreso quando Richard afinal cedeu à sua natureza. As músicas que tinha começado a tocar com o Walnut Surprise se mostraram ainda mais fascinantes que a indústria dos seguros, as meninas magrelas que orbitavam seus jovens companheiros de conjunto se mostraram no fim das contas nem tão desprovidas de encantos, Ellie deixou claro que tinha uma concepção muito estrita dos tratos de exclusividade sexual e, em pouco tempo, ele já estava com medo de chegar à noite em casa, porque Ellie ficava de tocaia. Logo depois, Ellie mobilizou os demais moradores do prédio para darem queixa da ocupação sumária por parte de Richard de áreas comuns do condomínio, seu senhorio até então ausente lhe enviou cartas registradas em tom severo e Richard se viu sem teto, aos quarenta e quatro anos de idade, no meio do inverno, com cartões de crédito estourados e uma conta mensal de trezentos dólares para armazenar todas as porcarias que acumulava.

E então começou a melhor fase para Walter como irmão mais velho de Richard. Ofereceu ao amigo uma solução para deixar de pagar aluguel, dedicar-se a compor em sossego e ganhar um bom dinheiro enquanto reorganizava a vida. Walter herdara de Dorothy sua bela casinha à beira de um lago perto de Grand Rapids. Tinha planos de grandes reformas por dentro e por fora da casa que, depois de sair da 3M e ir trabalhar na Nature Conservancy, jamais encontraria tempo para executar ele mesmo, e propôs a Richard que fosse morar na casa, dando um impulso à reforma da cozinha e depois, quando a neve derretesse, construísse um deque de madeira atrás da casa, de frente para o lago. Pagaria a Richard trinta dólares por hora, além das contas de luz e aquecimento, e ele poderia trabalhar no horário e no ritmo que quisesse. E Richard, que estava em má situação, e que (como mais tarde disse a Patty, com uma sinceridade tocante) passara a considerar os Berglund a coisa mais próxima de família que tinha na vida, só precisou de um dia para pensar antes de aceitar a oferta. Para Walter, essa aceitação foi também uma agradável confirmação de que Richard realmente o amava. Para Patty, bem, a ocasião era um tanto perigosa.

Richard chegou com sua picape Toyota sobrecarregada para passar uma noite em St. Paul em sua viagem para o norte. Patty já estava adiantada em sua garrafa quando ele chegou, às três da tarde, e não cumpriu muito bem o papel de anfitriã. Walter cozinhou enquanto ela bebia pelos três. Era como se ele e ela só estivessem esperando a chegada do velho amigo para expor as versões conflitantes dos motivos pelos quais Joey, em vez de estar jantando com eles, preferia jogar hóquei de mesa com um boçal de direita na casa ao lado. Richard, abalado, saía toda hora da casa para fumar um cigarro e fortalecer-se para a cena seguinte de confronto à moda dos Berglund.

"Vai dar tudo certo", dizia ele ao entrar. "Vocês são ótimos pais. É só que, sabe, quando um garoto tem personalidade muito forte, a constituição dele como indivíduo pode passar por muitos dramas. Essas coisas levam tempo."

"Meu Deus", disse Patty. "Desde quando você ficou tão sensato?"

"Richard é uma dessas pessoas excêntricas que ainda leem livros e pensam sobre as coisas", disse Walter.

"Sei, ao contrário de mim, entendi." Virou-se para Richard. "De vez em quando por acaso eu deixo de ler um dos livros que ele recomenda. Às vezes eu simplesmente resolvo — deixar de ler. Acho que o significado implícito aqui é esse. Meu intelecto abaixo da média."

Richard a fitou com dureza. "Você podia beber um pouco menos", disse ele.

E um soco no esterno teria produzido o mesmo efeito. Enquanto a censura de Walter alimentava ativamente seu mau comportamento, a de Richard teve o efeito de surpreendê-la em sua infantilidade, de trazer à luz o quanto ela se tornara pouco atraente.

"Patty está sofrendo muito", disse Walter em voz baixa, como se quisesse lembrar a Richard que ainda era leal a Patty, embora ela não reconhecesse.

"Por mim você pode beber o quanto quiser", disse Richard. "Só estou dizendo que, se quer o garoto de volta, isso podia ajudá-lo a superar o ressentimento."

"Nem sei direito por que quero ele em casa a essa altura", disse Walter. "Até que estou gostando dessa folga do desprezo dele."

"Então, vamos ver", disse Patty. "Temos Joey se constituindo como indivíduo, Walter que precisa de certo alívio, mas Patty fica como? O que sobra para ela? O vinho. Não é? Para Patty sobra o vinho."

"Epa", disse Richard. "Você está com pena de si mesma?"

"Pelo amor de Deus", disse Walter.

Era terrível ver, pelos olhos de Richard, o que ela estava virando. De dois mil quilômetros de distância era fácil sorrir dos problemas amorosos de Richard, de sua adolescência infindável, de suas resoluções frustradas de deixar para trás seu lado infantil, e sentir que ali, em Ramsey Hill, levavam uma vida mais adulta. Mas agora ela estava na cozinha com ele — a altura dele, como sempre, uma surpresa que a deixava sem fôlego, seus traços kadafhianos temperados e aprofundados, seus densos cabelos escuros ficando lindamente grisalhos — e ele explicara num lampejo como ela conseguira continuar a ser uma criancinha egocêntrica isolando-se no interior de sua linda casa. Tinha fugido da infantilidade predominante em sua família e tinha se transformado ela própria num bebê. Não trabalhava, seus filhos eram mais adultos que ela, e quase nunca sequer praticava sexo. Estava com vergonha de ser vista por ele. Ao longo daqueles anos todos, tinha conservado como um tesouro as memórias da curta viagem de automóvel que fizera com ele, que mantinha cuidadosamente trancadas em algum lugar bem profundo dentro de si, onde deixava que envelhecessem como um vinho para que, de algum modo simbólico, o que poderia ter acontecido entre eles permanecesse vivo e envelhecesse com os dois. A natureza da possibilidade se alterava à medida que envelhecia em sua garrafa selada, mas não azedava, permanecia potencialmente bebível e reconfortante: o dissoluto Richard Katz certa vez a convidara para ir morar com ele em Nova York, e ela tinha recusado. E agora estava vendo que sua escolha não tinha dado muito certo. Tinha quarenta e dois anos e estava bebendo de ficar com o nariz vermelho.

Levantou-se com todo o cuidado, tentando não cambalear, e derramou no ralo o vinho de uma garrafa consumida pela metade. Pôs seu copo vazio na pia e disse que ia subir para descansar um pouco, e que os dois homens podiam jantar sem ela.

"Patty", disse Walter.

"Estou bem. Está tudo bem. Só bebi um pouco demais. Pode ser que mais tarde eu desça de novo. Desculpe, Richard. Adorei ver você. É que eu ando meio alterada."

Embora ela adorasse a casa do lago, e fizesse retiros solitários de semanas cada vez que ia, não esteve lá nenhuma vez durante a primavera que Richard passou fazendo as reformas. Walter deu um jeito de ir até lá vários fins de semana prolongados e ajudar, mas Patty estava envergonhada demais. Ficou em casa e recuperou a forma: aceitou o conselho de Richard em relação à bebida, recomeçou a correr e a comer, ganhou peso para preencher as rugas mais tristes que vinham se aprofundando em seu rosto, e no geral tomou conhecimento das verdades acerca da sua aparência física que vinha ignorando no seu mundo de fantasia. Um motivo que a fizera resistir a qualquer tipo de atitude cosmética era que sua detestável vizinha Carol Monaghan tinha renovado totalmente a aparência no momento em que seu detestável brinquedo da hora, o jovem Blake, entrou em cena. Qualquer coisa que Carol fizesse era sem dúvida anátema para Patty, mas ela se humilhou e seguiu o exemplo de Carol. Abandonou o rabo de cavalo, tingiu o cabelo, pediu um corte mais adequado à sua idade. Fez um esforço para estreitar o convívio com as antigas companheiras do basquete, e elas a recompensaram dizendo que ela estava muito mais bonita.

Richard pretendia voltar para a Costa Leste no final de maio, mas, sendo Richard, ainda estava construindo o deque em meados de junho, quando Patty decidiu passar algumas semanas no campo. Walter foi junto com ela nos primeiros quatro dias, e depois seguiu para uma pescaria de vários dias, para sacudir a árvore de dinheiro com alguns convidados VIPs, que um dos maiores doadores da Nature Conservancy estava organizando em seu "acampamento" de luxo em Saskatchewan. Para compensar sua péssima atuação no inverno, Patty foi um vendaval de hospitalidade na casa do lago, preparando refeições maravilhosas para Walter e Richard enquanto eles martelavam e serravam nos fundos da casa. Permaneceu sóbria, com grande orgulho, o tempo todo. À noite, sem Joey na casa, ela não se interessava pela televisão. Instalava-se na poltrona predileta de Dorothy, lendo *Guerra e paz* em atenção a uma recomendação que Walter lhe fizera havia séculos, enquanto os homens se dedicavam ao xadrez. Para sorte de todos os envolvidos, Walter jogava melhor que Richard e geralmente ganhava, mas Richard era teimoso e vivia pedindo mais uma revanche, e Patty sabia o que o esforço custava a Walter — ele precisava se concentrar muito para ganhar, e ficava agitado, necessitando de horas para adormecer em seguida.

"Pronto, lá vem você de novo com essa merda de atravancar o meio do tabuleiro com as peças", disse Richard. "Você vive entulhando o meio do tabuleiro. Eu detesto esse jeito de jogar."

"Eu sou o rei do atravancamento", afirmou Walter quase sem fôlego devido à supressão de sua satisfação competitiva.

"E isso me deixa louco."

"Bem, porque funciona", disse Walter.

"Só funciona porque eu não tenho disciplina mental suficiente para fazer você pagar caro."

"Você joga de um modo muito interessante. Eu nunca sei o que vai fazer."

"Pois é, e perco todas."

Os dias eram ensolarados e compridos, as noites, assustadoramente frias. Patty adorava o início do verão no norte, que a fazia lembrar os primeiros dias em Hibbing com Walter. O ar fresco e a terra úmida, o cheiro das coníferas, o alvorecer de sua vida. Sentia que nunca tinha sido mais jovem que aos vinte e um anos. Era como se sua infância em Westchester, embora cronologicamente anterior, tivesse de algum modo ocorrido numa época posterior e mais decaída. Dentro da casa pairava um aroma fraco e agradável de mofo que lembrava Dorothy. Do lado de fora ficava o lago que Joey e Patty tinham decidido batizar de Sem Nome, com as águas recém-descongeladas, escuro com a casca e as agulhas de pinheiro, refletindo o dia ensolarado e as nuvens claras do bom tempo. No verão, as árvores decíduas escondiam a única outra casa, que uma família chamada Lundner usava nos fins de semana e no mês de agosto. Entre a casa dos Berglund e o lago ficava uma colina relvada em que cresciam algumas bétulas, e quando o sol ou uma brisa expulsava os mosquitos, Patty podia ficar deitada na relva lendo um livro por várias horas, sentindo-se completamente à parte do mundo, salvo por um ou outro raro avião cortando o céu e carros ainda mais raros que percorriam a estrada vicinal de terra.

Na véspera da partida de Walter para Saskatchewan, o coração de Patty começou a bater mais depressa. Era só o coração dela se manifestando, aquela aceleração. Na manhã seguinte, depois de levar Walter de carro até o campo de pouso em Grand Rapids e voltar para casa, o coração batia tanto que um ovo escorregou da mão dela e caiu no chão enquanto ela preparava massa de panqueca. Ela apoiou as mãos no balcão e respirou fundo várias vezes antes de se ajoelhar para limpar o chão da cozinha. O acabamento da reforma da cozinha esperaria por Walter em algum outro momento, mas o rejunte do novo piso estava ao alcance da capacidade de Richard, que entretanto ainda não chegara a esse ponto de seu trabalho. Em compensação, contou ao casal, aprendera a tocar banjo sozinho.

Embora o sol já tivesse saído havia quatro horas, ainda era relativamente cedo quando ele emergiu de seu quarto de jeans e uma camiseta anunciando seu apoio ao subcomandante Marcos e à libertação de Chiapas.

"Panquecas de trigo-sarraceno?", perguntou Patty em tom animado.

"Ótima ideia."

"Se você preferir, posso fazer ovos fritos."

"Adoro panqueca."

"E também posso preparar um pouco de bacon."

"Bacon eu nunca recuso."

"Está bem. Então panquecas e bacon."

Se o coração de Richard também estava disparado, ele não dava sinal. Ela ficou de pé, assistindo enquanto ele separava duas pilhas de panquecas, segurando o garfo da maneira civilizada que ela por acaso sabia ter-lhe sido ensinado por Walter no primeiro ano da faculdade.

"O que você está pensando em fazer mais tarde?", perguntou ele, com um interesse de baixo a moderado.

"Não sei. Não pensei em nada. Nada! Estou de férias. Acho que não vou fazer nada hoje de manhã, e depois preparar um almoço para nós."

Ele assentiu com a cabeça e começou a comer, e ocorreu a Patty que ela era uma pessoa dada a fantasias basicamente sem qualquer relação com a realidade. Foi até o banheiro e sentou-se na tampa fechada da privada, o coração disparado, até escutar Richard saindo e começando a carregar madeira. Existe uma tristeza ocasional nos primeiros sons do trabalho alheio pela manhã; é como se o silêncio experimentasse uma certa dor ao ser quebrado. O primeiro minuto do dia de trabalho nos lembra todos os outros minutos de que um dia é composto, e nunca é bom pensar em cada minuto individualmente. Só depois que outros minutos se acumularam por cima do primeiro minuto, nu e solitário, o dia se integra de maneira mais segura ao seu transcurso. Patty esperou, e só depois disso saiu do banheiro.

Levou *Guerra e paz* para a encosta relvada, com a antiga e vaga motivação de impressionar Richard com sua cultura, mas atolou numa passagem militar e leu e releu a mesma página inúmeras vezes. Um passarinho melodioso, cuja família Walter desistira de lhe ensinar, virenídeos ou virionídeos, acostumou-se com a presença dela e começou a cantar numa árvore bem acima dela. Seu canto parecia uma ideia fixa que ele não conseguia tirar de sua cabeça miúda.

Como ela se sentia: como se um grupo implacável e bem organizado de combatentes da resistência tivesse se reunido à sombra das partes mais obscuras da sua mente, de maneira que agora era *imperativo* ela não permitir que a luz dos holofotes de sua consciência chegasse nem perto deles, por um segundo que fosse. Seu amor por Walter e sua lealdade a ele, seu desejo de ser uma pessoa de bem, sua compreensão da rivalidade da vida toda entre Walter e Richard, sua avaliação equilibrada do caráter de Richard, e a simples cagada geral sob todos os pontos de vista que dormir com o melhor amigo do cônjuge sempre representa: essas considerações de ordem superior se mostravam prontas a aniquilar os combatentes das sombras. E por isso ela precisava manter as forças da consciência plenamente distraídas. Não podia nem mesmo se permitir pensar na roupa que devia usar — precisava desviar num instante a ideia de vestir uma camiseta sem mangas que valorizava especialmente seus atributos antes de levar um café com biscoitos para Richard no meio da manhã, precisava expulsar aquele pensamento de dentro de si na mesma hora — porque o menor sinal de sedução iria atrair o facho do holofote, e o espetáculo iluminado por ele seria revoltante, vergonhoso e patético. Mesmo que Richard não ficasse enojado, ela própria ficaria. E se Richard percebesse alguma coisa e decidisse dizer a ela o que pensava daquilo, como tinha falado da bebida: desastre, humilhação, o pior.

A pulsação dela, entretanto, sabia — lhe avisava com aquele ritmo acelerado — que era provável que ela nunca mais tivesse oportunidade igual. Não antes de estar totalmente acabada fisicamente. Sua pulsação registrava a aguçada percepção oculta de que o acampamento de pesca em Saskatchewan só era acessível por hidroavião, rádio ou telefone de satélite, e que Walter não iria ligar para ela nos cinco dias seguintes, a menos que houvesse alguma emergência.

Deixou o almoço de Richard na mesa e levou o carro até a cidadezinha mais próxima, Fen City. Percebeu como seria fácil sofrer um acidente, e perdeu-se a tal ponto imaginando-se morta e Walter soluçando junto a seu corpo mutilado, sendo estoicamente consolado por Richard, que quase passou direto pela placa de Pare na entrada de Fen City: ouviu de longe seus pneus cantando.

Era só na cabeça dela, tudo era só na cabeça dela! A única coisa que lhe dava alguma esperança era a competência com que vinha conseguindo esconder seu tumulto interior. Tinha estado talvez um pouco distraída e assustadiça nos últimos quatro dias, mas se comportava infinitamente melhor que em fevereiro. E se ela própria conseguia manter encobertas suas forças ocultas, era bem possível que Richard tivesse forças ocultas correspondentes que vinha encobrindo com uma competência equivalente. Mas isso era apenas um fiapo de esperança; era assim que os loucos se perdiam em fantasias lógicas.

Postou-se em frente à modesta seleção de cervejas nacionais da Cooperativa de Fen City, Miller, Coors e Budweiser, e tentou se decidir. Sopesou um pacote de seis latas, como se pudesse avaliar de antemão, através do alumínio das latas, como iria se sentir se as tomasse. Richard lhe tinha dito que devia beber menos; bêbada, ela lhe parecera feia. Ela devolveu a cerveja à prateleira e forçou-se a procurar áreas menos atraentes da loja, mas era difícil planejar o que fazer à noite com vontade de vomitar. Voltou para as prateleiras de cerveja como um passarinho que repete seu canto. As diversas latas tinham decorações diferentes, mas continham todas a mesma cerveja fraca de baixa qualidade. Ocorreu-lhe ir até Grand Rapids e comprar vinho de verdade. Ocorreu-lhe voltar para casa sem comprar nada. Mas aí onde ela ficava? Um cansaço se instalou enquanto ela vacilava diante das prateleiras: uma premonição de que nenhum dos desdobramentos possíveis da situação lhe traria alívio ou prazer suficiente para justificar toda aquela confusão de coração disparado. Patty percebeu, noutras palavras, o que significava ser uma pessoa profundamente infeliz. Ainda assim, hoje a autobiógrafa ainda inveja e sente pena da jovem Patty ali de pé diante das prateleiras, acreditando, inocente, que tinha chegado ao fundo do poço: que, de um modo ou de outro, aquela crise estaria resolvida dali a cinco dias.

Uma adolescente gordinha na caixa registradora tinha se interessado por sua paralisia. Patty lhe dirigiu um sorriso enlouquecido, pegou um frango embalado em plástico, cinco batatas feias e alguns humildes e murchos talos de alho-poró. A única coisa pior do que viver naquela ansiedade sem beber, concluiu ela, seria encher a cara e continuar vivendo naquela ansiedade.

"Vou assar um frango para nós dois", disse a Richard quando chegou em casa.

Havia salpicos de serragem em seu cabelo, nos cílios e grudados à sua testa larga e suada. "Muita gentileza sua", disse ele.

"O deque está ficando uma beleza", disse ela. "A casa vai melhorar muito. Quanto tempo você acha que ainda vai levar?"

"Só mais uns dias, talvez."

"Sabe, eu e Walter podemos acabar depois, se você estiver querendo voltar para Nova York. Eu sei que a esta altura você já planejava estar de volta."

"É bom levar um trabalho até o fim", disse ele. "Só faltam uns dias. Ou você está querendo ficar aqui sozinha?"

"Se eu quero ficar aqui sozinha?"

"Bem, eu faço muito barulho."

"Ah, não, eu gosto do barulho de construção. É muito reconfortante."

"Se não for o dos seus vizinhos."

"Bem, eu detesto esses vizinhos, então é diferente."

"Certo."

"Acho que vou começar a preparar o frango."

Ela deve ter revelado alguma coisa no modo como disse estas últimas palavras, porque Richard franziu um pouco a testa. "Tudo bem?"

"Não não não", disse ela. "Eu adoro este lugar aqui. Adoro. É o meu lugar favorito do mundo todo. Não *resolve* nada, você sabe. Mas eu adoro acordar de manhã aqui. Adoro o cheiro do ar."

"Estou perguntando se está tudo bem de eu ficar."

"Ah, sem dúvida. Meu Deus. Claro. Sem a menor dúvida. Claro! Você sabe que Walter adora você. Eu tenho a impressão de ser sua amiga há muito tempo, mas quase nunca conversei com você. É uma boa oportunidade. Mas você não precisa achar que precisa ficar, se quiser voltar para Nova York. Estou acostumada a ficar sozinha aqui. Sem o menor problema."

Uma fala a cujo fim ela parece ter levado muitíssimo tempo para chegar. Seguida por um breve silêncio entre eles.

"Só estou tentando entender o que você está me dizendo", disse Richard. "Se você quer que eu fique ou não."

"Meu Deus", disse ela. "É o que eu já disse várias vezes, não foi? Não é o que eu acabei de dizer?"

Ela viu a paciência dele com ela, a paciência dele com essa mulher, chegar ao fim. Ele levantou os olhos para o céu e pegou um caibro. "Vou terminar essa parte aqui e depois vou dar um mergulho."

"Vai estar frio."

"Cada dia um pouco menos."

De volta a casa, ela sentiu um espasmo de inveja de Walter, que podia dizer a Richard que o amava, e em troca não queria nada de desestabilizador, nada além de ser amado em troca. Como era fácil para os homens! Em comparação, ela se sentia uma aranha sedentária e inchada, tecendo sua teia seca ano após ano, só à espera. Entendeu de repente como as garotas de muitos anos antes se sentiam, as estudantes da faculdade que invejavam a liberdade de Walter com Richard e ficavam irritadas com o incômodo da sua presença. Por um momento, viu Walter com os olhos de Eliza.

Talvez eu precise fazer isso, talvez eu precise fazer isso, talvez eu precise fazer isso, dizia-se enquanto lavava o frango, garantindo a si mesma que não era o que queria dizer. Ouviu o som de um mergulho e ficou vendo Richard nadar em meio às sombras das árvores até o lugar onde a água ainda cintilava sob a luz do sol da tarde. Se ele realmente detestava a luz do sol, como dizia em sua velha canção, o norte de Minnesota no mês de junho era um lugar inóspito. Os dias duravam tanto que você ficava surpreso ao ver que o sol não ficava sem combustível quando finalmente entardecia. E ardia sem parar. Ela se entregou a um impulso de apalpar-se entre as pernas, de experimentar a água, só pelo choque, em vez de mergulhar no lago ela também. Estou viva? Possuo um corpo?

Cortou as batatas em ângulos muito estranhos. Lembravam um quebra-cabeça geométrico.

Richard, depois de um banho, entrou na cozinha com uma camiseta sem inscrição que devia ter sido de um vermelho vivo décadas antes. Seus cabelos estavam temporariamente domados, de um preto reluzente juvenil.

"Você mudou muito a aparência durante o inverno", disse ele a Patty.

"Não."

"Como assim, 'não'? O cabelo está diferente, você está ótima."

"Quase não mudei nada. Só um pouquinho."

"E — será que não ganhou algum peso?"

"Não. Bem. Um pouco."

"Fica bem em você. Estava magra demais."

"Está procurando algum modo gentil de me dizer que estou gorda?"

Ele fechou os olhos e fez uma careta, como se precisasse de um esforço para conservar a paciência. Então abriu os olhos e perguntou, "De onde está vindo toda essa conversa fiada?".

"Ah?"

"Você quer que eu vá embora? É isso? Você está com esse jeito meio falso que me dá a impressão de que não está se sentindo à vontade comigo aqui."

O frango assado tinha o cheiro das coisas que ela costumava comer. Ela lavou e enxugou as mãos, vasculhou o fundo de um armário inacabado e encontrou uma garrafa de xerez de cozinha coberto de poeira da construção.

Encheu um copinho e sentou-se à mesa. "Está bem. Sinceramente? Fico um pouco nervosa perto de você."

"Não precisa."

"Não tenho como controlar."

"Mas não tem nenhum motivo."

Exatamente o que ela não queria ouvir. "Vou tomar só esse copinho", disse ela.

"Você está me confundindo com alguém que se incomoda com o quanto você bebe."

Ela assentiu com a cabeça. "Ótimo. Perfeito. É bom saber disso."

"Você estava com vontade de beber esse tempo todo? Deus do céu. Beba logo."

"É o que estou fazendo."

"Sabe, você é uma pessoa muito estranha. O que deve entender como um elogio."

"Entendi."

"Walter teve muita, muita sorte."

"Ah, bem, é esse o problema, não é. Não sei mais se é assim que ele vê."

"Ah, é sim. Pode acreditar que sim."

Ela abanou a cabeça. "Eu ia dizer que não acho que ele goste do que eu tenho de estranho. Ele gosta do que é estranho e bom, isso eu sei, mas não fica muito feliz com o que é estranho e mau, e ultimamente eu tenho sido mais estranha e má. Eu ia dizer que achava irônico que *você*, que não se incomoda com o que é estranho e mau, não seja a pessoa com quem eu me casei."

"Você não ia gostar de ser casada comigo."

"Não, tenho certeza de que ia detestar. Eu sei das histórias."

"Fico chateado, embora não surpreso."

"Walter me conta tudo."

"Imagino que sim."

No lago, um pato grasnou alguma coisa. Marrecos tinham feito ninhos nos caniços da margem oposta.

"Walter lhe contou que eu rasguei os pneus de inverno do carro de Blake?", perguntou Patty.

Richard ergueu as sobrancelhas, e ela lhe contou a história.

"Que puta maluquice", disse ele com admiração, quando ela terminou.

"Eu sei. Não é mesmo?"

"E Walter sabe disso?"

"Hum. Boa pergunta."

"Pelo que estou vendo, você não conta tudo a ele."

"Ah, meu Deus, Richard, eu não conto nada a ele."

"Mas eu acho que podia contar. E talvez descubra que ele sabe bem mais do que você pensa."

Ela respirou fundo e perguntou que coisas secretas Walter sabia a respeito dela.

"Ele sabe que você está infeliz", disse Richard.

"Mas para isso não precisa de grande agudeza de percepção. Que mais?"

"Sabe que você acha que é culpa dele o fato de Joey ter saído de casa."

"Ah, essa história", disse ela. "Isso eu mais ou menos disse a ele. E não conta."

"Está bom. Então por que você não me conta. Você rasga os pneus dos vizinhos e ele não sabe; e que mais ele não sabe?"

Quando Patty refletiu sobre essa pergunta, só conseguiu ver o imenso vazio de sua vida, o vazio de seu ninho, a falta de sentido da sua existência agora que seus filhotes tinham batido as asas. O xerez a deixou triste. "Por que você não canta para mim enquanto eu ponho o jantar na mesa? Canta?"

"Não sei", respondeu Richard. "Acho um pouco esquisito."

"Por quê?"

"Não sei. Só acho."

"Você é cantor. É isso que você faz. Cantar."

"Acho que nunca senti que você gostasse muito das coisas que eu canto."

"Cante 'O lado oculto do bar'. Essa eu adoro."

Ele suspirou, baixou a cabeça, cruzou os braços e deu a impressão de que tinha adormecido.

"O que foi?", perguntou ela.

"Acho que vou embora amanhã, se você não se incomodar."

"Está bem."

"Não faltam mais que dois dias de trabalho. Já dá para usar o deque."

"Está bem." Ela se levantou e pousou o copo de xerez na pia. "Mas posso perguntar por quê? Quer dizer, é um prazer ter você aqui."

"Só acho melhor eu ir embora."

180

"Está bem. O que for melhor. Acho que o frango ainda vai levar uns dez minutos, se você quiser pôr a mesa para nós."

Ele não se mexeu.

"Foi Molly quem fez a letra", disse ele, depois de algum tempo. "E eu não tinha nada que gravar. Foi uma babaquice minha. Uma babaquice consciente e calculada da minha parte."

"Ela é bem triste, mas bonita. O que você ia fazer? Deixar de lado?"

"Acho que sim. Deixar de lado. Teria sido bem melhor."

"Sinto muito por vocês dois. Vocês ficaram muito tempo juntos."

"Ficamos e não ficamos."

"É, eu sei, mas mesmo assim."

Ele ficou sentado, cismando, enquanto ela punha a mesa, temperava a salada e cortava o frango. Patty achou que estava sem a menor fome, mas depois de experimentar o frango lembrou que não tinha comido nada desde a noite anterior, e que seu dia havia começado às cinco da manhã. Richard também comeu, em silêncio. A certa altura, o silêncio dos dois se tornou patente e enervante e, pouco depois, exaustivo e desanimador. Ela tirou a mesa, separou os restos, lavou os pratos e viu que Richard tinha ido até a pequena varanda protegida de tela para fumar um cigarro. O sol tinha finalmente desaparecido, mas o céu ainda estava claro. Sim, pensou ela, era melhor que ele fosse embora. Melhor, melhor, melhor.

Foi até a varanda. "Acho que vou para a cama ler um pouco", disse ela.

Richard assentiu com a cabeça. "Boa ideia. Até amanhã."

"As tardes aqui são tão longas", disse ela. "Até parece que a luz não quer morrer."

"O tempo que eu passei aqui foi ótimo. Vocês dois são muito generosos."

"Ah, foi tudo ideia de Walter. Na verdade não me ocorreu oferecer a casa para você."

"Ele confia em você", disse Richard. "Se você confiar nele, tudo vai dar certo."

"Bem, pode ser que sim, mas também pode ser que não."

"Você não quer ficar com ele?"

Era uma boa pergunta.

"Não quero perdê-lo", disse ela, "se é isso que você quer saber. Não passo o tempo todo pensando que vou deixar Walter. Fico contando os dias até Joey finalmente ficar de saco cheio dos Monaghan. Ele ainda tem um ano inteiro de escola pela frente."

"Não sei exatamente o que você quer dizer com isso."

"Só que eu ainda sou muito ligada à minha família."

"Faz muito bem. Sua família é ótima."

"Então está bom. Até amanhã."

"Patty." Ele apagou o cigarro na tigela dinamarquesa comemorativa do Natal de Dorothy que estava usando como cinzeiro. "Não vou ser a pessoa que vai arruinar o casamento do meu melhor amigo."

"Não! Meu Deus! Claro que não!" Ela estava quase chorando de decepção. "Quer dizer, Richard, claro, sinto muito, mas o que foi que eu disse? Disse que ia me deitar e que via você de novo amanhã cedo. Foi só isso! Disse que gosto da minha família. Foi exatamente o que eu disse."

Ele a fitou com um ar impaciente e cético.

"Estou falando sério!"

"Está bem, vá lá", disse ele. "Eu não quis tirar nenhuma conclusão precipitada. Só estava tentando entender de onde vem toda essa tensão. Talvez você lembre que já tivemos uma conversa como esta."

"Lembro bem, sim."

"Então achei melhor tocar no assunto do que não tocar no assunto."

"Está certo. E eu fico agradecida. Você é um ótimo amigo. E não precisa achar que deve ir embora amanhã por minha causa. Não tem motivo para ficar com medo. Não tem motivo para fugir."

"Mas acho que mesmo assim eu vou embora."

"Está certo."

E ela foi se deitar na cama de Dorothy, que Richard tinha usado até que ela e Walter chegaram e o expulsaram dela. O ar fresco entrava dos lugares onde tinha se escondido ao longo do dia interminável, mas uma luz crepuscular azulada persistia em todas as janelas. Era uma luz de sonho, uma luz de insânia, que se recusava a desaparecer. Ela acendeu o abajur para atenuá-la. Os combatentes clandestinos tinham sido descobertos! O plano fora descoberto! Ficou deitada com seu pijama de flanela e repassou cada coisa que tinha dito nas últimas horas, e ficou pasma com quase tudo. Ouviu a melodiosa ressonância da privada enquanto Richard esvaziava a bexiga, depois a descarga, o correr melodioso da água pelo encanamento, e a bomba de água trabalhando por pouco tempo num tom mais grave. Para se ver livre de si própria, pegou *Guerra e paz* e ficou lendo por muito tempo.

A autobiógrafa não sabe dizer se as coisas teriam tomado um rumo diferente caso ela não tivesse chegado justamente às páginas em que Natacha Rostova, obviamente destinada ao aparvalhado e bom Pierre, se apaixona pelo grande amigo deste, o elegante príncipe Andrei. Patty foi surpreendida. A perda de Pierre se apresentava, enquanto ela lia, como uma calamidade em câmera lenta. É provável que as coisas não tivessem ocorrido de maneira diversa, mas o efeito que essas páginas tiveram sobre ela, sua pertinência, foi quase psicodélico. Ficou lendo até depois da meia-noite, agora interessada inclusive pelas passagens militares, e ficou aliviada ao ver, quando apagou a luz, que o crepúsculo finalmente acabara.

Em seu sono, em alguma hora silenciosa e muito escura depois disso, ela se levantou da cama, enveredou pelo corredor e depois pelo quarto de Richard, entrando na cama com ele. O quarto estava frio, e ela se aninhou junto a ele.

"Patty", disse ele.

Mas ela estava dormindo e abanou a cabeça, resistindo ao despertar, e não se podia dizer nada contra ela, pois estava muito determinada em seu sono. Virou-se para o outro lado por cima dele, tentando maximizar o contato entre eles, sentindo-se com tamanho suficiente para cobri-lo por completo, apertando seu rosto contra a cabeça dele.

"Patty."

"Hum."

"Se você estiver dormindo, precisa acordar."

"Não, estou dormindo... Estou dormindo. Não me acorde."

O pênis de Richard ameaçava pular para fora da cueca. Ela esfregou a barriga nele.

"Sinto muito", disse ele, encolhendo-se para longe dela. "Você precisa acordar."

"Não, não me acorde. Só quero que trepe comigo."

"Ah, meu Deus." Ele tentou afastar-se mais dela, mas ela o seguiu como uma ameba. Ele a segurou pelos pulsos para mantê-la à distância. "Pessoas que não estão conscientes: acredite ou não, esse limite eu não ultrapasso."

"Hum", disse ela, desabotoando o pijama. "Estamos os dois dormindo. Nós dois estamos tendo ótimos sonhos."

"Pode ser, mas de manhã todo mundo acorda, e se lembra do que sonhou."

"Mas se for só um sonho... estou sonhando. Vou adormecer de novo. Você também, volte a dormir. E adormeça. Nós dois vamos estar dormindo... e aí eu vou ter ido embora."

O fato de ela ter sido capaz de dizer tudo isso, e não só dizer mas lembrar com toda a clareza mais tarde, sem dúvida lança uma grande dúvida sobre a autenticidade de seu estado de adormecimento. Mas a autobiógrafa afirma *terminantemente* que não estava acordada no momento em que traiu Walter e sentiu o amigo dele fendê-la em duas. Talvez tenha sido a maneira como ela imitou o avestruz da fábula e manteve seus olhos bem fechados, ou talvez o fato de não ter retido nenhuma memória de um prazer específico, só de uma consciência abstrata do fato que tinha acontecido, mas se ela se entregar a uma experiência da imaginação e pensar num telefone tocando no meio da noite, o estado a que imagina ter sido levada pelo choque é de vigília, do que decorre logicamente que, na ausência de qualquer telefone que tenha tocado, o estado em que estava era de um sono profundo.

Só depois que o fato aconteceu é que ela despertou, um tanto alarmada, lembrou-se de quem era e obrigou-se a retornar depressa para a sua cama. Assim que ela voltou à consciência, havia luz nas janelas. Ouviu Richard levantar-se e urinar no banheiro. Esforçou-se para decifrar os sons que ele produzia — se estava arrumando a bagagem na caminhonete ou retomando o trabalho. Parecia que estava começando a trabalhar! Quando ela finalmente conseguiu reunir a coragem de sair de seu esconderijo, encontrou-o ajoelhado ao lado da casa, separando uma pilha de restos de madeira. O sol estava no céu, mas ainda era um disco fosco cercado de nuvens. A mudança do tempo arrepiava a superfície do lago. Sem o efeito ofuscante de luz e sombra, a mata parecia menos densa e mais vazia.

"Oi, bom dia", disse Patty.

"Bom dia", respondeu Richard, sem erguer os olhos para ela.

"Já tomou café? Que tal comer alguma coisa? Quer que eu faça uns ovos?"

"Tomei um pouco de café, obrigado."

"Eu faço os ovos."

Ele se levantou, pôs as mãos nos quadris e passou em revista a madeira que estava arrumando, ainda sem olhar para ela. "Estou deixando tudo arrumado, para Walter saber o que sobrou aqui."

"Está certo."

"Vou precisar de umas horas para arrumar tudo. Você pode ir cuidar das suas coisas."

"Está bem. Não precisa de ajuda?"

Ele abanou a cabeça.

"E tem certeza que não quer comer nada?"

Dessa vez ele não deu nenhuma resposta.

Passou pela cabeça dela, com uma curiosa nitidez, uma lista de nomes em PowerPoint em ordem descendente da bondade do respectivo portador, encabeçada naturalmente por Walter, seguido de perto por Jessica e a uma distância um pouco maior por Joey e Richard, e bem depois, no fundo do subsolo, num solitário último lugar, o feio nome dela.

Tomou café no quarto e ficou sentada ouvindo os sons do trabalho de Richard, o chacoalhar de pregos sendo encaixotados, o troar das caixas de ferramentas. Mais tarde ela se arriscou fora do quarto para perguntar se ele não podia pelo menos ficar e comer alguma coisa antes de ir embora. Ele assentiu, embora com ar de poucos amigos. Ela estava assustada demais para chorar, e foi cozinhar ovos para fazer uma salada. O plano, a esperança ou fantasia dela, até onde se permitia ter consciência de qualquer coisa do tipo, era que Richard se esquecesse de sua intenção de ir embora aquele dia, e que ela tornasse a ter uma crise de sonambulismo na noite seguinte, e que tudo estaria novamente agradável e calado no outro dia, e depois mais um pouco de sonambulismo, e depois outro dia agradável, depois do qual Richard carregaria sua caminhonete e voltaria para Nova York, e muito mais tarde na vida ela recordaria os sonhos incrivelmente intensos que tivera nessas noites à beira do lago Sem Nome, perguntando-se em plena segurança se alguma coisa de fato acontecera. Mas esse plano (ou esperança, ou fantasia) anterior se reduzira a frangalhos. Seu novo plano exigia que ela fizesse um imenso esforço para esquecer a noite anterior e fingir que nunca tinha acontecido.

Uma coisa que se pode dizer com segurança que o novo plano *não* previa era deixar o almoço inacabado na mesa e depois achar seus jeans no chão e a parte de baixo de seu biquíni penosamente forçada para um lado enquanto eles trepavam, ela em êxtase, apoiados na parede revestida de um papel inocente na antiga sala de Dorothy, em plena luz do dia e tão despertos quanto possível. Não deixaram marca nenhuma na parede, mas ainda assim o local permaneceu claramente assinalado e distinto para todo o sempre. Era uma das pequenas coordenadas do universo permanentemente carregado e alterado por sua história. Tornou-se, aquele local, uma terceira presença silenciosa na sala, com ela e Walter nos fins de semana que passariam lá a sós. Pareceu a ela, de qualquer maneira, a primeira vez na vida que praticara sexo da maneira certa. Uma verdadeira novidade, por assim dizer. E a partir daí ela estava frita, embora tenha levado algum tempo para perceber.

"Bom, então está certo", disse ela, sentada no chão com a cabeça apoiada no ponto onde antes se encontrava a sua bunda. "Foi muito interessante."

Richard tinha vestido as calças e caminhava de um lado para o outro a esmo. "Vou acender um cigarro dentro da casa, se você não se importa."

"Acho que as circunstâncias justificam uma exceção."

O dia tinha ficado totalmente encoberto, com um vento frio que entrava pela tela de janelas e portas. Todos os passarinhos tinham parado de cantar, e o lago parecia deserto. A natureza esperando que o frio passasse.

"Por que você está de biquíni, pode explicar?", perguntou Richard, acendendo um cigarro.

Patty riu. "Pensei em nadar um pouco depois que você fosse embora."

"Está muito frio."

"Bom, evidentemente, não vou nadar até longe."

"Só um pouco de mortificação da carne."

"Exatamente."

O vento frio e a fumaça do Camel de Richard se misturavam como a alegria e o remorso. Patty começou de novo a rir sem motivo e depois encontrou uma coisa engraçada para dizer.

"Você pode jogar xadrez mal", disse ela, "mas sem dúvida no outro jogo você é muito melhor."

"Para de falar merda", disse Richard.

Ela não conseguiu avaliar ao certo o tom de voz dele mas, temendo que estivesse com raiva, esforçou-se para parar de rir.

Richard sentou-se na mesinha de centro e ficou fumando com grande determinação. "Temos a obrigação de nunca mais fazer isso", disse ele.

Outra risada escapou dela; não tinha como controlar. "Ou talvez só mais umas vezesinhas e depois nunca mais."

"Sei, e aí, o que vem depois."

"A gente pode imaginar que tirou a fantasia do caminho, e pronto."

"Não é assim que funciona, na minha experiência."

"Bem, nesse caso acho que preciso me curvar à sua experiência, não é? Já que eu não tenho nenhuma."

"Das duas uma", disse Richard. "Nós paramos agora, ou você larga Walter. E como esta hipótese não é aceitável, nós paramos agora."

"Ou, terceira possibilidade, podemos não parar e eu simplesmente não digo nada a ele."

"Eu não quero viver assim. Você quer?"

"É bem verdade que duas das três pessoas que ele mais ama no mundo somos você e eu."

"E a terceira é Jessica."

"E é sempre um certo consolo", disse Patty, "pensar que ela vai me odiar pelo resto da minha vida e ficar totalmente do lado dele. Pelo menos isso vai sobrar para Walter."

"Não é o que ele quer, e não sou eu que vou fazer isso com ele."

Patty riu de novo, quando pensou em Jessica. Era uma jovem muito boa, aflitivamente séria e exaustivamente madura, cuja exasperação com Patty e Joey — a mãe incompetente, o irmão implacável — raras vezes deixava de ser radical a ponto de parecer cômica. Patty gostava muitíssimo da filha e na verdade, pensando bem, ficaria devastada se ela não a tivesse em boa conta. Mas ainda assim não conseguia deixar de achar graça no opróbrio de Jessica. Fazia parte da maneira como elas duas se davam; e Jessica vivia absorta demais em sua seriedade para se incomodar com isso.

"Ei", disse ela a Richard, "existe alguma possibilidade de você ser homossexual?"

"Você vem me perguntar logo agora?"

"Não sei. É só que às vezes os homens que se sentem obrigados a comer um milhão de mulheres estão é tentando provar alguma coisa. Ou provar o contrário de alguma coisa. E agora me parece que você dá mais importância à felicidade de Walter do que à minha."

"Pode acreditar quando eu lhe digo que não tenho o menor interesse em beijar Walter."

"Não, eu sei. Eu sei. Mas ainda assim o que eu disse tem lá seu peso. Quer dizer, não tenho dúvida de que você vai se cansar de mim em pouco tempo. Basta você me ver nua quando eu tiver quarenta e cinco anos, e vai pensar, Humm. Eu ainda quero isto? Acho que não! Enquanto de Walter você nunca vai ficar cansado, porque não tem vontade nenhuma de beijá-lo. E assim pode ser próximo dele para sempre."

"Isso é D. H. Lawrence", disse Richard, impaciente.

"Mais um escritor que eu preciso muito ler."

"Ou não."

Ela esfregou os olhos cansados e a boca inchada. No fim das contas, estava muito satisfeita com o rumo que as coisas tinham tomado.

"Você realmente sabe manejar suas ferramentas", disse ela com uma nova risada.

Richard recomeçou a andar de um lado para o outro. "Tente falar a sério, está bem? Faça um esforço."

"Agora é o nosso momento, Richard. É só isso que estou dizendo. Temos dois dias, que podemos usar ou não. De qualquer maneira, vão acabar logo."

"Foi um erro meu", disse ele. "Não pensei direito. Eu devia ter ido embora ontem de manhã."

"Tirando uma pequena parte minha, eu também preferia que você tivesse ido. Por outro lado, essa parte pode ser pequena, mas é muito importante."

"Eu gosto de ver você", disse ele. "Gosto de estar com você. Fico feliz quando penso em Walter com você — você é uma pessoa assim. Achei que não haveria problema em ficar mais uns dias. Mas foi um engano."

"Bem-vindo à Pattylândia. A Terra dos Enganos."

"Não me ocorreu que você pudesse ser sonâmbula."

Ela riu. "Foi um toque brilhante, não foi?"

"Deus do céu. Mais devagar, está bem? Você está me deixando louco."

"É, mas o melhor de tudo é que nem faz diferença. Qual é a pior coisa que pode acontecer agora? Você ficar louco comigo e ir embora."

E então ele olhou para ela, sorriu, e a sala se encheu (metaforicamente) de sol. Ele era, na opinião de Patty, um homem lindo.

"Eu gosto mesmo de você", disse ele. "Gosto muito de você. E sempre gostei."

"E vice-versa."

"Eu queria que você tivesse uma vida boa. Você entende? Achei que você era uma pessoa realmente digna de Walter."

"E foi por isso que saiu naquela noite em Chicago e nunca voltou."

"Não teria dado certo em Nova York. Ia acabar mal."

"Se é o que você acha."

"Pois é o que eu acho."

Patty assentiu com a cabeça. "Então na verdade você queria dormir comigo aquela noite."

"Queria. Muito. Mas não só dormir com você. Conversar com você. Ouvir você falar. Era essa a diferença."

"Acho que é bom saber disso. Essa questão pelo menos agora eu posso riscar da minha lista, vinte anos mais tarde."

Richard acendeu outro cigarro e ficaram ali sentados mais algum tempo, separados por um velho tapete oriental barato de Dorothy. Havia um suspiro nas árvores, a voz de um outono que nunca estava muito distante no norte de Minnesota.

"E isso quer dizer que a situação aqui pode ficar bem difícil, não é?", disse finalmente Patty.

"Pode."

"Mais difícil talvez do que eu imaginei."

"É."

"Seria melhor, no caso, eu não ter tido sonambulismo."

"É."

Ela começou a chorar por Walter. Tinham passado tão poucas noites separados em todos aqueles anos que ela nunca tinha a oportunidade de sentir saudades dele e gostar dele de longe da maneira como sentiu saudades e gostava dele de longe agora. Era o começo de uma confusão terrível no coração dela, uma confusão de que a autobiógrafa ainda sofre. E já àquela altura, às margens do lago Sem Nome, na luz difusa e imutável, ela viu o problema com toda a clareza. Tinha se apaixonado pelo único homem no mundo que gostava de Walter e queria protegê-lo tanto quanto ela; qualquer outra pessoa poderia tê-la jogado contra ele. E pior ainda, de certa maneira, era a responsabilidade que ela sentia em relação a Richard, por saber que ele não tinha mais ninguém na vida como Walter, e que sua lealdade a Walter era, a seus próprios olhos, uma das poucas coisas além da música que o salvavam como ser humano. Tudo isso, em seu sonambulismo e egocentrismo, ela tinha posto em perigo. Ela se aproveitara de uma pessoa confusa e suscetível, mas que ainda assim tentava manter algum tipo de ordem moral em sua vida. De maneira que ela também estava chorando por Richard, só que ainda mais por Walter, e por sua própria pessoa azarada e trapalhona.

"É bom chorar", disse Richard, "embora eu nunca tenha tentado."

"Parece um poço sem fundo, depois que você começa", fungou Patty. Agora começou a sentir frio em seu maiô, e um mal-estar físico. Levantou-se e abraçou os ombros largos e quentes de Richard, e deitou-se com ele no tapete oriental, e assim passou a tarde longa, clara e cinzenta.

Três vezes, no total. Uma, duas, três. Uma dormindo, outra com violência, e depois com toda a orquestra. Três: numerozinho patético. A autobiógrafa já passou boa parte de sua quinta década de vida contando e tornando a contar, mas o total nunca passa de três.

Afora isso, não há muito o que relatar, e a maior parte do que resta consiste em mais enganos. O primeiro ela cometeu em dupla com Richard, quando ambos ainda estavam deitados no tapete. Decidiram juntos — concordaram — que ele devia ir embora. Decidiram depressa, enquanto estavam sensíveis e exaustos, que ele precisava ir embora logo, antes que se envolvessem mais fundo naquilo, e que em seguida os dois precisavam pensar com todo o cuidado na situação e chegar a uma decisão de cabeça fria, que, caso fosse negativa, só podia ser mais dolorosa caso ele ficasse mais tempo.

Tendo tomado essa decisão, Patty sentou-se e ficou surpresa ao ver que as árvores e o deque estavam encharcados. A chuva era tão fina que ela não ouvira seu barulho no telhado, tão suave que não correra pelas calhas. Ela vestiu a camiseta vermelha desbotada de Richard e perguntou se podia ficar com ela.

"Para que você quer minha camiseta?"

"Tem o seu cheiro."

"O que nem sempre é considerado exatamente uma vantagem."

"Eu só quero ficar com uma coisa sua."

"Está bom. Vamos esperar que só fique com essa."

"Eu tenho quarenta e dois anos", disse ela. "Precisaria gastar uns cem mil dólares para engravidar. Não que eu queira estragar os seus sonhos dourados."

"Tenho muito orgulho do meu marcador zerado. Só cuide de não estragar, está bem?"

"E eu?", perguntou ela. "Será que devo me preocupar de poder ter pegado alguma doença?"

"Tomei todas as vacinas, se é isso que está querendo saber. Normalmente tomo um cuidado paranoico."

"Aposto que você diz a mesma coisa para todas."

E assim por diante. Ainda houve muita camaradagem e conversa fácil, e na leveza daquele momento Patty disse a ele que agora não tinha mais desculpa para não cantar alguma coisa para ela antes de ir embora. Ele tirou a capa do banjo e ficou tocando enquanto ela preparava sanduíches que embrulhou em papel-alumínio.

"Talvez você pudesse passar a noite aqui, e sair amanhã bem cedo", gritou ela da cozinha.

Ele sorriu, recusando-se a dignificar aquilo com qualquer resposta.

"É sério", disse ela. "Está chovendo, e já vai escurecer."

"Nem pensar", disse ele. "Desculpe, mas nunca mais vou confiar em você. Você vai precisar se conformar com isso."

"Rá rá rá", disse ela. "Por que você não está cantando? Eu queria ouvir a sua voz."

Para ser gentil com ela, ele cantou a tradicional "Shady grove". Com o passar dos anos, ao contrário das expectativas iniciais, ele se tornara um vocalista habilidoso e rico em nuances, e tinha o peito tão largo que era capaz de derrubar a casa cantando.

"Está certo. Entendi o que você queria dizer", disse ela quando a canção acabou. "Não está tornando nada mais fácil para mim."

Depois que um músico começa, porém, detesta parar. Richard afinou o violão e tocou três músicas *country* que o Walnut Surprise mais tarde gravaria em *Lago Sem Nome*. Algumas das letras eram pouco mais que sílabas sem sentido, a serem trocadas por outras muito melhores, mas Patty ainda estava tão afetada e emocionada com sua voz, numa entonação *country* que ela reconhecia e amava, que começou a gritar no meio da terceira: "ESTÁ BEM! ÓTIMO! PODE PARAR! JÁ CHEGA! PARE! CHEGA! JÁ ESTÁ BOM!". Mas ele não parava, e sua concentração na música deixou Patty tão solitária e abandonada que começou a chorar perdidamente, e acabou tão histérica que ele não teve como deixar de parar — embora tenha ficado inequivocamente puto com a interrupção! — e tentar em vão acalmá-la.

"Seus sanduíches estão aqui", disse ela, jogando os sanduíches nas mãos dele, "e a porta é ali. Combinamos que você ia embora, e você vai embora. Está bem? Agora! Falando sério! *Agora*. Eu não devia ter pedido para você cantar. ERREI MAIS UMA VEZ, mas vamos tentar aprender com os nossos erros, está bom?"

Ele respirou fundo e se levantou como se fosse proferir algum discurso, mas seus ombros desabaram e ele deixou o pronunciamento escapar sem palavras de seu peito.

"Tem razão", disse ele, irritado. "Eu não preciso disso."

"Tomamos a decisão certa, você não acha?"

"Provavelmente, acho que sim."

"Então vá logo."

E ele foi.

E ela se transformou em uma leitora melhor. Primeiro por desespero escapista, depois à procura de ajuda. Quando Walter voltou de Saskatchewan, ela tinha dado conta do resto de *Guerra e paz* em três dias de maratona de leitura. Natacha tinha prometido se casar com Andrei mas em seguida foi corrompida pelo perverso Anatole, Andrei foi embora desesperado e acabou mortalmente ferido na guerra, sobrevivendo apenas o suficiente para ser velado por Natacha e perdoá-la, ao que o excelente velho Pierre, que tinha amadurecido um pouco e pensara profundamente durante seu tempo de prisioneiro de guerra, apresenta-se como prêmio de consolação para Natacha, ao que se segue uma fieira de bebês. Patty sentia que tinha vivido uma vida inteira comprimida nesses três dias, e quando o seu Pierre voltou da floresta, sofrendo muito de queimaduras de sol apesar da aplicação religiosa de protetor solar de potência máxima, ela estava pronta para tentar voltar a amá-lo. Foi pegá-lo em Duluth e interrogou-o sistematicamente sobre seus dias com os milionários apaixonados pela natureza, que pelo jeito tinham aberto com largueza suas carteiras.

"É inacreditável", disse Walter quando chegaram em casa e ele viu o deque quase acabado. "Ele passa quatro meses aqui e não consegue terminar as últimas oito horas de trabalho."

"Acho que ele estava de saco cheio da floresta", disse Patty. "E eu disse que podia voltar logo para Nova York. Escreveu músicas novas aqui, bem bonitas. Estava pronto para ir embora."

Walter franziu a testa. "Ele tocou para você?"

"Três músicas", disse ela, virando as costas para Walter.

"E eram boas?"

"Muito boas." Ela saiu andando na direção do lago, e Walter veio atrás. Não era difícil manter certa distância dele. Só no comecinho eles tinham sido um desses casais que se abraçavam e trocavam beijos demorados a cada reencontro.

"Vocês dois se deram bem?", perguntou Walter.

"Foi um pouco constrangedor. Fiquei aliviada quando ele foi embora. Tomei um copo cheio de xerez na única noite que ele passou aqui."

"Não é grande coisa. Um copo."

Parte do trato que ela fizera consigo mesma era não mentir para Walter, nem mesmo mentiras pequenas; não dizer nada que não pudesse ser entendido estritamente como verdadeiro.

"Mas eu tenho lido *muito*", disse ela. "E acho que *Guerra e paz* foi realmente o melhor livro que eu já li na vida."

"Estou com inveja", disse Walter.

"Ah é?"

"De você ter lido esse livro pela primeira vez. Com dias inteiros livres para só ler."

"Foi ótimo. Estou me sentindo meio mudada pelo livro."

"Você me pareceu mesmo meio diferente."

"Espero que não para pior."

"Não. Só está diferente."

Na cama com ele aquela noite, ela tirou o pijama e ficou aliviada de constatar que o desejava mais, e não menos, em função do que tinha feito. Era bom, o sexo com ele. Nenhum problema.

"Precisamos fazer mais disso", comentou ela.

"Quando você quiser. Literalmente quando você quiser."

Tiveram uma espécie de segunda lua de mel naquele verão, alimentada por sua contrição e irritação sexual. Ela tentou ao máximo se comportar como uma boa esposa, e agradar seu ótimo marido, mas um relato completo do sucesso de seus esforços não pode deixar de incluir os e-mails que ela e Richard começaram a trocar poucos dias depois que ele foi embora, e a permissão que de certa forma ela lhe deu, algumas semanas mais tarde, de embarcar num avião para Minneapolis e ir com ela para o lago Sem Nome enquanto Walter promovia mais uma viagem dos doadores VIPs nas Águas Distantes. Deletou imediatamente o e-mail com as informações sobre o voo de Richard, assim como deletara todos os outros, mas não antes de memorizar o número do voo e a hora da chegada.

Uma semana antes do dia marcado, ela retornou para o lago sozinha e se entregou inteiramente à sua perturbação mental, o que consistia em embriagar-se até cair toda noite, acordando mais tarde em pânico, tomada pelo remorso e pela indecisão, e depois dormindo até de manhã, e lendo romances num estado suspenso de falsa tranquilidade, depois se levantando de um salto e andando por uma hora ou mais de um lado para o outro nas proximidades do telefone, tentando decidir se ligava para Richard e lhe dizia que não viesse, e por fim abrindo uma garrafa para afastar-se daquilo tudo por algumas horas.

Aos poucos, os dias que faltavam foram se reduzindo a zero. Na última noite, ela bebeu tanto que começou a vomitar, adormeceu na sala e retornou assustada à consciência antes do amanhecer. Para forçar suas mãos e seus braços a parar de tremer o suficiente para teclar o número de Richard, ela precisou se estender deitada no piso ainda sem rejunte da cozinha.

E quem atendeu foi a secretária eletrônica. Ele tinha encontrado um apartamento menor e mais novo a alguns quarteirões do antigo. Tudo que ela conseguia imaginar desse novo apartamento era uma versão ampliada do quarto preto do apartamento onde ele tinha morado com Walter, o apartamento do qual ela o forçara a ir embora. Tornou a ligar, e novamente foi atendida pela secretária eletrônica. Ligou uma terceira vez, e Richard atendeu.

"Não venha", disse ela. "Eu não posso."

Ele não disse nada, mas ela ouvia sua respiração.

"Desculpe", disse ela.

"Por que você não torna a me ligar daqui a algum tempo. Dependendo de como você se sentir de manhã."

"Andei vomitando por toda a casa."

"Coitada."

"Por favor, não venha. Eu prometo que paro de incomodar. Acho que eu só precisava levar isso ao limite até ver que na verdade não posso."

"Acho que faz sentido."

"É a coisa certa, não é?"

"Provavelmente. É, acho que sim."

"Não posso fazer isso com ele."

"Então está bom. Eu não vou."

"Não que eu não queira que você venha. Só estou pedindo a você para não vir."

"E eu vou fazer o que você quiser."

"Não, meu Deus, preste atenção. Estou pedindo para você fazer o que eu *não* quero."

O mais provável é que em Jersey City, Nova Jersey, Richard estivesse achando tudo isso um absurdo. Mas ela sabia que ele queria estar com ela, que estava pronto para pegar um avião de manhã cedo, e a única maneira de concordarem em definitivo que ele não viesse era prolongar aquela ligação por duas horas, dando voltas e mais voltas, repetindo o conflito sem solução possível, até os dois se sentirem tão sujos e esgotados, fartos um do outro e de si mesmos, que a perspectiva de se verem se tornasse autenticamente repugnante.

Entre os ingredientes do sofrimento de Patty, quando afinal desligaram, o menor não era seu sentimento de estar desperdiçando o amor de Richard. Ela sabia que ele era um homem profundamente irritado com as baboseiras femininas, e o fato de ter aturado duas horas de tagarelice ininterrupta da parte dela, cento e dezenove minutos a mais do que sua constituição geralmente tolerava, a deixou cheia de gratidão e dor pelo *desperdício*, esse *desperdício*. O desperdício do amor dele.

O que a levou — quase nem é preciso dizer — a ligar de novo para ele vinte minutos depois e fazê-lo percorrer uma versão um tanto mais breve porém ainda mais infeliz do primeiro telefonema. Um breve trailer do que faria de maneira mais extensa com Walter em Washington: quanto mais ela se esforçava em esgotar a paciência do marido, mais paciência ele demonstrava, e quanto mais paciência ele demonstrava mais difícil era abrir mão dele. Por sorte a paciência de Richard com ela, ao contrário da de Walter, estava muito longe de ser infinita. Ele finalmente desligou o telefone na cara dela, e não atendeu quando ela ligou de novo uma hora mais tarde, pouco antes da hora em que, pelos cálculos dela, ele precisaria sair para o aeroporto de Newark a fim de não perder o avião.

Apesar de quase não ter dormido, e apesar de ter posto para fora o pouco que conseguira comer na véspera, ela se sentiu imediatamente revigorada, mais lúcida e mais cheia de energia. Limpou a casa, leu metade de um romance de Joseph Conrad que Walter tinha recomendado, e não comprou mais vinho. Quando Walter voltou de Boundary Waters, ela lhe preparou um ótimo jantar, atirou os braços em torno do seu pescoço e — raridade — o deixou um tanto embaraçado com a intensidade do seu afeto.

O que ela devia ter feito àquela altura era procurar um emprego, retomar os estudos ou ir trabalhar como voluntária. Mas sempre parecia haver alguma coisa atrapalhando. Havia a possibilidade de que Joey se arrependesse e resolvesse voltar para casa durante o último ano da escola. Havia a casa e o jardim de que ela não cuidara durante todo seu ano de bebedeira e depressão. Havia a liberdade que valorizava tanto, de poder passar semanas a fio no lago Sem Nome sempre que lhe dava vontade. Havia uma liberdade mais geral que ela percebia que lhe fazia mal mas de que mesmo assim ela não conseguia abrir mão. Havia o Fim de Semana dos Pais na faculdade de Jessica em Filadélfia, a que Walter não podia ir mas ficou encantado ao saber que Patty se interessara em comparecer, pois às vezes ele ficava preocupado, pensando que ela e Jessica não tinham a devida proximidade. E ainda houve as semanas anteriores ao Fim de Semana dos Pais, semanas de e-mails para Richard e de Richard, semanas imaginando o quarto de hotel em Filadélfia em que os dois iriam passar *um dia e uma noite* fora do alcance do radar. E depois os meses de depressão grave que se seguiram ao Fim de Semana dos Pais.

Ela pegou um avião para Filadélfia numa quinta-feira, a fim de poder passar, como disse a Walter com o maior cuidado, um dia inteiro sozinha como turista. Ao tomar um táxi para o centro da cidade, foi de repente trespassada pelo remorso por não estar fazendo exatamente o que dissera: não estava caminhando pelas ruas como uma adulta independente, nem cultivando uma vida independente. Nem estava se comportando como uma turista sensata e curiosa, mas como uma louca à caça do amor.

Por mais incrível que possa parecer, não se via sozinha num hotel desde os dias do Quarto 21, e ficou muito impressionada com seu quarto luxuoso e moderno do Sofitel. Examinou com cuidado todos os produtos para banho enquanto esperava pela chegada de Richard, depois tornou a examiná-los enquanto a hora chegava e passava. Tentou ver televisão mas não conseguiu. Estava uma pilha de nervos quando o telefone finalmente tocou.

"Aconteceu uma coisa", disse Richard.

"Está certo. Tudo bem. Aconteceu uma coisa. Tudo bem." Foi até a janela e olhou para Filadélfia. "O que foi? A saia de alguém?"

"Até parece", disse Richard.

"Ah, se você me der um pouco de tempo", disse ela, "garanto que lhe digo todos os clichês que existem. Ainda nem começamos a falar de ciúme. Estamos, por assim dizer, na Hora Zero do ciúme."

"Não é outra pessoa."

"Não existe ninguém? *Ninguém?* Meu Deus, até eu me comportei pior que isso. À minha maneira, em relação a meu casamento."

"Não disse que não tinha havido ninguém. Disse que agora não é ninguém."

Ela apoiou a cabeça na janela. "Desculpe", disse ela. "É que isso tudo está me deixando com a sensação de que eu sou velha demais, feia demais, burra demais, ciumenta demais. Não consigo ficar ouvindo o que sai da minha boca."

"Ele ligou para mim hoje de manhã", disse Richard.

"Quem?"

"Walter. Eu devia ter deixado tocar, mas atendi. Ele disse que tinha acordado cedo para levar você ao aeroporto, e que estava com saudades suas. Disse que as coisas estão andando bem entre vocês dois. 'Faz tempo que não éramos tão felizes', acredito que foram as palavras dele."

Patty não disse nada.

"Disse que você estava indo ver Jessica, Jessica secretamente muito satisfeita com tudo isso, mas preocupada com a possibilidade de você dizer alguma coisa estranha e deixá-la constrangida, ou que você não vá gostar do novo namorado dela. Walter no fim das contas está extremamente feliz que você esteja fazendo isso por ele."

Patty se agitou perto da janela, esforçando-se para escutar.

"Disse que estava arrependido de algumas coisas que ele me disse no inverno passado. Disse que não queria que eu ficasse com uma ideia falsa sobre você. Disse que o inverno passado foi terrível, por causa de Joey, mas que as coisas melhoraram muito. 'Faz tempo que não éramos tão felizes.' Foi isso mesmo que ele disse."

Uma combinação de engasgo e soluço produziu um arroto ridículo e doloroso em Patty.

"O que foi *isso*?", perguntou Richard.

"Nada. Desculpe."

"Então, de qualquer maneira."

"De qualquer maneira."

"Resolvi que eu não ia."

"Certo. Entendi. É claro."

"Certo, então."

"Mas por que você não vem de qualquer maneira, quer dizer, já que eu estou aqui. E depois eu posso voltar para a minha vida incrivelmente feliz, e você volta para Nova Jersey."

"Só estou contando para você o que ele disse."

"Minha vida incrivelmente feliz, incrivelmente feliz."

Ah, as tentações da pena de si mesma. Tão doce em sua língua, tão irresistível de exprimir, e tão feia para ele. Ela pôde ouvir exatamente o momento em que deu um passo além da conta. Se tivesse ficado calma, podia tê-lo hipnotizado e convencido a vir até Filadélfia. Quem sabe? Podia até nunca mais ter voltado para casa. Mas estragou tudo com a porra da pena de si mesma. Percebeu que ele ficava mais frio e mais distante, o que a deixava com mais pena ainda de si mesma, e assim por diante, uma coisa puxando a outra, até finalmente ela largar o telefone e se entregar por completo àquela outra doçura.

De onde vinha a pena de si mesma? E daquele tamanho descomunal? Segundo praticamente qualquer padrão, ela tinha uma vida muito boa. Todo dia, tinha o dia inteiro para encontrar algum modo decente e satisfatório de viver, mas ainda assim tudo que parecia conseguir com todas as suas escolhas e toda a sua liberdade era mais sofrimento. A autobiógrafa se vê quase forçada à conclusão de que tinha pena de si mesma por ser tão livre.

Naquela noite em Filadélfia, houve um episódio breve e deprimente: ela desceu até o bar do hotel com a intenção de dar para alguém. Mas logo descobriu que o mundo é dividido entre pessoas que sabem como ficar satisfeitas sozinhas num banco de bar e pessoas que não sabem. Além disso, todos os homens tinham cara de *estúpidos*, e pela primeira vez em muitos anos ela começou a se perguntar como seria a sensação de se embriagar e ser estuprada, e voltou a seu quarto ultramoderno para se entregar a novos paroxismos prazerosos de pena de si mesma.

Na manhã seguinte, pegou um trem suburbano até a faculdade de Jessica num estado de carência do qual nada de bom podia resultar. Embora tenha tentado, em dezenove anos, fazer por Jessica tudo que sua própria mãe não fizera por ela — nunca perdera um jogo da filha, que sempre cobrira de aprovação, familiarizando-se com os complexos pormenores da sua vida social, tomando seu partido em cada mágoa ou decepção, envolvendo-se profundamente no drama da escolha da faculdade —, uma verdadeira proximidade, como já foi dito, inexistia entre as duas. O que se devia em parte à natureza autossuficiente de Jessica e em parte ao exagero dos sentimentos de Patty por Joey. Era por Joey, e não por Jessica, que seu coração transbordava. Mas a porta que levava a Joey estava fechada e trancada, devido aos erros dela, e quando Patty chegou ao lindo *campus* quacre, não dava a mínima para o Fim de Semana dos Pais. Só queria algum tempo a sós com a filha.

Infelizmente, o novo namorado de Jessica, William, não entendia indiretas. William era um jogador de futebol louro e simpático da Califórnia cujos pais não tinham vindo à visita. Ele acompanhou Patty e Jessica no almoço, na palestra de história da arte de Jessica e até o quarto de Jessica no dormitório, e quando Patty convidou apenas Jessica para ir jantar na cidade, esta respondeu que já tinha feito uma reserva para três num restaurante local. Durante o jantar, Patty ficou escutando estoicamente enquanto Jessica estimulava William a descrever a organização beneficente que tinha fundado quando ainda estava no secundário — um programa grotesco de ajuda em que garotas pobres do Maláui tinham seus estudos bancados por equipes de futebol de San Francisco. A Patty pouco restava a fazer além de beber vinho. A meio caminho de sua quarta taça, ela resolveu que William precisava saber que, no passado, ela havia se destacado no esporte intercolegial. Como Jessica não tinha contado que ela chegara a reserva da seleção nacional, foi obrigada a contar ela mesma, e como parecia que estava contando vantagem, sentiu a necessidade de compensar contando a história de sua *groupie*, o que levou aos hábitos de consumo de drogas de Eliza e às suas mentiras sobre a leucemia, e ao dia em que arruinou seu joelho. Estava falando alto e, a seu ver, de maneira divertida, mas William, em vez de rir, se limitava a trocar olhares nervosos com Jessica, que se mantinha sentada de braços cruzados e com ar macambúzio.

"E isso quer dizer o quê?", perguntou ela finalmente.

"Nada", respondeu Patty. "Só estou contando como eram as coisas nos meus tempos de faculdade. Não percebi que você não estava interessada."

"Eu estava interessado", William teve a gentileza de dizer.

"O que eu acho interessante", disse Jessica, "é que eu nunca tinha ouvido nada disso."

"Eu nunca tinha falado com você sobre Eliza?"

"Não. Deve ter contado a história ao Joey."

"Eu tenho certeza que tinha falado dela."

"Não, mamãe. Desculpe. Nunca falou."

"Bem, de qualquer maneira, agora estou contando a história, quer dizer, talvez tenha falado até demais."

"Talvez!"

Patty sabia que estava se comportando mal, mas não conseguiu se controlar. Vendo o carinho existente entre Jessica e William, lembrou-se de como era sua vida aos dezenove anos, pensou em sua formação acadêmica medíocre e em suas relações doentias com Carter e Eliza, e se arrependeu da sua vida, ficando com pena de si mesma. Começou a cair numa depressão que se aprofundou vertiginosamente no dia seguinte, quando voltou à faculdade e precisou suportar uma vistoria completa de suas instalações suntuosas, um almoço no gramado da casa do reitor e um debate vespertino ("O desempenho da identidade num mundo polivalente") a que dezenas de outros pais compareceram. Todos pareciam radiosamente mais bem ajustados do que ela se sentia. Os estudantes todos pareciam animados e competentes em tudo, o que sem dúvida compreendia instalar-se confortavelmente em cadeiras ruins; e todos os outros pais pareciam tão orgulhosos deles, tão emocionados de serem seus amigos, e a própria faculdade parecia imensamente orgulhosa de sua prosperidade e de sua missão altruísta. A verdade é que Patty tinha sido uma boa mãe, e conseguira preparar a filha para uma vida mais feliz e mais fácil que a sua própria, mas bastava a linguagem corporal das outras famílias para indicar o quanto ela não tinha sido uma mãe espetacular, da maneira que mais contava. Enquanto as outras mães e filhas caminhavam ombro a ombro pelos caminhos pavimentados, rindo ou comparando seus telefones celulares, Jessica andava pela grama um ou dois passos à frente de Patty. O único papel que ela permitiu a Patty naquele fim de semana foi o de ficar impressionada com o lugar fabuloso onde estudava. Patty se esforçou ao máximo para desincumbir-se bem do papel, mas no fim, num acesso de depressão, sentou-se numa das cadeiras de jardim que salpicavam o grande gramado e implorou a Jessica que viesse jantar com ela na cidade sem William, que, piedosamente, tinha um jogo de futebol naquela tarde.

Jessica se manteve de pé a certa distância e encarou a mãe com reserva. "William e eu precisamos estudar hoje à noite", disse ela. "Normalmente eu devia estar estudando o dia inteiro, ontem e hoje."

"Desculpe ter atrapalhado seu programa," disse Patty com uma sinceridade depressiva.

"Não, tudo bem", disse Jessica. "Eu queria que você viesse. Queria que você visse o lugar onde vou passar quatro anos da minha vida. É só que aqui a gente precisa estudar muito."

"Claro, claro. É muito bom. Acho ótimo você conseguir dar conta disso. Estou muito orgulhosa de você. De verdade, Jessica. Tenho uma enorme admiração por você."

"Bem, obrigada."

"É só — e que tal você vir até meu quarto no hotel? É bem engraçado. Podemos pedir serviço de quarto, ver um filme e tomar as garrafinhas do frigobar. Quer dizer, *você* pode, hoje eu não vou beber. Mas só para ficarmos juntas à noite, só nós duas, por uma noite. Você pode estudar todo o resto do outono."

Mantinha os olhos baixos, à espera da sentença de Jessica. Tinha a consciência dolorosa de ter proposto um programa inédito para elas duas.

"Acho melhor mesmo eu estudar", disse Jessica. "Eu prometi a William."

"Ah, por favor, Jessie. Uma noite não vai fazer tanta falta. Para mim significa muito."

Como Jessica não respondeu, Patty se forçou a levantar os olhos. Sua filha fitava com um autocontrole melancólico o prédio principal da faculdade, onde em uma das paredes exteriores Patty tinha visto uma pedra gravada com a mensagem da Turma de 1920: USA BEM TUA LIBERDADE.

"Por favor", disse ela.

"Não", disse Jessica, sem olhar em sua direção. "Não! Não estou com vontade."

"Desculpe eu ter bebido demais e ter falado aquelas bobagens ontem à noite. Eu queria que você me desse uma chance de consertar as coisas."

"Não estou tentando castigar você", disse Jessica. "É só que você obviamente não gosta daqui, obviamente não gostou do meu namorado — "

"Não, ele é ótimo, é simpático, eu gosto dele sim. É só que eu vim até aqui para estar com você, e não com ele."

"Mamãe, eu faço o possível para facilitar a sua vida. Você tem ideia de como eu facilito as coisas para você? Não uso drogas, não faço as mesmas cagadas que o Joey, não faço você passar vergonha, não faço cenas, nunca fiz *nada* disso — "

"Eu sei! E fico realmente muito agradecida por isso."

"Está bem, mas então não venha se queixar por eu ter a minha vida, meus amigos e não querer remarcar tudo de uma hora para outra por sua causa. Você já se beneficia muito de eu tomar conta de mim mesma, e o mínimo que pode fazer é não me deixar culpada."

"Mas Jessie, é uma noite só. É bobagem criar tanto caso por causa de tão pouco."

"Justamente: então não crie caso."

O autocontrole de Jessica, e sua frieza com ela, pareceram a Patty um castigo justo pelo quanto ela própria tinha sido controlada e fria com a mãe aos dezenove anos. Estava tão infeliz consigo mesma, na verdade, que praticamente qualquer castigo teria parecido adequado. Poupando suas lágrimas para mais tarde — com a sensação de não *merecer* nenhum benefício emocional que o choro pudesse lhe trazer, ou de sair correndo triste para a estação de trem —, ela exerceu seu próprio autocontrole e jantou cedo no refeitório com Jessica e sua companheira de quarto. Comportou-se como adulta, embora sentisse que, das duas, a verdadeira adulta era Jessica.

De volta a St. Paul, prosseguiu em seu mergulho ao fundo do poço da saúde mental, e Richard não lhe mandou mais nenhum e-mail. A autobiógrafa gostaria de poder dizer que Patty tampouco lhe enviou e-mail algum, mas a esta altura já deve estar claro que sua capacidade de errar, angustiar-se e se humilhar não tem limite. A única mensagem que ela se sente bem de ter enviado foi escrita depois que Walter lhe deu a notícia de que Molly Tremain tinha se suicidado com soníferos em seu apartamento do Lower East Side. Patty mostrou o melhor de si naquele e-mail, e espera que seja lembrada assim por Richard.

O resto da história do que Richard fez naquele inverno e na primavera seguinte foi contado noutros lugares, especialmente nas revistas *People, Spin* e *Entertainment Weekly* depois do lançamento do CD *Lago Sem Nome* e do surgimento de um "culto" a Richard Katz. Michael Stipe e Jeff Tweedy estavam entre as celebridades que recomendaram o Walnut Surprise e se confessaram ouvintes secretos dos Traumatics há muito. Os fãs homens brancos e malvestidos de Richard podiam não ser mais tão jovens quanto antes, mas muitos deles eram a essa altura influentes editores de suplementos de arte.

Quanto a Walter, o ressentimento que acomete as pessoas quando sua banda desconhecida predileta de repente entra em todas as listas foi multiplicado por mil no caso dele. Walter ficou orgulhoso, é claro, porque o título do CD se inspirava no lago de Dorothy, e por tantas de suas canções terem sido compostas na sua casa. Richard também compusera piedosa e cuidadosamente as letras de cada canção de modo que o "você" presente nelas, que era Patty, pudesse ser confundido com a falecida Molly; e era a essa interpretação que conduzia os entrevistadores, sabendo que Walter lia e colecionava os recortes de cada espaço que o amigo conquistava na imprensa. Mas no geral Walter ficou decepcionado e magoado com o momento de fama de Richard. Disse que entendia por que Richard quase nunca mais ligava para ele, que entendia que Richard estava precisando dar conta de muita coisa naquele momento, mas a verdade é que não entendia nem um pouco. A verdadeira situação da amizade entre os dois estava sendo a que ele sempre tinha temido. Richard, mesmo quando dava a impressão de estar por baixo, nunca estava realmente por baixo. Richard sempre tinha seus planos musicais secretos, planos de que Walter não fazia parte, e estava sempre falando diretamente com seus fãs, de olho na possível resposta. Um ou outro cronista musical menos importante se deu ao trabalho de ligar para Walter e pedir uma entrevista, e seu nome apareceu em alguns lugares menos óbvios, quase sempre na internet, mas Richard, nas entrevistas que Walter leu, referia-se a ele como um simples "ótimo amigo dos tempos de estudante", e nenhuma das grandes revistas mencionou seu nome. Walter teria apreciado um pouco mais de crédito por ter dado tanto apoio moral, intelectual e até financeiro a Richard, mas o que o deixava mais magoado era como Richard dava a impressão de lhe atribuir pouca importância, em contraste com a importância que ele atribuía a Richard. E Patty, claro, não podia lhe revelar a melhor prova de como era grande a importância que Richard realmente atribuía a ele. Quando Richard conseguia tempo para falar com ele pelo telefone, a mágoa de Walter envenenava as conversas e deixava Richard bem menos propenso a ligar de novo.

E assim Walter resolveu se entregar à concorrência. Tinha sido levado a crer que era ele o irmão mais velho, e agora Richard devolvia as coisas ao devido lugar. Richard, em particular, podia ser um fracasso em matéria de xadrez, de relações prolongadas ou de comportamento de bom cidadão, mas era amado, admirado e festejado publicamente por sua tenacidade, a clareza de seus sentimentos, suas belíssimas canções novas. Tudo isso deixava Walter com ódio da casa, do jardim e do envolvimento com pequenas coisas de Minnesota em que investira tanto de sua vida e energia; Patty ficou chocada ao ver como menosprezava suas próprias realizações. Semanas depois do lançamento de *Lago Sem Nome*, pegou um avião até Houston para sua primeira entrevista com o megamilionário Vin Haven, e um mês depois disso começou a passar todos os dias úteis da semana em Washington. Ficou óbvio para Patty, embora não para o próprio Walter, que sua decisão de ir para Washington, criar o Fundo da Montanha Azul e adquirir maior importância na cena internacional foi alimentada por sentimentos de concorrência. Em dezembro, quando o Walnut Surprise tocou com o Wilco no Orpheum numa noite de sexta-feira, ele nem tomou um avião até St. Paul a tempo de ver o show.

E Patty também perdeu a apresentação. Não aguentava ouvir o disco novo — não conseguia passar dos verbos no passado da segunda faixa —

Nunca houve pessoa alguma como você
Para mim. Pessoa alguma
Não vivo com pessoa alguma. Não amo
Pessoa alguma. Você foi a pessoa
Como quem ninguém nunca foi
Você foi a pessoa
Essa pessoa para mim
Nunca houve pessoa alguma como você

e assim ela decidiu fazer o possível para seguir o exemplo de Richard e relegá-lo ao passado. Havia algo de excitante, algo de quase Ogro de Atenas, na nova energia de Walter, e ela conseguiu sonhar que os dois pudessem começar uma vida nova em Washington. Ela ainda amava a casa à beira do lago Sem Nome, mas não suportava mais a casa da Barrier Street, que não fora capaz de segurar Joey. Foi passar uma tarde em Georgetown, num belo sábado azul de outono em que um vento de Minnesota sacudia as árvores que amarelavam, e pensou, certo, está bem, isso eu posso fazer. (Teria consciência da proximidade com a Universidade da Virgínia, em que Joey acabara de se matricular? Será que seus conhecimentos de geografia não eram tão ruins como sempre tinha pensado?) Incrivelmente, foi só quando ela chegou de vez a Washington — só quando atravessava o Rock Creek a bordo de um táxi com duas malas — que lembrou o quanto sempre detestara a política e os políticos profissionais. Entrou na casa da rua 29 e viu, na mesma hora, que tinha cometido mais um dos seus erros.

2004

Remoção do topo da montanha

Quando se tornou inevitável que Richard Katz voltasse ao estúdio com seus jovens e ansiosos companheiros de banda e começasse a gravar um segundo disco do Walnut Surprise — depois que ele esgotou todas as formas de procrastinação e fuga, primeiro tocando em qualquer cidade americana que o recebesse e depois fazendo turnês por países estrangeiros cada vez mais remotos, até seus companheiros de banda se revoltarem contra o acréscimo de Chipre à viagem pela Turquia, e depois de fraturar o indicador esquerdo aparando um exemplar do estudo seminal sobre o genocídio escrito por Samantha Power, atirado nele pelo baterista da banda, Tim, num quarto de hotel em Ankara, e depois partindo sozinho para uma cabana nos montes Adirondacks para fazer a trilha sonora de um filme de arte dinamarquês, absolutamente entediado com o projeto, procurando um traficante de pó em Pittsburgh e cheirando cinco mil euros do financiamento para as artes do governo dinamarquês, desaparecendo em seguida por um período de dispendiosa dissipação em Nova York e na Flórida que só foi acabar quando ele foi preso em Miami por dirigir drogado e portar drogas, internando-se depois na Clínica Gubser de Tallahassee para seis semanas de desintoxicação e resistência tenaz ao evangelho do recomeço, recuperando-se em seguida do herpes-zoster que não tomara o devido cuidado de evitar durante uma epidemia de catapora em

Gubser, e depois cumprindo duzentas e cinquenta horas de trabalho comunitário agradavelmente braçal num parque do condado de Dade, e depois simplesmente se recusando a atender o telefone ou checar os e-mails enquanto lia um livro atrás do outro em seu apartamento a pretexto de mobilizar suas defesas contra as mulheres e as drogas que seus companheiros de banda pareciam capazes de consumir sem nenhum exagero mais sério —, enviou um cartão-postal a Tim e pediu-lhe que dissesse aos demais que estava sem um tostão e que ia recomeçar a construir deques de cobertura em tempo integral, e os demais integrantes do Walnut Surprise se sentiram verdadeiros idiotas por terem ficado à sua espera.

Não que isso fizesse diferença, mas Katz estava de fato sem dinheiro. A receita e as despesas tinham se equilibrado mais ou menos durante o ano e meio que a banda passara em turnê; sempre que havia o risco de um lucro excedente, ele procurava hotéis mais caros e pagava a bebida para todos os presentes em bares cheios de fãs e desconhecidos. Embora *Lago Sem Nome* e o renovado interesse dos consumidores pelos antigos discos dos Traumatics lhe tenham trazido mais dinheiro que todos os vinte anos anteriores somados, ele conseguira dissipar até o último centavo em sua busca de relocalizar a identidade que tinha perdido. Os acontecimentos mais traumáticos que já ocorreram ao solista de tantos anos dos Traumatics foram (1) ser indicado para um Grammy, (2) ouvir suas canções tocando na National Public Radio e (3) deduzir, a partir dos números das vendas de dezembro, que *Lago Sem Nome* tinha se tornado o presente de Natal perfeito para ser deixado ao pé de elegantes árvores de Natal decoradas com gosto nas casas de várias centenas de milhares de famílias ouvintes da NPR. E a indicação ao Grammy foi um constrangimento especialmente desorientador.

Katz vinha lendo muito sobre sociobiologia popular, e sua visão da personalidade do tipo depressivo e de sua persistência aparentemente perversa na herança genética humana era de que se tratava de uma adaptação bem-sucedida a nossas dores e provações constantes. O pessimismo, a sensação de não valer nada e de não ter direito a nada, a incapacidade de extrair satisfação do prazer, uma consciência torturante da merda generalizada do mundo: para os antepassados judeus paternos de Katz, empurrados de *shtetl* para *shtetl* por antissemitas implacáveis, assim como para os antigos anglos e saxões do lado de sua mãe, que se esforçavam para cultivar cevada e centeio nos solos pobres e nos verões curtos do norte da Europa, sentir-se mal o tempo todo e sempre esperar pelo pior tinha sido uma forma natural de equilibrar-se diante da merda em que viviam. Poucas coisas agradam mais um depressivo, afinal de contas, que uma péssima notícia. Obviamente, não é a melhor maneira de se viver, mas tem lá suas vantagens do ponto de vista evolutivo. Em situações difíceis, os depressivos passavam seus genes adiante, enquanto os que procuravam melhorar se convertiam ao cristianismo ou emigravam para locais mais ensolarados. Situações difíceis eram o nicho de Katz, assim como águas lodosas são o hábitat da carpa. Seus melhores anos com os Traumatics coincidiram com Reagan I, Reagan II e Bush I; Bill Clinton (pelo menos pré-Lewinsky) foi mais duro para ele. E agora vinha Bush II, o pior regime de todos, e ele bem que podia ter recomeçado a compor, não fosse pelo acidente do sucesso. Ele rabeava na lama, como uma carpa pesada, suas guelras psíquicas se esforçando em vão para extrair o sustento sombrio de uma atmosfera de aprovação e plenitude. Ao mesmo tempo se sentia mais livre do que nunca desde a puberdade e mais próximo do que nunca do suicídio. Nos últimos dias de 2003, voltou ao trabalho de construção de deques.

Teve sorte com os primeiros dois clientes, dois rapazes do ramo de investimentos privados que curtiam os Chili Peppers e não sabiam a diferença entre Richard Katz e Ludwig van Beethoven. Ele serrava e enfiava pregos à máquina em suas coberturas numa relativa paz. Só em seu terceiro serviço, começado em fevereiro, ele foi ter a infelicidade de trabalhar para pessoas que sabiam quem ele era. O edifício ficava na White Street, entre Church e Broadway, e o cliente, um rico e independente editor de livros de arte, possuía toda a obra dos Traumatics em vinil e ficou aparentemente magoado quando Richard não se lembrou de tê-lo visto nas plateias esparsas do Maxwell's, em Hoboken, por vários anos.

"É tanta gente", disse Katz. "Sou péssimo fisionomista."

"Na noite em que Molly caiu do palco, fomos todos beber juntos depois do show. Guardei o guardanapo ensanguentado, deve estar em algum lugar. Você não se lembra?"

"Nada. Desculpe."

"Bom, de qualquer maneira, é ótimo ver você conseguindo parte da fama que sempre mereceu."

"Prefiro não conversar sobre isso", disse Katz. "Vamos falar da sua cobertura."

"Simplificando, quero que você seja criativo e depois me mande a conta", disse o cliente. "O que eu quero é ter um deque construído por Richard Katz. Imagino que você não vá ficar muito tempo fazendo isso. Não acreditei quando me disseram que você estava oferecendo esse serviço."

"Alguma ideia aproximada da área e preferência por algum material podiam ajudar ainda assim."

"Nada, no duro. Você pode ser criativo. Não faz diferença."

"Mas ainda assim espere um pouco, e faça de conta que sim", disse Katz. "Porque se realmente não fizer diferença, não sei se eu — "

"É só revestir o terraço. O.k.? Com um deque bem grande." O cliente dava a impressão de estar aborrecido com ele. "Lucy quer dar festas na cobertura. Foi um dos motivos de termos comprado este apartamento."

O cliente tinha um filho, Zachary, no último ano da escola secundária Stuyvesant e sujeito descolado em processo de autoinvenção, além de aparentemente guitarrista, que veio até o terraço depois da aula no primeiro dia de trabalho de Katz e, de uma distância segura, como se Katz fosse um leão preso a uma corrente, o bombardeou de perguntas calculadas para demonstrar seu profundo conhecimento de guitarras *vintage,* o que Katz considerava um fetiche particularmente cansativo em torno de um objeto. Declarou que pensava assim, e o garoto foi embora bastante chateado com ele.

No segundo dia de trabalho de Katz, enquanto transportava a madeira e os caibros cortados para o deque até a cobertura, a mãe de Zachary, Lucy, o obrigou a parar no patamar do terceiro piso e apresentou, sem que lhe pedissem, sua opinião sobre os Traumatics: era uma banda de garotos com o tipo de postura adolescente, dedicados a um esmiuçamento da angústia, que nunca despertara seu interesse. Depois ficou esperando, com a boca entreaberta e uma expressão de desafio nos olhos, para ver como a sua presença — o drama de ser quem era — estava sendo percebida. Como acontece com mulheres assim, ela parecia convencida da originalidade da sua provocação. Katz já tinha deparado — praticamente nas mesmas palavras — com a mesma provocação cem vezes antes, o que agora o deixava na posição ridícula de lamentar ser incapaz de fingir que se sentia provocado: de ter pena do ego miúdo mas intrépido de Lucy, à deriva num mar de insegurança feminina envelhecida. Duvidava que pudesse chegar a qualquer lugar com ela, mesmo que sentisse vontade de tentar, mas sabia que o orgulho dela ficaria ferido se ele não desse pelo menos um sinal de esforço para ser antipático.

"Eu sei", disse ele, apoiando os caibros numa das paredes. "E é por isso que foi tanta novidade para mim produzir um disco com sentimentos genuinamente adultos, de que mulheres maduras também pudessem gostar."

"O que faz você achar que eu gostei de *Lago Sem Nome*?", perguntou Lucy.

"E o que faz você achar que eu estou ligando para isso?", respondeu Katz de imediato. Ele vinha subindo e descendo as escadas a manhã inteira, mas o que o deixava realmente exausto era precisar fazer o papel de quem era.

"Eu até gostei", disse ela. "Mas talvez tenha sido elogiado um pouco além da conta."

"Não tenho como discordar de você", disse Katz.

Ela foi embora chateada com ele.

Durante os anos 80 e 90, para evitar qualquer prejuízo à imagem que mais favorecia seu trabalho de construtor — a do músico dedicado a uma carreira impopular, e merecedor de apoio financeiro —, Katz era quase obrigado a se comportar antiprofissionalmente. Sua clientela básica era formada por artistas e gente de cinema que vivia em Tribeca e que lhe fornecia refeições e às vezes drogas e teria questionado seu envolvimento com a arte caso algum dia ele aparecesse para trabalhar antes do meio da tarde, deixasse de dar em cima de mulheres indisponíveis ou terminasse a obra na data prevista e dentro do orçamento. Agora que Tribeca tinha sido integralmente incorporada pela indústria financeira, e com Lucy passando a manhã inteira em sua cama sueca, sentada com as pernas cruzadas e usando uma camiseta sem mangas e calcinha transparente enquanto lia o *Times* ou conversava ao telefone, acenando para ele pela claraboia toda vez que ele passava, seus pelos quase descobertos e suas coxas impressionantes sempre à vista, ele se transformou num demônio do profissionalismo e da virtude protestante, chegando pontualmente às nove e trabalhando várias horas depois do cair da tarde, tentando reduzir o prazo do trabalho em um ou dois dias e desaparecer de uma vez daquele lugar.

Ele tinha voltado da Flórida se sentindo igualmente avesso ao sexo e à música. Esse tipo de aversão era novo para ele, e ele era racional o bastante para reconhecer que tinha tudo a ver com seu estado mental e pouco ou nada a ver com a realidade. Assim como a semelhança fundamental entre todos os corpos de mulher não exclui de modo algum uma variedade infinita, não havia nenhum motivo racional para perder toda esperança devido à semelhança fundamental entre os blocos que constituíam a música popular, os *power chords* maiores e menores, o 2/4 e o 4/4, o A-B-A-B-C. A cada hora do dia, na grande Nova York, algum jovem cheio de energia estava trabalhando numa canção que podia soar, pelo menos nas primeiras audições — ou até, talvez, em vinte ou trinta audições —, nova e inédita como a primeira manhã da Criação. Desde que recebera seus papéis de liberação do Departamento de Correções da Flórida e se despedira de sua supervisora de peitos incrivelmente grandes do Departamento de Parques, Marta Molina, Katz não conseguira ligar o aparelho de som, pegar seu instrumento ou imaginar nenhuma outra pessoa em sua cama, nunca mais. Raramente se passava um dia sem que ele ouvisse algum som novo e interessante vazando do porão onde alguém ensaiava ou mesmo (podia acontecer) das portas de uma loja Banana Republic ou Gap, e sem ver, nas ruas da parte sul de Manhattan, alguma gata jovem destinada a mudar a vida de alguém; mas deixara de acreditar que essa pessoa pudesse ser ele.

E então chegou uma tarde glacial de quinta-feira, um céu de um cinzento uniforme, uma neve ligeira que deixava o espaço negativo entre os arranha--céus da parte sul de Manhattan menos negativo, tornando indistintos os contornos do Woolworth Building e suas torres de contos de fadas, reclinando-se de leve aos tensores do clima na direção do Hudson e depois partindo para a vastidão do Atlântico, e distanciando Katz do bolo de pedestres e tráfego quatro andares abaixo. A neve meio derretida das ruas arredondava agradavelmente os agudos do tráfego sibilante e abafava a maior parte de seu zumbido. Sentiu-se duplamente abrigado, pela neve e por seu trabalho manual, enquanto serrava e encaixava os caibros do deque nos espaços trabalhosos em meio a três chaminés. O meio-dia se transformou em crepúsculo sem que ele pensasse nem uma vez em cigarros, e como o intervalo entre cigarros era sua maneira atual de dividir o dia em partes tragáveis, tinha a sensação de que não mais do que quinze minutos tinham se passado entre ele comer seu sanduíche da hora do almoço e a súbita e desagradável aparição de Zachary.

O garoto estava usando um casaco com capuz e o tipo de calça bem apertada e de cintura baixa que Katz tinha visto pela primeira vez em Londres. "O que você acha do Tutsi Picnic?", perguntou ele. "Você curte?"

"Não sei quem são", respondeu Katz.

"Fala sério! Não posso acreditar numa coisa dessas."

"Pois é a verdade", disse Katz.

"E os Flagrants? Não são sinistros? Aquela música deles que dura trinta e sete minutos?"

"Não tive o prazer."

"Ei", disse Zachary, sem desanimar, "e o que você acha das bandas psicodélicas de Houston que gravavam no Pink Pillow no final dos anos 60? Parte do som que eles faziam me lembra as primeiras músicas suas."

"Preciso do material em que você está pisando", disse Katz.

"Achei que alguns desses caras podiam ter tido alguma influência. Especialmente o Peshawar Rickshaw."

"Se você pudesse levantar o pé esquerdo só um minutinho."

"Ei, posso perguntar mais uma coisa?"

"E a serra agora vai fazer barulho."

"Só mais uma."

"Está bem."

"Isto aqui faz parte do seu processo de criação? Voltar a trabalhar no seu antigo ofício?"

"Nunca tinha pensado nisso."

"É porque meus colegas estão perguntando. Eu disse a eles que achava que fazia parte do seu processo. Talvez você estivesse, tipo, tornando a entender como pensa um trabalhador e acumular material para o próximo disco."

"Posso pedir um favor?", disse Katz. "Diga a seus colegas para pedir aos pais que me liguem se quiserem um deque. Eu trabalho em qualquer lugar ao sul da rua 14 e a oeste da Broadway."

"É por isso que você está fazendo esse trabalho?"

"A serra faz muito barulho."

"Está bem, mas só mais uma pergunta? Juro que dessa vez é a última. Posso entrevistar você?"

Katz acelerou a serra.

"Por favor", disse Zachary. "Uma das meninas da minha turma é louca por *Lago Sem Nome*. Podia ajudar muito a fazer ela falar comigo, se eu pudesse gravar uma entrevista com você e postar na internet."

Katz pousou a serra e olhou com ar grave para Zachary. "Você toca guitarra e está me dizendo que não consegue fazer as garotas se interessarem por você?"

"Bem, essa garota em especial, não. O gosto dela é mais tradicional. É um osso duro de roer."

"E é dela que você precisa, sem ela você não vive."

"Mais ou menos isso."

"E ela está no último ano", disse Katz fazendo um cálculo mental nascido por um antigo reflexo, antes de se lembrar que não era o caso. "Não pulou nenhuma série, nada disso."

"Não que eu saiba."

"O nome dela?"

"Caitlyn."

"Traga a moça até aqui amanhã de tarde, depois da aula."

"Mas ela não vai acreditar que você está aqui. É por isso que eu quero fazer a entrevista, para provar que você está aqui. Aí ela vai aceitar vir conhecer você."

Katz estava a dois dias de completar oito semanas de celibato. Nas sete semanas anteriores, abjurar o sexo parecia o complemento natural a não consumir drogas nem álcool — um caso em que uma forma de virtude alimentava a outra. Menos de cinco horas antes, olhando pela claraboia para a mãe exibicionista de Zachary, ele se sentia desinteressado ao ponto de uma ligeira náusea. Mas agora, de repente, com uma clareza profética, viu que ficaria a um dia de atingir a marca de oito semanas: e se dedicaria à conquista meticulosa de Caitlyn, obliterando os incontáveis momentos de consciência entre aquele momento e a noite do dia seguinte com o exercício de imaginar os milhões de rostos e corpos sutilmente diversos que ela poderia possuir, e depois demonstrar sua perícia e degustar seus frutos, tudo ao serviço pretensamente nobre de esmagar Zachary e desiludir uma fã de dezoito anos dotada de um gosto "mais tradicional". Viu que simplesmente se limitara a transformar o desinteresse pelo vício numa virtude.

"Vamos combinar o seguinte", disse ele. "Você arma o equipamento, pensa nas perguntas e eu desço daqui a um tempo. Mas quero ver o resultado amanhã. Preciso saber que não é só cascata da sua parte."

"Beleza", disse Zachary.

"Mas você ouviu o que eu disse, não ouviu? Não quero mais saber de entrevistas. Se eu abri uma exceção, foi para você me apresentar resultados."

"Garanto que ela vem. Sem dúvida vai querer te conhecer."

"Bom, então vá refletir sobre o enorme favor que eu estou fazendo a você. Eu desço lá pelas sete."

Anoitecera. A neve caía agora em flocos muito miúdos, e o pesadelo rotineiro do tráfego noturno do Holland Tunnel mal havia começado. Todas as linhas de metrô da cidade, menos duas, além da indispensável linha de trem para Nova Jersey, convergiam para trezentos metros de onde Katz se encontrava. Aquela área ainda era o lugar onde todas as pistas do mundo se transformavam numa só. Ali ficava a cicatriz feericamente iluminada do World Trade Center, ali ficava o lastro de ouro do Federal Reserve, ali ficava o antigo Complexo Penitenciário de Manhattan, conhecido como "As Tumbas", a Bolsa, a sede da Prefeitura, ali ficavam o Morgan Stanley, a American Express e os monolitos sem janelas da Verizon, do outro lado os panoramas impressionantes do porto até a distante Liberdade com sua pele de azinhavre. As funcionárias cheias de corpo e os funcionários muito magros que compunham a burocracia responsável pelo funcionamento da cidade lotavam a Chambers Street com pequenos guarda-chuvas de cores vivas, tomando o rumo de casa no Queens e no Brooklyn. Por um instante, antes de acender suas luzes de trabalho, Katz sentiu-se quase feliz, quase novamente amigo de si mesmo; mas no momento em que guardava as ferramentas, duas horas mais tarde, já sabia de tudo que odiava em Caitlyn; que era estranho e cruel um universo em que ele sentia vontade de comer uma gata por sentir ódio dela, que aquele episódio todo ia acabar muito mal, e como transformaria num desperdício todo o tempo que tinha acumulado careta: e o desperdício fez que odiasse Caitlyn ainda mais.

No entanto, era importante que Zachary fosse esmagado. Tinham dado àquele garoto um quarto para tocar à vontade, um espaço cúbico forrado de espuma ondulada e ocupado por mais guitarras do que Katz tinha possuído em trinta anos de carreira. A essa altura, em matéria de pura técnica, a julgar pelo que Katz ouvira em suas andanças, o garoto já era um solista mais afiado do que Katz tinha sido ou jamais viria a ser. Mas o mesmo podia ser dito de cem mil outros secundaristas americanos. E daí? Em vez de contrariar as expectativas de roqueiro vicário de seu pai estudando entomologia ou se interessando pela compra e venda de derivativos, Zachary se comprazia em macaquear Jimi Hendrix. Em algum ponto dessa história, a imaginação tinha perdido feio.

O garoto estava esperando em sua sala de música, com um laptop da

Apple e uma lista impressa de perguntas quando Katz entrou, com o nariz escorrendo e as mãos congeladas doendo no calor interno da casa. Zachary indicou a cadeira dobrável em que ele devia se instalar. "Eu queria saber", disse ele, "se você podia começar tocando alguma coisa e quem sabe mais uma quando acabasse a entrevista."

"Não, não vou tocar", disse Katz.

"Uma música só. Ia ser muito legal se você tocasse."

"Pode fazer as perguntas, está bom? A situação já é bem desagradável por si só."

P: E então, Richard Katz, já se passaram três anos desde *Lago Sem Nome*, e exatamente dois anos desde que o Walnut Surprise concorreu ao Grammy. Pode falar um pouco sobre como a sua vida mudou depois disso?

R: Não tenho como responder essa pergunta. Você precisa me fazer perguntas melhores.

P: Bem, talvez você possa falar um pouco sobre a sua decisão de voltar ao trabalho braçal. Está por um bloqueio criativo?

R: A abordagem aqui precisa ser diferente.

P: Certo. O que você acha da revolução do MP3?

R: Ah, revolução, caramba. Que bom ouvir de novo a palavra "revolução". É muito bom que uma canção possa custar agora o mesmo que um pacote de chiclete, e durar exatamente o mesmo tempo antes de perder o sabor e obrigar você a gastar outro dólar. Essa era que finalmente acabou quando mesmo, ontem — sabe, a era em que fazíamos de conta que o rock era o flagelo do conformismo e do consumismo, e não sua dama de companhia —, foi uma era que realmente me irritava. Acho bom para a honestidade do rock and roll e para o país em geral conseguirmos ver Bob Dylan e Iggy Pop como são na verdade: fabricantes de chicletes sem açúcar.

P: Está dizendo que o rock perdeu o lado subversivo?

R: Estou dizendo que nunca teve um lado subversivo. Sempre foi um chiclete sem açúcar, nós é que preferíamos fingir que não.

P: E quando Dylan começou a tocar com instrumentos elétricos?

R: Se você quer mesmo falar de história antiga, vamos voltar até a Revolução Francesa. Você se lembra quando aquele roqueiro, esqueci o nome dele, que escreveu a Marselhesa, Jean-Jacques de Tal — lembra quando a música dele começou a fazer um puta sucesso em 1792, e de repente os camponeses se revoltaram e derrubaram a aristocracia? Essa música, sim, mudou o mundo. A única coisa que faltava aos camponeses era atitude. O resto todo eles já tinham — viviam numa servidão humilhante, numa pobreza extrema, com dívidas que não tinham como pagar, em condições de trabalho medonhas. Mas sem aquela música, cara, não tinha dado em nada. Foi o estilo *sans-culotte* que realmente mudou o mundo.

P: E qual vai ser o próximo passo de Richard Katz?

R: Militar na política republicana.

P: Rá rá.

R: Falando sério. Ser indicado para o Grammy foi uma honra tão inesperada que eu me sinto obrigado a me empenhar ao máximo neste ano eleitoral. Tive a oportunidade de figurar na linha de frente da indústria da música popular, fabricar meus chicletes e tentar convencer adolescentes de catorze anos que a aparência e a funcionalidade dos produtos da Apple Computers são uma indicação de que a Apple Computers está empenhada em transformar o mundo num lugar melhor, porque os iPods são tão mais bonitos que os outros aparelhos de MP3, motivo pelo qual são muito mais caros e incompatíveis com programas de outras empresas, porque — bem, na verdade não está muito claro por quê, num mundo melhor, os produtos mais maneiros precisam render os lucros mais obscenos para um número minúsculo de residentes desse mundo melhor. E aqui pode ser uma situação em que a pessoa precisa dar um passo atrás e encarar as coisas numa perspectiva de longo prazo, vendo que possuir seu próprio iPod é, em si, a coisa que faz do mundo um lugar melhor. E é isso que eu acho tão revigorante no Partido Republicano. Para eles, é o indivíduo quem deve escolher como deve ser um mundo melhor. É o partido da liberdade, não é? É por isso que não consigo entender por que esses moralistas cristãos intolerantes têm tanta influência no partido. São pessoas muito contrárias a qualquer escolha. Algumas delas chegam a ser contra o culto ao dinheiro e aos bens materiais. Acho que o iPod é a verdadeira face da política republicana, e sou a favor de que a indústria da música realmente saia na frente dessa vez, e se torne mais ativa politicamente, proclamando alto e bom som: Nós, da indústria que fabrica chicletes, não damos a mínima para a justiça social, para a precisão ou a verificabilidade objetiva das informações, para o trabalho significativo, para um conjunto coerente de ideais nacionais, nem para a sensatez. Só somos a favor de que CADA UM possa escolher o que quer escutar, e ignorar todo o resto. Somos a favor de ridicularizar as pessoas que têm o mau costume de não querer ser modernas como nós. Somos a favor de nos proporcionar uma recompensa a cada cinco minutos para nos sentirmos um pouco melhor. Somos a favor do respeito e da exploração permanentes de nossos direitos de propriedade intelectual. Somos a favor de convencer crianças de dez anos a gastar vinte e cinco dólares numa linda proteção de silicone para o seu iPod que uma subsidiária licenciada pela Apple Computers gasta trinta e nove centavos para fabricar.

P: Falando sério. A atmosfera da última entrega dos Grammys foi claramente contra a guerra. Muitos dos indicados se manifestaram sem rodeios. Você acha que os músicos de sucesso têm a responsabilidade de servir de exemplo?

R: Eu eu eu, compre compre compre, festa festa festa. Você pode ficar sentado no seu mundinho, balançando de olhos fechados. O que estou tentando dizer é que *já somos* o exemplo perfeito de republicanos.

P: Nesse caso, por que havia um censor na entrega dos prêmios do ano passado, vigiando para que ninguém falasse contra a guerra? Está querendo me dizer que Sheryl Crow é republicana?

R: Espero que sim. Ela parece uma pessoa tão legal que eu detestaria ficar sabendo que é democrata.

P: Ela se manifestou muito claramente contra a guerra.

R: Você acha que George Bush detesta de verdade quem é gay? Você acha que pessoalmente ele dá alguma importância a essa questão do aborto? Você acha que Dick Cheney acredita mesmo que Saddam Hussein planejou o Onze de Setembro? Sheryl Crow é fabricante de goma de mascar, e digo isso na condição de fabricante de goma de mascar, eu também, há muitos anos. A pessoa que quer saber o que Sheryl Crow pensa sobre a guerra no Iraque é a mesma que compra um aparelho de MP3 com um preço absurdamente inflado porque Bono Vox aparece no anúncio.

P: Mas os líderes também têm seu lugar na sociedade, não é? O que as empresas americanas estavam tentando reprimir na festa do Grammy? As vozes dos possíveis líderes de um movimento contra a guerra?

R: Você quer que o presidente da fábrica de chicletes seja líder da luta contra a cárie? Que use o mesmo método para vender chicletes e revelar ao mundo que chiclete faz mal? Eu sei que acabei de dar uma alfinetada em Bono, mas ele tem mais integridade que todo o resto do mundo da música. Se você ganha uma fortuna vendendo chicletes, também pode ganhar uma fortuna vendendo iPods de preço absurdamente inflado, ficar mais rico ainda, e depois usar o dinheiro e seu prestígio para ser convidado à Casa Branca e tentar meter a mão na massa em favor da África. Assim: seja homem, aguente firme, admita que gosta de fazer parte da classe dominante, que acredita na classe dominante e que fará o que for necessário para consolidar a posição que conquistou nela.

P: Está me dizendo que é a favor da invasão do Iraque?

R: Estou dizendo que, se invadir o Iraque fosse o tipo de coisa que uma pessoa como eu apoia, a invasão nunca teria acontecido.

P: Vamos voltar um minuto para a pessoa Richard Katz.

R: Não, vamos desligar a sua maquininha. Acho que já está de bom tamanho.

"Foi ótimo," disse Zachary, apontando um dedo e rindo. "Perfeito. Vou postar agora mesmo e mandar o link para Caitlyn."

"Você tem o e-mail dela?"

"Não, mas sei quem tem."

"Então eu vejo vocês dois amanhã depois da aula."

Katz desceu a Church Street para tomar o trem para Nova Jersey debaixo de uma nuvem bem conhecida de arrependimento pós-entrevista. Não estava preocupado de ter sido ofensivo; a função dele era ser ofensivo. Estava preocupado de ter parecido patético — de maneira transparente demais o talento sem rumo cujo único recurso era falar mal de quem fazia mais sucesso. Sentia uma profunda antipatia pela pessoa que mais uma vez acabara de demonstrar que infelizmente era. E esta, claro, era a definição de depressão mais simples que ele conhecia: uma profunda antipatia por si mesmo.

Chegando a Jersey City, parou na lanchonete que vendia *gyros* onde comprava seu jantar três ou quatro vezes por semana, saiu de lá com uma sacola pesada e malcheirosa de carne de segunda e pão árabe, e subiu as escadas do seu apartamento, fora do qual passava tanto tempo nos últimos dois anos e meio que ele parecia ter se virado contra ele, não mais querendo ser a sua moradia. Um pouco de pó podia mudar o clima — restaurar o brilho perdido da amizade entre ele e o apartamento —, mas só por algumas horas, ou no máximo alguns dias, e depois tudo ficaria ainda pior. O único aposento de que ele ainda gostava um pouco era a cozinha, cuja crua iluminação fluorescente se adaptava melhor a seu estado de espírito. Sentou-se à sua antiga mesa esmaltada para distrair-se do sabor do jantar lendo Thomas Bernhard, seu novo escritor predileto.

Atrás dele, num balcão coberto de pratos sujos, o telefone fixo tocou. O mostrador dizia WALTER BERGLUND.

"Walter, minha consciência", disse Katz. "Por que resolveu me incomodar agora?"

Ficou tentado, apesar da resistência, a atender, porque ultimamente vinha sentindo falta de Walter, mas se lembrou, bem a tempo, que também podia ser Patty ligando de casa. Ele tinha aprendido, a partir de sua experiência com Molly Tremain, que nunca se deve salvar uma mulher que está se afogando, a menos que você mesmo também esteja disposto a se afogar, e por isso resolvera ficar parado olhando do cais enquanto Patty engasgava e pedia socorro. Qualquer coisa que ela estivesse sentindo agora era uma coisa que ele não queria saber. A grande vantagem de ter levado a turnê de *Lago Sem Nome* até o último limite — no final, ele já era capaz de fazer longos raciocínios enquanto se apresentava, passando em revista as finanças do conjunto, contemplando o consumo de novas drogas e sentindo remorso por sua última entrevista, sem perder o ritmo ou sem pular nenhuma palavra — era ter esgotado todo o sentido das letras, uma ruptura permanente entre suas canções e o estado de tristeza (por Molly, por Patty) em que ele as compusera. Chegara ao ponto de acreditar que as turnês tinham esgotado a própria tristeza. Mas não havia nada que fizesse Richard encostar naquele telefone enquanto ainda estivesse tocando.

Ainda assim, ouviu a mensagem na secretária eletrônica.

Richard? É Walter — Berglund. Não sei se você está em casa, talvez nem esteja no país, mas eu pensei se amanhã você não ia estar por aí. Vou a Nova York a negócios, e tenho uma proposta para você. Desculpe só avisar em cima da hora. No fundo, só liguei para dar um alô. Patty também manda um beijo. Espero que esteja tudo bem com você!

Para apagar esta mensagem, aperte 3.

Dois anos tinham se passado desde a última vez que Katz tivera notícias de Walter. À medida que o silêncio se prolongava, ele começara a pensar que Patty, num acesso de estupidez ou de sofrimento, tinha confessado ao marido o que acontecera no lago Sem Nome. Walter, com seu feminismo, seu duplo padrão irritantemente invertido, logo haveria de ter perdoado Patty e atribuído a Katz toda a culpa pela traição. Walter tinha isto de engraçado: as circunstâncias teimavam em conspirar para fazer Katz, que afora ele não tinha medo de ninguém, sentir-se diminuído e intimidado diante dele. Renunciando a Patty, sacrificando seu prazer e decepcionando-a brutalmente na intenção de preservar o casamento dela, ele se erguera por algum tempo ao nível de excelência de Walter, mas depois de tanto esforço só ficou sentindo inveja do amigo por sua posse inquestionada da própria mulher. Tentou fingir que estava fazendo um favor ao casal Berglund ao cortar a comunicação com eles, mas a verdade é que no fundo só não queria ficar sabendo que seguiam felizes e solidamente casados.

Katz não saberia dizer por que gostava de Walter. Sem dúvida esse afeto se devia em parte a um acidente de percurso: terem constituído um vínculo constituído uma ligação numa idade impressionável, antes que os contornos da sua personalidade se tivessem definido por completo. Walter se insinuara na vida dele antes que ele pudesse fechar a porta na cara do mundo das pessoas comuns e tentasse a sorte dos desajustados e marginais. Não que Walter fosse assim tão comum. Era ao mesmo tempo invariavelmente ingênuo, muito sagaz, obstinado e bem informado. E ainda havia a complicação de Patty, que, embora tivesse passado tanto tempo se esforçando, para fingir que achava o contrário, era ainda menos comum que Walter, e depois a complicação adicional de que Katz ficou tão atraído por Patty quanto Walter, e talvez *mais* atraído por Walter do que Patty. A situação era de fato muito estranha. Nenhum homem tinha aquecido a virilha de Katz como a visão de Walter depois de uma ausência prolongada. Esses aquecimentos do baixo-ventre não eram mais propriamente sexuais, mais propriamente homo, do que quando ele ficava de pau duro ao cheirar uma primeira carreira de pó depois de uma longa espera, mas não há dúvida de que havia ali algum componente de ordem da química profunda. Uma coisa que insistia em ser chamada de amor. Katz adorava visitar os Berglund enquanto a família crescia, adorava conhecer os dois, saber que moravam no Meio-Oeste, que tinham uma vida boa na qual ele podia mergulhar quando não se sentia muito bem. E então ele tinha estragado tudo por se permitir passar uma noite sozinho numa casa de veraneio com uma ex-jogadora de basquete especializada em navegar velozmente pelo mais estreito canal de oportunidade. O que antes era um desejo difuso que ele sentia pelo cálido mundo do refúgio doméstico tinha desabado, da noite para o dia, transformando-se no microcosmo quente e faminto da boceta de Patty. À qual ele ainda não conseguia acreditar ter tido um acesso tão cruelmente passageiro.

Patty também manda um beijo.

"Beijo é o caralho", disse Katz, comendo seu *gyro*. Mas assim que trocou o apetite por um amplo desconforto gástrico com os meios que usou para satisfazê-lo, ligou de volta para Walter. Por sorte, foi o próprio que atendeu.

"E aí", disse Katz.

"E aí com você?", replicou Walter com uma gentileza vertiginosa. "Pelo que vi, você andou por toda parte."

"É, cantando o corpo elétrico, como dizia o outro. O doce perfume do sucesso."

"Na velocidade da luz."

"Exatamente. Numa cadeia do condado de Dade."

"É, eu vi a notícia. Mas que diabo você estava fazendo na Flórida, no fim das contas?"

"Uma garota sul-americana que me pareceu um ser humano."

"Imaginei que tivesse a ver com essa história de fama", disse Walter. "'A fama requer todo tipo de excesso.' Lembro que a gente costumava falar disso."

"Bem, felizmente, já não preciso mais lidar com ela. Desci do ônibus."

"Como assim?"

"Voltei a construir deques."

"Deques? Está brincando? Que maluquice! Você devia estar destruindo quartos de hotel e gravando as suas canções mais repugnantes e agressivas de todos os tempos!"

"Eu me cansei, cara. Estou fazendo a única coisa digna que eu consigo imaginar."

"Mas é um desperdício!"

"Cuidado com o que você diz. Posso ficar ofendido."

"Sério, Richard, você é muito talentoso. Não pode simplesmente parar porque as pessoas por acaso gostaram de um dos seus discos."

"'Você é muito talentoso.' É mais ou menos a mesma coisa de dizer que a pessoa é um gênio no jogo da velha. Estamos falando de música pop."

"Epa, epa, epa", disse Walter. "Não é isso que eu esperava escutar. Achei que você estaria acabando de gravar um disco e se preparando para mais uma turnê. Se eu soubesse que estava construindo deques, eu teria ligado antes. Só não estava querendo incomodar."

"Você nunca precisa se preocupar com isso."

"Bom, você não aparecia, achei que devia estar ocupado."

"Mea-culpa", disse Katz. "Como é que vocês estão? Tudo certo por aí?"

"Mais ou menos. Você sabe que a gente se mudou para Washington, não é?"

Katz fechou os olhos e chicoteou seus neurônios para produzir uma memória que confirmasse a informação. "Sei", disse ele. "Acho que eu já sabia."

"Bem, por aqui as coisas acabaram ficando um pouco mais complexas. Na verdade, é por isso que eu estou ligando. Tenho uma proposta para você. Você tem algum tempo amanhã depois do almoço? Mais para o fim da tarde."

"No fim da tarde eu não posso. Que tal de manhã?"

Walter explicou que ia se encontrar com Robert Kennedy Jr. ao meio-dia e precisava voltar a Washington à noite para pegar um avião para o Texas no sábado de manhã. "Podemos conversar pelo telefone agora", disse ele, "mas a minha assistente quer muito conhecer você. É com ela que você iria trabalhar. Prefiro não me adiantar dizendo alguma coisa agora."

"Sua assistente", disse Katz.

"Lalitha. Ela é jovem e incrivelmente brilhante. E na verdade mora no mesmo lugar que nós, bem em cima do nosso apartamento. Acho que você vai gostar muito dela."

O brilho e a animação no tom de Walter, a sugestão de culpa ou excitação ao dizer "na verdade", não escaparam à percepção de Katz.

"Lalitha", disse ele. "O nome é diferente."

"Indiano. De Bengala. Ela foi criada no Missouri. E na verdade é linda."

"Entendi. E a proposta dela é sobre o quê?"

"Salvar o planeta."

"Entendi."

Katz desconfiou que Walter estivesse calculadamente lançando essa Lalitha como isca, e ficou irritado de que ele pudesse achá-lo tão fácil de manipular. Mas ainda assim — sabendo que Walter não era de dizer que uma mulher é linda sem bons motivos — ele se deixou manipular, e ficou intrigado.

"Vou ver se consigo transferir as coisas do fim da tarde de amanhã", disse ele.

"Ótimo", disse Walter.

O que será será, e o que não for não será. Na experiência de Katz, raramente as coisas pioravam quando deixava uma mulher à sua espera. Ligou para a White Street e informou Zachary que o encontro com Caitlyn precisava ser adiado.

Na tarde seguinte, às três e quinze, com apenas quinze minutos de atraso, ele entrou no Walker's e viu Walter e a garota indiana à sua espera numa mesa de canto. Antes mesmo de chegar à mesa, ele percebeu que não tinha a menor chance com ela. Havia dezoito palavras de linguagem corporal que as mulheres usavam para indicar disponibilidade e submissão, e Lalitha estava usando pelo menos doze delas com Walter. Todas ao mesmo tempo. Parecia uma ilustração viva da expressão *beber cada uma das suas palavras*. Quando Walter se levantou da mesa para abraçar Katz, os olhos da garota permaneceram fixos em Walter; o que de fato era uma estranha mudança ocorrida no universo. Nunca antes Katz tinha visto em Walter esse desempenho de macho alfa, atraindo os olhares das moças bonitas. Vestia um terno escuro bom e ganhara mais corpo na meia-idade. Seus ombros tinham ficado mais largos, e seu peito, mais projetado. "Richard, Lalitha", disse ele.

"Muito prazer em conhecê-lo", disse Lalitha, apertando frouxamente a mão dele e sem acrescentar nada quanto a estar honrada ou entusiasmada, ou ser grande admiradora do trabalho dele.

Katz afundou numa cadeira sentindo-se nocauteado de surpresa por uma constatação terrível: ao contrário das mentiras que sempre contara a si mesmo, ele sempre desejava as mulheres de Walter não *apesar* da amizade entre eles, mas *por causa* dela. Fazia dois anos que as declarações de admiração dos fãs o deixavam oprimido, e agora, de repente, ficava decepcionado por não receber uma dessas declarações de Lalitha, por causa da maneira como ela olhava para Walter. Sua pele era escura e ela tinha uma silhueta complexa de curvas e esbelteza. Com olhos redondos, rosto redondo, seios redondos; braços e pescoço finos. Uma nota sete e meio que podia facilmente chegar a oito se ela se esforçasse nos trabalhos extraclasse. Katz passou uma das mãos pelo cabelo, espanando fragmentos de pó de madeira. Seu velho amigo e rival estava radiante de puro encantamento de estar com ele de novo.

"Então, quais são as últimas", perguntou ele.

"Muita coisa", disse Walter. "Por onde eu começo?"

"Bonito terno, aliás. Você está muito bem."

"Ah, gostou?" Walter baixou os olhos para suas roupas. "Foi Lalitha quem me convenceu a comprar."

"Eu vivia dizendo a ele que ele não tinha roupas boas", disse a garota. "Fazia dez anos que não comprava um terno."

Lalitha tinha um sotaque indiano muito sutil, percussivo, discreto, e falava de Walter com um tom de proprietária. Se o corpo dela não estivesse declarando tanta ansiedade em agradar, Katz acreditaria que já era dona dele.

"Você está muito bem também", disse Walter.

"Obrigado pela mentira."

"Não, é verdade, está com um ar assim de Keith Richards."

"Ah, finalmente está sendo honesto. Keith Richards parece um lobo com a touca da vovó na cabeça. Aquela faixa na testa?"

Walter consultou Lalitha. "Você acha que Richard parece uma vovozinha?"

"Não", respondeu ela secamente.

"Quer dizer que você se mudou para Washington", disse Katz.

"É, uma situação meio estranha", disse Walter. "Trabalho para um sujeito chamado Vin Haven, importante no mundo do petróleo e do gás. O pai da mulher dele era um republicano da velha guarda. Trabalhou com Nixon, Ford e Reagan. Deixou para ela uma mansão em Georgetown que a família quase nunca usava. Quando Vin criou o Fundo, instalou os escritórios no térreo e vendeu o segundo e o terceiro andares para nós, Patty e eu, por um preço abaixo do valor de mercado. E também temos uma espécie de apartamento de empregada no último andar, onde Lalitha mora."

"Meu caminho até o trabalho é o terceiro mais fácil de Washington", disse Lalitha. "O de Walter é melhor ainda que o do presidente. E usamos todos a mesma cozinha."

"Muito confortável", disse Katz, lançando a Walter um olhar significativo que este deu a impressão de não perceber. "E que Fundo é esse?"

"Acho que falei dele da última vez que conversamos."

"Eu estava tomando tanta droga naquele tempo que você vai precisar me explicar tudo de novo pelo menos duas vezes."

"É o Fundo da Montanha Azul", disse Lalitha. "É uma forma totalmente nova de trabalhar pelo meio ambiente. Foi ideia de Walter."

"Na verdade, a ideia foi de Vin, pelo menos no início."

"Mas as ideias realmente originais foram todas de Walter", garantiu Lalitha a Katz.

Uma garçonete (nada especial, que Katz já conhecia e nem merecia muita atenção) anotou os pedidos de café, e Walter pôs-a a falar do Fundo da Montanha Azul. Vin Haven, disse ele, era um homem muito incomum. Ele e a mulher, Kiki, eram amantes apaixonados das aves que por acaso também eram bons amigos de George e Laura Bush, de Dick e Lynne Cheney. Vin acumulara uma fortuna de centenas de milhões de dólares, que lucrara perdendo dinheiro com seus poços de petróleo e gás no Texas e em Oklahoma. Estava ficando mais velho, e, não tendo tido filhos com Kiki, decidiu gastar mais da metade do que tinha na preservação de uma única espécie de passarinho, a mariquita-azul, conhecida como *reinita cerulea* ou *pijirita azulosa* nos países de língua espanhola para onde emigra no inverno. A mariquita-azul era, disse Walter, não só uma criatura lindíssima como o pássaro canoro cuja população declinava mais depressa na América do Norte.

228

"O animal é este aqui", disse Lalitha, tirando um folheto da pasta.

O passarinho na capa não pareceu nada de mais para Katz. Azul, pequenino, com ar pouco inteligente. "Estou vendo que é um passarinho azul."

"Espere um pouco", disse Lalitha. "A questão não é o passarinho. É muito mais do que isso. Espere até entender toda a visão de Walter."

Visão! Katz estava começando a achar que a verdadeira finalidade de Walter ao marcar aquele encontro tinha sido simplesmente esfregar em sua cara o fato de que era *adorado* por uma bela garota de vinte e cinco anos.

A mariquita-azul, explicou Walter, se reproduzia exclusivamente em florestas temperadas maduras de árvores de madeira de lei, sobretudo na área central dos montes Apalaches. Havia uma população especialmente saudável ao sul da Virgínia Ocidental, e Vin Haven, tendo em vista sua ligação com a indústria de energia não renovável, tinha percebido uma oportunidade de formar uma parceria com empresas carvoeiras para criar uma reserva particular imensa e permanente para a mariquita e outras espécies ameaçadas que viviam naquele tipo de floresta. As companhias de carvão tinham motivo para temer que o passarinho fosse em pouco tempo incluído na Lista das Espécies Ameaçadas de Extinção, com efeitos potencialmente deletérios para sua liberdade de abater árvores das florestas e abrir crateras com explosivos em certas montanhas. Vin acreditava que elas podiam ser convencidas a ajudar a mariquita, mantendo o passarinho fora da lista das Espécies Ameaçadas e arrebanhando uma boa vontade mais que necessária da parte da imprensa, contanto que lhes permitissem continuar a extrair carvão. E foi assim que Walter conseguiu o emprego de diretor executivo do Fundo. Em Minnesota, trabalhando para o Nature Conservancy, ele estabelecera ótimas relações com as empresas mineradoras, e demonstrava uma abertura incomum para compromissos construtivos com os empresários da atividade carvoeira.

"O senhor Haven entrevistou meia dúzia de outros candidatos antes de Walter", disse Lalitha. "Uma parte se levantou e foi embora no meio da entrevista. Era uma gente de visão muito estreita, com medo de ser criticada! Só Walter conseguiu ver o potencial para uma pessoa disposta a correr riscos, e que não desse muita importância as opiniões convencionais."

Walter fez uma careta em resposta ao elogio, que o deixou porém visivelmente satisfeito. "Todos eles tinham empregos melhores que o meu. Tinham muito mais a perder."

"Mas que tipo de ambientalista pensa antes em salvar seu emprego que em salvar uma região?"

"Muitos deles, infelizmente. Têm famílias e responsabilidades."

"Mas você também!"

"Admita logo, rapaz, você é um sujeito formidável", disse Katz, sem afeto. Ainda tinha alguma esperança de que Lalitha, quando se levantassem para ir embora, mostrasse ter uma bunda grande demais ou coxas grossíssimas.

Para ajudar a salvar a mariquita, disse Walter, o Fundo pretendia isolar uma área de vinte e cinco mil hectares não atravessada por nenhuma estrada — até agora apelidada de 25 Mil de Haven nos documentos — no condado de Wyoming, na Virgínia Ocidental, cercada por uma "zona de proteção" aberta à caça e passeios em veículos motorizados. Para conseguir comprar tanto as terras como os direitos de exploração mineral de uma extensão tão grande de terras contínuas, o Fundo primeiro precisaria permitir a extração de carvão em cerca de um terço de sua área, por meio de exploração a céu aberto. E era essa a perspectiva que afugentara os demais candidatos ao trabalho. A mineração a céu aberto, da forma como é praticada hoje, é ecologicamente deplorável — as rochas da crista da serra são removidas com explosivo para expor os veios subjacentes de carvão; os vales das redondezas ficam entupidos de entulho; cursos d'água de grande riqueza biológica são obstruídos. Walter, porém, acreditava que esforços de recuperação bem administrados podiam mitigar uma parte muito maior dos estragos que as pessoas costumavam perceber; e a grande vantagem de uma área já plenamente minerada é que nunca mais haveria um pretexto para escavá-la.

Katz estava lembrando que uma das coisas de que sentia falta por não estar com Walter era uma boa discussão de ideias concretas. "Mas não preferimos deixar o carvão debaixo da terra?", disse ele. "Achei que odiássemos carvão."

"Esta é uma longuíssima discussão, para outra hora", respondeu Walter.

"Walter tem opiniões originais e muito bem fundamentadas sobre as vantagens dos combustíveis fósseis em comparação com a energia nuclear ou eólica", disse Lalitha.

"O que interessa é que temos uma posição *realista* em relação ao carvão", disse Walter.

E mais empolgante ainda, continuou ele, era o dinheiro que o Fundo ia dedicar à América do Sul, onde a mariquita-azul, como tantos outros pássaros canoros norte-americanos, costuma passar o inverno. As florestas andinas vinham desaparecendo a uma proporção calamitosa, e nos últimos dois anos Walter tinha feito viagens mensais à Colômbia, comprando grandes extensões de terra e articulando com ONGs locais que estimulavam o ecoturismo e ajudavam os camponeses a substituir suas fornalhas a lenha por aquecimento solar ou elétrico. O dólar ainda valia muito no hemisfério Sul, e a metade sul-americana do Parque Pan-Americano da Mariquita já tinha sido criada.

"O senhor Haven não tinha planejado fazer nada na América do Sul", disse Lalitha. "Tinha desconsiderado totalmente esse lado do problema antes de Walter lhe falar do assunto."

"E além de tudo isso", disse Walter, "achei que podia haver algum benefício educacional na criação de um parque abrangendo dois continentes. Para ressaltar o fato de que tudo é interdependente. E esperamos com o tempo patrocinar a criação de reservas menores ao longo do caminho da migração da mariquita, no Texas e no México."

"Muito bom", disse Katz sem expressão. "Muito boa ideia."

"Uma ideia *realmente* muito boa", disse Lalitha com os olhos fixos em Walter.

"Mas a questão", disse Walter, "é que a terra está indo embora tão depressa que não podemos ficar esperando que os governos cuidem da conservação do ambiente. O problema dos governos é que eles são eleitos por maiorias que no fundo estão cagando para a biodiversidade. Enquanto os bilionários tendem a dar atenção a isso. É do interesse deles não deixar que o planeta se foda por completo, porque são eles e seus herdeiros que vão ter dinheiro para aproveitar. O motivo de Haven ter começado a cuidar do meio ambiente nos ranchos que tem no Texas foi que ele gosta de caçar as aves maiores e observar as menores. Interesse próprio, certo, mas no fim das contas é uma situação em que todo mundo sai ganhando. Em matéria de fechar um hábitat para salvá-lo da exploração, é muito mais fácil mobilizar meia dúzia de bilionários do que educar os eleitores americanos, que estão perfeitamente satisfeitos com sua TV a cabo, seus videogames e sua banda larga."

"E além do mais você não quer trezentos milhões de americanos rondando pelas suas áreas de mata isolada", disse Katz.

"Exato. Porque aí deixariam de ser isoladas."

"O que você queria me dizer, então, é que basicamente aderiu ao lado negro."

Walter riu. "Exato."

"Você precisa conhecer o senhor Haven", disse Lalitha a Katz. "Ele é uma figura muito interessante."

"O fato de ser amigo de George e Dick já diz tudo que eu preciso saber."

"Não, Richard, não diz", disse ela. "Não diz tudo."

Sua adorável pronúncia das vogais no caso do "não" inspirou a Katz a vontade de discordar de tudo que ela dizia. "E o sujeito ainda é caçador", disse ele. "Aposto que costuma sair para caçar com Dick, não é?"

"A bem da verdade, ele realmente caça com Dick de vez em quando", disse Walter. "Mas a família Haven come tudo que caça, e cuida das suas terras para conservar os animais selvagens. A caça não interfere em nada. E a família Bush também não interfere. Quando viaja a Washington, ele vai à Casa Branca ver jogos de futebol americano na TV e, no intervalo, conversa com Laura. Ele despertou o interesse dela pelas aves marinhas do Havaí. Acho que em pouco tempo alguma coisa vai começar a acontecer nessa frente também. A ligação com os Bush, em si, não constitui um problema."

"Mas então qual é o problema?", perguntou Katz.

Walter e Lalitha trocaram olhares apreensivos.

"Bom, vários", disse Walter. "Um deles é o dinheiro. Em vista do quanto estamos gastando na América do Sul, ajudaria bastante se conseguíssemos recursos com o público na Virgínia Ocidental. E a questão da mineração a céu aberto é praticamente insolúvel. Os ambientalistas locais são totalmente contra a indústria do carvão, e especialmente a MCA."

"MCA é mineração a céu aberto", explicou Lalitha.

"O *New York Times* aceita totalmente a política de Bush e Cheney no Iraque, mas não para de publicar esses editoriais de merda sobre os males da MCA", disse Walter. "Ninguém nos governos estadual ou federal, nem no setor privado, quer se envolver com um projeto que implica o sacrifício do topo de montanhas e o deslocamento de famílias pobres das terras onde vivem há muitas gerações. Nem me deixam falar da proteção às florestas, nem querem ouvir falar em empregos verdes e sustentáveis. O condado de Wyoming tem poucos habitantes — o número total de famílias que sofreriam o impacto direto do nosso plano nem chega a duzentos. Mas a coisa toda acaba se transformando numa luta das empresas malvadas contra o homem comum e indefeso."

"Uma coisa tão burra e irracional", disse Lalitha. "Nem deixam Walter *falar*. Ele tem muita coisa boa a dizer sobre a recuperação das florestas, mas as pessoas simplesmente se recusam a escutar quando entramos numa reunião."

"Existe um grupo chamado Iniciativa de Reflorestamento Regional dos Apalaches", disse Walter. "Você por acaso está interessado nos detalhes?"

"Estou interessado em ver vocês dois falando sobre eles", respondeu Katz.

"Bom, em resumo, o que criou a má fama da MCA é que a maioria dos proprietários dos direitos de superfície não persiste no tipo certo de recuperação. Antes que uma companhia de carvão possa exercer seus direitos de mineração e pôr abaixo um morro, ela precisa depositar uma garantia que só recebe de volta se a área for recuperada. E o problema é que esses proprietários se limitam a criar pastos estéreis, planos, sujeitos a desmoronamentos e erosão, na esperança de que apareça algum empresário e resolva construir condomínios de luxo na área, mesmo que esta fique no meio de lugar nenhum. E a verdade é que você pode recriar uma floresta luxuriante e rica em biodiversidade se você cuidar direito da recuperação da área. Precisa usar um metro e vinte de solo e pedras de arenito, em vez dos quarenta e cinco centímetros geralmente usados. Não pode compactar demais o solo. E depois precisa plantar a mistura certa de espécies de árvores de crescimento lento e rápido, no momento certo do ano. Temos provas de que florestas assim na verdade podem ser até *melhores* para a mariquita que as florestas secundárias que elas substituem. Assim, o nosso plano não é só preservar a mariquita, mas também criar um padrão de como as coisas devem ser feitas. Mas os ambientalistas tradicionais nem querem conversar sobre fazer as coisas do jeito certo, porque assim a indústria do carvão deixa de ser o vilão da história e a MCA se torna politicamente mais palatável. Por isso não conseguimos mais nenhuma fonte de dinheiro, e a opinião pública tende a ficar contra nós."

"Mas o problema de fazer tudo sozinhos", disse Lalitha, "é que ou nos conformamos com um parque muito menor, pequeno demais para garantir a proteção da mariquita, ou fazemos concessões demais às empresas carvoeiras."

"Que realmente são um tanto malvadas", disse Walter.

"E assim não podemos fazer perguntas demais sobre o dinheiro do senhor Haven."

"Parece que vocês têm mesmo muitas dificuldades pela frente", disse Katz. "Se eu fosse bilionário, já estaria puxando o talão de cheques."

"Mas a situação é ainda pior", disse Lalitha, com um estranho brilho nos olhos.

"Você já perdeu o interesse?", perguntou Walter.

"De maneira nenhuma", disse Katz. "Na verdade, acho que estava sentindo falta de estímulo intelectual."

"Bom, o problema é que, infelizmente, ficou claro que Vin tinha outros motivos para tomar a iniciativa."

"Os ricaços parecem crianças pequenas", disse Lalitha. "Uns bebês, é *foda*."

"Diga de novo", disse Katz.

"Dizer de novo o quê?"

"Foda. Adorei a maneira como você pronuncia."

Ela corou. O sr. Katz tinha conseguido chegar a ela.

"Foda, foda, foda", disse ela alegremente para ele. "Eu trabalhava na Nature Conservancy, e quando organizávamos o jantar anual, os ricaços não tinham o menor problema de pagar vinte mil dólares por uma mesa, mas só se no fim da noite recebessem uma sacola de brindes. As sacolas de brindes só traziam umas porcarias que alguma outra empresa tinha doado. Mas se não recebessem a sacola de brindes, não voltariam a doar vinte mil no ano seguinte."

"Eu preciso que você me prometa", disse Walter a Katz, "que não vai contar nada disso para mais ninguém."

"Fechado."

O Fundo da Montanha Azul, disse Walter, tinha sido concebido na primavera de 2001, quando Vin Haven fora a Washington participar da notória força-tarefa vice-presidencial para assuntos de energia, o mesmo grupo cuja lista de participantes Dick Cheney se recusou a divulgar, e depois investiu dinheiro dos contribuintes para se defender do processo pela recusa. Certa noite, em torno de algumas bebidas, depois de um exaustivo dia de forças e tarefas, Vin conversou com os presidentes da Nardone Energy e da Blasco, sondando os dois a respeito das mariquitas. Depois que conseguiu convencê-los de que não estava de brincadeira — que realmente falava sério sobre a preservação de um passarinho que nem para ser caçado servia —, chegaram a um acordo preliminar: Vin sairia à procura de uma boa extensão de terra que pudessem abrir para a MCA e depois recuperar, deixando intacta para todo o sempre. Walter sabia desse acordo quando aceitou o trabalho de diretor executivo do Fundo. O que não sabia — e só tinha descoberto recentemente — é que o vice-presidente, naquela mesma semana de 2001, tinha revelado em particular a Vin Haven que o presidente pretendia fazer certas mudanças nas regras e nas leis fiscais para tornar possível a extração de gás natural nos Apalaches. E então Vin começara a comprar no atacado direitos de exploração mineral não só no condado de Wyoming mas em várias outras partes da Virgínia Ocidental que não possuíam carvão ou já tinham sido esgotadas por outras minas. Essas imensas compras de direitos aparentemente inutilizáveis poderiam ter provocado um sinal de alerta, disse Walter, se Haven não pudesse alegar que estava salvaguardando áreas de uma possível futura reserva para o Fundo.

"No fim das contas", disse Lalitha, "ele nos usou como disfarce."

"Sempre lembrando, claro", disse Walter, "que Vin realmente adora os passarinhos e está fazendo muita coisa pela mariquita-azul."

"Ele só queria além disso o saco de brindes", disse Lalitha.

"Um saco de brindes não muito pequeno, na verdade", disse Walter. "Tudo isso ainda está acontecendo praticamente debaixo do pano, e você não deve ter ouvido falar, mas a Virgínia Ocidental está prestes a ser esburacada de ponta a ponta. Mais de cem mil hectares que considerávamos preservados para todo o sempre vão começar a ser destruídos a qualquer momento. Em termos de fragmentação e desequilíbrio do ambiente, é tão grave quanto qualquer estrago que a indústria carvoeira já fez no passado. Quando você é dono dos direitos de mineração, pode fazer a merda que quiser, até mesmo em terras públicas. Abrir estradas em qualquer lugar, milhares de torres de perfuração, máquinas barulhentas funcionando noite e dia, luzes fortíssimas acesas a noite inteira."

"E enquanto isso os direitos de mineração do seu amiguinho passam a valer muito mais de um dia para o outro", disse Katz.

"Exatamente."

"E agora está revendendo as terras que ele estava fingindo comprar para vocês?"

"É, uma parte delas."

"Incrível."

"Bom, ele ainda está gastando montes de dinheiro. E vai tomar providências para atenuar o impacto da perfuração nos lugares onde ainda tiver os direitos. Mas precisou vender os direitos de mineração de uma grande área para cobrir as despesas que não esperávamos ter, se a opinião pública tivesse ficado do nosso lado. A questão, no fim das contas, é que ele nunca pretendeu que o custo total do investimento dele no Fundo chegasse ao valor que eu originalmente imaginei."

"Noutras palavras, ele levou você na conversa."

"Levou, até certo ponto. Ainda vamos fundar o Parque da Mariquita, mas na verdade eu fui usado. E por favor não abra o bico sobre essa história para ninguém."

"Mas o que significa isso?", disse Katz. "Quer dizer, além de confirmar, que os amigos de Bush são todos uns filhos da puta?"

"Significa que Walter e eu nos revoltamos e não estamos mais sob o controle dele", disse Lalitha com seu estranho brilho nos olhos.

"Não nos revoltamos", corrigiu Walter em seguida. "Não diga que nos revoltamos. Não estamos em revolta."

"Não, na verdade só uma revolta média."

"Também gosto da maneira como você diz 'revolta'", assinalou Katz para Lalitha.

"Nós ainda gostamos de Vin", disse Walter. "Vin é um sujeito sem igual. Só achamos que, como ele não foi totalmente franco conosco, nós não precisamos ser totalmente francos com ele."

"Nós trouxemos uns mapas e gráficos para lhe mostrar", disse Lalitha, vasculhando em sua pasta.

Os frequentadores que chegavam cedo ao Walker's, os motoristas de entregas e os policiais do distrito da esquina, começaram a encher as mesas e a ocupar todos os espaços do balcão. Do lado de fora, na persistente luz de fim de inverno da tarde de fevereiro, as ruas se engarrafavam com o tráfego que atravancava o túnel às sextas-feiras. Num universo paralelo, obscuro de irrealidade, Katz ainda estava na cobertura da White Street, dando vigorosamente em cima da núbil Caitlyn. A essa altura, ela nem parecia valer muito a pena. Embora fosse mais que indiferente à questão da natureza, Katz não conseguiu deixar de sentir inveja de Walter por enfrentar os cupinchas de Bush e tentar passar-lhes a perna numa falcatrua montada por eles próprios. Em contraste com a fabricação de chicletes, ou a construção de deques para gente desprezível, parecia uma coisa *interessante*.

236

"Eu aceitei o emprego, antes de mais nada", disse Walter, "porque não conseguia dormir à noite. Não aguentava o que vinha acontecendo com o país. Clinton fez menos que zero pelo meio ambiente. Saldo mais que negativo. A porra do Clinton só queria que todo mundo dançasse ao som do Fleetwood Mac. 'Don't stop thinking about tomorrow?' No *cu*. Pensar no amanhã foi exatamente o que ele nunca fez em matéria ambiental. Depois, Al Gore era chorão demais para ser aceito como porta-estandarte da causa verde, e certinho demais para participar de uma briga bem suja na Flórida. Eu ainda conseguia me sentir mais ou menos bem enquanto morava em St. Paul, mas a toda hora precisava correr o estado de carro para a Nature Conservancy, e era como se alguém jogasse um copo de ácido na minha cara cada vez que eu deixava os limites da cidade. Não só a agricultura industrializada, mas a expansão, a expansão, a expansão. Os condomínios de baixa densidade são os *piores* de todos. E caminhonetes com tração nas quatro rodas em todo lugar, autoestradas novas em todo lugar, todas as casas com seu *snowmobile* ou seu *jet ski*, quadriciclos e jardins de dez mil metros quadrados. E os malditos gramados verdes, monocultura de grama encharcada de agrotóxicos."

"Os mapas estão aqui", disse Lalitha.

"É, aqui a fragmentação aparece bem", disse Walter, entregando a Katz dois mapas plastificados. "Este é dos hábitats intocados em 1900, este outro, dos hábitats intocados em 2000."

"O efeito da prosperidade", disse Katz.

"Mas a ocupação da terra foi a mais cretina possível", disse Walter. "Ainda teríamos terra suficiente para a sobrevivência de outras espécies se as áreas não estivessem tão fragmentadas."

"Bela fantasia, concordo", disse Katz. Retrospectivamente, ele imaginou que era inevitável que seu amigo se transformasse numa dessas pessoas que andam por aí carregando documentos plastificados. Mas ainda estava surpreso com a *fúria* da maluquice que Walter tinha adquirido nos últimos dois anos.

"Era isso que não me deixava dormir à noite", disse Walter. "A fragmentação. Porque é um problema que acontece em todo lugar. Como a internet, ou a TV a cabo — deixa de existir qualquer centro, qualquer acordo comunitário, só trilhões de pequenas incidências de ruído disperso. Nunca chegamos a nos sentar e ter uma conversa prolongada, tudo é só lixo barato e um desdobramento imbecil. Todas as coisas verdadeiras, as coisas autênticas, as coisas honestas, estão desaparecendo. Intelectual e culturalmente, só ficamos ricocheteando de um lado para o outro como bolas de bilhar aleatórias, reagindo ao estímulo mais recente do acaso."

"Mas na internet dá para encontrar ótimos sites de pornografia", disse Katz. "Pelo menos é o que me disseram."

"Eu não estava conseguindo nada de sistemático em Minnesota. Só estávamos acumulando fragmentos de beleza isolada. Existem umas seiscentas espécies de aves que se reproduzem na América do Norte, e mais ou menos a metade está sendo dizimada pela fragmentação. A ideia de Vin era que, se cada uma das duzentas pessoas muito ricas escolhesse uma espécie, e tentasse deter a fragmentação nas áreas onde são mais numerosas, poderíamos salvar todas elas."

"A mariquita-azul é um passarinho muito exigente", disse Lalitha.

"Só se reproduz no alto das copas das florestas maduras de árvores caducifólias", disse Walter. "E depois, assim que os filhotes aprendem a voar, a família se transfere para o andar de baixo, por questões de segurança. Mas as florestas originais foram todas derrubadas para extrair madeira e carvão, e as florestas secundárias não têm o tipo certo de base das copas, e são fragmentadas por estradas, fazendas, subdivisões e minas de carvão, o que torna o passarinho vulnerável a gatos, guaxinins e corvos."

"E assim, de uma hora para outra, adeus mariquita", disse Lalitha.

"Que horror", disse Katz. "Mas é só um passarinho."

"Cada espécie tem seu direito inalienável de continuar existindo", disse Walter.

"Claro. Sem dúvida. Só estou tentando descobrir de onde saiu tudo isso. Não me lembro de você ligar tanto para os passarinhos quando estudávamos juntos. Naquela época, se bem me lembro, os problemas eram a superpopulação e os limites do crescimento."

Walter e Lalitha voltaram a trocar olhares.

"O problema para o qual queremos a sua ajuda é justamente o da superpopulação", disse Lalitha.

Katz riu. "Já venho fazendo o que posso."

Walter folheava vários gráficos plastificados. "Eu comecei a pensar de novo nisso", disse ele, "porque ainda não estava conseguindo dormir. Lembra de Aristóteles, e dos diversos tipos de causa? Eficiente, formal e final? Bem, o ataque aos ninhos pelos corvos e gatos-do-mato é uma causa eficiente do declínio da mariquita-azul. E a fragmentação do hábitat é a causa formal desses ataques. Mas qual é a causa final? A causa final é a raiz de praticamente todos os nossos problemas. A causa final é o excesso de gente na porra do planeta. O que fica especialmente claro quando vamos à América do Sul. Sim, o consumo *per capita* está aumentando. Sim, os chineses estão sugando de modo ilegal todos os recursos naturais da área. Mas o verdadeiro problema é a pressão populacional. Seis filhos por família, em vez de um e meio. As pessoas estão desesperadas para alimentar os filhos que o papa, em sua infinita sabedoria, quer que eles continuem tendo, e por isso destroem o meio ambiente."

"Você devia vir conosco até a América do Sul", disse Lalitha. "Nós andamos por umas estradinhas de terra, e a fumaça dos motores vagabundos e da gasolina barata é terrível, as encostas estão todas desmatadas, e cada família tem oito ou dez filhos, é uma coisa aterrorizante. Você devia vir conosco para ver o que acha do que vai ver por lá. Porque vai acontecer daqui a pouco num cinema perto de você."

Doida, pensou Katz. Gostosa e doidinha.

Walter entregou-lhe um gráfico de barras plastificado. "Só nos Estados Unidos", disse ele, "a população vai aumentar cinquenta por cento nas próximas quatro décadas. Pense em como os arredores das grandes cidades já estão lotados, pense no trânsito, na expansão da área ocupada, na degradação ambiental e na dependência do petróleo importado. E aí aumente em cinquenta por cento. E só nos Estados Unidos, que teoricamente são capazes de sustentar uma população maior. E então pense nas emissões globais de carbono, no genocídio e na fome na África, na classe inferior sem saída e radicalizada do mundo árabe, e a pesca excessiva em todos os oceanos, a expansão ilegal dos israelenses, a ocupação do Tibete pelos chineses Han, cem milhões de miseráveis no Paquistão nuclear: praticamente não existe problema no mundo que não pudesse ser resolvido ou pelo menos muitíssimo atenuado pela diminuição do número de habitantes do planeta. E ainda assim" — e entregou outro gráfico a Katz — "vamos ter mais três bilhões de habitantes em 2050. Noutras palavras, vamos *crescer* o equivalente a *toda* a população do planeta no tempo em que você e eu enchíamos de moedas os cofrinhos do UNICEF. Qualquer coisinha que a gente consiga fazer agora para tentar salvar a natureza e preservar alguma qualidade de vida vai ser totalmente sepultada pelo número de pessoas em todo o mundo, porque as pessoas podem até mudar seus hábitos de consumo — leva tempo e dá trabalho, mas dá para conseguir —, mas, se a população continuar aumentando, nada mais vai fazer diferença. Mesmo assim, *ninguém* fala sobre o problema em público. É o elefante na sala, e vai acabar conosco."

"Agora estou reconhecendo o que você diz", comentou Katz. "Estou me lembrando de umas discussões intermináveis."

"Era no que eu mais pensava na faculdade. Mas depois disso eu mesmo tive os meus rebentos."

Katz ergueu as sobrancelhas. "Rebentos" era uma forma interessante de se referir aos próprios filhos.

"A meu modo", disse Walter, "acho que participei de uma mudança cultural mais ampla que aconteceu nos anos 80 e 90. A superpopulação estava em todas as conversas dos anos 70, com Paul Ehrlich, o Clube de Roma e a organização Crescimento Populacional Zero. E de repente o problema desapareceu. Simplesmente parou de ser mencionado. Parte do motivo foi a Revolução Verde — ainda havia muita fome, mas o apocalipse não chegou. E aí o controle populacional ficou com péssima fama política. A China totalitária com a política de um único filho por casal, Indira Gandhi promovendo a esterilização forçada, os americanos do CPZ tachados de nativistas e racistas. Os liberais ficaram com medo e se calaram. Até uma organização como o Sierra Club ficou com medo. E os conservadores, claro, nunca se incomodaram com o problema em momento nenhum, porque a ideologia deles é a do interesse próprio a curto prazo, os desígnios de Deus e assim por diante. E aí o problema se transformou num câncer que você sabe que está crescendo dentro de você, mas decide simplesmente não pensar a respeito."

"E o que isso tem a ver com o passarinho de vocês?", perguntou Katz.

"Tem *tudo* a ver com ele", respondeu Lalitha.

"Como eu ia dizendo", continuou Walter, "decidimos tomar certas liberdades na interpretação da missão do Fundo, que é assegurar a sobrevivência da mariquita-azul. Recuamos mais e mais, procurando a origem de todo o problema. E concluímos que a causa final, ou o primeiro motor imóvel, é que em 2004 se tornou totalmente nocivo e deselegante falar da reversão do crescimento populacional."

"E então eu perguntei a Walter", disse Lalitha, "quem era a pessoa mais legal que ele conhecia."

Katz começou a rir e sacudir a cabeça. "Ah, não. Não, não, não."

"Escute, Richard", disse Walter. "Os conservadores venceram. Transformaram os democratas num partido de centro-direita. Convenceram o país inteiro a cantar 'Deus salve a América', com ênfase em *Deus*, em todos os jogos de beisebol. Venceram em todas as frentes, mas especialmente na porra da frente cultural, e *especialmente* em relação aos bebês. Em 1970, era moderno se preocupar com o futuro do planeta e não ter filhos. Agora, a única coisa com que todo mundo concorda, tanto a direita quanto a esquerda, é que é lindo ter muitos filhos. Quanto mais, melhor. Kate Winslet está grávida, viva viva. Alguma idiota de Iowa acaba de ter óctuplos, viva viva. A conversa sobre a cretinice das caminhonetes com tração nas quatro rodas acaba no minuto em que as pessoas dizem que as compraram para proteger seus preciosos bebês."

"Um bebê morto não é uma coisa muito bonita", disse Katz. "Quer dizer, imagino que vocês não estejam propondo a defesa do infanticídio."

"Claro que não", disse Walter. "Só queremos transformar a produção de bebês numa coisa mais constrangedora. Como aconteceu com fumar cigarros. Ou ser obeso. Como ter uma caminhonete imensa deveria ser constrangedor, não fosse o argumento das criancinhas. Como as pessoas deveriam se sentir constrangidas de morar numa casa de quatrocentos metros quadrados num terreno de dez mil."

"'Se precisa mesmo ter, tenha'", disse Lalitha, "'mas não espere mais ser festejado por isso.' É a mensagem que queremos divulgar."

Katz fitou seus olhos de fanática. "Você por exemplo não quer ter filhos."

"Não", disse ela, sustentando seu olhar.

"E tem o quê, vinte e cinco anos?"

"Vinte e sete."

"Pode ser que mude de ideia daqui a cinco anos. O alarme do forno dispara mais ou menos aos trinta anos. Pelo menos na minha experiência com as mulheres."

"Não vai ser o meu caso", disse ela, e arregalou, para efeito de ênfase, seus olhos já muito redondos.

"Crianças são uma beleza", disse Walter. "Os filhos já foram o sentido da vida. Você se apaixona, se reproduz, depois seus filhos crescem, se apaixonam e se reproduzem. É sempre essa a *finalidade* da vida. Produzir a gravidez. Produzir mais vida. Mas o problema agora é que produzir mais vida ainda é considerado belo e significativo no plano individual, mas para o mundo como um todo só representa mais morte. E não exatamente uma morte agradável. Nos próximos anos, o mundo deve perder metade de todas as espécies. A perspectiva é da maior extinção em massa já registrada pelo menos desde o Cretáceo-Terciário. Primeiro vamos acabar com todos os ecossistemas do mundo, depois vem a fome em massa e/ou a doença e/ou os massacres. O que ainda é 'normal' no plano individual é medonho e criminoso em escala planetária."

"É o problema do gato", disse Lalitha.

"Está falando de mim?"

"Dos gatos", disse ela. "Gatos, os animais. Todo mundo adora o gatinho que tem em casa, e deixa ele rondar pela vizinhança. É só um gato — quantos passarinhos ele pode matar? Bem, a cada ano nos Estados Unidos, um *bilhão* de passarinhos são trucidados por gatos domésticos e selvagens. É uma das maiores causas da redução da população de passarinhos na América do Norte. Mas ninguém se toca, porque cada um adora a merda do gatinho que tem em casa."

"Ninguém quer pensar nisso", disse Walter. "Todo mundo só quer levar uma vida normal."

"E queremos que você ajude as pessoas a pensar nisso", disse Lalitha. "Sobre a superpopulação. Não temos recursos para promover o planejamento familiar e a educação das mulheres estrangeiras. Somos um grupo conservacionista dedicado a uma só espécie. Então o que podemos fazer para aumentar nosso cacife? Como fazemos os governos e as ONGs multiplicarem por cinco seu investimento no controle populacional?"

Katz sorriu na direção de Walter. "Você contou a ela que já passou por isso? Falou com ela das canções que antigamente tentava me fazer compor?"

"Não", disse Walter. "Mas você lembra o que costumava responder? Dizia que ninguém dava importância às suas canções porque você não era famoso."

"Andamos pesquisando seu nome no Google", disse Lalitha. "E encontramos uma lista muito impressionante de músicos conhecidos que dizem que admiram você e os Traumatics."

"Os Traumatics acabaram, meu bem. E o Walnut Surprise também."

"E a nossa proposta é a seguinte", disse Walter. "O que você estiver ganhando com a construção de deques, pagamos várias vezes mais, pelo tempo que você quiser trabalhar para nós. Estamos imaginando algum tipo de festival de música e política de verão, talvez na Virgínia Ocidental, com várias estrelas, para despertar o interesse pela questão populacional. Tudo inteiramente focado nos jovens."

"Estamos pensando em anunciar estágios de férias para estudantes do país inteiro", disse Lalitha. "No Canadá também, além da América Latina. Podemos bancar vinte ou trinta estágios com os fundos que Walter pode usar como quiser. Mas primeiro precisamos transformar esses estágios numa coisa muito atraente. A melhor coisa que os jovens de vanguarda podem fazer durante o verão."

"Vin disponibiliza uma parte dos recursos para que eu possa usar como quiser", disse Walter. "Contanto que os folhetos falem da mariquita, eu posso fazer o que me der na telha."

"Mas precisa ser agora", disse Lalitha. "Os garotos já estão fazendo planos para o verão. Precisamos chegar até eles nas próximas semanas."

"Vamos fazer um uso mínimo do seu nome e da sua imagem", disse Walter. "Se você pudesse gravar um vídeo para nós, melhor ainda. Se pudesse ligar para Jeff Tweedy, Ben Gibbard e Jack White, e encontrar outras pessoas que topem aparecer no festival pela causa, ou patrocinar comercialmente, não poderia ser melhor."

"E também será muito bom se pudermos dizer para estagiários em potencial que eles vão trabalhar diretamente com você", disse Lalitha.

"A simples promessa de um mínimo de contato com eles já seria fantástica", disse Walter.

"Se pudéssemos escrever no cartaz, 'Vá ver a lenda do rock Richard Katz em Washington no verão', ou alguma coisa assim", disse Lalitha.

"Precisamos de uma coisa que seja realmente bacana, e que se alastre depressa", disse Walter.

Katz, enquanto enfrentava esse bombardeio, sentia-se triste e distante. Walter e a garota davam a impressão de terem pirado devido à pressão de pensar com excesso de detalhes sobre a merda em que o mundo estava. Entusiasmaram-se por uma ideia, e convenceram um ao outro que deviam acreditar nela. Tinham soprado uma bolha de sabão, que depois se desprendeu da realidade, levando os dois para muito longe. Não pareciam ter percebido que viviam num mundo que só tinha dois habitantes.

"Não sei o que dizer", disse ele.

"Diga que sim!", sugeriu Lalitha, cintilante.

"Vou passar uns dias em Houston", disse Walter, "mas de lá mando uns links para você, e podemos voltar a conversar na terça-feira."

"Ou você pode dizer sim agora mesmo", disse Lalitha.

A esperançosa expectativa daqueles dois era como uma lâmpada acesa de brilho insuportável. Katz se desviou dela e disse, "Vou pensar".

Na calçada do lado de fora do Walker's, despedindo-se da garota, ele verificou que a parte inferior do seu corpo não tinha nada de errado, mas a essa altura já não parecia fazer diferença, só fazia crescer a tristeza dele por causa de Walter. A garota ia até o Brooklyn visitar uma ex-colega. Como Katz podia perfeitamente pegar o trem para Nova Jersey na Penn Station, caminhou com Walter até a Canal Street. À frente deles, no crepúsculo que se aprofundava, estavam as amistosas janelas acesas da ilha mais superpovoada do mundo.

"Deus do céu, eu adoro Nova York", disse Walter. "Washington tem alguma coisa de profundamente fora de propósito."

"Aqui também muitas coisas não fazem sentido", disse Katz, desviando-se de um conjunto de mãe e carrinho de bebê em alta velocidade.

"Mas pelo menos aqui é um lugar de verdade. Washington é totalmente abstrata. Só gira em torno do acesso ao poder. Quer dizer, deve ser divertido se você mora ao lado de Seinfeld, Tom Wolfe ou Mike Bloomberg, mas morar ao lado deles não é o que dá *sentido* a Nova York. Em Washington, sem exagero, as pessoas medem a quantos metros a casa deles fica da casa de John Kerry. Os bairros são todos tão sem graça que a única coisa que realmente deixa as pessoas ligadas é a proximidade do poder. É uma cultura que gira toda em torno de fetiches. As pessoas sentem um frêmito de orgasmo quando dizem a você que se sentaram perto de Paul Wolfowitz numa conferência ou que foram convidadas para tomar café da manhã com Grover Norquist. Todo mundo passa o dia inteiro, sete dias por semana, tentando melhorar sua posição em relação ao poder. Mesmo com os pretos tem alguma coisa errada. Deve ser mais desanimador ser preto e pobre em Washington do que em qualquer outro lugar do país. Você nem mete medo em ninguém. É só uma ideia atrasada."

"Preciso lembrar a você que os Bad Brains e Ian MacKaye vieram de Washington."

"É, um acidente histórico fora do normal."

"Ainda assim, eram pessoas que você admirava quando jovem."

"Deus do céu, eu adoro o metrô de Nova York!", disse Walter enquanto seguia Katz na direção da plataforma única de embarque na direção norte. "É assim que as pessoas deviam viver. Alta densidade! Alta eficiência!" Lançou um sorriso benévolo para os cansados passageiros do metrô.

Passou pela cabeça de Katz perguntar por Patty, mas não teve coragem de dizer o nome dela. "E então, essa garota é solteira, não é?"

"Quem, Lalitha? Não. Ela namora o mesmo cara desde os tempos de estudante."

"E ele também mora na mesma casa que vocês?"

"Não, está em Nashville. Cursou medicina em Baltimore, e agora é interno."

"Mesmo assim, ela continuou em Washington."

"Ela está muito envolvida nesse projeto", disse Walter. "E, falando francamente, acho que o namorado vai terminar com ela. É um indiano muito tradicional. E teve um chilique quando ela não quis se mudar para Nashville com ele."

"E qual foi o seu conselho para ela?"

"Tentei dizer que ela tomasse uma atitude independente. Ele podia ter conseguido uma colocação em Washington se realmente quisesse. Disse a ela que não precisa sacrificar tudo pela carreira dele. Ela e eu temos uma relação meio de pai e filha. Os pais dela são muito conservadores. Acho que gosta de trabalhar para alguém que acredita nela e não vê nela só a futura mulher de alguém."

"E só para ficar tudo claro entre nós", disse Katz, "você sabe que ela é apaixonada por você?"

Walter corou. "Não sei. Talvez um pouco. Acho que é mais um tipo de idealização intelectual. Mais na linha pai e filha."

"Sei. Pode ir sonhando, amigão. Vai querer que eu acredite que nunca imaginou aqueles olhos brilhando para você com a cabeça dela indo e vindo no seu colo?"

"Meu Deus, não. Eu tento não imaginar esse tipo de coisa. Especialmente com alguém que trabalha para mim."

"Mas talvez você nem sempre consiga deixar de imaginar."

Walter olhou para os lados para ver se alguém mais na plataforma estava escutando, e baixou a voz. "Além de tudo", disse ele, "acho que é degradante uma mulher ficar de joelhos."

"Por que você não experimenta um dia, e depois me diz o que acha."

"Ora, porque, Richard", disse Walter, ainda ruborizado, mas também com um riso desagradável, "eu por acaso entendo que as mulheres funcionam de maneira muito diferente dos homens."

"E o que aconteceu com a igualdade entre os sexos? Eu tinha a impressão de que você acreditava nisso."

"Só acho que, se você tivesse uma filha, talvez encarasse o ponto de vista das mulheres com mais compaixão."

"Você acaba de citar meu motivo mais forte para não querer uma filha."

"Bem, mas se tivesse, podia reconhecer o fato nem tão difícil assim de reconhecer de que mulheres muito jovens sempre podem misturar a admiração e o amor por uma pessoa, sem entender —"

"Sem entender o quê?"

"Que para o cara em questão elas são apenas um objeto. Que o sujeito pode estar querendo só, sabe como é, querendo só" — a voz de Walter se reduziu a um sussurro — "que uma mulher jovem e bonita chupe o pau dele. Que pode ser só essa a intenção dele."

"Sinto muito, não estou acompanhando", disse Katz. "Qual é o problema de ser admirado? Não estou conseguindo acompanhar o seu raciocínio."

"Eu não quero falar nesse assunto."

Um trem da linha A chegou, e eles se enfiaram num vagão. Quase na mesma hora, Katz viu o brilho do reconhecimento nos olhos de um garoto de pé junto à porta oposta. Katz abaixou a cabeça e desviou o rosto, mas o garoto teve a temeridade de tocar seu ombro. "Desculpe", disse ele, "mas você é o compositor, não é? Richard Katz."

"Talvez eu precise me desculpar mais que você."

"Não quero incomodar. Só queria dizer que eu adoro as suas coisas."

"Legal, obrigado", disse Katz, os olhos pregados no chão.

"Especialmente as coisas mais antigas, que só agora eu conheci. *Esplendor reacionário*? Meu Deus, é absolutamente do caralho! Estava ouvindo agora mesmo no meu iPod. Aqui, vou mostrar."

"Não precisa, eu acredito."

"Ah, certo, não, é claro. Claro. Desculpe incomodar. Só sou seu grande admirador."

"Não se preocupe."

Walter estava acompanhando essa conversa com uma expressão facial tão antiga quanto as festas do tempo de estudante às quais tinha sido masoquista a ponto de ir na companhia de Katz, uma expressão de deslumbramento, orgulho, amor, raiva e a solidão dos invisíveis, nenhum desses sentimentos em favor de Katz, nem no tempo de estudante e muito menos agora.

"Deve ser muito estranho ser você", disse Walter quando desembarcaram na estação da rua 34.

"Não posso ser outra criatura para comparar comigo."

"Mas deve ser muito bom. Não acredito que em algum nível você não esteja adorando."

Katz refletiu honestamente sobre a questão. "É mais uma situação em que eu iria detestar a falta da coisa, mas nem por isso eu gosto dela."

"Pois acho que *eu* iria gostar", disse Walter.

"Também acho que você iria gostar."

Incapaz de conceder a fama a Walter, Katz caminhou com ele até o painel de informações da Amtrak, que indicava um atraso de quarenta e cinco minutos para o Acela rumo a Washington.

"Eu acredito piamente em trens", disse Walter. "E toda hora pago caro por isso."

"Eu espero com você", disse Katz.

"Não precisa, não precisa."

"Não, vamos até ali que eu pago uma Coca-Cola. Ou em Washington você finalmente começou a beber?"

"Não, ainda sou abstêmio. Que é uma palavra horrorosa."

Para Katz, o atraso do trem foi um sinal de que o assunto Patty ia acabar sendo abordado. Quando ele abordou o assunto, porém, no bar da estação, aos sons aflitivos de uma canção de Alanis Morissette, os olhos de Walter ficaram frios e distantes. Ele respirou fundo como se fosse dizer alguma coisa, mas não emitiu nem uma palavra.

"Deve ser meio constrangedor para vocês dois", propôs Katz. "A garota morando no andar de cima e o escritório no andar de baixo."

"Não sei o que lhe dizer, Richard. Realmente não sei o que lhe dizer."

"Vocês dois estão se dando bem? Patty está fazendo alguma coisa interessante?"

"Está trabalhando numa academia em Georgetown. Vale como interessante?" Walter balançou a cabeça com tristeza. "Faz muito tempo que eu vivo com uma pessoa deprimida. Não sei por que ela se sente tão infeliz, não sei por que dá a impressão de não conseguir sair desse estado. Houve um tempo, mais ou menos na época em que nos mudamos para Washington, em que ela parecia melhor. Tinha feito algum tempo de terapia em St. Paul e começou a escrever alguma coisa. Uma história da própria vida, ou um diário sobre o qual nunca dizia nada e guardava em grande segredo. Enquanto ela escrevia, as coisas melhoraram um pouco. A ideia era ela procurar um emprego assim que chegássemos a Washington, e começar algum tipo de carreira nova, mas é difícil na idade dela, e sem nenhuma especialidade valorizada pelo mercado. Ela é muito inteligente e orgulhosa, e não aguentava ser rejeitada nem podia aceitar um emprego muito elementar. Tentou trabalho voluntário, dando aulas de atletismo em escolas de Washington, mas também não funcionou. Finalmente eu a convenci a experimentar um antidepressivo, que até poderia ter ajudado se ela continuasse tomando, mas ela não gostava do efeito do remédio sobre ela, e na verdade ficava realmente insuportável quando tomava. Ficava muito mal-humorada, e acabou parando antes que conseguissem ajustar direito a dosagem. E então, no outono passado eu mais ou menos a obriguei a aceitar um emprego. Não por minha causa — eu ganho bem mais do que mereço, Jessica já se formou e Joey não depende mais de mim. Mas Patty tinha tanto tempo ocioso que dava para ver que ia acabar morrendo disso. E o emprego que ela escolheu foi trabalhar como recepcionista de uma academia. Quer dizer, é uma academia muito decente — um dos membros do conselho do Fundo vai sempre lá, e pelo menos um dos maiores doadores que eu tenho. E é isso que ela faz, a minha mulher, uma das pessoas mais inteligentes que eu conheço, passando o leitor de código de barras nos cartões de sócio e desejando bons exercícios a todos eles. E ela também está seriamente viciada em exercícios. Malha pelo menos uma hora por dia, no mínimo — está com uma ótima *aparência*. E então chega em casa às onze com comida comprada em algum lugar, e quando estou na cidade comemos juntos, e ela me pergunta por que eu ainda não estou transando com a minha assistente. Mais ou menos como você perguntou agora, só que entrando em menos detalhes. Menos diretamente."

"Desculpe. Eu não imaginei."

"E como podia imaginar? Quem iria saber? Eu digo a mesma coisa a ela toda vez: é ela a mulher que eu amo, é ela a mulher que eu desejo. E depois mudamos de assunto. Nas últimas duas semanas, por exemplo — acho que acima de tudo para me deixar louco —, ela vem falando de fazer uma plástica nos peitos. Eu fico com vontade de chorar, Richard. Quer dizer, o corpo dela está *perfeito*. Pelo menos por fora. É uma loucura completa. Mas ela diz que vai morrer logo e que acha que pode ser interessante, antes de morrer, ver como é ter peitos grandes. Disse que pode ser bom para ela ter algum objetivo para economizar dinheiro, agora que..." Walter sacudiu a cabeça.

"Agora que o quê?"

"Nada. Ela estava fazendo outra coisa, antes, com o dinheiro dela, que eu achava péssima."

"Ela está doente? Com algum problema de saúde?"

"Não. Fisicamente não tem nada. Quando ela fala de morrer logo acho que está falando dos próximos quarenta anos. Como todos nós vamos morrer logo."

"Eu sinto muito mesmo, cara. Eu não tinha a menor ideia."

Um sinalizador nos jeans pretos Levi's de Katz, um transmissor havia muito inativo, lá enterrado por uma civilização mais avançada, exibia as primeiras centelhas de uma volta à vida. Onde deveria sentir-se culpado, em vez disso estava ficando ereto. Ah, a clarividência do pau: conseguia enxergar o futuro num piscar de olhos, deixando por conta do cérebro correr atrás e encontrar o caminho necessário que levava do presente obstruído ao fim predeterminado. Katz viu que Patty, nos meandros aparentemente aleatórios da vida que Walter acabara de lhe descrever, vinha na verdade pisoteando sinais deliberados num milharal, compondo uma mensagem que Walter era incapaz de ler da superfície mas que não podia ser mais clara para Katz de grande altitude. AINDA NÃO ACABOU, AINDA NÃO ACABOU. Os paralelos entre a vida dele e a dela eram na verdade quase sobrenaturais: um breve período de produtividade criativa, seguido de uma mudança fundamental que dava errado e se revelava uma decepção, seguida de drogas e desespero, seguida por aceitar um trabalho idiota. Katz vinha supondo que a explicação para seu estado era que o sucesso tinha acabado com ele, mas também era verdade, percebia agora, que os anos em que produzira suas piores composições coincidiam precisamente com os anos que passara afastado dos Berglund. E, sim, não tinha pensado muito em

Patty nos dois anos anteriores, mas sentia agora, dentro de suas calças, que era principalmente porque achava que a história entre eles tinha acabado.

"Como é que Patty se dá com a garota?"

"Elas não se falam", respondeu Walter.

"Quer dizer que não são amiguinhas."

"Não, estou dizendo que uma literalmente não fala com a outra. Uma sempre sabe quando a outra está na cozinha. E fazem o possível e o imaginável para nunca se encontrar."

"E qual das duas começou essa história?"

"Não quero falar sobre isso."

"Está bem."

No sistema de som do bar da estação, começou a tocar "That's what I like about you", que pareceu a Katz a trilha sonora perfeita para o letreiro em neon da Bud Light, as luminárias de falso vitral, a mobília feia mas revestida de uma duradoura camada de poliuretano impregnada da gordura de milhares de viajantes. Ele ainda estava razoavelmente a salvo de ouvir uma das suas próprias canções tocada num lugar assim, mas sabia que essa segurança era apenas uma questão de grau, e não de categoria.

"Patty resolveu que não gosta de ninguém com menos de trinta anos", disse Walter. "Passou a ter um preconceito contra toda uma geração. E, como se trata de Patty, fala do assunto de um jeito muito engraçado. Mas foi ficando cada vez mais maldosa e descontrolada."

"Enquanto você parece muitíssimo interessado na nova geração", disse Katz.

"Para provar que uma lei geral é falsa, basta um único exemplo em contrário. E eu sei de pelo menos dois: Jessica e Lalitha."

"E Joey?"

"E se existem dois", disse Walter, como se nem tivesse escutado o nome do filho, "devem existir muitíssimos outros. E é esta a premissa do que estou pensando em fazer no verão. Partir do princípio de que os jovens ainda têm cabeça e consciência social, e então apresentar um tema novo para eles."

"Sabe, nós somos diferentes, você e eu", disse Katz. "Eu não tenho visões. Não tenho crenças. E sou impaciente com as crianças. Você lembra que eu sou assim, não lembra?"

"Lembro que você costuma se enganar muito a respeito de si mesmo.

Acho que acredita em muito mais coisas do que reconhece. E tem um verdadeiro culto de admiradores por causa da sua integridade."

"A integridade é um valor neutro. As hienas também têm integridade. Mas são só hienas."

"E daí, eu não devia ter ligado para você?", perguntou Walter com um tremor na voz. "Uma parte minha não queria incomodar, mas Lalitha me convenceu de que eu devia."

"Não, foi ótimo você ligar. Fazia muito tempo."

"Acho que eu estava imaginando que você tinha decidido se livrar de nós, ou coisa assim. Quer dizer, eu sei que não sou interessante. Achei que você não queria mais nada com a gente."

"Desculpe, cara. É só que eu estava muito ocupado."

Mas Walter estava ficando aborrecido, quase às lágrimas. "Era quase como se você tivesse vergonha de mim. O que eu até entendo, mas ainda assim não me agrada muito. Achei que fôssemos amigos."

"Eu pedi desculpas", disse Katz. Estava irritado tanto pela emoção de Walter quanto pela ironia ou injustiça de precisar pedir desculpas, *duas vezes*, por ter tentado lhe fazer um favor. Em geral, ele seguia o princípio de nunca pedir desculpas por nada.

"Não sei o que eu estava esperando", disse Walter. "Mas talvez algum reconhecimento pela ajuda que eu e Patty demos a você. Por você ter escrito todas essas músicas na casa da minha mãe. Que nós somos seus amigos mais antigos. Não vou ficar insistindo nisso, mas quis tirar essa história do caminho e contar a você o que eu andei sentindo, para não precisar continuar a sentir."

A agitação irritada do sangue de Katz se harmonizava com os dons proféticos do seu pau. Agora eu vou lhe fazer outro tipo de favor, meu amigo, pensou ele. Vamos terminar um assunto inacabado, e você e a garota vão me agradecer muito.

"É sempre bom tirar as coisas do caminho", disse ele.

O país da mulherada

Tendo crescido em St. Paul, Joey Berglund recebera incontáveis garantias de que sua vida estava destinada à boa sorte. Da maneira como os defensores de um time de futebol americano falam de grandes jogadas em que correram o campo, a sensação de se esquivar e ziguezaguear a toda a velocidade atravessando uma defesa que se desloca em câmera lenta, o campo inteiro de jogo visível ao mesmo tempo e perceptível instantaneamente como um videogame no nível mais fácil, era a maneira como cada faceta de sua vida lhe aparecia nos seus primeiros dezoito anos. O mundo abria espaço para ele, e ele não se fazia de rogado. Chegou para o primeiro ano em Charlottesville com as roupas e o corte de cabelo certos, e descobriu que a escola o pusera no mesmo quarto de um companheiro perfeito de NoVa (como os moradores locais chamavam os subúrbios de Washington situados no norte do estado da Virgínia). Por duas semanas e meia, a faculdade pareceu-lhe uma extensão do mundo que ele sempre tinha conhecido, só que melhor. Estava tão convencido disso — achava que só podia ser assim — que na manhã do dia 11 de setembro ele deixou seu companheiro de quarto, Jonathan, acompanhando o incêndio no World Trade Center e no Pentágono enquanto corria para sua aula de Economia 201. Foi só quando chegou ao grande auditório e viu que estava praticamente vazio que entendeu que realmente havia ocorrido uma falha de grande importância.

Por mais que tentasse, nas semanas e nos meses que se seguiram, não conseguiu lembrar o que estava pensando enquanto atravessava o *campus* semideserto. Era muito pouco característico de Joey ficar tão perdido, e o profundo desgosto que sentiu nesse momento, nos degraus do Prédio de Química, transformou-se na origem de seu intenso ressentimento *pessoal* pelos ataques terroristas. Mais adiante, quando seus problemas começaram a se avolumar, parecia que a própria boa sorte, que sua infância lhe ensinara a considerar um direito de nascença, fora suplantada por uma onda de má sorte de ordem mais elevada, a tal ponto que nem podia ser real. Ele ficou esperando que o equívoco, a fraude que aquela má sorte representava, se revelasse, e que o mundo retornasse aos eixos, para poder ter a experiência de estudante que tinha esperado. Quando isso não aconteceu, foi tomado por uma raiva cujo objeto específico se recusava a entrar em foco. A responsabilidade, em retrospecto, parecia *quase* ter sido de Bin Laden, mas não exatamente. A responsabilidade era de uma coisa mais profunda, uma coisa que não era política, algo estruturalmente malévolo, como uma protuberância na calçada em que você tropeça e cai de cara no meio de um passeio inocente.

Nos dias que se seguiram ao Onze de Setembro, de uma hora para outra tudo passou a parecer de uma estupidez completa para Joey. Foi uma estupidez que organizassem uma "Vigília de Envolvimento" sem nenhuma finalidade prática, era uma estupidez as pessoas assistirem a reprises seguidas das mesmas imagens da calamidade, foi uma estupidez os rapazes da fraternidade Chi Phi terem aberto uma faixa de "apoio" em sua sede, foi uma estupidez cancelar o jogo de futebol americano contra a Universidade do Estado da Pensilvânia, foi uma estupidez tantos garotos deixarem a Área para ficar com as famílias (e era uma estupidez as pessoas na Virgínia dizerem "Área" em vez de "*campus*"). Os quatro garotos liberais do dormitório de Joey tinham discussões estúpidas com os vinte conservadores, como se alguém desse alguma importância ao que pensava sobre o Oriente Médio um bando de meninos de dezoito anos. Uma onda estupidamente grande foi criada em torno dos alunos que tinham perdido parentes ou amigos da família nos ataques, como se outros tipos de morte horrível que aconteciam o tempo todo no mundo contassem menos, e houve aplausos de incrível estupidez quando um micro-ônibus lotado de homens da classe alta partiu para Nova York a fim de dar apoio ao pessoal que vinha trabalhando no Marco Zero, como se não houvesse uma quantidade suficiente de pessoas em Nova York para dar conta do recado. Joey só queria que a vida normal voltasse o mais rápido possível. Era como se tivesse batido com seu velho Discman numa parede e fizesse o laser do aparelho saltar da faixa que vinha curtindo para outra que não reconhecia nem achava boa, e não conseguisse fazer parar de tocar. Em pouco tempo estava se sentindo tão só, isolado e faminto das coisas costumeiras que cometeu o sério erro de dar permissão a Connie Monaghan para tomar um ônibus Greyhound e vir visitá-lo em Charlottesville, desfazendo assim todo um verão de trabalho meticuloso destinado a prepará-la para o rompimento inevitável entre eles.

Durante todo o verão, ele se esforçara para convencer Connie da importância de não se verem por pelo menos nove meses, para testar os sentimentos que tinham um pelo outro. A ideia era desenvolver identidades independentes e ver se essas identidades independentes ainda combinavam entre si, mas para Joey isso era só um "teste" na mesma medida em que uma "experiência" escolar de química podia ser chamada de pesquisa. Connie acabaria ficando em Minnesota enquanto ele seguiria uma carreira empresarial e conheceria garotas mais exóticas, avançadas e conectadas. Ou pelo menos era o que imaginava antes do Onze de Setembro.

Tomou o cuidado de marcar a visita de Connie para o período em que Jonathan estaria em casa, em NoVa, celebrando alguma festividade judaica. Ela passou o fim de semana todo acampada na cama de Joey com a sacola de viagem ao lado no chão, guardando suas coisas dentro dela assim que acabava de usá-las, como se tentasse minimizar as marcas que deixava. Enquanto Joey conseguia ler Platão para uma aula da manhã de segunda-feira, ela percorria os rostos do álbum dos seus colegas do primeiro ano e ria das expressões estranhas ou dos nomes infelizes. Bailey Bodsworth, Crampton Ott, Taylor Tuttle. Pela conta escrupulosa de Joey, transaram oito vezes em quarenta horas, chapando-se repetidas vezes com o pezinho hidropônico de maconha que ela havia trazido. Quando chegou a hora de levá-la de volta para a estação de ônibus, ele acrescentou várias novas canções ao MP3 player dela para as torturantes vinte horas da viagem de volta a Minnesota. A triste verdade é que ele se sentia responsável por ela, sabia que precisava terminar com ela de qualquer maneira, mas não imaginava como.

Na estação rodoviária, tocou no assunto dos estudos dela, que ela prometera continuar mas de alguma forma, a seu modo obstinado, sem explicar nada, tinha largado.

"Você precisa começar a estudar em janeiro", disse ele. "Pode começar em Inver Hills e depois talvez se transferir para a Universidade de Minnesota ano que vem."

"Está bem", disse ela.

"Você é muito inteligente", disse ele. "Não pode continuar vivendo só como garçonete."

"Está bem." Ela desviou os olhos, desolada, para a fila que se formava ao lado do ônibus em que ia embarcar. "Por você eu vou estudar."

"Não por mim. Por você. Como prometeu."

Ela balançou a cabeça. "Você quer que eu me esqueça de você."

"Nada disso, de maneira nenhuma", disse Joey, embora fosse a pura verdade.

"Eu vou estudar", disse ela. "Mas nem assim vou me esquecer de você. Nada vai me fazer esquecer você."

"Está bem", disse ele, "mas ainda precisamos descobrir quem nós somos. Nós dois ainda precisamos crescer muito."

"Eu já sei quem eu sou."

"Mas pode estar enganada. Talvez ainda precise — "

"Não", disse ela. "Não estou enganada. Só quero ficar com você. É só o que eu quero na vida. Você é a melhor pessoa do mundo. Pode fazer tudo que quiser, e eu vou estar ao seu lado. Você vai ser dono de muitas empresas, e eu vou trabalhar para você. Ou você pode se candidatar a presidente, e eu vou trabalhar na sua campanha. Vou fazer as coisas que ninguém mais vai querer fazer. Se você precisar de alguém para fazer alguma coisa fora da lei, eu faço. Se você quiser ter filhos, eu crio para você."

Joey sabia que precisava ter o máximo de cuidado ao responder àquela declaração francamente assustadora, mas por azar ainda estava um pouco chapado.

"O que eu quero é o seguinte", disse ele. "Quero que você termine a faculdade. Por exemplo", disse ele, insensatamente, "se você for trabalhar para mim, vai precisar saber de muita coisa."

"Foi por isso que eu disse que ia estudar *por você*", disse Connie. "Você não estava prestando atenção?"

Ele começava a perceber, o que não tinha acontecido em St. Paul, que o preço a pagar pelas coisas nem sempre era evidente à primeira vista: que o crescimento realmente impressionante dos juros sobre seus prazeres do início da adolescência podia aumentar ainda mais.

"É melhor a gente entrar na fila", disse ele. "Se você quiser um bom lugar."

"Está bem."

"E também acho", disse ele, "que devíamos passar pelo menos uma semana sem falar ao telefone. Precisamos de mais disciplina."

"Está bem", disse ela, e seguiu obediente na direção do ônibus. Joey andava atrás dela, levando a sacola de viagem. Pelo menos não precisava se preocupar com a possibilidade de ela fazer alguma cena. Ela nunca tinha comprometido Joey, nunca insistira em andar de mãos dadas na calçada, nunca fora de agarrar, de fazer bico, de reclamar. Ela guardava todo o ardor para quando ficavam a sós, era uma especialista desse tipo. Quando as portas do ônibus se abriram, ela o trespassou com um olhar abrasador, entregou sua sacola para o motorista e subiu a bordo. Nada dessas babaquices de acenar pela janela ou franzir os lábios em beijinhos. Pôs os fones nos ouvidos e se enterrou no assento, desaparecendo para quem estava do lado de fora.

E nenhuma babaquice tampouco nas semanas seguintes. Connie, obediente, evitou os telefonemas para ele, e enquanto a febre nacional baixava e o outono se espalhava pelo trecho dos montes Apalaches conhecido como Blue Ridge, banhado de raios de sol da cor do feno e emanando o aroma intenso de gramados aquecidos e folhas que secavam, Joey acompanhava as derrotas esmagadoras sofridas pelos Cavaliers, se exercitava na academia e ganhava vários quilos só de cerveja. Gravitava socialmente em torno dos companheiros de dormitório de famílias prósperas que eram a favor de um bombardeio arrasador do mundo islâmico até que este aprendesse a se comportar. Não era de direita ele próprio, mas sentia-se à vontade com quem era. Passar o rodo no Afeganistão não era exatamente o que sua sensação de deslocamento recomendava, mas era parecido a ponto de lhe trazer alguma satisfação.

Só quando uma quantidade suficiente de cerveja tinha sido consumida para conduzir a conversa do grupo para questões de sexo é que Joey se sentia isolado. O envolvimento dele com Connie era tão diferente e intenso — tão *sincero*, tão carregado de amor — que não podia ser usado para contar vantagem. Ele desdenhava mas também invejava os companheiros de dormitório por suas bravatas, suas confissões pornográficas do que planejavam fazer com as meninas mais gostosas da escola ou supostamente já tinham feito, em casos isolados, de cara cheia, e ao que tudo indicava sem nenhum remorso ou consequência, com várias meninas também chapadas durante o curso secundário. Os desejos de seus companheiros de dormitório ainda convergiam em grande medida para o boquete, que Joey parecia ser absolutamente o único a considerar pouco mais que uma punheta glorificada, uma diversão para o estacionamento durante a hora do almoço.

A masturbação propriamente dita era uma forma degradante de dissipação a cuja utilidade mesmo assim ele começava a dar valor enquanto tentava acostumar-se com a vida longe de Connie. O local que preferia para suas sessões era o banheiro para deficientes físicos da biblioteca de ciências, no balcão de cuja Reserva ele ganhava 7,65 dólares por hora para ficar estudando ou lendo o *Wall Street Journal* e, ocasionalmente, ajudar nerds a encontrar textos científicos. Ter conseguido um emprego que lhe permitia estudar no balcão da Reserva da biblioteca lhe parecera mais uma confirmação de que estava destinado a ter sorte na vida. Ficou espantado ao constatar que a biblioteca ainda tinha tantos textos impressos, de tamanha raridade e cobrindo tal espectro de interesses, que precisavam ser guardados em locais separados e jamais podiam deixar o recinto. Não havia como aquilo tudo não ser digitalizado nos anos seguintes. Muitos dos textos da Reserva tinham sido escritos em línguas estrangeiras outrora populares, e ilustrados com pranchas impressas em cores suntuosas; os alemães do século XIX demonstraram um empenho especial na compilação do conhecimento humano. E podia até dignificar a masturbação, um pouco, usar em seu apoio um atlas alemão de anatomia sexual datado de cem anos antes. Ele sabia que mais cedo ou mais tarde precisaria romper o silêncio entre ele e Connie, mas a cada noite, depois de empregar as torneiras de alavanca do banheiro dos deficientes para fazer seus gametas e seu fluido prostático descerem pelo ralo, ele decidia correr o risco de esperar por mais um dia, até que, ao final de uma noite, no balcão da Reserva, no próprio dia em que percebeu que provavelmente tinha esperado um dia além da conta, recebeu uma ligação da mãe de Connie.

"Carol", disse ele, em tom simpático. "Alô."

"Alô, Joey. Você deve saber por que estou ligando."

"Não, na verdade não sei."

"Bem, é que você partiu o coração da nossa amiga, só isso."

Com um espasmo no estômago, ele se refugiou atrás da proteção das pilhas de textos. "Eu ia ligar para ela hoje à noite", disse ele a Carol.

"Hoje à noite. É mesmo. Você ia ligar para ela hoje à noite."

"Ia."

"Por que eu não acredito nisso?"

"Não sei."

"Bem, ela já foi para a cama, então ainda bem que você não ligou. Ela foi para a cama sem comer. Foi para cama às sete da noite."

"Então foi bom mesmo eu não ter ligado."

"Não tem graça nenhuma, Joey. Ela está muito deprimida. Por sua causa ela está com uma depressão e você precisa parar com essa história. Está me entendendo? Minha filha não é cachorro que você pode amarrar num poste do estacionamento e depois largar por lá."

"Talvez você pudesse arrumar um antidepressivo para ela."

"Ela não é seu animal de estimação, que você pode largar no banco de trás com as janelas fechadas", disse Carol, animada com a sua metáfora. "Nós fazemos parte da sua vida, Joey. E acho que merecemos um pouco mais do que esse nada que você vem dando. O outono foi muito preocupante para todos os envolvidos, e você esteve totalmente *ausente*."

"Sabe, eu tenho aulas, essas coisas."

"Ocupado demais para gastar cinco minutos num telefonema. Depois de três semanas e meia sumido."

"Eu ia ligar mesmo para ela mais tarde."

"E nem estou falando de Connie", disse Carol. "Vamos deixar Connie fora disso por um minuto. Você e eu moramos juntos como uma família por quase dois anos. Eu nunca achei que um dia fosse dizer isto, mas estou começando a entender o que você fez sua mãe passar. Sério. Nunca tinha visto como você era frio, até agora."

Joey dirigiu ao teto um sorriso de pura opressão. Sempre houvera algo que não batia muito bem em sua relação com Carol. Ela era o que os rapazes do seu dormitório e os irmãos da fraternidade que viviam atrás dele chamariam de CPC, ou "Coroa Perfeitamente Comível". Embora no geral ele tivesse o sono muito profundo, houve algumas noites, durante o tempo em que morara com a família Monaghan, em que acordara na cama de Connie com estranhas premonições ansiosas em que figurava como o involuntário e horrorizado invasor da cama da própria irmã, por exemplo, ou como o autor do disparo acidental de um prego na testa de Blake com o martelo de ar comprimido do próprio Blake, ou, a mais estranha de todas, como um dos imensos guindastes em algum porto importante dos Grandes Lagos, com seu membro horizontal erguendo pesadíssimos contêineres do convés de um navio para depositá-los numa barcaça menor de fundo chato. Essas visões geralmente vinham depois de momentos de conexão indevida com Carol — um vislumbre de sua bunda descoberta através da porta semicerrada do quarto que dividia com Blake, a piscadela cúmplice que deu a Joey em seguida a um arroto de Blake à mesa, a argumentação interminável e explícita que ela lhe apresentou (ilustrada com histórias muito animadas de sua juventude descuidada) para obrigar Connie a tomar a Pílula. Como Connie era constitucionalmente incapaz de ficar contrariada com Joey, coube à sua mãe manifestar a insatisfação de ambas. Carol era o órgão vocal de Connie, sua advogada sem papas na língua, e Joey às vezes tinha a sensação, nas noites de fim de semana em que Blake saía com os amigos, de ser a parte ensanduichada de um *ménage à trois* virtual, em que a boca de Carol despejava infindavelmente todas as coisas que Connie não conseguia dizer, e Connie depois fazendo em silêncio com Joey todas as coisas que Carol não podia fazer, e Joey acordando assustado no meio da noite com a sensação de ter caído numa arapuca um tanto doentia. Coroa Perfeitamente Comível.

"Então o que eu devo fazer?", perguntou ele.

"Bem, para começar, quero que você passe a ser um namorado mais responsável."

"Eu não sou namorado dela. Estamos num hiato."

"O que é hiato? O que isso quer dizer?"

"Quer dizer que estamos fazendo a experiência de ficarmos separados."

"Não foi o que Connie me disse. Connie me disse que você quer que ela continue a estudar para ela aprender administração e poder ajudar você nos seus projetos."

"Escute", disse Joey. "Carol. Eu estava doidão quando disse isso a ela. Foi um engano, e eu disse a coisa errada depois de queimar o fumo fortíssimo que Connie costuma comprar."

"Você acha que eu não sei que ela fuma maconha? Você acha que eu e

Blake não temos nariz? Você não está me dizendo nada que eu não saiba. Você só piora sua imagem de namorado tentando delatar o que ela faz."

"O que estou dizendo foi que eu falei a coisa errada. E ainda não tive a oportunidade de corrigir, porque nós concordamos em passar um tempo sem falar um com o outro."

"E de quem é a responsabilidade? Você sabe que parece um deus para ela. Um deus, Joey, literalmente. Se você disser a ela para prender a respiração, ela vai parar de respirar até cair dura. Se você disser a ela para ir se sentar num canto, ela vai ficar sentada no canto até desabar de inanição."

"Bem, e de quem é a culpa?", perguntou Joey.

"Sua."

"Não, Carol. É sua. Você é que criou a Connie. É na sua casa que ela mora. Eu só apareci mais tarde."

"Sei, e agora quer seguir seu próprio caminho, sem assumir nenhuma responsabilidade. Depois de ter sido praticamente casado com ela. Depois de ter feito parte da nossa família."

"Epa. Epa. Carol. Estou no primeiro ano da faculdade. Você está sabendo? Quer dizer, sabe como é esquisito estarmos tendo esta conversa?"

"O que eu sei é que quando eu tinha um ano só a mais que você, tive uma filha e precisei abrir caminho no mundo por minha conta."

"E está dando certo?"

"Bastante, se você quer saber. Nem ia lhe contar, porque ainda é cedo, mas já que você perguntou, Blake e eu vamos ter um bebê. A nossa pequena família vai crescer um pouco."

Joey levou algum tempo para compreender que ela lhe contara que estava grávida.

"Escute", disse ele, "ainda estou no trabalho. Quer dizer, parabéns e tudo o mais. Só que agora eu estou meio ocupado."

"Ocupado. Sei."

"Juro que telefono para ela amanhã de tarde."

"Não, sinto muito", disse Carol, "é pouco. Você precisa vir até aqui agora mesmo e passar algum tempo com ela."

"Isso está fora de questão."

"Então venha passar a semana de Ação de Graças. Vamos fazer um belo jantar de família, nós quatro. Ela vai ansiar por sua chegada, vai ser bom para ela, e aí você vai poder ver como ela está deprimida."

Joey vinha planejando passar o feriado em Washington com seu companheiro de quarto, Jonathan, cuja irmã mais velha, terceiranista na Duke, era ou enganosamente fotogênica ou alguém que ele não podia deixar de conhecer em pessoa. A irmã se chamava Jenna, o que na cabeça de Joey a associava às filhas gêmeas de Bush e a todas as farras e à moral dissipada que o nome Bush conotava.

"Não tenho dinheiro para a passagem de avião", disse ele.

"Você pode pegar um ônibus, como Connie. Ou andar de ônibus não é para Joey Berglund?"

"E já tenho outro compromisso."

"Bom, pois é melhor mudar de planos", disse Carol. "A sua namorada dos últimos quatro anos está gravemente deprimida. Passa horas chorando, não come. Precisei ir conversar com o patrão dela na Frost's para ela não ser despedida, porque não se lembra dos pedidos, se confunde, nunca sorri. Pode ser que esteja queimando fumo no trabalho, eu não ficaria admirada. Então ela chega em casa, vai direto para a cama e fica lá. Quando precisa trabalhar de tarde, sou obrigada a vir até em casa na minha hora de almoço para garantir que ela vai se levantar e se vestir para ir trabalhar, porque ela não atende o telefone. Depois preciso levá-la de carro até a Frost's e ficar esperando até ela entrar. Tentei pedir a Blake que cuidasse disso, mas ela não fala mais com ele nem faz nada do que ele pede. Às vezes eu acho que ela está tentando dar cabo da minha relação com ele, só por despeito, porque você foi embora. Quando eu digo para ela ir ao médico, ela responde que não precisa. Quando eu pergunto o que ela está tentando provar, e o que está planejando para a vida dela, ela diz que o único plano dela é ficar com você. O único plano que ela tem. Então, seja qual for o seu compromissozinho para o feriado, é melhor você desmarcar."

"Já disse que vou ligar para ela amanhã."

"Você acha mesmo que pode usar minha filha como parceira sexual durante quatro anos e depois simplesmente ir embora na hora que bem entende? É isso que você acha? Ela era uma *criança* quando você começou a ter relações com ela!"

Joey pensou no dia crucial em sua velha casa na árvore em que Connie tinha esfregado a virilha sobre a bermuda de jeans cortado e depois tomado sua mão menor que a dele e mostrado onde ele devia mexer: como ele não precisara de muita persuasão. "E eu também era uma criança, claro", disse ele.

"Meu bem, você *nunca* foi criança", disse Carol. "Estava sempre tão calmo e controlado. Não pense que eu não conheci você quando era bem pequeno. E nem quando era bebê você chorava! Nunca vi nada igual na minha vida. Você não chorava nem quando dava uma topada. Você franzia o rosto, mas não dava um pio."

"Nada disso, eu chorava. Eu me lembro perfeitamente de ter chorado."

"Você usou Connie, você me usou, você usou Blake. E agora acha que pode simplesmente virar as costas e ir embora? Você acha que o mundo funciona assim? Você acha que todas as outras pessoas só existem para o seu prazer pessoal?"

"Eu vou tentar convencer Connie a ir ver um médico e aceitar ser medicada. Mas Carol, sabe, esta conversa que estamos tendo é muito esquisita. Não é uma conversa legal."

"Pois é bom você ir se acostumando, porque vamos ter mais uma amanhã, e depois, e depois, até você me dizer que vem para o Dia de Ação de Graças."

"Eu não vou para o Dia de Ação de Graças."

"Bem, então pode ir se acostumando com as minhas ligações."

Depois que a biblioteca fechou, ele saiu na noite gelada e se instalou num banco diante do dormitório, acariciando o telefone e pensando numa pessoa para quem ligar. Em St. Paul ele deixara claro para todos os seus amigos que a história dele com Connie nunca ia ser assunto de conversa entre eles, e na Virgínia ele guardara segredo. Quase todo mundo no dormitório se comunicava com os pais diariamente, quando não a toda hora, e embora isso o fizesse sentir uma gratidão inesperada em relação aos seus pais, que eram muito mais contidos e mais respeitadores das escolhas dele do que tinha sido capaz de perceber quando morava ao lado deles, também lhe despertava algo semelhante ao pânico. Tinha pedido a liberdade, eles haviam concedido, e agora não podia voltar atrás. Houve um breve período de contato telefônico em família depois do Onze de Setembro, mas as conversas eram quase sempre impessoais: a mãe reclamando que não conseguia parar de ver a CNN muito embora estivesse convencida de que tanta CNN só podia lhe fazer mal, o pai aproveitando a oportunidade para dar vazão à sua antiga hostilidade diante de qualquer religião organizada, e Jessica se gabando de seu conhecimento das culturas não ocidentais e explicando como era legítimo o rancor que eles sentiam do imperialismo americano. Jessica estava nos últimos lugares da lista de pessoas para quem Joey ligaria num momento difícil. Talvez, se ela fosse a única pessoa viva entre todas que conhecia e ele fosse preso na Coreia do Norte, e ainda por cima estivesse disposto a aguentar um esporro.

Como para confirmar que Carol estava enganada a seu respeito, chorou um pouco no escuro, sentado no banco. Chorou por Connie e seu sofrimento, chorou por tê-la deixado nas mãos de Carol — por não ser a pessoa capaz de salvá-la. Então enxugou os olhos e ligou para a mãe, cujo toque de telefone Carol provavelmente poderia escutar se chegasse perto de uma janela e ouvisse com atenção.

"Joseph Berglund", disse a mãe dele. "Acho que conheço esse nome de algum lugar."

"Oi, mãe."

Imediatamente um silêncio.

"Desculpe, faz tempo que eu não ligo."

"Bem", disse ela, "na verdade nem está acontecendo muita coisa por aqui além dos acessos de paranoia com o antraz, um corretor muito pouco realista tentando vender a nossa casa e o seu pai indo e voltando de Washington todo dia. E você sabe que eles obrigam todo mundo que voa para Washington a ficar sentado dentro do avião por uma hora antes de descer? É uma regra das mais idiotas. O que eles estão pensando? Que algum terrorista vai cancelar o plano de ataque porque o aviso de atar cintos continua aceso? Seu pai disse que mal o avião decola as aeromoças começam a dizer a todo mundo para usar logo os banheiros, antes que seja tarde demais. E depois passam a distribuir as latas de bebida."

Parecia uma dessas velhotas que não param de falar, e não a força vital que ele ainda imaginava quando se permitia pensar nela. Precisou fechar os olhos com força para evitar recomeçar o choro. Tudo que ele tinha feito com ela nos últimos três anos fora calculado para dar um basta nas conversas intensamente pessoais que costumavam ter quando ele era mais novo: obrigá-la a *calar a boca*, treiná-la a se controlar, fazê-la parar de aborrecê-lo com seu coração transbordante e suas histórias sem censura. E agora que ele tinha levado o treinamento até o fim e ela, obediente, só tratava com ele de coisas triviais, ele sentia que a tinha perdido e queria voltar atrás.

"Posso perguntar se está tudo bem com você?", disse ela.

"Está tudo bem comigo."

"A vida está boa aí nos antigos estados escravistas?"

"Muito boa. Tem feito um tempo excelente."

"Certo. É a vantagem de ter sido criado em Minnesota. O clima de qualquer outro lugar é muito melhor."

"Isso mesmo."

"E você está fazendo novos amigos? Conhecendo muita gente?"

"Estou."

"Muito muito bom. Muito muito muito bom. Simpático você ter ligado, Joey. Quer dizer, eu sei que você não é obrigado a ligar, e por isso é muito simpático ter ligado. Aqui em casa muita gente te admira de verdade."

Uma manada de rapazes do primeiro ano saiu em disparada do dormitório para o gramado, com as vozes amplificadas pela cerveja. "Jo-iiii, Jo-iiii", mugiram afetuosamente. Ele lhes fez um cumprimento frio com a cabeça.

"Parece que você também tem os seus admiradores por aí", disse sua mãe.

"É."

"Meu garoto, sempre popular."

"É."

Um novo silêncio caiu depois que a manada saiu em busca de outros bebedouros. Joey sentiu-se injustamente em desvantagem depois que eles se afastaram. Já tinha avançado mais ou menos um mês nos gastos que planejara para o semestre. Não queria ser o garoto mais pobre que só bebia uma cerveja enquanto todo mundo tomava seis, mas não queria estar sempre aceitando que pagassem suas bebidas. Queria ser dominante e generoso; o que requeria recursos.

"E o papai, está gostando do trabalho novo?" Joey fez um esforço para perguntar à mãe.

"Acho que sim. Está deixando ele meio louco. Sabe: de uma hora para outra está cheio de dinheiro de outra pessoa para gastar e consertar todas as coisas que acha que estão erradas no mundo. Antes ele podia reclamar que ninguém estava fazendo nada. Agora é ele que precisa tentar dar um jeito, o que é impossível, claro, porque está tudo indo para o ralo de qualquer maneira. Ele me manda e-mails às três da manhã. Acho que não tem dormido muito."

"E você? Como é que você está?"

"Bem, muito gentil da sua parte perguntar, mas na verdade você não quer saber."

"Quero sim."

"Pode acreditar que não. E não se preocupe. Não estou dizendo isso com rancor. Não é uma queixa. Você tem a sua própria vida e eu levo a minha. Está tudo muito muito bem."

"Não, mas, assim, o que você faz o dia inteiro?"

"Para seu governo", respondeu sua mãe, "essa pergunta pode ser meio incômoda para as pessoas. É mais ou menos como perguntar a um casal sem filhos por que eles não têm filhos, ou perguntar a uma pessoa solteira por que nunca se casou. Você precisa tomar cuidado com certo tipo de perguntas que a você podem parecer perfeitamente inofensivas."

"Hum."

"No momento eu estou numa espécie de limbo", disse ela. "É difícil mudar muita coisa na vida quando já sei que vou ter de me mudar. Comecei a tentar escrever uma coisa, para mim mesma. E também preciso deixar a casa com um ar permanentemente limpo, para o caso de algum corretor chegar aqui com um otário em potencial. Passo muito tempo sacudindo as revistas para não deixar que acumulem poeira."

O sentimento de carência de Joey estava dando lugar à irritação porque, por mais que negasse, ela não conseguia deixar de se queixar dele. As mães e suas queixas, uma coisa que nunca acabava. Ele tinha ligado em busca de algum apoio, e assim que percebeu estava quase precisando dar apoio *a ela*.

"E como você está em matéria de dinheiro?", perguntou ela, como se intuísse sua irritação. "O dinheiro está dando?"

"Está um pouco apertado", admitiu ele.

"Eu podia jurar!"

"Depois que eu começar a morar aqui, o preço do curso vai diminuir muito. Só o primeiro ano que é mais difícil."

"Quer que eu lhe mande algum dinheiro?"

Ele sorriu no escuro. Gostava dela, apesar de tudo; era mais forte do que ele. "Achei que papai tinha dito que eu não ia ver a cor do dinheiro."

"O seu pai não precisa necessariamente saber de cada detalhe."

"Bom, e a faculdade não vai me considerar residente no estado se eu aceitar alguma coisa de vocês."

"A faculdade também não precisa saber de cada detalhe. Posso lhe mandar um cheque ao portador, se isso ajudar."

"Sim, e depois?"

"Depois nada, eu juro. Nada em troca. Estou dizendo que você já demonstrou o que queria para o seu pai. Não precisa assumir uma dívida horrível a juros altíssimos, só para continuar a provar uma coisa que já está mais que demonstrada."

"Vou pensar no assunto."

"Vou mandar um cheque para você pelo correio. E aí você resolve por sua conta se quer descontar ou não. Não precisa discutir a questão comigo."

Ele tornou a sorrir. "E por que você está fazendo isso?"

"Bom, Joey, acredite você ou não, eu quero que você tenha a vida que você quer ter. Tive algum tempo livre para me perguntar algumas coisas enquanto sacudia as revistas da mesinha de centro, e outras coisas. Por exemplo, se você dissesse a mim e ao seu pai que nunca mais queria nos ver, pelo resto da vida, eu ainda ia querer que você fosse feliz?"

"Pergunta hipotética, e muito bizarra. Não tem nenhuma base na realidade."

"É bom saber disso, mas não é o que estou querendo dizer. O que estou querendo dizer é que todo mundo acha que sabe a resposta para essa pergunta. Os pais são programados a querer o melhor para seus filhos, seja qual for sua resposta. É assim que dizem que é o amor, não é? Mas na verdade, se você for pensar bem, isso é uma crença bem estranha. Em face do que sabemos sobre a verdadeira natureza das pessoas. Egoístas, míopes, arrogantes e carentes. Por que o simples fato de ser pai ou mãe de alguém, por si só, de algum modo tornaria melhor toda pessoa que tem filhos? É claro que não é assim. Já lhe falei um pouco sobre os meus pais, por exemplo — "

"Não muito", disse Joey.

"Bem, talvez numa outra ocasião eu conte mais um pouco, se você me pedir com jeito. Mas o que estou querendo dizer é que pensei bastante nesse assunto do amor, em relação a você. E cheguei à conclusão — "

"Mamãe, você se incomoda se a gente falar de outra coisa?"

"Cheguei à conclusão — "

"Ou, na verdade, quem sabe outro dia? Na semana que vem, por exemplo? Tenho muita coisa para fazer aqui antes de ir dormir."

Um silêncio de profunda mágoa se instalou em St. Paul.

"Desculpe", disse ele. "É que já é muito tarde, estou cansado e ainda tenho umas coisas para fazer."

"Eu só estava explicando", disse a mãe dele num tom de voz muito mais baixo, "por que vou lhe mandar um cheque."

"Está bem, obrigado. Muita gentileza sua. Eu acho."

Numa voz ainda mais fraca e magoada, sua mãe agradeceu pelo telefonema e desligou.

Joey examinou o gramado à sua volta à procura de alguma moita ou um refúgio arquitetônico onde pudesse chorar sem ser visto pelas patrulhas de passagem. Não encontrou esconderijo algum, correu para dentro do dormitório e, às cegas, como se a ponto de vomitar, enfiou-se no primeiro banheiro que viu, num corredor diferente do seu, trancou-se num reservado e soluçou de ódio da mãe. Alguém estava tomando banho, numa nuvem de sabonete desodorante e mofo. Um imenso falo ereto e sorridente, cortando os céus como o Super-Homem, cuspindo gotículas, tinha sido desenhado com tinta permanente na porta descascada do cubículo. Por baixo dele, alguém tinha escrito, *USE AGORA OU DEPOSITE SEU PEDIDO.*

A natureza da censura de sua mãe não era simples como a de Carol Monaghan. Carol, ao contrário da filha, não era brilhante. Connie tinha uma inteligência compacta e despojada, um pequeno clitóris firme de discernimento e sensibilidade ao qual só dava acesso a Joey a portas fechadas. Quando ela, Carol, Blake e Joey jantavam juntos, Connie comia de olhos baixos e dava a impressão de perder-se em seus estranhos pensamentos, mas depois, sozinha com Joey no quarto deles, conseguia reproduzir cada detalhe deplorável do comportamento de Carol e Blake à mesa. Uma vez ela perguntou a Joey se ele já tinha percebido que quase tudo que Blake dizia era para afirmar como as outras pessoas eram cretinas e como ele próprio, Blake, era superior e tratado sem o devido respeito. Para Blake, a previsão do tempo que o rádio tinha dado pela manhã era cretina, a família Paulsen tinha posto o coletor de recicláveis num lugar cretino, o apito que avisava que precisava amarrar o cinto na sua picape era cretino por não parar de tocar em sessenta segundos, os motoristas que dirigiam no limite de velocidade pela Summit Avenue eram cretinos, o sinal de trânsito na esquina de Summit e Lexington tinha sido regulado por algum cretino, seu chefe no trabalho era um cretino, e o código de construções na cidade era da maior cretinice. Joey começou a rir enquanto Connie continuava, com memória implacável, a enumerar os exemplos: o novo controle remoto da TV tinha sido desenhado por algum cretino, as mudanças no horário nobre da NBC eram cretinas, a Liga Nacional de Beisebol estava tendo a cretinice de não aceitar a regra do rebatedor substituto, os Vikings tinham sido cretinos por permitir a saída de Brad Johnson e Jeff George, o moderador do segundo debate entre os candidatos a presidente era um cretino por não ter dito a Al Gore como ele era mentiroso, Minnesota era um estado cretino por fazer seus cidadãos trabalhadores pagar *o melhor* tratamento médico para os imigrantes ilegais mexicanos e os sujeitos que viviam da ajuda do governo por preguiça, *o melhor* tratamento médico possível —

"E sabe do que mais?", disse finalmente Connie.

"O quê?", perguntou Joey.

"Você nunca faz isso. Você é de fato mais inteligente que os outros, e por isso nunca precisa dizer que são uns cretinos."

Joey aceitou o elogio com algum constrangimento. Em primeiro lugar, tinha captado certo cheiro de rivalidade naquela comparação direta entre ele e Blake — a sensação perturbadora de não passar de um peão ou o prêmio em alguma disputa complicada entre mãe e filha. E embora fosse verdade que ele tinha deixado muito de seus juízos do lado de fora ao ir morar com a família Monaghan, já havia declarado antes que inúmeras coisas eram cretinas, especialmente sua mãe, que acabara se transformando para ele numa fonte de asneiras infinitas e insuportáveis. Agora Connie parecia sugerir que o que fazia as pessoas chamarem os outros de cretinos era sua própria cretinice.

Na verdade, o único aspecto em que sua mãe tinha sido realmente cretina fora em relação ao próprio Joey. É verdade que também soava como uma bela burrice dela, por exemplo, ter tamanho desrespeito por Tupac, cujas melhores músicas Joey considerava obra de gênio, além de qualquer discussão, ou detestar tanto o seriado *Um amor de família*, cuja própria cretinice era tão calculada e extrema que se tornava claramente brilhante. Mas ela jamais teria criticado *Um amor de família* se Joey não fizesse tanta questão de assistir a todas as reprises do seriado, e nunca teria se rebaixado a produzir suas constrangedoramente equivocadas caricaturas de Tupac se Joey não admirasse tanto o *rapper*. A verdadeira causa de toda a cretinice de Patty era o desejo de que Joey continuasse a ser seu amiguinho: continuasse a achar mais graça e encanto na mãe que nos bons programas de TV ou num autêntico gênio do *rap*. Era esse o cerne infectado de sua cretinice: era tudo uma *rivalidade*.

Finalmente, o desespero dele tinha chegado a tal ponto que ele conseguiu enfiar na cabeça dela que não queria mais ser amiguinho dela. Nem foi nada que tenha planejado, foi antes um subproduto de sua antiga irritação com o moralismo da irmã, a quem ele não podia imaginar melhor meio de deixar enfurecida do que convidar vários dos seus amigos para virem à sua casa e se embebedarem com Jim Bean enquanto os pais visitavam sua avó doente em Grand Rapids, e depois, na noite seguinte, trepar com Connie produzindo o máximo de barulho bem perto da parede que separava seu quarto do de Jessica, incitando assim Jessica a aumentar o volume de seu insuportável disco de Belle and Sebastian ao nível de pista de boate e em seguida, depois da meia-noite, esmurrar a porta trancada do seu quarto com seus nós dos dedos quase brancos —

"Droga, Joey! Pare com isso agora mesmo! Agora *mesmo*, está me entendendo?"

"Ei, calma, estou te fazendo um favor."

"O *quê*?"

"Você já não está cansada de não me entregar? Estou te fazendo um favor! Estou te dando a sua oportunidade!"

"Vou entregar você *agora*. Vou ligar para o papai *agora mesmo*."

"Pode ligar! Não ouviu o que eu disse? Falei que estava te fazendo um favor!"

"Seu *merdinha*. Seu merdinha metido. Vou ligar para o papai *agora mesmo* —", enquanto Connie, totalmente nua, muito vermelha nos lábios e mamilos, prendia a respiração e olhava para Joey com uma mistura de medo, espanto, empolgação, fidelidade e deleite que o convenceu, como nada antes convencera e poucas coisas convenceram depois, que qualquer regra de compostura ou lei moral importava para ela mil vezes menos do que ter sido escolhida por ele como namorada e parceira de crimes.

Ele não esperava que sua avó morresse naquela semana — não era nem tão velha assim. Jogando a merda no ventilador um dia antes da morte dela, ele cometera um erro extremo. O *tamanho* do erro ficou claro pelo fato de jamais terem dado um grito sequer com ele. Em Hibbing, no enterro, seus pais simplesmente o puseram no gelo. Precisou ficar à parte, às voltas com sua culpa, enquanto o resto da família compartilhava uma dor que ele devia estar sentindo com eles. Dorothy tinha sido a única avó da sua vida, e o deixara impressionado, quando ainda era muito pequeno, ao convidá-lo a pegar em sua mão inválida e ver que ainda assim era a mão de uma pessoa e que não devia meter-lhe medo. Depois disso ele nunca mais se opusera às gentilezas que seus pais lhe pediam para fazer quando ela vinha visitá-los. Ela era uma pessoa, talvez a única pessoa, com quem ele sempre tinha sido cem por cento bom. E agora, de repente, ela havia morrido.

O enterro de Dorothy foi seguido de algumas semanas de trégua da parte da sua mãe, algumas semanas de bem-vindo silêncio, mas aos poucos ela voltou a aproximar-se dele. Aproveitou o pretexto de sua franqueza em relação a Connie para ser por sua vez indevidamente franca com ele. Tentou transformá-lo no Entendedor de Plantão, o que era ainda pior do que ser seu amiguinho. Era tortuoso e irresistível. Começou com uma confidência: um belo dia ela sentou-se na beirada de sua cama e começou a contar a Joey como tinha sido perseguida, nos tempos de estudante, por uma mentirosa patológica viciada em drogas que ainda assim ela adorava e o pai dele detestava. "Eu precisava contar a alguém", disse ela, "e não queria contar ao seu pai. Fui buscar minha carteira nova de motorista ontem, e percebi que ela estava bem à minha frente na fila. Eu não a vejo desde a noite em que arrebentei o meu joelho. Faz o quê, vinte anos? Ela engordou muito, mas sem dúvida era ela. E eu fiquei com tanto medo depois de vê-la. E percebi que me sentia culpada."

"Medo de quê?", ele se surpreendeu dizendo, como se fosse a analista de Tony Soprano. "Culpada por quê?"

"Não sei. Saí correndo de lá antes que ela pudesse se virar e me ver. Ainda preciso voltar lá para buscar a carteira. Mas fiquei em pânico com a possibilidade de ela se virar e me ver. Em pânico com o que podia acontecer. Porque, você sabe, estou muito longe de ser lésbica. E você precisa acreditar que eu saberia se fosse — metade das minhas amigas eram gays. E eu sem dúvida não sou."

"Ainda bem", disse ele com um esgar nervoso.

"Mas eu percebi ontem, quando vi Eliza, que eu fui apaixonada por ela. E nunca fui capaz de lidar direito com isso. E agora que ela é gorda como quem toma lítio — "

"O que é lítio."

"Remédio para maníacos-depressivos. Doença bipolar."

"Ah."

"E seu pai a detestava a tal ponto que eu a abandonei completamente. Ela estava sofrendo, e eu nunca mais liguei para ela, e jogava fora as cartas dela sem abrir."

"Mas ela mentiu para você. Era uma pessoa assustadora."

"Eu sei, eu sei. Mas ainda assim me sinto culpada."

E ela lhe contou muitos outros segredos nos meses que se seguiram. Segredos que acabaram se revelando doces temperados com arsênico. Por algum tempo, ele achou que tinha *sorte* de ter uma mãe tão moderna e sincera. E respondeu revelando a ela várias perversões e pequenas contravenções de seus colegas de turma, tentando impressioná-la mostrando como seus pares eram muito mais dissipados e pervertidos que os jovens dos anos 70. E um belo dia, durante uma conversa sobre sexo forçado, pareceu a ela perfeitamente natural contar ao filho que ela própria tinha sido estuprada na adolescência, e que ele não podia contar nada daquilo a Jessica, porque Jessica não a entendia tanto quanto ele — ninguém a entendia como ele. Ele passara acordado as noites que se seguiram a essa conversa, sentindo uma fúria assassina pelo estuprador da mãe, e indignado com a injustiça do mundo, e culpado por todas as coisas negativas que já dissera ou sentira contra ela, e privilegiado e importante por ela lhe ter concedido acesso ao mundo dos segredos adultos. E então, um dia, ele acordou com um ódio tão violento por ela que sua pele ficava toda arrepiada e o estômago, revirado só de estar na mesma sala que ela. Foi como uma transformação química. Como se seus órgãos internos e sua medula vertessem arsênico.

O que o deixara desarmado na conversa telefônica daquela noite tinha sido como a mãe não lhe parecera nem um pouco cretina. E era essa, na verdade, a substância da queixa dela. Ela não dava a impressão de ser muito competente em matéria de administrar a própria vida, mas não porque fosse uma cretina. De algum modo, era quase o contrário. Tinha uma ideia tragicômica de si mesma e, além disso, parecia autenticamente arrependida por ser como era. No entanto, a resultante ainda era uma queixa em que ele era o acusado. Como se ela estivesse falando alguma língua aborígine muito sofisticada mas quase extinta que coubesse à geração mais nova (ou seja, a Joey) perpetuar ou deixar desaparecer de vez. Ou como se ela fosse uma das aves ameaçadas de extinção do pai dele, entoando seu canto obsoleto em meio à mata na esperança distante de que alguma alma passante afim a escutasse. Lá estava ela, e do outro lado o resto do mundo, e pela própria maneira que ela escolhia para falar com ele já o censurava por se alinhar com o resto do mundo. E quem poderia culpá-lo por preferir o mundo? Ele tinha sua vida para tentar viver! O problema é que quando era mais novo, em sua fraqueza, ele a tinha deixado ver que era de fato capaz de entender sua língua e reconhecer seu canto, e agora ela não conseguia parar de lembrá-lo que aquelas capacidades ainda persistiam dentro dele, caso quisesse voltar a exercê-las.

Quem quer que estivesse tomando um banho de chuveiro no banheiro do dormitório tinha parado e começara a se enxugar. A porta que dava para o corredor abriu e fechou, abriu e fechou; um cheiro mentolado de dentes sendo escovados emanava das pias e vinha encontrar Joey em seu cubículo. Seu choro o deixara de pau duro, que agora ele retirara de sua cueca e de suas calças e agarrava com toda a força. Se ele apertasse a base com bastante força, a cabeça ficava imensa e feíssima, e quase preta de tanto sangue venoso. Ele gostava tanto de olhar para ele, gostava tanto da sensação de proteção e independência trazida por sua beleza repulsiva, que relutou em provocar logo o fim e abrir mão daquela rigidez. Andar o dia todo de pau duro, claro, seria chato pra caralho, justamente. Como Blake tentava fazer. Joey não queria ser como Blake, sempre emproado, mas queria menos ainda ser o Entendedor de Plantão da sua mãe. Com dedos silenciosamente espásticos, olhando para sua ereção, ejaculou na privada e imediatamente deu a descarga.

No andar de cima, em seu quarto de canto, encontrou Jonathan lendo John Stuart Mill e assistindo à nona rodada de um jogo das finais nacionais de beisebol. "Está me acontecendo uma coisa muito difícil", disse Jonathan. "Estou começando a querer torcer pelos Yankees."

Joey, que nunca via beisebol sozinho, mas podia ser convencido a ver com outros, sentou-se em sua cama enquanto Randy Johnson arremessava foguetes para um jogador dos Yankees de olhos derrotados. O placar marcava quatro a zero. "Ainda podem virar", disse ele.

"De jeito nenhum", disse Jonathan. "E eu sinto muito, mas desde quando um time que entrou na Liga só há quatro anos vai disputar as finais? Ainda estou tentando me convencer de que existe um time de beisebol no Arizona."

"Finalmente você está vendo a luz da razão."

"Não me entenda errado. Ainda não existe nada melhor que uma derrota dos Yankees, de preferência por um ponto de diferença, de preferência numa bola mal passada por Jorge Posada, a maravilha sem queixo. Mas justamente neste ano você fica com certa vontade de ver o time de Nova York vencer no fim das contas. É um sacrifício patriótico do país inteiro em favor de Nova York."

"Pois eu torço para eles ganharem todo ano", disse Joey, embora não tivesse ligação forte com nenhum time.

"É, e de onde saiu essa? Você não devia torcer pelos Twins?"

"Acho que é principalmente porque meus pais odeiam os Yankees. Meu pai torce pelos Twins *porque* eles têm uma folha de pagamento bem pequena, e naturalmente os Yankees são o inimigo em matéria de salários dos jogadores. E minha mãe é maníaca contra tudo que vem de Nova York."

Jonathan lhe lançou um olhar interessado. Até aquele dia, Joey tinha revelado muito pouco sobre os pais, só o suficiente para evitar a impressão de que mantinha um sigilo irritante a respeito deles. "Por que ela odeia Nova York?"

"Não sei. Talvez porque ela tenha vindo de lá."

Na TV de Jonathan, Derek Jeter foi eliminado quando tentava chegar à segunda base, e o jogo acabou.

"Uma mistura muito complexa de emoções", disse Jonathan, desligando a TV.

"Sabia que eu nem conheço os meus avós?", disse Joey. "Minha mãe é muito esquisita em relação a eles. Durante toda a minha infância, eles só vieram nos visitar uma vez, por mais ou menos quarenta e oito horas. E o tempo todo minha mãe ficou completamente neurótica e representando. Fomos visitar os dois uma outra vez, quando passamos férias em Nova York, e também foi horrível. Eles me mandavam cartões de aniversário com três semanas de atraso, e aí minha mãe *xingava* os dois das piores coisas por causa disso, apesar de não ser exatamente culpa deles. Afinal, como é que iam se lembrar do aniversário de uma pessoa que nunca conseguem ver?"

Jonathan estava franzindo a testa, concentrado. "Onde em Nova York?"

"Não sei. Em algum subúrbio. Minha avó está na política, e acho que é deputada estadual. É uma senhora judia fina e elegante com quem a minha mãe não suporta nem ficar na mesma sala."

"O quê? O que você disse?", disse Jonathan sentando-se reto na cama. "Sua mãe é judia?"

"Acho que teoricamente sim."

273

"Cara, você é judeu! E eu não tinha a menor ideia!"

"Mas só, deixe eu ver, um quarto", disse Joey. "É uma coisa bem diluída."

"Mas você pode imigrar para Israel agora mesmo, se quiser, e não lhe perguntam nada."

"O sonho de toda a minha vida."

"Só estou dizendo. Você pode andar armado com uma Desert Eagle, ou pilotar um desses jatos de combate, e sair com uma autêntica sabra."

Para ilustrar o que estava dizendo, Jonathan abriu seu laptop e entrou até num site especializado em fotos de deusas israelenses bronzeadas com cinturões de munição cruzados diante de seus seios imensos e nus.

"Não fazem meu tipo", disse Joey.

"Eu também não curto," disse Jonathan, com uma honestidade talvez apenas parcial. "Só estou dizendo que podia ser bom se você *curtisse* esse tipo de coisa."

"E por outro lado, também não existe um problema de ocupação ilegal de terras e abuso dos direitos dos palestinos?"

"Existe! O problema é ser uma ilha de democracia e de governo pró--ocidental cercada de muçulmanos fanáticos e ditaduras hostis."

"É, mas isso só quer dizer que escolheram muito mal o lugar para pôr a ilha", disse Joey. "Se os judeus não tivessem ido para o Oriente Médio, e se não tivéssemos de ficar sustentando o Estado deles, talvez os países árabes não fossem tão hostis conosco."

"Cara. Você já ouviu falar do Holocausto?"

"Eu sei. Mas por que eles não foram para Nova York, por exemplo? Os americanos deixavam todo mundo entrar. Podiam construir suas sinagogas, e assim por diante, e podíamos manter uma relação normal com os árabes."

"Mas o Holocausto aconteceu na Europa, que era supostamente um lugar civilizado. Quando um povo perde metade da população mundial num genocídio, não confia em ninguém para cuidar da sua segurança."

Joey tinha uma consciência incômoda de que estava defendendo posições que eram mais dos seus pais do que dele mesmo, e que assim ia perder uma discussão que nem fazia muita questão de ganhar. "Está certo", persistiu ele ainda assim, "mas por que o problema precisa ser *nosso*?"

"Porque cabe a nós proteger a democracia e o livre mercado onde eles existirem", disse Jonathan. "É o problema da Arábia Saudita — um excesso de gente raivosa sem a menor perspectiva econômica. Por isso Bin Laden pode recrutar tanta gente lá. Concordo totalmente com você em relação aos palestinos. Só o que fizeram foi inventar um gigantesco criadouro de terroristas. É por isso que precisamos tentar levar a liberdade para todos os países árabes. Mas não podemos começar abandonando a única democracia de toda a região."

Joey admirava Jonathan não só pela calma, mas por ter a confiança de não precisar fingir que era burro para se manter tranquilo. Conseguia a difícil proeza de ser inteligente sem perder a calma. "Bom", disse Joey, para mudar de assunto, "ainda estou convidado para o Dia de Ação de Graças?"

"Convidado? Agora está duplamente convidado! Minha família não é do tipo de família judaica que detesta judeus. Meus pais gostam de judeus. Vão estender o tapete vermelho para você."

Na tarde seguinte, sozinho no quarto deles, e oprimido por ainda não ter feito a ligação prometida para dizer a Connie que fosse a um médico, Joey se viu abrindo de repente o computador de Jonathan e procurando fotos de sua irmã, Jenna. Não considerava invasão ir direto para as fotos de família que Jonathan de qualquer maneira já tinha mostrado. A empolgação do companheiro de quarto com a sua condição de judeu parecia um presságio de uma recepção igualmente calorosa da parte de Jenna, e ele copiou as duas fotos mais atraentes dela no disco rígido do seu próprio computador, alterando a extensão dos arquivos para torná-los impossíveis de achar por qualquer pessoa que não fosse ele, de modo a poder imaginar alguma alternativa concreta a Connie antes de lhe dar o temido telefonema.

Em matéria de mulheres, a faculdade até agora não tinha sido muito satisfatória. Comparadas a Connie, as meninas realmente atraentes que ele tinha conhecido na Virgínia pareciam todas cobertas de Teflon, envoltas numa nuvem de suspeita quanto às motivações de Joey. Até as mais bonitinhas usavam maquiagem em excesso e roupas formais demais, e se vestiam para os jogos dos Cavaliers como se estivessem indo ao Kentucky Derby. É verdade que algumas das garotas do segundo escalão, nas festas em que beberam demais, lhe tinham dado a entender que ele era um rapaz para quem estariam disponíveis. Mas por algum motivo, fosse por ser um banana, por odiar ter que gritar mais alto que a música, por ter uma opinião excessivamente favorável de si mesmo ou por ser incapaz de ignorar o quanto o excesso de álcool deixava as garotas burras e irritantes, ele tomara desde cedo uma posição rigorosa contra essas festas e contra ficar com essas meninas, e decidiu que preferia de longe andar com os outros rapazes.

Ficou sentado segurando o telefone por muito tempo, meia hora, talvez, enquanto o céu nas janelas ia se acinzentando e começava a chover. Esperou tanto tempo, e num tamanho estupor de relutância, que foi quase o disparo de um arqueiro Zen quando seu dedo polegar, por conta própria, pressionou o código de discagem rápida correspondente ao número de Connie, e o som do telefone tocando o fez entrar em ação.

"Ei!", atendeu ela com sua voz habitual e animada, uma voz de que vinha sentindo falta, percebeu ele. "Onde é que você está?"

"No meu quarto."

"E como está aí?"

"Não sei. O céu está meio encoberto."

"Meu Deus, estava *nevando* aqui mais cedo. Já chegou o inverno."

"Sei, escute", disse ele. "Você está bem?"

"Eu?"

Ela parecia surpresa pela pergunta. "Estou. Com saudade de você cada minuto do dia, mas com isso já estou ficando acostumada."

"Desculpe ter passado tanto tempo sem ligar."

"Tudo bem, eu adoro conversar com você, mas entendo que você precisa de disciplina. Estava agora mesmo preenchendo os papéis para pedir uma vaga em Inver Hills. E também me inscrevi para fazer o exame SAT em dezembro, como você sugeriu."

"Eu sugeri?"

"Se eu vou para uma escola de verdade no outono, como você disse, preciso fazer o SAT primeiro. Comprei um livro que ensina a estudar para o exame. E vou estudar três horas por dia."

"Quer dizer que você está realmente bem."

"Estou! E você?"

Joey se esforçou para conciliar o relato de Carol sobre Connie com o tom lúcido e composto que ele ouvia ao telefone. "Conversei com sua mãe ontem à noite", disse ele.

"Eu sei. Ela me disse."

"E ela está grávida?"

"Pois é, uma verdadeira bênção na vida de todos nós. Acho que vão ser gêmeos."

"É mesmo? Por quê?"

"Não sei. É a minha intuição. Que de algum modo vai ser especialmente horrível."

"Toda a nossa conversa foi bem estranha."

"Agora eu falei com ela", disse Connie. "E ela não vai mais ligar para você. Se ligar, me conte que eu mando parar de novo."

"Ela disse que você estava muito deprimida", contou Joey.

O que provocou um súbito silêncio, do gênero buraco negro total, como só Connie sabia fazer.

"Ela disse que você passava os dias dormindo e que não comia direito", disse Joey. "Estava muito preocupada com você."

Depois de outro silêncio, Connie disse, "Eu fiquei um pouco deprimida algum tempo. Mas Carol não tinha nada a ver com isso. E agora eu estou melhor".

"Mas quem sabe não é melhor você tomar um antidepressivo, ou coisa assim?"

"Não. Estou me sentindo muito melhor."

"Bom, ótima notícia", disse Joey, embora sentisse que alguma coisa não ia nada bem — que uma fraqueza mórbida e um excesso de apego da parte dela podiam fornecer-lhe uma rota de fuga viável.

"E você, tem dormido com outras pessoas?", perguntou Connie. "Achei que podia ser por isso que estava ligando."

"Não! Não. De maneira nenhuma."

"Por mim não tem problema. Já no mês passado eu pensei em dizer isso. Você é um homem, tem as suas necessidades. Não quero que vire um monge. Se for só sexo, qual é o problema?"

"O mesmo também vale para você", disse ele com gratidão, sentindo que havia ali outra possível rota de fuga.

"Só que no meu caso não tem como acontecer", disse Connie. "Ninguém mais me enxerga como você. Sou invisível para os homens."

"Nisso eu não posso acreditar."

"Não, é verdade. Às vezes eu tento ser simpática, ou até dar um pouco de bola para alguém no restaurante. Mas parece mesmo que sou invisível. E na verdade eu nem ligo. Só quero você mesmo. E acho que as pessoas sentem isso."

"Eu quero você também", ele se pegou a murmurar, contrariando certas normas de segurança que tinha fixado para si mesmo.

"Eu sei", disse ela. "Mas os homens são diferentes, só isso. Pode ficar à vontade."

"Na verdade ando é me masturbando muito."

"É, eu também. Por horas e horas. Às vezes é a única coisa que me dá vontade de fazer o dia inteiro. Deve ser por isso que Carol acha que estou deprimida."

"Mas talvez você esteja *mesmo* deprimida."

"Não, é só que eu gosto de gozar muitas vezes. Penso em você, e gozo. Penso de novo em você, e aí gozo de novo. É só isso."

Muito rapidamente a conversa se desdobrou em sexo telefônico, que eles não praticavam desde os primeiros dias, quando se esgueiravam pelos cantos e sussurravam nos telefones dos respectivos quartos. E de lá para cá tinha ficado muito mais interessante, porque tinham aprendido o que dizer um para o outro. Ao mesmo tempo, era como se nunca tivessem transado — o que era verdadeiramente cataclísmico.

"Eu queria poder limpar os seus dedos com a língua", disse Connie quando acabaram.

"Estou lambendo por você", disse Joey.

"Muito bem. Lambe por mim. O gosto está bom?"

"Está."

"Juro que estou sentindo na minha boca."

"E eu também estou sentindo o seu gosto."

"Ah, cara."

O que levou imediatamente a mais sexo por telefone, numa versão mais nervosa, porque as aulas da tarde de Jonathan estavam acabando e ele podia voltar logo.

"Cara", disse Connie. "Ah, cara. Cara, cara, cara."

Joey, quando chegou novamente ao clímax, teve a impressão de que estava com Connie no quarto dela na Barrier Street, ele de costas arqueadas ela de costas arqueadas, o peito chato dele os peitos pequenos dela. Ficaram respirando em uníssono nos seus celulares. Ele estava enganado, na noite anterior, quando tinha dito a Carol que ela, e não ele, era responsável pelo modo como

Connie era. Sentia agora, no corpo, como cada um dos dois tinha transformado o outro no que era.

"Sua mãe quer que eu vá passar o Dia de Ação de Graças aí com vocês", disse ele depois de algum tempo.

"Não precisa vir", disse ela. "Nosso acordo é que íamos tentar ficar nove meses sem nos ver."

"Bem, mas ela meio que me encheu o saco para ir."

"Ela é assim mesmo. Um pé no saco. Mas agora eu falei com ela, e ela não vai mais telefonar."

"Quer dizer que você não se incomoda?"

"Você sabe o que eu quero. O Dia de Ação de Graças não tem nada a ver com isso."

Ele estava esperando, por razões paradoxalmente opostas, que Connie fosse dizer o mesmo que Carol, e insistir que ele fosse passar o feriado com elas. Estava louco, por um lado, para estar com ela e dormir com ela, e, por outro, para encontrar algum defeito nela, de maneira a ter alguma coisa a que resistir e com que romper. E o que ela estava fazendo, em vez disso, com sua lucidez tranquila, era reajustar um anzol de que por algum tempo, nas últimas semanas, ele tinha conseguido se livrar. Prendendo-o mais fundo do que nunca.

"É melhor eu desligar", disse ele. "Jonathan está chegando da faculdade."

"Está bem", disse Connie, e o liberou.

A conversa entre eles tinha sido tão loucamente diferente de suas expectativas que ele nem mesmo lembrava mais o que estava esperando antes. Tinha levantado de sua cama como se emergisse de um buraco de minhoca aberto na trama da realidade, o coração batendo com força, a visão alterada, e ficou andando de um lado para o outro pelo quarto acompanhado pelo olhar coletivo de Tupac e Natalie Portman. Sempre tinha gostado muito de Connie. Sempre. E então por que agora, no mais inoportuno dos momentos, ele se sentia arrastado, como se pela primeira vez, por essa correnteza titânica de *gostar dela de verdade*? Como podia acontecer que, depois de anos de sexo com ela, anos de sentir ternura por ela e vontade de protegê-la, ele só agora estivesse sendo sugado por essas águas mais pesadas do afeto? Sentindo-se ligado a ela dessa maneira assustadoramente consequente? Por que agora?

Estava errado, estava errado, ele sabia que estava errado. Sentou-se em frente ao computador para ver as fotos da irmã de Jonathan e tentar restabelecer alguma ordem. Por sorte, antes que conseguisse trocar as extensões dos arquivos de volta para JPG e ser pego em flagrante delito, Jonathan entrou no quarto.

"Meu camarada, meu irmão judeu", disse ele, caindo na cama como a vítima de uma bala. "E aí?"

"E aí", disse Joey, fechando depressa a janela aberta no monitor.

"Epa, estou sentindo *um certo* cheiro de cloro no ar? Você foi nadar na piscina, ou coisa assim?"

Joey, naquele instante, quase contou tudo para o colega de quarto, toda a história entre ele e Connie até o presente momento. Mas o mundo de sonho onde estava até então, o submundo da mescla das identidades sexuais, desaparecia depressa em face da presença masculina de Jonathan.

"Não sei do que você está falando", ele disse com um sorriso.

"Abra um pouco uma das janelas, pelo amor de Deus. Quer dizer, você me agrada e tudo o mais, mas ainda não estou disposto a transar contigo."

Levando a sério a queixa de Jonathan, Joey abriu as janelas. Tornou a ligar para Connie no dia seguinte, e de novo dois dias depois. Esqueceu-se rapidamente dos seus argumentos contra os telefonemas frequentes e se entregou satisfeito ao sexo telefônico como substituto para sua masturbação solitária na biblioteca de ciências, que agora lhe parecia uma triste aberração, de lembrança embaraçosa. Conseguiu convencer-se de que, enquanto evitassem a conversa mole e a troca de notícias, e só falassem de sexo, não havia problema em manter aquela exceção ao embargo estrito de excesso de contato. Enquanto continuavam a alargar a exceção, porém, outubro se transformou em novembro, os dias cinzentos foram encurtando e ele percebeu que ouvir Connie afinal dar nome às coisas que tinham feito e às coisas que imaginava fazer com ele no futuro só tornava o contato entre eles *mais profundo e mais real*. E esse aprofundamento era um tanto estranho, porque só estavam estimulando a masturbação um do outro. Mas retrospectivamente lhe parecia que, em St. Paul, o silêncio de Connie formara uma espécie de barreira de proteção: conferira à sua atividade sexual o que um político poderia chamar de negabilidade. Descobrir agora que o sexo vinha sendo plenamente registrado nela como linguagem — como palavras que ela conseguia dizer em voz alta — a tornava muito mais real para ele como pessoa. Os dois agora não podiam mais fingir que eram só dois jovens animais mudos fazendo o que faziam de maneira irrefletida. As palavras tornavam tudo menos seguro, as palavras não tinham limite, as palavras criavam um mundo próprio. Certa tarde, da maneira que Connie descreveu, seu clitóris excitado chegou a vinte centímetros de comprimento, um proeminente lápis de ternura com que ela separou com cuidado os lábios do pênis de Joey e penetrou até a base do seu membro. Num outro dia, a pedido dela, Joey lhe descreveu a superfície quente e lisa de cada cocô que deixava o ânus dela e caía em sua boca aberta, onde, como eram apenas palavras, tinham o sabor do melhor chocolate amargo. Enquanto as palavras dela soassem em seu ouvido, estimulando-o a ir em frente, ele não tinha vergonha de nada. Voltava àquele buraco de minhoca quatro ou até cinco vezes por semana, desaparecendo no mundo que os dois criaram, e mais adiante reemergia, fechava as janelas e saía para o refeitório ou para o salão do dormitório, desincumbindo-se sem dificuldade da afabilidade rasa que a vida de estudante exigia dele.

Era, como Connie tinha dito, só sexo. A permissão que ela lhe dera de desenvolver a atividade em outras frentes estava bem presente no espírito de Joey enquanto ele viajava com Jonathan até NoVa para o Dia de Ação de Graças. Estavam no Land Cruiser de Jonathan, que ele ganhara como presente de formatura no curso secundário e agora deixava estacionado do lado de fora do *campus* em desafio declarado à regra que não permitia que os primeiranistas tivessem carro. Era impressão de Joey, a partir do que vira em filmes e livros, que muita coisa podia acontecer depressa quando os estudantes deixavam a faculdade para o Dia de Ação de Graças. Durante todo o outono, ele tomara o cuidado de não perguntar nada a Jonathan sobre a irmã, Jenna, imaginando que não teria nada a ganhar despertando prematuramente as suspeitas do colega de quarto. Mas, assim que ele tocou no nome de Jenna a bordo do Land Cruiser, viu que todo seu cuidado não lhe valera de nada. Jonathan lhe lançou um olhar compreensivo e disse, "Ela namora sério".

"Sem dúvida."

"Ou, não, desculpe, defini mal. Devia dizer que *ela* leva muito a sério um namorado que na verdade é ridículo e um imbecil de marca maior. Não vou insultar a minha própria inteligência perguntando por que você quer saber dela."

"Só estava sendo delicado", disse Joey.

"Rá rá. Foi interessante, quando ela finalmente saiu de casa e foi para a faculdade. Descobri quais amigos meus eram realmente meus amigos e quais só estavam interessados em poder entrar quando ela estava em casa. Que eram mais ou menos uns cinquenta por cento."

"Eu tive o mesmo problema, mas não com a minha irmã", disse Joey, sorrindo ao pensar em Jessica. "No meu caso, era uma mesa de totó, outra de hóquei e um barril de cerveja." E continuou, inspirado pela liberdade de estarem viajando, a divulgar para Jonathan as circunstâncias dos seus dois últimos anos de escola secundária. Jonathan escutava com a devida atenção, mas parecia interessado só numa parte da história, a parte em que Joey morava na casa de sua namorada.

"E onde essa pessoa está agora?", perguntou ele.

"Em St. Paul. Ainda não saiu de casa."

"Está de sacanagem!", disse Jonathan, muito impressionado. "Mas espere um pouco. A garota que Casey viu entrando no seu quarto no Yom Kippur — não era *ela*, ou era?"

"Na verdade, era", disse Joey. "Nós terminamos, mas nessa época tivemos uma recaída."

"Seu mentiroso de merda! Você me disse que era só uma história passageira"

"Não. Eu só disse que não queria falar a respeito."

"Mas você *me levou a acreditar* que era só uma menina com quem estava ficando. Não posso acreditar que você a trouxe para cá quando eu saí de viagem."

"Como eu disse, foi só uma recaída rápida. Agora estamos separados."

"É mesmo? E vocês não conversam pelo telefone?"

"Só um pouco. Ela anda muito deprimida."

"Estou impressionado de ver como você é um mentiroso calculista."

"Eu não minto", disse Joey.

"Disse o mentiroso. Você tem alguma foto dela no seu computador?"

"Não", mentiu Joey.

"Joey, o garanhão em segredo", disse Jonathan. "Joey, o fujão. Puta merda. Agora estou entendendo você melhor."

"Está certo, mas ainda sou judeu, e você ainda precisa gostar de mim."

"Eu não disse que não gostava de você. Só disse que estava entendendo você melhor. Estou cagando para a sua namorada — não vou dizer nada para Jenna. Só vou dizer desde já que você não vai achar a chave do coração dela."

"Que é o quê?"

"Um emprego na Goldman Sachs. Que é onde o namorado dela trabalha. E ele diz que o projeto dele é ganhar mais de cem milhões de dólares antes dos trinta anos."

"Ele vai estar na casa dos seus pais?"

"Não, está em Cingapura. Acabou de se formar o ano passado, e já mandaram o sujeito para a porra de Cingapura para fechar negócios de centenas de bilhões de dólares, ou coisa parecida. Ela também vai estar em casa solitária."

O pai de Jonathan era fundador e presidente emérito de um instituto de pesquisas dedicado à defesa do exercício unilateral da supremacia militar americana para tornar o mundo mais livre e mais seguro, especialmente para os Estados Unidos e Israel. Quase não tinha havido uma semana, em outubro e novembro, sem que Jonathan não mostrasse a Joey um editorial do *Times* ou do *Journal* em que seu pai se estendesse sobre a ameaça do Islã radical. Também o viram aparecer no programa *NewsHour* e na Fox News. Ele tinha uma boca cheia de dentes excepcionalmente brancos que exibia sempre que começava a falar, e parecia mais velho, quase o suficiente para ser avô de Jonathan. Além de Jonathan e Jenna, tinha três filhos muito mais velhos de casamentos anteriores, além de duas ex-mulheres.

A casa onde morava com a terceira esposa ficava em McLean, Virgínia, num beco sem saída cercado de florestas que parecia uma visão do lugar onde Joey queria ir morar assim que ficasse rico. Dentro da casa, cujo piso era de tábuas do melhor carvalho, parecia haver uma infinidade de aposentos que davam para uma ravina de mata em que pica-paus passavam voando em velocidade em meio às árvores quase sem folhas. Apesar de ter crescido numa casa que considerava cheia de livros e de bom gosto, Joey ficou aturdido com a quantidade de volumes encadernados e pela qualidade obviamente ímpar do verdadeiro butim que o pai de Jonathan tinha acumulado em períodos distintos de residência no exterior. Tanto quanto Jonathan ficara surpreso ao saber das aventuras de Joey na escola secundária, Joey agora se surpreendia ao ver o quanto seu bagunceiro e um tanto grosseiro companheiro de quarto tinha crescido em meio ao luxo da classe alta. A única nota destoante eram os muito adornados objetos de culto judaico, todos de brilho um tanto excessivo, distri-

283

buídos por vários cantos e nichos da sala. Vendo Joey franzir a testa diante de uma menorá banhada em prata e especialmente monstruosa, Jonathan lhe assegurou que era antiquíssima, rara e valiosa.

A mãe de Jonathan, Tamara, que claramente tinha sido uma gata no passado, e ainda jogava um bolão, mostrou a Joey o quarto e o banheiro luxuosos que seriam de uso exclusivo dele. "Jonathan me disse que você é judeu", disse ela.

"É, parece que eu sou", confirmou Joey.

"Mas não praticante?"

"Nem mesmo consciente do fato, pelo menos até um mês atrás."

Tamara balançou a cabeça. "Não consigo entender", disse ela. "Sei que é muito comum, mas nunca vou conseguir entender."

"Mas eu também não era cristão, nem mais nada", disse Joey à guisa de desculpa. "Tudo isso fazia parte de uma questão que nem existia."

"Bem, mas você é muito bem-vindo à nossa casa. Acho que vai achar interessante aprender alguma coisa sobre a sua herança. Vai ver que Howard e eu não somos especialmente conservadores. Só achamos importante ter consciência da condição judaica e lembrar-nos sempre dela."

"Eles vão enquadrar você, nem que seja à força", disse Jonathan.

"Não se preocupe, usamos a força com muita gentileza", disse Tamara com um sorriso de CPC.

"Ótimo", respondeu Joey. "Eu estou disposto a tudo."

Assim que puderam, os dois rapazes se refugiaram na sala de jogos do porão, cujas instalações deixavam no chinelo inclusive as do grande salão de Blake e Carol. Era praticamente possível jogar tênis na extensão azul da mesa de sinuca inglesa de mogno. Jonathan ensinou a Joey um jogo complexo, interminável e especialmente frustrante chamado Cowboy Pool, que precisava ser jogado numa mesa que não tivesse um mecanismo de coleta central das bolas encaçapadas. Joey estava a ponto de sugerir que trocassem por hóquei de mesa, que jogava com uma habilidade fulminante, quando a irmã, Jenna, apareceu no porão. Mal tomou conhecimento de Joey, do alto de sua maturidade de mulher dois anos mais velha, e começou a conversar sobre questões urgentes de família com o irmão.

Joey entendeu de repente, como nunca antes, o que as pessoas queriam dizer quando usavam a expressão "de tirar o fôlego". Jenna tinha o tipo de beleza perturbadora que relegava tudo à sua volta, inclusive as funções orgânicas essenciais de quem a observava, a uma condição mais que secundária. Seu corpo, sua pele e sua estrutura óssea faziam os traços que ele antes admirara em tantas meninas "bonitas" parecerem aproximações precárias da beleza; mesmo as fotografias não lhe faziam justiça. Seus cabelos eram fartos, brilhantes e de um louro claro e arruivado, e ela usava um casaco de moletom grande demais da Universidade Duke e calças de pijama de flanela, que, longe de esconderem a perfeição do seu corpo, demonstravam seu poder de superar a mais larga das calças. Tudo mais em que Joey punha os olhos na sala de jogos só se destacava por não ser ela — era tudo a mesma bobajada de segunda classe. E ainda assim, quando ele arriscava um olhar para ela, seu cérebro ficava perturbado demais para registrar alguma coisa. Era estranhamente cansativo. Parecia não existir maneira alguma de arrumar os traços do seu rosto que não ficasse falsa ou envergonhada. Percebeu dolorosamente que estava sorrindo como um estúpido para o chão, enquanto ela e seu espantosamente indiferente irmão implicavam um com o outro sobre a expedição de compras a Nova York que planejavam fazer na sexta-feira.

"Você não pode deixar o conversível para nós", disse Jonathan. "Joey e eu vamos parecer um casal gay naquela coisa."

O único defeito evidente de Jenna era a voz, aguda e infantil. "Sei", disse ela. "Um casal gay com as calças caindo até o meio da bunda."

"Só não entendo por que você não pode ir com o conversível para Nova York", disse Jonathan. "Você foi outras vezes."

"Porque mamãe está dizendo que eu não posso. Não num fim de semana de feriado. O Land Cruiser é mais seguro. Eu trago de volta no domingo."

"Está brincando? O Land Cruiser capota por qualquer besteira. Não existe carro menos seguro."

"Bom, se você quiser pode discutir com a mamãe. Diga a ela que o carro que você ganhou de formatura não é seguro e capota por qualquer besteira, e que por isso não posso ir nele para Nova York."

"Ei", Jonathan se virou para Joey. "Quer ir passar o fim de semana em Nova York?"

"Claro!", respondeu Joey.

"Fique com o conversível", disse Jenna. "Ele não vai dar nenhum problema nesses três dias."

"Não, achei a ideia ótima", disse Jonathan. "Podemos ir todos para Nova

York no Land Cruiser fazer compras. Você pode me ajudar a encontrar umas calças que considere dentro dos seus padrões."

"Os motivos para nem pensarmos no assunto?", perguntou Jenna. "Primeiro, você nem tem onde ficar."

"Por que não podemos ficar com você na casa de Nick? Ele não está em Cingapura, ou coisa assim?"

"Nick não vai querer um bando de rapazes mais novos no apartamento dele. E ainda por cima pode ser que ele volte na noite de sábado."

"Dois não são um bando. Somos só eu e meu companheiro de quarto de Minnesota, um sujeito incrivelmente organizado."

"Sou muito organizado", garantiu-lhe Joey.

"Sem a menor dúvida", disse ela com interesse zero, do alto de sua idade. A presença de Joey, ainda assim, parecia complicar sua resistência — não podia ser tão taxativa com um desconhecido como era com o irmão. "Está bem, estou me lixando", disse ela. "Vou perguntar a Nick. Mas se ele disser que não, vocês não vêm."

Assim que ela subiu as escadas, Jonathan apresentou a palma da mão para que Joey lhe desse um cumprimento. "Nova York! Nova York!", disse ele, "Aposto que podemos ficar com a família de Casey se Nick for tão babaca como sempre. Eles moram em algum lugar do Upper East Side."

Joey ainda estava em choque com a beleza de Jenna. Caminhou até o lugar que ela havia ocupado, que cheirava ligeiramente a patchuli. Que ele conseguisse passar um fim de semana inteiro perto dela, devido apenas à sorte de ser companheiro de quarto de Jonathan, parecia-lhe uma espécie de milagre.

"Você também, já estou vendo", disse Jonathan, balançando tristemente a cabeça. "A história se repete."

Joey sentiu que corava. "O que eu não entendo é como você saiu tão feio."

"Ah, sabe o que dizem dos pais mais velhos. Meu pai tinha cinquenta e um anos quando eu nasci. Dois anos cruciais de degradação genética. Nem todos os rapazes são bonitões como você."

"Não sabia que você se interessava."

"Que interesse? Só vejo beleza nas garotas, onde ela precisa existir."

"Vá se foder, playboy."

"Bonitão, bonitão."

"Vá tomar no cu. Agora vou foder com você num jogo de hóquei de mesa."

"Contanto que só queira no jogo."

Apesar da ameaça de Tamara, felizmente houve muito pouca instrução religiosa, ou qualquer tipo de interação invasiva com os pais durante a estada de Joey em McLean. Ele e Jonathan se instalaram no *home theater* do porão, que tinha poltronas reclináveis e uma tela de projeção de dois metros e meio, e ficaram acordados até as quatro da manhã vendo péssimos programas de TV e lançando dúvidas sobre a heterossexualidade um do outro. Quando os dois acordaram no Dia de Ação de Graças, multidões de parentes estavam chegando à casa. Como Jonathan era obrigado a conversar com eles, Joey se viu flutuando pelos lindos aposentos da casa como uma molécula de hélio, dedicando-se a procurar linhas de visada pelas quais Jenna pudesse passar, ou melhor, em que pudesse pousar. A excursão do dia seguinte a Nova York, que seu namorado surpreendentemente autorizara, era como dinheiro no banco: ele teria, no mínimo, duas longas viagens de carro para tentar impressioná-la. Por enquanto, tudo que queria era acostumar seus olhos com ela, fazer dela algo menos impossível. Ela usava um vestido decoroso de gola alta, um vestido *simpático*, e ou era muito habilidosa na aplicação dos cosméticos ou simplesmente quase não usava maquiagem. Ele atentou para as boas maneiras que ela exibia, manifestas em sua paciência com tios calvos e tias plastificadas que pareciam ter muito a lhe dizer.

Antes de o jantar ser servido, ele escapou até seu quarto e ligou para St. Paul. Ligar para Connie estava fora de questão no estado em que se encontrava; a vergonha por suas conversas indecentes, curiosamente ausente ao longo de todo o outono, agora se manifestava. Já seus pais eram outra questão, mesmo que só pelos cheques de sua mãe que vinha descontando.

Foi seu pai quem atendeu o telefone em St. Paul e conversou com ele por mais de dois minutos antes de passar a ligação para sua mãe, o que Joey entendeu como uma espécie de traição. Na verdade ele respeitava muito o pai — pela constância de suas censuras; pelo rigor dos seus princípios — e podia respeitar ainda mais se seu pai não tratasse sua mãe com tanta deferência: algum apoio masculino podia ser produtivo para Joey, mas em vez disso seu pai sempre o entregava para a sua mãe, e lavava as mãos diante do que acontecesse entre os dois.

"Olá", disse ela com um afeto que o deixou arrepiado. Na mesma hora decidiu tratá-la mal, mas, como acontecia com tanta frequência, ela contrariou sua expectativa com seu senso de humor e sua risada cascateante. Dali a pouco, ele tinha descrito tudo em McLean para ela, menos Jenna.

"Uma casa cheia de judeus!", disse ela. "Que interessante para você."

"Você é judia", disse ele. "E por isso eu também sou judeu. E Jessica também, e os filhos dela, se ela tiver."

"Não, só se você for na conversa deles", disse sua mãe. Depois de três meses morando na Costa Leste, Joey conseguia perceber que a mãe tinha um ligeiro sotaque de Minnesota. "É o seguinte", disse ela, "acho que em matéria de religião cada um só é o que diz que é. Ninguém mais pode dizer pela pessoa."

"Mas você não tem religião *nenhuma*."

"Exato. Foi uma das poucas coisas em que meus pais e eu concordamos, benditos sejam. Que a religião é uma estupidez. Embora minha irmã atualmente discorde de mim, o que significa que continuamos a discordar a respeito de absolutamente tudo."

"Qual irmã?"

"Sua tia Abigail. Parece que ela anda estudando profundamente a Cabala, e redescobrindo as raízes judaicas, sejam lá quais forem. E como eu sei disso? Porque recebemos uma *corrente* dela, na verdade um e-mail, sobre a Cabala. Achei de muito mau gosto, e devolvi o e-mail para ela, pedindo que por favor não me mandasse mais nenhuma corrente, e ela me respondeu com um e-mail sobre a Jornada Espiritual."

"Eu nem sei o que é a Cabala", disse Joe.

"Ah, ela vai ter o maior prazer em lhe contar em detalhe, se um dia você quiser entrar em contato com ela. É uma coisa muito Importante e Mística — e acho que a Madonna também anda metida nisso, o que já deve ser informação suficiente."

"Madonna é judia?"

"É, Joey, daí o nome dela." A mãe riu dele.

"Bom, de qualquer maneira", disse ele, "estou tentando encarar a ideia com a mente aberta. Não queria rejeitar uma coisa sobre a qual ainda nem sei direito o que eu penso."

"Muito bem. E quem sabe? Pode até ajudar você em alguma coisa."

"Pode", confirmou ele em tom frio.

Na mesa compridíssima do jantar, instalaram-no do mesmo lado que Jenna, o que o poupou da visão de sua beleza e permitiu que se concentrasse em conversar com um dos tios calvos, que supôs que ele fosse judeu e o regalou com o relato de sua recente viagem de férias-traço-negócios a Israel. Joey fez de conta que já tinha ouvido falar e que ficava impressionado com muita coisa que lhe era completamente estranha: o Muro das Lamentações e seus túneis, a Torre de Davi, Masada, Yad Vashem. Um ressentimento tardio de sua mãe, associado ao luxo extremo da casa e a seu fascínio por Jenna e um certo sentimento inédito de genuína curiosidade intelectual, o fazia desejar de fato tornar-se mais judeu ainda — para ver como podia ser aquele tipo de pertencimento a um grupo.

O pai de Jonathan e Jenna, na outra extremidade da mesa, discorria sobre questões internacionais com tamanho conhecimento de causa que pouco a pouco as outras conversas foram cessando. Os cordões de pele em seu pescoço, que lembravam um peru, eram bem mais perceptíveis ao vivo do que pela TV, e podia-se ver que era a pequenez quase encolhida de seu crânio que dava tamanha proeminência a seu sorriso muito, muito branco. O fato de uma pessoa tão murcha ter produzido a incrível Jenna parecia a Joey coadunar-se com a sua eminência. Ele falava da "nova difamação escrita com letras de sangue" que circulava pelo mundo árabe, a mentira segundo a qual não havia judeus nas Torres Gêmeas no Onze de Setembro, e sobre a necessidade, em tempos de emergência nacional, de responder a mentiras malignas com meias verdades benevolentes. Falou de Platão como se tivesse recebido aulas a seus pés atenienses. Referia-se a membros do gabinete presidencial por seus prenomes, explicando como "nós" estávamos "pressionando" o presidente a aproveitar esse momento histórico único para cuidar de um impasse geopolítico insolúvel, e expandir radicalmente a esfera da liberdade. Em tempos normais, disse ele, a grande maioria da opinião pública americana era isolacionista e não queria saber de nada, mas os ataques terroristas "nos" tinham trazido uma oportunidade de ouro, a primeira desde o fim da Guerra Fria, para que "o filósofo" (qual filósofo, exatamente, Joey não sabia ao certo, ou tinha perdido a referência anterior a ele) se apresentasse e unisse o país em torno da missão que sua filosofia revelara ser correta e necessária. "Precisamos aprender a exagerar um pouco certos fatos", disse ele, com seu sorriso, a um tio que o contrariara em tom ligeiro duvidando do poderio nuclear do Iraque. "A mídia moderna não passa de uma sombra muito borrada na parede, e o filósofo precisa estar preparado para manipular essa sombra a serviço de uma verdade maior."

Entre o impulso que Joey sentia de impressionar Jenna e sua irrupção em palavras, só houve um curto instante de terror em queda livre. "Mas como saber o que é a verdade?", perguntou ele em voz alta.

Todos os rostos se viraram para ele, e seu coração disparou.

"Nunca podemos saber ao certo", respondeu o pai de Jenna, fazendo aquela coisa do sorriso. "Você tem toda razão. Mas quando descobrimos que a nossa compreensão do mundo, baseada em décadas e décadas de cuidadoso estudo empírico pelos melhores cérebros, está de acordo com o princípio indutivo da liberdade humana universal, é uma boa indicação de que nosso pensamento está pelo menos aproximadamente no caminho certo."

Joey fez um aceno entusiasmado com a cabeça, para demonstrar sua concordância total e profunda, e ficou surpreso quando, contra a sua vontade, persistiu: "Mas parece que, se começarmos a mentir sobre o Iraque, vamos nos igualar aos árabes com a mentira de que nenhum judeu foi morto no Onze de Setembro".

O pai de Jenna, nem um pouco abalado, disse, "Você é um rapaz muito inteligente, não é?".

Joey não soube dizer se isso foi dito com intenção irônica.

"Jonathan diz que você é bom aluno", continuou o velho em tom delicado. "E assim estou imaginando que já deve ter sentido alguma frustração com pessoas menos inteligentes que você. Pessoas que não só são incapazes como também *não querem* admitir certas verdades cuja lógica lhe parece mais que evidente. Que parecem nem *se importar* com o fato de seus argumentos não terem lógica. Nunca lhe aconteceu de sofrer uma frustração desse tipo?"

"Mas é porque são pessoas livres", disse Joey. "Não é para isso que existe a liberdade? O direito de cada um pensar o que quiser? Mas é verdade, e eu admito que, às vezes, isso é um saco."

Em torno da mesa, ouviram-se alguns risinhos.

"Exato", disse o pai de Jenna. "A liberdade é um saco. E é justamente por isso que é imperativo aproveitarmos a oportunidade que nos foi dada meses atrás. Para fazer todo um país de pessoas livres abandonar uma lógica defeituosa e adotar uma lógica melhor, pelos meios que forem necessários."

Incapaz de suportar mais um segundo que fosse de exposição, Joey assentiu ainda mais vigorosamente com a cabeça. "O senhor tem razão," disse ele. "Entendi, o senhor tem razão."

O pai de Jenna foi em frente e descarregou mais uma quantidade de fatos exagerados e opiniões inabaláveis de que Joey não ouviu quase nada. Seu corpo latejava com a empolgação de ter dito o que pensava e ter sido ouvido por Jenna. A sensação que ele havia perdido durante todo o outono, de que era alguém a ser respeitado, estava voltando. Quando Jonathan se levantou da mesa, ele se levantou um pouco vacilante e seguiu o amigo até a cozinha, onde recolheram uma quantidade suficiente de vinho deixado nas taças para encher dois copos de meio litro.

"Cara", disse Joey, "você não pode misturar assim tinto e branco."

"É *rosé*, bestalhão", disse Jonathan. "E desde quando você é enólogo?"

Levaram seus copos cheios para o porão e consumiram o vinho jogando hóquei de mesa. Joey ainda estava tão alterado que mal sentia os efeitos da bebida, o que foi uma sorte quando o pai de Jonathan desceu as escadas e veio juntar-se a eles. "Que tal um joguinho de Cowboy Pool?", perguntou ele, esfregando as mãos."Imagino que Jonathan já lhe ensinou o jogo da casa."

"Ensinou, e eu errei todas as jogadas", respondeu Joey.

"É o rei dos jogos de mesa e taco, combinando o que há de melhor no bilhar francês e nos jogos de caçapa", disse o velho enquanto arrumava a bola 1, a bola 3 e a bola 5 nos seus lugares. Jonathan parecia um tanto envergonhado dele, o que deixou Joey interessado, pois tendia a acreditar que só os pais dele eram capazes de deixar alguém realmente envergonhado. "E temos mais uma regra especial que quero usar hoje à noite. Jonathan? O que você acha? A regra foi criada pra impedir que um jogador muito habilidoso fique matando a bola 5 e aumentando a contagem. Vocês podem fazer isso, contanto que aprendam a puxar a bola branca em linha reta, mas eu sou obrigado a dar uma vez numa das tabelas ou encaçapar outra bola cada vez que eu matar a 5."

Jonathan revirou os olhos. "É, boa ideia, papai."

"Vamos dar o pontapé inicial?", perguntou seu pai, passando giz no taco.

Joey e Jonathan se entreolharam e contiveram explosivamente uma risada. O velho nem percebeu.

Joey sofreu por jogar tão mal, e os efeitos do vinho começaram a ficar aparentes quando o velho lhe deu uns conselhos que só o fizeram jogar pior ainda. Jonathan, enquanto isso, competia intensamente, aplicando-se com uma seriedade ferrenha que Joey nunca vira nele antes. Durante uma de suas jogadas mais longas, o pai dele puxou Joey para um lado e lhe perguntou quais eram seus planos para o verão.

"Ainda falta muito tempo", disse Joey.

"Nem tanto assim, na verdade falta pouco. O que interessa mais a você?"

"Antes de mais nada eu preciso ganhar dinheiro, e ficar na Virgínia. Estou pagando meus próprios estudos."

"Jonathan me contou. É uma ambição impressionante. E me desculpe se eu for longe demais, mas minha mulher disse que você está começando a desenvolver algum interesse pela sua herança ancestral, depois de ter sido criado sem fé. Não sei se isso tem a ver com sua decisão de abrir caminho no mundo por conta própria, mas, se tiver, quero lhe dar meus parabéns por pensar com a própria cabeça e ter a coragem de seguir o que acha certo. Com o tempo, você pode até voltar, para conduzir sua família em sua própria caminhada."

"Eu realmente fico com pena de não ter aprendido nada a respeito."

O velho sacudiu a cabeça no mesmo espírito de censura que tomara sua mulher. "Nós temos a tradição mais maravilhosa e duradoura do mundo", disse ele. "Acho que para um jovem de hoje deve ter um apelo especial, porque tem tudo a ver com a escolha individual. Ninguém diz a um judeu em que ele deve acreditar. Cada um precisa concluir por conta própria. Cada um pode escolher o próprio equipamento e os programas que vai usar, por assim dizer."

"É, interessante", disse Joey.

"E quais são seus outros planos? Está interessado numa carreira de negócios, como todo mundo parece estar nos dias de hoje?"

"Sem dúvida, estou pensando em cursar economia."

"Muito bom. Querer ganhar dinheiro não tem nada de errado. Eu não precisei ganhar o meu dinheiro, mas ainda assim posso dizer que me saí muito bem no trabalho de administrar o que me deram. Devo muito ao meu bisavô em Cincinnati, que chegou aqui sem nada. Deram-lhe uma oportunidade neste país, com a liberdade de fazer o melhor uso possível das suas capacidades. E é por isso que decidi viver como venho vivendo — honrando essa liberdade e tentando garantir que o próximo século americano seja tão abençoado quanto o que passou. Nada de errado em ganhar dinheiro, absolutamente nada. Mas precisa haver alguma coisa a mais na sua vida, além dele. Você precisa escolher de que lado está, e lutar por ele."

"Sem a menor dúvida", disse Joey.

"Pode ser que o Instituto crie empregos bem pagos no verão, se você estiver interessado em fazer alguma coisa pelo país. Nossa arrecadação cresceu muitíssimo depois dos ataques. É muito gratificante de ver. Você pode se candidatar, se achar uma boa ideia."

"Sem a menor dúvida!", disse Joey. Estava começando a lembrar um dos jovens interlocutores de Sócrates, cuja participação nos diálogos, página após página, consistia em variações de "Sim, inquestionavelmente" e "Sem dúvida deve ser assim". "Me parece uma ótima ideia", disse ele. "Sem dúvida vou me candidatar."

Pondo efeito demais para puxar a bola branca, Jonathan suicidou-se inesperadamente, perdendo assim todos os pontos que tinha acumulado na jogada. "Merda!", exclamou ele, e ainda acrescentou, em complemento, "*Puta merda!*" Bateu com o taco na beira da mesa, e seguiu-se um momento constrangedor.

"Você precisa ser especialmente cuidadoso quando tiver acumulado muitos pontos", disse o pai dele.

"Eu sei, papai. *Eu sei*. Eu *estava* tomando cuidado. Só me distraí um pouco com a conversa de vocês dois."

"Joey, sua vez?"

O que teria provocado aquela vontade incontrolável de sorrir ao testemunhar o descontrole de um amigo? Experimentou uma maravilhosa sensação de liberdade, por não precisar interagir desse modo com o próprio pai. Podia sentir sua boa sorte voltar mais e mais a cada momento que passava. Por Jonathan, ficou feliz de errar logo em sua tacada seguinte.

Mas Jonathan ficou puto com ele de qualquer maneira. Depois que o pai, duas vezes vitorioso, voltou para cima, ele começou a chamar Joey de veado de maneiras menos engraçadas, e finalmente disse que não achava boa ideia irem para Nova York com Jenna.

"Por que não?", perguntou Joey, surpreso.

"Não sei. Perdi totalmente a vontade."

"Vai ser ótimo. Podemos tentar ir até o Marco Zero e ver como ficaram as ruínas."

"A área inteira está bloqueada. Não dá para ver coisa nenhuma."

"Também quero ver o lugar de onde transmitem o programa *Today*."

"Bobagem. É só uma vitrine."

"Ora, vamos lá, é Nova York. A gente precisa ir."

"Se é assim, pode ir com Jenna. É o que você quer no fim das contas, não é? Ir para Manhattan com a minha irmã, depois trabalhar com o meu pai nas férias. E minha mãe adora andar a cavalo. Quem sabe você também não quer sair para montar com ela."

O aspecto ruim da boa sorte de Joey eram os momentos em que ela parecia acontecer às expensas de alguém. Nunca tendo sentido inveja ele próprio, ficava impaciente quando ela se manifestava nos outros. No secundário, mais de uma vez precisara abandonar a amizade com garotos que não suportavam o fato de ele ter muitos outros amigos. E o que tinha vontade de dizer era: por que você não cresce, caralho? Sua amizade com Jonathan, entretanto, não podia ser rompida, pelo menos não antes do fim do ano letivo, e embora Joey estivesse irritado com seu mau humor, entendia perfeitamente a dor de ser filho de alguém.

"Então está bem", disse ele. "Ficamos aqui. E você pode me levar para conhecer Washington. Prefere assim?"

Jonathan deu de ombros.

"Sério. Vamos dar umas voltas em Washington."

Jonathan ficou ruminando a ideia mais algum tempo. E então disse, "Você pegou o velho de jeito, cara. Toda essa baboseira sobre mentiras nobres? Você pegou o velho de jeito, mas de repente ficou com esse sorrisinho na cara, aceitando qualquer merda e só concordando. Você não passa de um veadinho de merda, de um puxa-saco".

"Sei, mas também não vi você dizendo nada", respondeu Joey.

"Já tive essa conversa toda outras vezes."

"E então por que eu preciso passar por ela toda?"

"Porque ainda não passou. Ainda não conquistou o direito de evitar o assunto. Ainda não conquistou o direito de porra nenhuma."

"Disse o dono do Land Cruiser."

"Escute aqui, não quero mais falar sobre isso. Vou ler alguma coisa."

"Ótimo."

"E vou para Nova York com você. E não estou nem aí se você comer a minha irmã. Acho que vocês dois até se merecem."

"O que isso quer dizer?"

"Você vai descobrir."

"Vamos só continuar amigos, está bem? Não preciso ir para Nova York."

"Não, nós vamos," disse Jonathan. "Por mais que você possa achar isso ridículo, não quero ser visto dirigindo um conversível de duas portas."

No andar de cima, em seu quarto que cheirava a peru, Joey achou uma pilha de livros na mesa de cabeceira — Elie Wiesel, Chaim Potok, *Exodus*, *A história do povo judeu* — e um bilhete do pai de Jonathan: *Um pouco de combustível para você. Pode ficar com eles, ou passar adiante, Howard*. Folheando suas páginas, sentindo tanto uma profunda falta de interesse pessoal quanto um respeito cada vez mais profundo pelas pessoas que se interessavam, Joey tornou a se enfurecer com a mãe. O desrespeito dela à religião só lhe parecia outra faceta da maneira de ela ser só eu eu eu: seu desejo competitivo copernicano de ser o sol em torno do qual tudo girava. Antes de ir dormir, ligou para 411 e obteve o número de Abigail Emerson em Manhattan.

Na manhã seguinte, antes que Jonathan tivesse acordado, ele ligou para Abigail, apresentou-se como filho da irmã dela e disse que estava indo a Nova York. Em resposta, sua tia emitiu um riso que era um estranho cacarejo e lhe perguntou se ele sabia fazer consertos no encanamento.

"Como assim?"

"As coisas começam a descer, mas não continuam e aí voltam", disse Abigail. "Mais ou menos como eu, quando exagero no conhaque." E falou a ele sobre a pouca pressão e os esgotos antiquados do Greenwich Village, sobre os planos de viagem do zelador do seu prédio, os prós e os contras dos apartamentos térreos com pátios e sobre o "prazer" de voltar à meia-noite do Dia de Ação de Graças e encontrar tudo que descera pela descarga de seu vizinho incompletamente desintegrado, flutuando em sua banheira e atingindo as margens de sua pia da cozinha. "É tudo uma verdadeira beleeeeza, uma delícia", disse ela. "O início perfeito para um fim de semana sem zelador no prédio."

"Bom, o que eu queria dizer é que talvez a gente pudesse se encontrar, ou coisa assim", disse Joey. Já estava um tanto arrependido disso tudo, mas agora sua tia se mostrara receptiva, como se seu monólogo fosse uma coisa que antes ela precisasse mandar por água abaixo.

"Sabe", disse ela, "já vi fotografias de você e da sua irmã. Uma beleeeeza de fotos, naquela beleeeeza de casa em que vocês moram. Acho que eu o reconheceria, se passasse por você na rua."

"Ahn-ahn."

"Infelizmente, meu apartamento não está muito lindo no momento. E também com um cheiro um tanto forte! Mas se quiser vir me conhecer no meu café predileto, e ser servido pelo garçom mais gay de todo o Village, que também é meu melhor amigo do sexo digamos masculino, eu iria achar uma beleeeeza. E posso lhe contar todas as coisas que a sua mãe não quer que você fique sabendo sobre nós."

Joey gostou da ideia, e marcaram um encontro.

Na viagem a Nova York, Jenna trouxe uma colega dos tempos de curso secundário, Bethany, cuja aparência só era pouco estonteante em termos comparativos. As duas se instalaram no banco de trás, onde Joey não conseguia ver nem Jenna nem, em meio aos intermináveis gemidos estereofônicos de Slim Shady e do recitativo de suas letras por Jonathan, distinguir do que ela e Bethany estariam falando. A única interação entre os assentos da frente e de trás eram as críticas de Jenna à maneira como o irmão dirigia. Como se a hostilidade dele em relação a Joey na noite anterior tivesse sido transfigurada em fúria do asfalto, Jonathan encostava no carro da frente a cento e trinta por hora e murmurava insultos aos motoristas menos agressivos; no geral, dava a impressão de estar adorando se comportar muito mal. "Obrigado por não ter matado todo mundo", disse Jenna quando a caminhonete 4 × 4 acabou parando numa garagem inacreditavelmente cara do centro da cidade, e a música parou piedosamente de tocar.

A viagem logo deu os primeiros sinais de ter sido um redondo fracasso. O namorado de Jenna, Nick, dividia um apartamento vazio e decadente na rua 54 com dois outros funcionários iniciantes de Wall Street, que também tinham ido passar o fim de semana fora. Joey queria conhecer a cidade, e mais ainda queria não ser visto por Jenna como um projeto de delinquente juvenil fã de Eminem, mas a sala era equipada com uma imensa TV de plasma e um Xbox último tipo que Jonathan o convidou para começar a usar imediatamente. "Vejo vocês mais tarde, garotos", disse Jenna enquanto ela e Bethany saíam ao encontro de outras amigas. Três horas mais tarde, quando Joey sugeriu que saíssem antes que ficasse muito tarde, Jonathan respondeu para ele deixar de ser veado.

"O que está havendo com você?", perguntou Joey.

"Não, um minuto, o que está havendo com *você*? Você devia ter saído atrás de Jenna, se queria fazer esses programas de mulher."

Fazer algum programa de mulher pareceu muito interessante aos ouvidos de Joey. Gostava de mulheres, sentia falta da companhia delas e da maneira como elas falavam das coisas; estava com saudade de Connie. "Você é que disse que queria sair para fazer compras."

"Por quê, acha que eu devia usar calças mais apertadinhas na bunda?"

"E jantar também podia ser uma boa?"

"Entendi, em algum lugar bem romântico, só nós dois no escurinho."

"Não dizem que a pizza de Nova York é a melhor do mundo?"

"Não, é a de New Haven."

"O.k., então alguma déli. Uma das famosas délis de Nova York. Estou morrendo de fome."

"Vá olhar na geladeira."

"Vá você olhar na porra da geladeira. Eu vou sair desta casa."

"Perfeitamente. Pode ir."

"Você vai estar aqui quando eu voltar? Para abrir a porta?"

"Vou, queridinha."

Com um nó na garganta, uma vontade meio mulherzinha de chorar, Joey saiu na noite. Aquele tratamento da parte de Jonathan era muito decepcionante. Percebeu de repente sua maturidade superior, e enquanto atravessava os últimos bandos de compradores da Quinta Avenida, perguntava-se como poderia demonstrar essa maturidade a Jenna. Comprou cachorros-quentes de um vendedor de rua e enveredou pelas calçadas ainda mais lotadas próximas ao Rockefeller Center, onde ficou vendo os patinadores no gelo e admirando a imensa árvore de Natal ainda apagada, as alturas impressionantes às quais chegavam os holofotes que iluminavam a torre da NBC. E se ele gostasse de programas de mulher, qual o problema? Nem por isso era fresco. Só se sentia muito sozinho. Vendo os patinadores, sentindo saudades de St. Paul, ligou para Connie. Era o turno dela na Frost's, e só podia falar no telefone o tempo de ele dizer que estava com saudade, descrever o lugar onde estava e dizer que gostaria que ela estivesse ali com ele.

"Eu te amo, cara", disse ela.

"Eu também."

No dia seguinte, ele teve a primeira oportunidade com Jenna. Ela parecia acordar cedo, e já tinha saído para buscar o café da manhã quando Joey, acordando cedo ele também, entrou na cozinha usando uma camiseta da Universidade da Virgínia e uma cueca samba-canção quadriculada. Ao vê-la lendo um livro à mesa da cozinha, sentiu-se praticamente nu.

"Comprei *bagels* para você e meu irmão imprestável", disse ela.

"Obrigado", respondeu ele, perguntando-se se deveria ir vestir uma calça ou continuar se exibindo daquele jeito mesmo. Como ela não demonstrou um interesse maior por ele, decidiu correr o risco de não se vestir. Mas em seguida, enquanto esperava um *bagel* torrar e observou seus cabelos, seus ombros e suas pernas nuas cruzadas, começou a ficar de pau duro. Estava a ponto de bater em retirada para a sala quando ela ergueu os olhos e disse, "Desculpe, mas este livro aqui? É chatíssimo".

Ele se entrincheirou atrás de uma cadeira. "É sobre o quê?"

"Achei que fosse sobre a escravidão. Mas agora nem sei direito sobre o que ele fala." Ela lhe estendeu duas páginas cobertas de prosa densa. "E o mais engraçado é que já é a segunda vez que eu leio. Está na metade dos currículos dos cursos de Duke. Quer dizer, no currículo da metade dos cursos. E não consigo entender qual é a história. Sabe, o que acontece no fim das contas com as personagens."

"Eu li *Canção de Salomão* ano passado, na escola", disse Joey. "Achei incrível. O melhor livro que eu já li na vida."

Ela fez uma expressão complicada de indiferença na direção dele, e de tédio com seu livro. Ele se instalou à mesa de frente para ela, deu uma mordida no *bagel* e mastigou algum tempo, mastigou mais um pouco, e finalmente percebeu que engolir ia ser complicado. Mas não havia pressa, pois Jenna ainda estava tentando ler.

"O que você acha que está havendo com o seu irmão?", disse ele depois de conseguir engolir alguns pedaços do pão.

"Como assim?"

"Ele está se comportando como um idiota. Meio imaturo. Você não acha?"

"E eu sei? Ele é *seu* amigo."

Continuou a olhar para o seu livro. Sua impenetrabilidade desdenhosa era idêntica à das meninas mais cobiçadas de Virgínia. A única diferença era que ela era ainda mais atraente para Joey do que as garotas da universidade, e que agora estava tão perto que sentia o cheiro do xampu que ela usava. Por baixo da mesa, dentro da cueca, seu pau duro à meia altura apontava para ela como o enfeite de metal no capô de um Jaguar.

"E o que você vai fazer hoje?", perguntou ele.

Ela fechou o livro, como que conformada com a presença contínua de Joey. "Compras", disse ela. "E tem uma festa no Brooklyn hoje à noite. E você?"

"Parece que nada, porque o seu irmão não quer sair do apartamento de jeito nenhum. Eu tenho uma tia que vou encontrar às quatro, mas só isso."

"Acho mais difícil para um homem", disse Jenna. "Ficar em casa. Meu pai é *incrível*, e por mim está ótimo, acho ótimo ele ser famoso. Mas acho que Jonathan está sempre pensando que precisa provar alguma coisa."

"Passando dez horas na frente da televisão?"

Ela franziu os olhos e fitou Joey diretamente, quem sabe pela primeira vez. "Você pelo menos *gosta* do meu irmão?"

"Não sei direito. Ele anda muito esquisito desde a noite de quinta. Você viu como ele estava dirigindo ontem? Achei que você talvez soubesse de alguma coisa."

"Acho que, para ele, o mais importante é que gostem dele do jeito que é. Sabe como é, não por causa de o nosso pai ser quem é."

"Entendi", disse Joey. E teve a inspiração de dizer: "Ou por causa de a irmã ser como é."

E ela corou! Um pouco. E sacudiu a cabeça. "Eu não sou ninguém."

"Rá rá rá", disse ele, corando também.

"Bom, nem existe comparação entre meu pai e mim. Não penso em coisas importantes, nem tenho grandes ambições. Na verdade, no fim das contas, sou uma pessoinha egoísta. Quatrocentos mil metros quadrados em Connecticut, uns cavalos com tratador em tempo integral, talvez um jato particular, e não preciso de mais nada."

Joey percebeu que bastou uma alusão à beleza dela para fazê-la baixar a guarda e começar a falar de si mesma. E depois que a porta abriu uma brecha de um milímetro que fosse, depois de conseguir passar por aquela fenda, ele sabia exatamente o que fazer. Sabia escutar, sabia entender. E não era fingimento, fazer de conta que escutava ou entendia. Era Joey no País da Mulherada. Em pouco tempo, à luz suja e invernal da cozinha, enquanto atentava para as instruções de Jenna sobre a maneira correta de rechear um *bagel*, com salmão defumado, cebolas e alcaparras, não se sentia mais acanhado do que se sentiria conversando com Connie, ou a mãe dele, ou sua avó, ou a mãe de Connie. A beleza de Jenna continuava tão estonteante quanto sempre era, mas sua tensão cedeu inteiramente. Ele ofereceu a ela alguns bocados sobre a situação de sua família, e em retribuição ela admitiu que sua própria família não estava muito contente com o namorado dela.

"É uma loucura", disse ela. "Acho que é por isso que Jonathan queria vir comigo, e não quer sair do apartamento. Acha que de algum modo vai conseguir atrapalhar as coisas entre mim e Nick. Como se ele, ficando no caminho e passando um o tempo aqui, pudesse acabar com toda a história."

"Mas por que não gostam do Nick?"

"Bom, para começo de conversa, ele é católico. E jogava *lacrosse* no time da faculdade. Ele é muito inteligente, mas não tem o tipo de inteligência que eles acham boa." Jenna riu. "Uma vez falei com ele sobre o instituto de pesquisas do meu pai, dizendo que era um *think tank*, e na reunião seguinte da fraternidade dele apareceu um letreiro em cima do barril de chope: *Think Tank*. Achei hilário. Mas por aí você já tem uma ideia."

"Você costuma beber muito?"

"Não, tenho a resistência de uma pulga. Nick também parou de beber depois que começou a trabalhar. Hoje em dia ele toma um Jack Daniels' com Coca-Cola por semana, no máximo. Está totalmente concentrado em subir na vida. Foi a primeira pessoa da família dele a completar os quatro anos de faculdade, totalmente ao contrário da minha, onde quem só tem um doutorado conseguiu muito pouco."

"E ele trata você bem?"

Ela desviou o olhar, com a sombra de alguma coisa no rosto. "Eu me sinto incrivelmente protegida ao lado dele. E outro dia estava pensando, se eu estivesse com ele nas torres no Onze de Setembro, mesmo num andar bem alto, ele teria dado um jeito de me tirar de lá. Nós dois teríamos escapado. É o tipo de coisa que eu sinto."

"Mas eram muitos homens do mesmo tipo na Cantor Fitzgerald", disse Joey. "Negociadores muito calejados. Mas nenhum deles conseguiu sair."

300

"Porque nenhum deles era igual ao Nick", respondeu ela.

Ao vê-la com o espírito limitado por aqueles antolhos, Joey se perguntou o quanto precisaria se transformar numa pessoa mais dura, e quanto mais dinheiro precisaria ganhar para ser pelo menos admitido na corrida por uma mulher daquele tipo. Seu pau, dentro da cueca, tornou a se manifestar, como que para declarar sua disposição a enfrentar o desafio. Mas as partes mais moles de Joey, seu coração e seu cérebro, afundavam na desesperança diante da enormidade da tarefa.

"Acho que vou descer até a Wall Street mais tarde, para ver como ficou", disse ele.

"Tudo lá fecha aos sábados."

"Só quero ver o jeito como ficou, já que posso acabar indo trabalhar naquela área."

"Sem querer ofender", disse Jenna, tornando a abrir o livro. "Você me parece delicado demais para isso."

Quatro semanas mais tarde, Joey estava de volta a Manhattan, tomando conta da casa de sua tia Abigail. Tinha passado todo o outono preocupado com o lugar onde iria ficar durante as férias de Natal e fim de ano, pois seus dois lares concorrentes em St. Paul tornavam um ao outro inaceitável, e três semanas era um período longo demais para se hospedar com a família de um amigo novo da faculdade. Tinha planejado vagamente ficar com algum dos seus melhores amigos do tempo da escola secundária, o que lhe permitiria fazer visitas separadas aos pais e à família Monaghan, mas acontece que Abigail tinha planos de ir a Avignon para passar o período de festas e participar de uma oficina internacional de mímica, e estava preocupada, quando o conheceu no feriado de Ação de Graças, em encontrar alguém de confiança para ficar em seu apartamento da Charles Street e cuidar das complexas demandas dietéticas de seus dois gatos, Tigger e Piglet.

O encontro com a tia havia sido interessante, ainda que um tanto unilateral. Abigail, embora mais jovem que a mãe de Joey, parecia mais velha em todos os aspectos menos nas roupas que usava, que eram adolescentes embora um tanto ultrapassadas. Cheirava a cigarro, e tinha um modo comovente de comer sua fatia de torta de musse de chocolate, subdividindo cada pedaço para intensificar a fruição do sabor, como se fosse a melhor coisa que iria acontecer a ela em todo aquele dia. As poucas perguntas que ela fez a Joey, respondeu ela mesma antes que ele conseguisse encaixar uma palavra. A maior parte do tempo foi dedicada a um único monólogo, com comentários irônicos e interjeições encabuladas, que lembrava um trem em que ele recebera a permissão de embarcar e viajar por algum tempo, cuidando de completar o contexto por conta própria e de tentar adivinhar boa parte das alusões. No meio desse palavrório, ela lhe pareceu uma triste versão de sua própria mãe em forma de caricatura, um aviso do que ela poderia se tornar se não tomasse cuidado.

Aparentemente, para Abigail, a simples existência de Joey constituía uma acusação que a obrigava a uma detalhada prestação de contas sobre sua vida. A sequência tradicional, casamento-bebês-dona-de-casa, nunca tinha sido a sua escolha, disse ela, nem o mundo superficial e comercializado do teatro convencional, com suas coreografias marcadas de agradecimento aos aplausos da plateia e seus diretores de elenco que só se interessavam pela modelo em voga no ano corrente e não tinham a mais vaga noção do que era originalidade, nem o mundo dos comediantes que se apresentavam sozinhos diante do microfone, no qual ela gastara muitíssssssimo tempo tentando entrar, desenvolvendo um texto ótimo sobre a *verdade* da infância nos lares ricos dos subúrbios americanos, antes de perceber que aquele mundo era intoxicado pela testosterona e o humor de mictório. Denegriu exaustivamente Tina Fey e Sarah Silverman, e depois louvou a "genialidade" de vários "artistas" homens que pareceram a Joey ser mímicos ou palhaços, e com os quais se declarou afortunada de manter contato cada vez maior, ainda que sobretudo em oficinas de interpretação. Enquanto a tia falava sem parar, Joey percebeu que admirava cada vez mais a determinação que ela demonstrava de sobreviver sem um sucesso do tipo plausivelmente ainda possível para ele. Era tão maluca e envolvida nas suas próprias coisas que ele foi poupado da contrariedade de sentir-se culpado, recaindo sem escalas direto na compaixão. Percebeu que, na qualidade de representante da sua melhor sorte e também da boa sorte da irmã, não podia fazer nada melhor por sua tia do que deixá-la justificar-se para ele, e prometer vir vê-la se apresentar o mais cedo que pudesse, ao que ela retribuiu com a oferta da casa para ele tomar conta.

Os primeiros dias de Joey na cidade, enquanto andava de loja em loja com seu colega de dormitório Casey, pareciam continuações hiperdefinidas dos sonhos urbanos que vinha tendo toda noite. Seres humanos vindo a seu encontro de todas as direções. Músicos andinos trauteando e batucando na Union Square. Bombeiros solenes fazendo acenos de cabeça para a multidão reunida em torno de um altar armado em homenagem ao Onze de Setembro junto ao posto do corpo de bombeiros. Uma dupla de mulheres de casacos de pele tendo a cara de pau de se apropriar de um táxi para o qual Casey acenara junto à porta da loja Bloomingdale's. Garotas secundaristas gostosíssimas usando jeans por baixo das minissaias e sentando-se desleixadamente nos bancos do metrô, com as pernas muito abertas. Meninos do gueto com a cabeça coberta de trancinhas e usando parcas imensas e assustadoras, soldados da Guarda Nacional patrulhando a Grand Central portando armas de última geração. E a velhota chinesa vendendo DVDs de filmes que ainda nem tinham estreado nos cinemas, o dançarino de *break* que distendeu um músculo ou rompeu um tendão e sentou-se no chão do vagão do metrô da linha 6 balançando de dor, o saxofonista insistente a quem Joey deu cinco dólares para ajudá-lo a chegar ao show onde estava sendo esperado para tocar, apesar de Casey adverti-lo de que estava sendo levado na conversa: cada um desses encontros foi como um poema que ele decorava na hora.

Os pais de Casey moravam num apartamento com um elevador que abria direto na sala, uma coisa que ele precisaria ter, concluiu Joey, se um dia ficasse rico em Nova York. Foi jantar com eles tanto na véspera de Natal quanto no próprio dia de Natal, reunindo assim numa só as mentiras que tinha contado a seus pais quanto ao lugar onde fora passar o período de festas. Casey e a família iam partir para uma estação de esqui na manhã seguinte, porém, e Joey sabia que de qualquer maneira estava abusando da hospitalidade de todos. Quando voltou para o apartamento bolorento e abarrotado de Abigail, e descobriu que Piglet e/ou Tigger tinha(m) vomitado em vários lugares, numa vingança felina em protesto contra sua ausência do dia todo, ele deparou com a estranheza e a burrice de seu plano de passar duas semanas inteiras sozinho em Nova York.

E na mesma hora deixou tudo ainda pior ao conversar com sua mãe e admitir que alguns dos planos tinham "dado errado" e que, "em vez" do que ele tinha imaginado, tinha ido tomar conta do apartamento da irmã dela.

"Está no apartamento de Abigail?", perguntou ela. "Sozinho? Sem que ela nem falasse comigo? Em Nova York? Sozinho?"

"É", disse Joey.

"Sinto muito", disse ela, "mas você tem de dizer a ela que não é possível. Diga a ela para me ligar logo. Ainda hoje à noite. Daqui a pouco. Imediatamente. E que não pode responder que não."

"Tarde demais. Ela foi para a França. Mas está tudo bem. A área onde ela mora é muito segura."

Mas a mãe dele nem estava escutando. Dizia coisas ao pai dele, coisas que Joey não conseguia distinguir mas pareciam ser ditas em tom quase histérico. E então o pai dele pegou o telefone.

"Joey. Preste atenção. Está aí?"

"E onde mais?"

"Preste atenção. Se você não tiver a decência de vir passar alguns dias com a sua mãe na casa que significa tanto para ela e em que você decidiu nunca mais pisar, por mim não tem problema, nem vou dizer nada. Foi uma decisão errada sua, de que você vai poder se arrepender à vontade, o quanto quiser. E as coisas que você deixou no seu quarto, que nós estávamos esperando que você viesse para nos dizer o que fazer com elas — vamos simplesmente dar para o Exército de Salvação, ou deixar para os lixeiros levarem. Você é quem vai sair perdendo, e não nós. Mas ir ficar sozinho numa cidade em que você é jovem demais para ficar sozinho, uma cidade que foi atacada várias vezes por terroristas, e não só por uma ou duas noites, mas por *várias semanas*, é a maneira certa de deixar sua mãe nervosa o tempo todo."

"Papai, a área aqui é perfeitamente segura. É o Greenwich Village."

"Bom, você acabou com o Natal dela. E vai estragar os últimos dias dela nesta casa. Não sei por que ainda estou sempre esperando mais de você a essa altura dos acontecimentos, mas você está sendo *egoísta* e *brutal* com uma pessoa que ama você mais do que você pode imaginar."

"Por que ela própria não pode vir me dizer", respondeu Joey. "Por que precisa ser você? Como vou saber se é mesmo verdade?"

"Se você tivesse um mínimo de imaginação, saberia que só pode ser verdade."

"Não quando ela própria nunca me diz nada! Se você está bravo comigo, por que não me diz por que *você* está bravo comigo, em vez de sempre vir me falar dos problemas dela?"

"Porque, para dizer a verdade, não estou tão preocupado quanto ela", respondeu seu pai. "Acho que você não é tão inteligente quanto acha que é, e acho que não percebe todos os perigos do mundo. Mas concordo que você é bastante inteligente, e sei que sabe cuidar de si mesmo. Se um dia você tiver algum problema sério, espero que ligue para nós, antes de mais ninguém. Caso contrário, é porque fez uma escolha radical na sua vida, e não podemos fazer mais nada."

"Está bem — muito obrigado", disse Joey, com uma intenção só parcialmente sarcástica.

"Não agradeça a mim. Eu respeito muito pouco o que você está fazendo. Só estou admitindo que você já tem dezoito anos, e pode fazer o que quiser. E estou falando da decepção pessoal que sinto quando um dos nossos filhos não consegue decidir as coisas com a intenção de simplesmente ser mais gentil com a própria mãe."

"*Por que você não pergunta a ela por que não?*", retorquiu Joey em tom furioso. "*Ela sabe por que não!* Porra, estou dizendo que ela sabe, papai. Já que você se preocupa tanto com a porra da felicidade dela, e tudo isso, por que você não pergunta a *ela*, em vez de ficar me aporrinhando?"

"Não fale comigo nesse tom."

"Então não fale *comigo* nesse tom."

"Está bem, então eu não falo mais."

Seu pai deu a impressão de ficar satisfeito de encerrar o assunto, e Joey também. Gostava de sentir-se à vontade, no controle de sua vida, e era perturbador descobrir que existia essa outra coisa dentro de si, aquele reservatório de raiva, aquele complexo de sentimentos ligados à família que podia explodir inesperadamente e tomar conta dele por completo. As palavras enfurecidas que tinha dito ao pai pareciam predefinidas, como se existisse uma segunda identidade ressentida dentro dele funcionando o dia todo todo dia, normalmente invisível mas claramente em plena consciência e pronta a dar vazão ao que sentia à menor provocação, na forma de frases que independiam da sua vontade. O que o fazia ponderar sobre qual seria sua verdadeira identidade; o que o deixava muito perturbado.

"Se você mudar de ideia", disse o pai dele quando esgotaram o estoque limitado de conversa fiada sobre o Natal, "terei o maior prazer em lhe comprar uma passagem de avião para você vir passar alguns dias aqui. Para sua mãe ia ser muito importante. E para mim também. Eu também ia ficar muito contente."

"Obrigado", disse Joey, "mas a questão, sabe como é, é que não posso. Preciso tomar conta dos gatos."

"Você pode deixá-los num veterinário, sem sua tia saber de nada. Eu pago a hospedagem deles também."

"Está bem, pode ser. Provavelmente não, mas talvez."

"Então está bem, feliz Natal", disse seu pai. "Sua mãe também manda um feliz Natal."

Joey ouviu a voz dela ao fundo. Por que, exatamente, ela não tinha voltado ao telefone e dito feliz Natal diretamente a ele? Era quase uma acusação. Mais uma admissão inútil do quanto se sentia culpada.

Embora o apartamento de Abigail não fosse mínimo, não havia um centímetro quadrado dele que não tivesse sido ocupado por Abigail. Os gatos o patrulhavam como plenipotenciários do território, largando pelo por toda parte. O armário embutido do quarto estava atulhado de calças e suéteres em pilhas desordenadas que espremiam os casacos e vestidos que pendiam dos cabides, e suas gavetas estavam tão repletas que nem dava para abri-las. Seus CDs eram todos de cantoras de cabaré impossíveis de ouvir e borbulhos New Age, acumulados em duas filas nas prateleiras e enfiados de lado como cunhas em cada fenda disponível. Até os livros só tratavam de Abigail, abordando questões como o Fluxo, a visualização criativa e o combate à dúvida interior. Havia também todo tipo de acessórios de caráter místico, não só judaicos como ainda queimadores de incenso orientais e estatuetas com cabeça de elefante. A única coisa relativamente escassa era comida. Ocorria agora a Joey, enquanto palmilhava a cozinha de um lado para o outro, que a menos que se dispusesse a comer pizza três vezes ao dia, ele precisaria sair até um mercado, fazer compras e preparar suas próprias refeições. Os mantimentos de Abigail consistiam em biscoitos de arroz, quarenta e sete formas de chocolate em barra ou em pó, e pacotes de macarrão instantâneo do tipo que só o satisfaziam por dez minutos e em seguida aumentavam ainda mais sua fome.

Pensou na casa espaçosa da Barrier Street, na comida maravilhosa que sua mãe preparava, pensou em desistir e em aceitar a passagem de avião que o pai oferecera, mas estava determinado a não deixar que sua identidade oculta tivesse novas oportunidades de se manifestar, e sua única opção para não continuar pensando em St. Paul era ir se deitar na cama de metal de Abigail e bater uma punheta, e depois mais outra enquanto os gatos miavam sua censura do lado de fora da porta, e depois, ainda insatisfeito, fuçar o computador da tia, pois não conseguia se conectar à internet com seu próprio computador na casa dela, e procurar alguma página pornográfica para mais uma punhetinha. Como costuma acontecer nesses casos, cada página gratuita com que ele deparava remetia a uma ainda mais pesada e mais atraente. Finalmente, um dos melhores desses sites começou a gerar janelas *pop-up* como num pesadelo de Aprendiz de Feiticeiro; e a coisa ficou tão feia que ele precisou desligar o computador. Ao religá-lo impaciente, com o pau esfolado e viscoso amolecendo ainda na mão, descobriu que algum programa de fora assumira o comando do sistema, sobrecarregando o disco rígido e congelando o teclado. Tudo bem que tivesse infectado o computador da tia. Mas agora ele não conseguia mais acesso à única coisa do mundo que queria, ver mais um rostinho bonito de mulher distendido pelo prazer, para gozar pela quinta vez e tentar dormir um pouco. Fechou os olhos e se acariciou o quanto pôde, esforçando-se para invocar da memória imagens suficientes para dar conta das necessidades, mas o miado dos gatos não o deixava se concentrar. Foi até a cozinha e abriu uma garrafa de conhaque que, esperava ele, não custaria muito para substituir.

Acordando tarde e de ressaca na manhã seguinte, sentiu o cheiro do que esperava ser apenas titica de gato mas acabou se revelando, quando Joey finalmente se arriscou a ir olhar no banheiro abarrotado, tomado por um calor infernal, extravasamento de esgoto em estado bruto. Chamou o zelador, o sr. Jiménez, que chegou duas horas mais tarde com uma cesta de compras de rodinhas repleta de ferramentas de encanador.

"Este prédio é antigo e tcheio de problemas", disse o sr. Jiménez, sacudindo a cabeça com ar fatalista. Recomendou a Joey que sempre baixasse com força a tampa do ralo da banheira e também arrolhasse o ralo da pia quando não estivesse usando uma ou outra. Na verdade essas instruções faziam parte da lista de Abigail, além de intricados protocolos de alimentação felina, mas Joey, no dia anterior, na pressa de fugir do apartamento e chegar logo à casa de Casey, esquecera-se de cumpri-las.

"Tcheio, tcheio de problemas", disse o sr. Jiménez, usando um desentupidor para forçar os dejetos do West Village de volta para o cano do esgoto.

Assim que Joey tornou a se ver sozinho, voltando a defrontar-se com o espectro de duas semanas de solidão, excessos no consumo de conhaque e/ou de masturbação, ligou para Connie e disse a ela que estava disposto a pagar a passagem de ônibus caso ela viesse para Nova York ficar com ele. Ela concordou na mesma hora, menos quanto ao pagamento da passagem; e as férias dele foram salvas.

Contratou um nerd para consertar o computador da tia e reconfigurar o seu próprio, gastou sessenta dólares em pratos pré-preparados na Dean & DeLuca, e quando foi à estação rodoviária esperar Connie em seu portão de chegada, pensou que nunca tinha ficado tão feliz na vida ao vê-la. No mês anterior, comparando-a mentalmente com a incomparável Jenna, ele perdera de vista o quanto ela também era linda, a seu modo esbelto, econômico e ardente. Estava usando uma japona que Joey não conhecia, caminhou em sua direção e encostou o rosto no dele, os olhos bem abertos junto aos olhos dele, como se apertasse o rosto contra um espelho. Uma dissolução drástica de todos os órgãos internos se desencadeou dentro de Joey. Agora estava a ponto de dar umas quarenta trepadas, mas não era só isso. Era como se a rodoviária e todos os viajantes de baixa renda que fluíam à volta deles estivessem equipados com controles de Brilho e Contraste que fossem radicalmente reduzidos pela mera presença daquela garota que ele conhecia desde sempre. Tudo parecia desbotado e distante enquanto ele a conduzia por corredores e passagens que ele vira plenamente coloridos apenas meia hora antes.

Nas horas que se seguiram, Connie fez várias revelações um tanto alarmantes. A primeira enquanto viajavam de metrô até a Charles Street e ele perguntou a ela como tinha conseguido uma folga tão longa no restaurante — se tinha encontrado gente para cobrir a sua ausência.

"Não, eu simplesmente fui embora", respondeu ela.

"Você *foi embora*? Mas não é uma péssima época do ano para deixar o pessoal de lá na mão?"

Ela deu de ombros. "Você estava precisando de mim aqui. Eu disse que quando fosse o caso você só precisava me chamar."

O susto de Joey com essa declaração restaurou o brilho e o matiz do vagão do metrô. Era exatamente como o cérebro dele, sempre que fumava maconha, teimava em retornar à consciência do presente depois de se perder em algum profundo devaneio semialucinatório: e percebeu que os outros passageiros do metrô estavam levando suas vidas, perseguindo suas metas, e que ele também precisava cuidar das mesmas coisas. E não ser aspirado para o núcleo de uma coisa que não tinha como controlar.

Levando em conta uma das conversas sexuais telefônicas mais loucas dos dois, em que os lábios da vagina dela tinham se aberto tão incrivelmente que cobriam seu rosto inteiro, e sua própria língua ficara tão comprida que a ponta conseguia alcançar a extremidade interna inatingível da vagina de Connie, ele se barbeara com todo o cuidado antes de partir para a rodoviária. Agora que os dois estavam juntos na realidade, porém, aquelas fantasias se revelavam absurdas e eram desagradáveis de rememorar. No apartamento, em vez de levar Connie direto para a cama, como fizera no fim de semana da Virgínia, ele ligou a TV e conferiu o placar de um jogo das finais do campeonato universitário de futebol americano que não significava nada para ele. Em seguida, pareceu-lhe de grande urgência ver se tinha recebido algum e-mail dos seus amigos nas últimas três horas. Connie se instalou com os gatos no sofá e ficou esperando pacientemente enquanto o computador dele ligava.

"Aliás", disse ela, "sua mãe mandou um beijo."

"*O quê?*"

"Sua mãe mandou um beijo. Estava do lado de fora quebrando o gelo da calçada quando eu saí de casa. Ela me viu com a sacola de viagem e perguntou aonde eu estava indo."

"E você *contou* para ela?"

A surpresa de Connie foi perfeitamente inocente. "Era para não ter contado? Ela disse que era para eu me divertir, e mandou um beijo para você."

"Em tom de sarcasmo?"

"Não sei. Talvez tenha sido, pensando bem. Eu fiquei contente de ela ter pelo menos falado comigo. Eu sei que ela me detesta. Mas achei que talvez tivesse finalmente começado a se acostumar comigo."

"Duvido muito."

"Desculpe se eu disse a coisa errada. Você sabe que eu jamais faria uma coisa dessas se soubesse que era a coisa errada. Você sabe disso, não sabe?"

Joey se levantou, deixando o computador e tentando conter a raiva. "Está tudo bem", disse ele. "Não é culpa sua. Ou só um pouco sua culpa."

"Ficou com vergonha de mim, cara?"

"Não."

"Ficou com vergonha das coisas que a gente falou no telefone? É esse o problema?"

"Não."

"Eu fiquei, um pouco. Falamos de umas taras bem impressionantes. Não sei se quero voltar a ter essas conversas."

"Foi você que começou!"

"Eu sei. Eu sei, eu sei. Mas você não pode botar a culpa de tudo em mim. Só metade."

Como para reconhecer que era verdade, ele correu até o lugar onde ela estava sentada no sofá e se ajoelhou a seus pés, inclinando a cabeça e apoiando as mãos nas pernas dela. Perto assim dos jeans que ela usava, seus jeans melhores e mais justos, ele pensou nas longas horas que ela havia passado num ônibus da Greyhound, enquanto ele assistia a jogos secundários do campeonato de futebol universitário e falava ao telefone com amigos. Estava em dificuldades, estava caindo numa fissura imprevista do mundo cotidiano, e não conseguia nem olhar para o rosto dela. Ela pousou as mãos na cabeça dele e não ofereceu nenhuma resistência quando, aos poucos, ele avançou e pressionou o rosto contra o zíper de suas calças, revestido de brim. "Está tudo certo", ela soube que precisava dizer. "Vai dar tudo certo, cara. Tudo vai dar certo."

Em sua gratidão, Joey despiu os jeans dela e pousou os olhos fechados em sua calcinha, e em seguida tirou esta também, para poder pressionar seu queixo e os lábios bem barbeados em seus pelos eriçados, que ele percebeu terem sido aparados para ele. Podia sentir um dos gatos se esfregando nos seus pés, pedindo atenção. Enxotou-o.

"Só quero ficar aqui mais ou menos três horas", disse ele, aspirando o aroma dela.

"Pode ficar aí o tempo que quiser", disse ela. "Não tenho nenhum outro programa."

Mas aí o telefone de Joey tocou no bolso da calça. Ao pegá-lo para desligar, viu seu antigo número de St. Paul e teve vontade de espatifar o telefone de raiva que sentiu da mãe. Afastou as pernas de Connie e atacou-a com a língua, explorando, explorando, tentando preencher-se com ela.

A terceira e mais alarmante das revelações que ela lhe fez veio durante um interlúdio pós-coito em alguma hora adiantada da noite. Vizinhos até então ausentes sapateavam no chão do apartamento acima da cama deles, os gatos miavam amargamente do lado de fora da porta. Connie estava falando de seu SAT, que ele nem se lembrava que ela ia fazer, e da surpresa que sentira ao ver como as perguntas de verdade eram muito mais fáceis que as perguntas dos livros de exercício que ela usara para estudar. Sentia-se encorajada a candidatar-se a faculdades no raio de algumas horas de Charlottesville, entre eles o Morton College, que precisava de alunos do Meio-Oeste para atender à diversidade geográfica e em que, agora, ela se sentia capaz de ser admitida.

O que pareceu totalmente errado a Joey. "Achei que você ia para a Universidade de Minnesota", disse ele.

"Ainda pode ser que sim", respondeu Connie. "Mas comecei a pensar que seria muito melhor ficar mais perto de você, para a gente poder se ver todo fim de semana. Quer dizer, contanto que tudo corra bem e a gente continue querendo. Você não acha boa ideia?"

Joey desenredou as pernas das dela, tentando ver as coisas com alguma clareza. "Sem dúvida nenhuma, pode ser que sim", disse ele. "Mas você sabe que as faculdades particulares custam muito caro."

Era verdade, disse Connie. Mas Morton oferecia ajuda financeira, e ela tinha conversado com Carol sobre o fundo formado para financiar os estudos dela, e Carol admitira que ainda tinha bastante dinheiro.

"Mais ou menos quanto?", perguntou Joey.

"Muita coisa. Uns setenta e cinco mil dólares. Pode dar até para três anos, se eu conseguir um financiamento. E ainda tenho os doze mil que economizei, e sempre posso trabalhar nas férias de verão."

"Que ótimo", Joey obrigou-se a dizer.

"Eu só estava querendo esperar completar vinte e um anos antes de pegar o dinheiro. Mas aí pensei nas coisas que você me disse, e vi que você tinha razão quanto a terminar os estudos."

"Mas se você fosse para a Universidade de Minnesota", retrucou Joey, "podia se formar e ainda ter esse dinheiro todo depois de acabar."

Em cima deles, uma televisão começou a vociferar, e o pisoteio continuava.

"Estou achando que você prefere que eu fique mais longe", disse Connie em tom neutro, sem censura, enunciando um simples fato.

"Não, não", respondeu ele. "De maneira nenhuma. Acho que podia ser ótimo estar mais perto. Só estou pensando em termos práticos."

"Eu já não aguento mais morar naquela casa. Carol vai ter os bebês, e vai ficar ainda pior. Não posso mais ficar lá."

Não pela primeira vez, Joey sentiu um ressentimento obscuro em relação ao pai de Connie. O homem já morrera havia alguns anos, Connie jamais tivera nenhuma relação com ele e raramente aludia à sua existência, mas para Joey isso de alguma forma o transformava mais ainda num rival. Era o homem que chegara lá primeiro. Tinha abandonado a filha e recompensado Carol com uma casa barata, mas seu dinheiro nunca parou de entrar e pagar a escola católica de Connie. Era uma presença na vida dela que não tinha nada a ver com Joey, e por mais que este ficasse feliz por ela ter a quem recorrer além de a ele, Joey — por não ser totalmente responsável por ela —, volta e meia sucumbia à censura moral daquele pai, que lhe parecia a origem de tudo que era amoral na própria Connie, a estranha indiferença que ela demonstrava em relação às regras e às convenções, sua capacidade ilimitada de amor idólatra, sua intensidade irresistível. E agora, por cima disso tudo, Joey ainda se ressentia do pai por tê-la deixado muito melhor em matéria de finanças do que ele próprio. O fato de ela não dar ao dinheiro nem um por cento da importância que ele dava só fazia as coisas piorarem ainda mais.

"Faz comigo alguma coisa que nunca fez", disse ela em seu ouvido.

"Essa TV está me incomodando."

"Faz aquela coisa que você me disse, cara. Nós dois vamos escutar a mesma música. Quero sentir você entrando em mim por trás."

Ele esqueceu a TV, cujo som foi abafado pela pulsação do sangue em sua cabeça enquanto ele obedecia ao desejo dela. Depois que esse novo umbral foi transposto, suas resistências, ultrapassadas uma a uma, suas satisfações características, devidamente apreciadas, ele foi lavar-se no banheiro de Abigail, alimentou os gatos e deixou-se ficar um tempo na sala, sentindo a necessidade de manter alguma distância, por mais que fosse tênue e tardia. Despertou o computador do seu sono, mas havia um único e-mail novo. Vinha de um endereço desconhecido, em duke.edu, e na linha de assunto trazia "em NY?". Só depois de abrir o e-mail e começar a ler ele entendeu que fora mandado por Jenna. Fora digitado, letra a letra, pelos dedos privilegiados de Jenna.

Olá sr. bergland. jonathan me disse que você está em NYC, como eu. quem poderia saber quantos jogos de futebol estão sendo disputados e quanto dinheiro os jovens banqueiros apostam em cada um deles? não eu, respondeu a mosca. você ainda pode estar se dedicando a atividades natalinas, a exemplo dos seus louros progenitores, mas nick manda dizer que pode aparecer se tiver perguntas a fazer sobre wall street, ele irá responder. sugiro que venha logo, enquanto perdura essa disposição generosa da parte dele (e seu tempo vago!). ao que tudo indica, até a goldman fecha nesta época do ano, quem iria dizer. sua amiga, jenna.

Ele leu a mensagem cinco vezes antes que ela começasse a perder o sabor. Parecia-lhe tão fresca e limpa quanto ele se sentia sujo e maldormido. Jenna ou estava sendo excepcionalmente generosa ou, se estava tentando esfregar o nariz dele na intimidade dela com Nick, excepcionalmente maldosa. De qualquer modo, ele viu que a tinha deixado impressionada.

Uma baforada de fumaça de maconha saiu do quarto, seguida por Connie, tão nua e silenciosa quanto os gatos. Joey fechou o computador e deu uma tragada no baseado que ela lhe ofereceu, em seguida mais uma, e depois outra, e mais outra, e mais outra, e mais outra, e mais outra.

A fúria do homem gentil

No fim de uma tarde sombria de março, sob uma chuva fria e oleosa, Walter se dirigia de carro com sua assistente, Lalitha, de Charleston às montanhas do sul da Virgínia Ocidental. Embora Lalitha dirigisse depressa e com alguma ansiedade, Walter preferia a ansiedade de ser seu passageiro à ira moral que se apossava dele quando se instalava ao volante — a sensação aparentemente inescapável de que, de todos os motoristas na estrada, só ele estava viajando à velocidade correta, só ele conseguia manter o equilíbrio devido entre uma obediência estrita demais às regras do trânsito e uma transgressão perigosa demais à letra da lei. Nos dois anos anteriores, ele tinha passado muitas horas de fúria nas estradas da Virgínia Ocidental, obrigado a encostar na rabeira dos idiotas que se arrastavam como tartarugas e depois freando ele próprio para castigar os motoristas que se aproximavam demais da traseira do seu carro, defendendo com destemor a pista direita das estradas interestaduais dos escrotos que tentavam ultrapassar pela direita, ultrapassando ele próprio pela direita quando algum idiota, alguém falando ao celular ou algum imbecil metido a santo disposto a obrigar todo mundo a respeitar os limites de velocidade obstruía a pista da esquerda, especulando obsessivamente sobre a psique dos motoristas que se recusavam a dar seta (quase sempre rapazes mais jovens para quem o uso da seta era uma aparente afronta à masculinidade, cuja precariedade já se manifestava no gigantismo compensatório de suas caminhonetes de caçamba ou 4 × 4), cultivando um ódio assassino dos motoristas de caminhões de carvão que ultrapassavam os limites das faixas de rolamento e provocavam acidentes fatais praticamente toda semana na Virgínia Ocidental, culpando impotente os legisladores estaduais corruptos que se recusavam a reduzir o limite de carga dos caminhões de carvão para cinquenta toneladas, apesar das provas abundantes dos estragos que provocavam, murmurando "Inacreditável! Inacreditável!" quando algum motorista à sua frente freava com o sinal ainda verde, depois acelerava ao ficar amarelo e o largava para trás retido pelo vermelho, fervendo de raiva enquanto precisava esperar *um minuto inteiro* num cruzamento em que não se via veículo algum na transversal por *quilômetros* ao redor, e precisando engolir dolorosamente, em consideração a Lalitha, as invectivas que tanto desejava emitir quando irritado por um motorista que se recusava a virar à direita no sinal vermelho, embora a conversão fosse autorizada: "E então? Não notou nada? Existe mais gente no mundo além de você! As outras pessoas são reais! Vá aprender a dirigir! Alô, sua besta!". Melhor o influxo de adrenalina que sentia quando Lalitha pisava até o fundo para ultrapassar caminhões que resfolegavam para subir a encosta que a pressão que atacava suas artérias cerebrais quando ele próprio estava ao volante e acabava atrás dos mesmos caminhões. Assim, podia contemplar os troncos finos e cinzentos dos bosques dos Apalaches, as encostas devastadas pela mineração, e concentrar sua fúria em problemas mais dignos dela.

Lalitha estava de ótimo humor quando ingressaram com seu carro alugado no trecho de vinte e cinco quilômetros em que a I-64 percorria um aclive suave, obra federal de custo astronômico que o senador Byrd conseguira aprovar para seu estado. "Estou louca para comemorar," disse ela. "Hoje à noite você sai comigo para comemorar?"

"Vamos ver se encontramos um restaurante decente em Beckley", respondeu Walter, "mas acho pouco provável."

"Vamos encher a cara! Podemos ir ao melhor bar ou restaurante da cidade e tomar muitos martínis."

"Sem a menor dúvida. Eu peço o maior martíni da casa para você. Mais de um: quantos você quiser."

"Não, mas você também, hoje à noite", disse ela. "Só dessa vez. Você podia abrir uma exceção, pela importância do acontecimento."

"Com toda a honestidade, acho que se eu tomar um martíni a essa altura da vida posso cair morto."

"Uma cerveja, então. Das leves. Eu tomo três martínis, e depois você me carrega até o quarto."

Walter não gostava quando ela falava assim. Ela não sabia o que estava dizendo, era só uma jovem muito animada — só, na verdade, o raio de luz mais brilhante de toda a vida dele naquela época — e não entendia que o contato físico entre chefe e assistente não tinha nada de engraçado.

"Três martínis devem produzir uma ressaca tipo arrasa-quarteirão amanhã de manhã", disse ele numa referência não muito feliz à demolição que estavam indo presenciar no condado de Wyoming.

"Quando foi que você bebeu alguma coisa pela última vez?", perguntou Lalitha.

"Nunca. Nunca bebi nada."

"Nem mesmo nos tempos de escola?"

"Nunca."

"Walter, que coisa incrível! Você precisa experimentar! É tão divertido beber de vez em quando. Uma cerveja não transforma ninguém em alcoólatra."

"Não é disso que eu tenho medo", respondeu ele, perguntando-se ao mesmo tempo se o que dizia era verdade. Seu pai e seu irmão mais velho, que juntos tinham sido o flagelo da sua juventude, eram alcoólatras, e sua mulher, que se transformava aos poucos no flagelo de sua meia-idade, tinha uma clara tendência ao alcoolismo. Ele sempre tinha achado que sua preferência estrita pela abstinência do álcool era uma atitude de oposição a eles — primeiro, de preferir ser tão diferente quanto possível do pai e do irmão mais velho, e mais tarde de ser tão invariavelmente bondoso com Patty quanto ela, embriagada, era capaz de ser maldosa com ele. Era um dos modos que ele e Patty haviam desenvolvido para lidar um com o outro: ele sempre sóbrio, ela às vezes bêbada, nenhum dos dois *jamais* sugerindo que o outro mudasse.

"Qual é o seu medo, então?", perguntou Lalitha.

"Estou com medo de mudar uma coisa que vem funcionando perfeitamente bem pra mim há quarenta e sete anos. Por que mexer em time que está ganhando?"

"Porque é bom!" Ela deu uma guinada no volante do carro alugado para ultrapassar um reboque de duas rodas que avançava a custo em meio à água que ele próprio levantava. "Vou pedir uma cerveja para você, e obrigá-lo a dar pelo menos um gole para comemorar."

A floresta setentrional de árvores de maior porte ao sul de Charleston se mostrava até agora, já às vésperas do equinócio, como uma tapeçaria monótona de tons de cinza e preto. Dali a mais uma ou duas semanas, o ar quente chegaria do Sul para esverdear aquelas matas, e um mês depois disso os passarinhos de resistência suficiente para aguentar a migração desde os trópicos as povoariam com seus trinados, mas o cinza do inverno parecia a Walter o verdadeiro estado original das florestas do norte. O verão não passava de uma simples trégua acidental que as acometia a cada ano.

Em Charleston, no começo daquele dia, ele e Lalitha e seus advogados locais tinham apresentado às indústrias associadas ao Fundo da Montanha Azul, a Nardone e a Blasco, os documentos necessários para poderem iniciar o desmonte da região de Forster Hollow, e abrir os mais de cinco mil hectares da futura reserva de preservação da mariquita para a mineração a céu aberto. Os representantes da Nardone e da Blasco, em seguida, tinham assinado as pilhas de papéis que os advogados do Fundo vinham preparando ao longo dos dois anos anteriores, comprometendo oficialmente as empresas carboníferas com um pacote de acordos de recuperação da terra e transferência de direitos de propriedade que, reunidos, bastariam para garantir que a área minerada ficaria para sempre "intocada". Vin Haven, o presidente do conselho do Fundo, estivera "presente" via teleconferência e, mais tarde, ligara diretamente para Walter em seu celular a fim de parabenizá-lo. Mas Walter estava dominado por um sentimento oposto à celebração. Afinal conseguira permitir a destruição de dezenas de belos picos cobertos de mata e dúzias de riachos de águas claras, extremamente ricos do ponto de vista biótico, das classes 3, 4 e 5. Para tanto, Vin Haven precisara passar adiante vinte milhões de dólares em direitos de mineração noutras áreas do estado, a perfuradoras de prospecção de gás natural prontas a estuprar a terra, e então transferir os direitos obtidos a terceiros de quem na verdade Walter não gostava. E tudo para quê? Para resguardar o "refúgio" de uma espécie em perigo, uma área total que se podia cobrir com um selo comum de correio num mapa rodoviário da Virgínia Ocidental.

Walter se sentia, em sua raiva e em sua decepção com o mundo, como as florestas grisalhas do Norte. E Lalitha, que nascera no calor do sul da Ásia, era a pessoa luminosa que trouxera uma espécie de verão transitório à sua alma. O

317

único acontecimento que ele sentia alguma vontade de comemorar naquela noite era que, tendo obtido aquele "sucesso" na Virgínia Ocidental, agora podiam avançar em seu movimento contra o superpovoamento do mundo. Mas levou em conta a juventude de sua assistente, e não quis derrubar seu ânimo.

"Está bem", disse ele. "Eu tomo uma cerveja dessa vez. Em sua homenagem."

"Não, Walter, em *sua* homenagem. Tudo isso foi você quem conseguiu."

Ele balançou a cabeça, sabendo que ela estava especialmente enganada quanto àquilo. Sem o entusiasmo, o encanto e a coragem dela, é bem provável que todo o acordo com a Nardone e a Blasco tivesse dado errado. É verdade que as linhas mestras tinham sido ideias dele; mas o que parecia é que, afora as ideias, não era capaz de mais nada. Em todos os outros sentidos, agora era Lalitha que estava ao volante. Ela usava um casaco impermeável de náilon, o capuz atirado para trás formando uma cesta repleta com seus lustrosos cabelos negros, por cima do conjunto listrado que vestira para as formalidades daquela manhã. Suas mãos ocupavam exatamente as posições de dez e duas horas no volante, os pulsos à mostra nus, pois as pulseiras tinham descido para baixo das mangas do casaco. Infinitas eram as coisas que Walter detestava na modernidade em geral e na cultura do automóvel em particular, mas a confiança das jovens mulheres ao volante, a autonomia que haviam conquistado nos últimos cem anos, não era uma delas. A igualdade entre os sexos, da forma como se manifestava na pressão do elegante pé de Lalitha no acelerador, o deixava grato por estar vivo no século XXI.

O problema mais difícil que ele precisara resolver para o Fundo tinha sido o que fazer com as cerca de duzentas famílias, na maioria muito pobres, que possuíam casas ou trailers em lotes de terra pequenos ou mínimos dentro dos limites propostos para o Parque. Alguns dos homens de lá ainda trabalhavam na indústria do carvão, ou debaixo da terra ou como motoristas de caminhão, mas a maioria estava desempregada e passava o tempo usando suas armas e seus motores de combustão interna, complementando a dieta de suas famílias com animais caçados no alto das montanhas e transportados em caminhonetes de caçamba. Walter agira depressa, comprando as terras do maior número possível de famílias antes que o Fundo atraísse muita publicidade; chegara a pagar apenas seiscentos dólares por hectare em certos lotes nas encostas. Mas quando suas tentativas de seduzir a comunidade ambientalista local saíram pela culatra, e uma ativista pouco motivada chamada Jocelyn Zon começou uma campanha contra o Fundo, ainda havia mais de cem famílias radicadas por lá, em sua maioria no vale do Nine Mile Creek, que desembocava em Forster Hollow.

Com a exceção do problema de Forster Hollow, Vin Haven encontrara a área perfeita, pouco mais de vinte e cinco mil hectares para o núcleo da reserva. Os direitos de mineração da superfície de noventa e oito por cento de toda a área estavam nas mãos de apenas três empresas, duas delas sem rosto, *holdings* totalmente racionais do ponto de vista econômico, a terceira de posse exclusiva de uma família chamada Forster, que deixara o estado mais de um século antes e agora se dissipava alegremente em afluência litorânea. As três empresas vinham explorando a terra com extração controlada de madeira, e não tinham nenhum motivo para não vendê-la ao Fundo por um valor razoável. Havia também, perto do centro dos Vinte e Cinco Mil de Haven, uma série imensa de veios muito ricos em carvão numa forma mais ou menos de ampulheta. Até aquele momento, ninguém tinha minerado aqueles cinco mil e poucos hectares, visto que o condado de Wyoming era muito distante e escarpado, mesmo para a Virgínia Ocidental. Uma estrada ruim e estreita, inutilizável por caminhões de carvão, serpenteava serra acima acompanhando o traçado do rio; no alto do vale, perto do gargalo da ampulheta, ficava Forster Hollow, onde moravam o clã e os amigos de Coyle Mathis.

Ao longo dos anos, a Nardone e a Blasco tinham promovido e fracassado em várias rodadas de negociação com Mathis, com uma persistência que lhes valeu a animosidade permanente do morador. Na verdade, um dos principais atrativos que Vin Haven oferecera às empresas carvoeiras, ainda nas primeiras negociações, tinha sido a promessa de livrá-las do problema constituído por Coyle. "Faz parte da sinergia mágica que conseguimos aqui", disse Haven a Walter. "Somos um novo interlocutor, com quem Mathis ainda não tem motivo para ser hostil. Especialmente no caso da Nardone, eu obtive todos os compromissos de recuperação da área com a simples promessa de tirar Mathis da frente deles. E só o pouco de boa vontade que eu posso ter, só pelo fato de não ser a Nardone, parece valer alguns milhões de dólares."

Quem dera!

Coyle Mathis era a encarnação do puro espírito negativo do interior da Virgínia Ocidental. Era coerente, e detestava absolutamente todo mundo por igual. Ser inimigo de um inimigo de Mathis só transformava você em mais um dos seus inimigos. A Indústria do Carvão, o Sindicato dos Carvoeiros, os ambientalistas, qualquer forma de governo, os negros, os brancos do norte que se metiam em tudo: odiava todos com equanimidade. Sua filosofia de vida era *Vá tomar no cu e suma daqui, senão vai se arrepender.* Seis gerações de Mathis intratáveis estavam sepultadas na encosta íngreme junto ao rio que seria um dos primeiros locais detonados com explosivos assim que as mineradoras de carvão começassem a trabalhar. (Ninguém falou do problema dos cemitérios na Virgínia Ocidental quando Walter começou a trabalhar para o Fundo, mas ele descobriu bem depressa.)

Entendendo um pouco de fúria onidirecional por experiência própria, Walter talvez tivesse conseguido convencer Mathis se este não lembrasse tanto seu pai. Aquele ressentimento obstinado e autodestrutivo. Walter tinha preparado um belo pacote de ofertas atraentes quando ele e Lalitha, depois de ficarem sem resposta para inúmeras cartas amigáveis, enveredaram pela poeirenta estrada de terra para o vale do Nine Mile Creek, sem terem sido convidados, numa manhã luminosa e quente de julho. Ele estava disposto a oferecer a Mathis e aos vizinhos até três mil dólares por hectare, mais um lote gratuito de terra num vale razoável perto do limite sul da reserva, respondendo por todos os custos da relocação, além de uma exumação de acordo com os últimos padrões da ciência e do novo sepultamento de todas as ossadas da família Mathis. Mas Coyle Mathis nem quis saber dos detalhes. Respondeu, "Não, N-A-O-til," e acrescentou que pretendia ser enterrado no cemitério da família, e que ninguém ia fazê-lo mudar de ideia. E de um momento para o outro Walter voltou a ter dezesseis anos, e tonto de tanta raiva. Raiva não só de Mathis, por sua falta de bons modos e bom senso, mas também, paradoxalmente, de Vin Havens, por tê-lo lançado no ringue contra um homem cuja irracionalidade econômica ele de certa forma reconhecia e admirava. "Sinto muito", disse ele, enquanto suava em bicas num caminho em que o mato crescia, debaixo do sol forte, ao lado de um quintal abarrotado de velharias em que Mathis fizera questão de não convidá-lo a entrar, "mas isso é uma decisão totalmente *idiota.*"

Lalitha, ao lado dele, segurando uma pasta cheia de documentos que tinham imaginado conseguir convencer Mathis a assinar, limpou a garganta com uma compaixão explosiva deste mundo deplorável.

Mathis, que era um homem esbelto e de uma boa aparência surpreen-

320

dente, com pouco menos de sessenta anos, endereçou um sorriso deliciado às alturas verdes que os cercavam, tomadas pelo zumbido dos insetos. Um de seus cachorros, um vira-lata de longos bigodes com uma expressão enlouquecida, começou a rosnar. "Idiota?", disse Mathis. "Me admira muito o senhor usar esta palavra, moço. Agora o senhor está me deixando muito espantado. Não é todo dia que me chamam de idiota. Por aqui há quem diga que ninguém devia falar comigo nesses termos."

"Escute, eu tenho certeza que o senhor é um homem inteligente", disse Walter. "Eu só estava dizendo — "

"Eu sou tão inteligente que sei perfeitamente contar até dez", disse Mathis. "E o senhor, também sabe? Pelo seu jeito, parece um homem muito instruído. Sabe contar até dez?"

"Na verdade, eu sei contar até três mil", disse Walter, "multiplicar isso por duzentos, e ainda somar mais duzentos mil ao resultado. E se o senhor pudesse me dar um minutinho só para eu explicar — "

"A minha pergunta", respondeu Mathis, "é se sabe contar de trás para a frente. Olhe só, vou começar. Dez, nove..."

"Escute. Peço mil desculpas por ter usado a palavra idiota. O sol está meio forte aqui fora. Eu não quis dizer — "

"Oito, sete..."

"Talvez a gente possa voltar outro dia", disse Lalitha. "Podemos deixar alguns documentos para o senhor ler quando quiser."

"Ah, quer dizer que a senhorita acredita que eu sei ler?" Mathis estava radiante. A essa altura, todos os seus três cachorros estavam rosnando. "Acho que eu estava em seis. Ou seria cinco? Sou mesmo um velho idiota, já perdi a conta."

"Escute", disse Walter, "sinceramente, me desculpe se eu — "

"Quatro três dois!"

Os cachorros, eles próprios ao que tudo indicava bastante inteligentes, avançaram com as orelhas dobradas para trás.

"Voltamos outra hora", disse Walter, batendo em retirada rápida com Lalitha.

"Se voltarem, eu atiro no carro!", gritou Mathis para eles em tom de júbilo.

Enquanto percorriam cada metro da péssima estrada que levava à rodovia estadual, Walter amaldiçoava em voz alta sua própria idiotice e a incapacidade de controlar sua raiva, enquanto Lalitha, normalmente uma fonte inesgotável de elogios e reconforto, permanecia pensativa no banco do passageiro, refletindo sobre o próximo passo. Não seria exagero dizer que, sem a concordância de Mathis, todo o resto do trabalho que já tinham feito para se apossar dos Vinte e Cinco Mil de Haven tinha sido em vão. Quando chegaram ao fundo do vale empoeirado, Lalitha enunciou seu parecer: "Ele precisa ser tratado como um homem importante".

"Mas é um psicopata de meia-tigela", disse Walter.

"Seja como for", disse ela — e Lalitha tinha um modo indiano especialmente encantador de pronunciar a expressão, uma das suas favoritas, um refrão entrecortado de mentalidade prática que Walter nunca se cansava de ouvir —, "vamos precisar dar-lhe a ideia de que é uma pessoa muito importante. Ele precisa ser o salvador, e não o vendido."

"Infelizmente, nós só queremos que ele se venda."

"Talvez se eu voltasse até lá e falasse com algumas das mulheres."

"Mas lá em cima o que funciona é uma merda de um patriarcado", disse Walter. "Ou você não reparou?"

"Não, Walter, as mulheres são muito fortes. Por que você não me deixa conversar com elas?"

"Isto só pode ser um pesadelo. Um *pesadelo*."

"Seja como for", repetiu Lalitha, "acho que talvez eu devesse ficar e conversar com as pessoas."

"Ele já disse que não, recusou a nossa oferta. Categoricamente."

"Então precisamos oferecer coisa melhor. Você precisa conversar com o senhor Haven sobre uma oferta melhor. Volte para Washington e vá conversar com ele. Acho até melhor que você não suba de novo até o vale. Mas talvez eu sozinha meta menos medo nas pessoas."

"Não vou deixar você voltar lá sozinha."

"Não tenho medo de cachorro. Acho que ele atiçou os cachorros contra você, não contra mim."

"Mas não vai adiantar nada."

"Talvez não, mas pode ser que sim", disse Lalitha.

Além da bravura pura e simples daquela mulher sozinha de pele escura, com seu corpo miúdo e seu rosto bonito, em voltar para uma área ocupada por brancos pobres onde ela já fora ameaçada de agressão física, Walter não cansou de se admirar, nos meses que se seguiram, com o fato de que foi ela, a filha de um engenheiro eletricista criada num subúrbio de classe média de cidade grande, e não ele, oriundo de uma cidade pequena e filho de um bêbado enraivecido, quem operou o milagre na região de Forster Hollow. E não era apenas que faltasse a Walter jeito para lidar com pessoas comuns; toda a sua personalidade fora formada em oposição à área interiorana onde tinha crescido. Mathis, com sua irracionalidade e sua coleção de ressentimentos de branco pobre, representava um insulto a tudo que constituía o ser de Walter, deixando-o cego de raiva. Já Lalitha, que não tinha experiência alguma com gente do tipo de Mathis, fora capaz de voltar até lá de peito aberto e sem ideias preconcebidas. Abordara os orgulhosos pobres do campo da mesma maneira como dirigia automóveis, como se mal nenhum pudesse atingir uma pessoa animada e de tão boa vontade quanto ela; e os orgulhosos pobres do campo a tinham tratado com o respeito que não dirigiram ao raivoso Walter. O sucesso que ela obteve o deixou sentindo-se inferior e indigno da admiração dela, e assim mais agradecido ainda a Lalitha. O que por sua vez o levava a um entusiasmo de ordem mais geral quanto aos jovens e sua capacidade de fazer o bem no mundo. E também — embora ele resistisse ao reconhecimento consciente do fato — a amá-la bem mais do que seria aconselhável.

Com base nas informações privilegiadas recolhidas por Lalitha em seu regresso a Forster Hollow, no verão de 2001, Walter e Vin Haven formularam uma nova e absurdamente cara proposta para os habitantes do local. Oferecer-lhes simplesmente mais dinheiro, disse Lalitha, não adiantaria nada. Para que Mathis se saísse bem na história, ele precisava se ver como o Moisés conduzindo seu povo a uma nova terra prometida. Por azar, até onde Walter sabia dizer, os habitantes de Forster Hollow praticamente não tinham nenhuma habilidade aproveitável além de caçar, consertar motores, plantar hortaliças, coletar ervas e descontar os cheques mensais do seguro-desemprego. Ainda assim, Vin Haven fez o esforço de consultar seu amplo círculo de relações de negócios, e retornou a Walter com uma possibilidade interessante: coletes à prova de balas.

Até pegar o avião para Houston e ir se encontrar com Haven, no verão de 2001, Walter desconhecia o conceito de texanos bons, diante de um noticiário nacional totalmente dominado pelos maus. Haven era dono de um vasto rancho na região de Hill Country e de outro ainda maior ao sul de Corpus Christi, os dois tratados com todo o amor para servir de abrigo a aves de escolha dos caçadores. Haven era o tipo de amante da natureza à moda texana, feliz de estraçalhar a tiros lindas aves em pleno voo mas também disposto a passar horas e horas acompanhando arrebatado, por uma câmera em circuito fechado, o desenvolvimento de filhotes de coruja num ninho em sua propriedade, e capaz de passar horas discorrendo sobre a padronização em forma de escamas da plumagem de inverno de determinada espécie de maçarico. Era um homem baixo, brusco, com a cabeça em forma de bala, e Walter gostara dele desde o primeiro minuto de seu encontro inicial. "Cem milhões de dólares de cacife inicial para salvar uma única espécie de passarinho", disse Walter. "Interessante, como alocação de recursos."

Haven inclinou a cabeça cônica para um lado. "Algum problema, do seu ponto de vista?"

"Não necessariamente. Mas visto que a ave nem está na lista federal de espécies protegidas, fiquei curioso quanto ao seu raciocínio."

"O que eu pensei é que os cem milhões de dólares são meus, e que tenho o direito de gastar do jeito que eu quiser."

"Bem colocado."

"Os melhores estudos que temos sobre a mariquita-azul mostram que as populações vêm declinando três por cento ao ano nos últimos quarenta anos. Apesar de ainda não ter atingido os critérios da lista federal das espécies ameaçadas, ainda é possível projetar a curva e ver que está tendendo a zero. E é para lá que está indo."

"Entendi. Mas mesmo assim — "

"Mesmo assim existem outras espécies mais perto de zero. Eu sei. E juro por Deus que espero que alguém se preocupe com elas. Eu vivo me perguntando se eu seria capaz de cortar meu próprio pescoço se soubesse que isso salvaria uma única espécie. Todos nós sabemos que uma vida humana vale mais que a vida de um passarinho. Mas será que a minha vidinha vale tanto quanto a de uma espécie inteira?"

"Ainda bem que ninguém precisa fazer esse tipo de escolha."

"De certa forma, é verdade", disse Haven. "Mas num sentido mais amplo, é a escolha que todo mundo anda fazendo. Recebi uma ligação de um diretor nacional da Sociedade Audubon em fevereiro, pouco depois da posse do presidente. E ele se chama Martin Jay, dois nomes de passarinho, imagine se isso é possível. O nome certo para o cargo. Pois Martin Jay queria saber se eu não conseguia um encontro entre ele e Karl Rove na Casa Branca. Disse que só precisava de uma horinha para convencer Karl Rove de que dar prioridade à conservação da natureza era um grande trunfo político para o novo governo. E eu respondi, acho que consigo uma hora para você com Rove, mas tem uma coisa que você pode fazer por mim antes. Precisa conseguir que um instituto independente e de boa reputação encomende uma pesquisa sobre o quanto o meio ambiente é uma prioridade importante para os eleitores indecisos. Se você tiver uns números interessantes para mostrar a Karl Rove, ele vai lhe dar toda a atenção. E aí Martin Jay me agradeceu muito, muito obrigado, que ideia fabulosa, é o que eu vou fazer. E eu disse a ele, só mais uma coisinha: antes de encomendar a pesquisa e mostrar para Rove, você pode querer ter uma ideia de quais seriam os resultados. Isso foi há seis meses. Nunca mais ouvi falar dele."

"Nós dois estamos mais ou menos de acordo sobre a política", disse Walter.

"Kiki e eu estamos insistindo um pouco com Laura, sempre que podemos", disse Haven. "Por esse caminho pode ser mais fácil."

"Ótimo, incrível."

"Mas não vá esperar coisa demais. Às vezes eu acho que W é mais casado com Rove que com Laura. Mas eu não lhe disse nada."

"Sei, mas então por que a mariquita-azul?"

"É um passarinho que eu gosto. É bonitinho. Pesa menos que meu dedinho e ainda assim voa de ida e volta até a América do Sul todo ano. O que por si só já é uma verdadeira maravilha. Um homem sozinho, uma única espécie. Não está de bom tamanho? Se conseguíssemos juntar mais seiscentos e vinte homens, podíamos proteger todas as espécies que se reproduzem na América do Norte. Se você tivesse a sorte de tirar um passarinho mais comum, não precisaria gastar nem um tostão para preservar a espécie. Já eu gosto de um desafio. E a região carvoeira dos Apalaches é um desafio e tanto. E é o que você precisa aceitar se for cuidar dessa iniciativa para mim. Precisa ter uma atitude tolerante em relação à mineração a céu aberto no topo das montanhas."

Em seus quarenta anos na indústria de petróleo e gás, comandando uma empresa chamada Pelican Oil, Vin Haven criara relações com praticamente todo mundo que valia a pena conhecer no Texas, de Ken Lay a Rusty Rose, de Ann Richards ao monsenhor Tom Pincelli, o "padre dos passarinhos" da região do baixo Rio Grande. Dava-se especialmente bem com o pessoal da LBI, uma gigante da área dos serviços de extração de petróleo que, como sua arquirrival Halliburton, se tornara uma das principais empresas fornecedoras de armas e equipamentos de defesa nos governos de Reagan e Bush pai. Foi à LBI que Haven recorreu para solucionar o problema de Coyle Mathis. À diferença da Halliburton, cujo ex-CEO agora mandava no país, a LBI ainda se esforçava para obter um acesso privilegiado ao novo governo, o que a deixava especialmente disposta a prestar um favor a um amigo pessoal próximo de George e Laura.

Uma subsidiária da LBI, a ArDee Enterprises, conseguira pouco antes uma grande encomenda para fornecer os coletes à prova de balas de alta resistência que as forças americanas, à medida que bombas caseiras começavam a explodir em cada canto do Iraque, descobriram com atraso ser de necessidade extrema para seus homens. A Virgínia Ocidental, que tinha mão de obra barata e regras tolerantes de controle do meio ambiente, e que fora inesperadamente responsável pela margem que trouxera a vitória a Bush-Cheney em 2000 — escolhendo um candidato republicano pela primeira vez desde a vitória esmagadora de Nixon em 1972 —, era vista com muito bons olhos nos círculos frequentados por Vin Haven. A ArDee Enterprises estava construindo às pressas uma fábrica de coletes no condado de Whitman, e Haven, ao entrar em contato com a ArDee antes que esta começasse a contratar a força de trabalho para sua nova unidade, conseguiu obter a garantia de cento e vinte empregos estáveis para os habitantes de Forster Hollow, em troca de um pacote de concessões tão generoso que a ArDee estaria contratando sua mão de obra sem gastar praticamente nada. Haven prometeu a Coyle Mathis, através de Lalitha, pagar a instalação em casas de primeira qualidade e um treinamento para o novo trabalho para ele e as demais famílias de Forster Hollow, açucarando ainda a oferta com um adiantamento em dinheiro à ArDee suficiente para bancar o seguro-saúde e um plano de aposentadoria para os funcionários pelos próximos vinte anos. Quanto à estabilidade no emprego, bastava mencionar as declarações, feitas por diversos membros do governo Bush, de que os Estados Unidos pretendiam passar várias gerações se defendendo no Oriente Médio. Não havia um final previsível para a guerra ao terror e, portanto, nenhuma queda previsível na demanda de coletes à prova de balas.

Walter, que tinha uma péssima impressão sobre as iniciativas de Bush-Cheney no Iraque, e uma impressão pior ainda da higiene moral dos beneficiários de contrato da indústria militar, sentiu-se desconfortável de trabalhar com a LBI e fornecer ainda mais munição para os ambientalistas de esquerda que lhe faziam oposição na Virgínia Ocidental. Mas Lalitha ficou infinitamente entusiasmada. "É *perfeito*", disse ela a Walter. "Assim, podemos ser mais que apenas um modelo de recuperação da terra em bases científicas. Também podemos aparecer como um modelo de relocação e retreinamento das pessoas deslocadas por projetos de conservação de espécies ameaçadas."

"Embora, pensando bem, vá ser uma merda para as pessoas que venderam antes da hora", disse Walter.

"Se eles continuarem a reclamar, podemos oferecer empregos para eles também."

"Por sei lá quantos milhões a mais."

"E o fato de ser uma indústria patriótica também é perfeito!", disse Lalitha. "São pessoas que estarão fazendo alguma coisa para ajudar o país em tempo de guerra."

"Não me parece que sejam do tipo que perde o sono pensando em ajudar o país."

"Não, Walter, aí é que você se engana. Luanne Coffey tem dois filhos no Iraque. E odeia o governo por não dar proteção suficiente a eles. Nós duas conversamos exatamente sobre isso. Ela detesta o governo, mas detesta ainda mais os terroristas. É perfeito."

E assim, em dezembro, Vin Haven pousou em Charleston a bordo de seu jato particular, seguindo pessoalmente na companhia de Lalitha até Forster Hollow enquanto Walter ficava marinando em sua raiva e humilhação, num quarto de motel em Beckley. Não se surpreendeu ao saber por Lalitha que Coyle Mathis ainda era dado a longos improvisos discorrendo como o chefe dela era um idiota arrogante e metido. Ela entrou no papel de policial boazinha até a ponta dos cabelos; e Vin Haven, que tinha certo toque de homem comum (haja vista sua amizade com George W.), também foi aparentemente bem tolerado em Forster Hollow. Enquanto um pequeno grupo de manifestantes de fora do vale, comandados pela louca Jocelyn Zorn, andava de um lado para o outro com seus cartazes (NO FUNDO, O FUNDO NÃO PRESTA) junto à porta da pequena escola primária onde se realizou a reunião, todas as oitenta famílias do vale assinaram os documentos em que abriam mão dos seus direitos à propriedade das terras e receberam, no ato, oitenta polpudos cheques visados da conta do Fundo em Washington.

E agora, noventa dias mais tarde, Forster Hollow se transformara numa cidadezinha-fantasma de propriedade do Fundo e pronta para começar a ser demolida às seis da manhã seguinte. Walter não tinha visto motivo para presenciar a primeira manhã da demolição, e tinha visto vários para não estar presente, mas Lalitha ficou animada com a remoção das últimas estruturas permanentes erguidas no futuro Parque da Mariquita. Ele a seduzira, quando a tinha contratado, com a visão de mais de duzentos e cinquenta quilômetros quadrados totalmente livres de impureza humana, e ela aderiu de corpo e alma. Como fora a pessoa responsável por deixar a visão tão perto de se tornar concreta, ele não tinha como negar-lhe a satisfação de comparecer a Forster Hollow. Queria dar a ela qualquer coisa que pudesse, pois não podia dar-lhe seu amor. Procurava fazer tudo o que ela queria, como tantas vezes tivera vontade de fazer tudo o que Jessica queria mas não se permitira, em nome do comportamento correto de pai.

Lalitha estava inclinada para a frente de tanta ansiedade enquanto conduzia o carro alugado pelas ruas de Beckley, onde a chuva agora caía mais forte.

"Amanhã a estrada vai estar totalmente enlameada", disse Walter, olhando para a chuva e notando, com desprazer, a amargura de um velho em sua voz.

"A gente acorda às quatro e sobe devagar", disse Lalitha.

"Até parece. Quando você consegue dirigir devagar numa estrada?"

"Estou muito animada, Walter!"

"E eu nem devia estar aqui", retrucou ele em tom amargo. "Devia dar aquela entrevista coletiva amanhã de manhã."

"Cynthia disse que segunda-feira é sempre um dia melhor para começar um assunto", respondeu Lalitha, referindo-se à assessora de imprensa cujo trabalho, até aquele momento, consistia principalmente em evitar o contato com a imprensa.

"Não sei do que eu tenho mais medo", disse Walter. "De ninguém aparecer ou de encontrar uma sala lotada de jornalistas."

"Ah, queremos sem dúvida a sala cheia. A notícia é muito boa, se você explicar direito."

"Só sei que estou com medo."

Ficar em hotéis com Lalitha tinha se transformado talvez na parte mais difícil de toda a relação de trabalho entre eles dois. Em Washington, onde ela morava no andar em cima do dele, ela pela menos ficava em outro piso, e Patty pelo menos estava por perto para geralmente tornar o quadro mais complexo. No Days Inn de Beckley, enfiaram cartões idênticos em portas idênticas, a cinco metros um do outro, e entraram em quartos cujo idêntico despojamento profundo só poderia ter sido compensado por uma tórrida ligação ilícita. Walter não tinha como deixar de pensar no quanto Lalitha havia de estar sozinha em seu quarto idêntico. Parte do seu sentimento de inferioridade consistia em pura e simples inveja — inveja da juventude dela; inveja de seu idealismo inocente; inveja da simplicidade da situação em que ela se encontrava, em contraste com a impossibilidade da dele —, e ele teve a impressão de que o quarto dela, embora idêntico ao seu na aparência, era o quarto da plenitude, o quarto de um desejo lindo e admissível, enquanto o dele era o quarto da vacuidade e da repressão estéril. Ligou a CNN, só pelo barulho, e assistiu a uma reportagem sobre a carnificina mais recente no Iraque, enquanto tirava a roupa para um banho solitário de chuveiro.

Na manhã anterior, antes que ele saísse para o aeroporto, Patty tinha aparecido na porta do quarto do casal. "Vou tentar falar da maneira mais clara e simples possível", disse ela. "Você tem a minha permissão."

"Permissão para quê?"

"Você sabe para quê. E eu disse que está dada."

Ele quase acreditou que ela estava sendo sincera, se a expressão em seu rosto não fosse tão desfeita, e se ela não torcesse as mãos tão deploravelmente enquanto falava.

"Não sei do que você está falando", disse ele, "mas não quero permissão nenhuma sua."

Ela olhou para ele com ar suplicante, e depois desesperado, e foi embora. Meia hora mais tarde, quando saía de casa, ele bateu à porta do quartinho onde ela escrevia, mandava seus e-mails e, cada vez com mais frequência nos últimos tempos, passava as noites. "Meu anjo", disse ele pela porta. "Vejo você na quinta à noite." Como ela não respondeu, ele bateu de novo e entrou. Ela estava sentada no sofá-cama, apertando os dedos de uma das mãos com a outra. Seu rosto estava inchado, desfigurado, sulcado de lágrimas. Ele se acocorou aos pés dela e segurou suas mãos, que envelheciam mais depressa que o resto dela; estavam ossudas e com a pele muito fina. "Eu te amo", disse ele. "Você sabe disso?"

Ela assentiu com um gesto rápido da cabeça, mordendo o lábio, grata mas não convencida. "Está bem", disse ela num guincho sussurrado. "Está na sua hora."

Quantos milhares de vezes mais, perguntou-se ele enquanto descia as escadas até o escritório do Fundo, vou deixar essa mulher me apunhalar o coração?

A pobre Patty, a pobre Patty, sempre competitiva, que não fazia nada nem de longe corajoso ou admirável em Washington, não tinha como deixar de perceber a admiração que ele sentia por Lalitha. O motivo pelo qual ele não se permitia sequer pensar em se apaixonar por Lalitha, quanto mais tomar alguma providência a respeito, era Patty. Não só por respeitar à risca as leis maritais, mas também por não suportar a ideia de que ela soubesse que ele admirava alguém mais do que a ela. E Lalitha *era* melhor do que Patty. Era fato, um fato inescapável. Mas Walter sentia que preferiria morrer a reconhecer esse fato óbvio para a própria Patty, porque, por mais que pudesse descobrir que amava Lalitha, e por mais que sua vida com Patty tivesse ficado inviável, ele amava Patty de um modo totalmente diferente, um modo maior e mais abstrato mas ainda assim essencial, que tinha a ver com uma vida inteira de comportamento responsável; com o fato de ser uma boa pessoa. Se fosse o caso de passar o rodo nela, no sentido trabalhista e/ou sexual, Lalitha choraria por alguns meses e depois seguiria em frente, dedicando-se a boas causas na companhia de outras pessoas. Lalitha era jovem e tinha o dom da clareza. Enquanto Patty, embora se mostrasse muitas vezes cruel para com ele e ultimamente, cada vez mais, viesse evitando seu carinho físico, ainda precisava que ele a tivesse em alta consideração. E ele sabia bem disso pois, não fosse por isso, por que outro motivo ela não o deixava? Ele sabia muito bem. Havia um vazio no centro de Patty que era sua obrigação na vida fazer o possível para preencher de amor. Uma tênue centelha de esperança que só ele era capaz de salvaguardar. E assim, embora sua situação já fosse insustentável e só parecesse ficar ainda pior a cada dia, a única escolha de Walter era persistir.

Saindo do chuveiro do motel, tomando o cuidado de evitar a imagem do egrégio corpo branco de meia-idade no espelho, ele checou seu BlackBerry e encontrou uma mensagem de Richard Katz.

E aí, parceiro, aqui já está tudo pronto. E agora, nos encontramos mesmo em Washington? Fico num hotel ou durmo no seu sofá? Quero todos os poleiros a que tenho direito.

Beijos às suas lindas mulheres. RK.

Walter estudou a mensagem com um desconforto de origem incerta. Podia ser só o erro de ortografia, que lhe lembrava a desatenção fundamental de Richard, mas também podia ser uma consequência de seus encontros em Manhattan duas semanas antes. Apesar de muito satisfeito de rever seu velho amigo, Walter ficara atormentado em seguida diante da insistência de Richard, no restaurante, para que Lalitha repetisse a palavra *foda*, e pelas suas insinuações subsequentes do interesse dela pelo sexo oral, e pela maneira como ele próprio, no bar da Penn Station, tinha falado mal de Patty, o que ele *nunca* se permitia fazer na frente de mais ninguém. Ainda tentar impressionar seu colega de quarto na faculdade aos quarenta e sete anos, denegrindo a própria esposa e revelando confidências que seria melhor nunca revelar: era uma coisa patética. Embora Richard também desse a impressão de ter ficado contente de estar com ele, Walter não conseguia se livrar da velha sensação, que conhecia tão bem, de que Richard tentava impor-lhe sua visão katziana do mundo e, assim, sobrepujá-lo. Quando, para grande surpresa de Walter, antes que se despedissem, Richard concordara em deixá-lo usar seu nome e seu rosto na campanha contra a superpopulação, Walter ligara imediatamente para Lalitha com a grande notícia. Mas ela fora a única a poder saborear a informação com um entusiasmo completo. Walter embarcara no trem para Washington com grandes dúvidas. Teria feito a coisa certa?

E por que, naquele seu e-mail, Richard resolvera falar da *beleza* de Lalitha e de Patty? Por que mandar beijos para as duas, mas nem um abraço para o próprio Walter? Um simples descuido a mais? Walter achava que não.

Bem perto do Days Inn ficava um restaurante de carne feito de plástico de cima a baixo, mas com um bar bem equipado. Era um lugar ridículo para se jantar, dado que nem Walter nem Lalitha comiam carne bovina, mas o recepcionista do motel não tinha nada de melhor a indicar. Numa cabine com assentos de plástico, Walter encostou a borda de seu copo de cerveja ao *dry martini* de Lalitha, que ela consumiu o mais rápido que pôde. Ele fez sinal para a garçonete, pedindo mais um, e em seguida se entregou ao penoso estudo do cardápio da casa. Entre os horrores do metano de origem bovina e dos lagos de excremento que devastavam as fontes de água potável, produzidos pelas granjas de produção de porcos e frangos, a pesca catastroficamente excessiva que devastava os mares, o pesadelo ecológico dos projetos de cultivo de camarão e salmão, a orgia antibiótica das fábricas de processamento de laticínios, e o combustível desperdiçado pela globalização dos produtos alimentícios, havia pouco que ele poderia pedir em boa consciência além de batatas, feijões e tilápia produzida em criadouros de água doce.

"Foda-se", disse ele, fechando o cardápio. "Vou pedir um filé-mignon."

"Excelente, excelente comemoração", disse Lalitha, com o rosto já corado. "E eu vou pedir o delicioso sanduíche de queijo quente do menu infantil."

A cerveja era interessante. Inesperadamente amarga e quase gostosa, lembrando o sabor de massa de pão. Depois de três ou quatro goles, vasos sanguíneos que raramente se manifestavam no cérebro de Walter pulsavam com um efeito perturbador.

"Recebi um e-mail de Richard", disse ele. "Ele está disposto a vir para cá discutir estratégias conosco. Eu disse que viesse no fim de semana."

"Ah! Viu só? E você achava que nem valia a pena falar com ele."

"Não, não. Nessa você tinha razão."

Lalitha percebeu alguma coisa no rosto dele. "Mas você não ficou satisfeito com a ideia?"

"Não, claro que sim", disse ele. "Teoricamente. Só tem uma coisa que me faz... desconfiar. Acho que basicamente por não entender por que ele aceitou."

"Porque nós dois fomos extremamente convincentes!"

"É, pode ser. Ou talvez porque você seja extremamente bonita."

Ela ficou lisonjeada e ao mesmo tempo embaraçada por essas palavras. "Ele é um amigo muito próximo, não é?"

"Foi. Mas depois ficou famoso. E agora só consigo ver as partes dele em que não confio."

"E no que você não confia?"

Walter abanou a cabeça, sem querer responder.

"Você não confia nele *comigo*?"

"Não, seria uma estupidez imensa, não é? Quer dizer, por que algo que você faça poderia me afetar? Você é adulta, e sabe cuidar de si mesma."

Lalitha riu dele, agora simplesmente satisfeita, e nada confusa.

"Acho Richard muito engraçado e carismático", disse ela. "Mas no geral o que mais sinto por ele é pena. Sabe como? Ele parece um desses homens que precisam ficar o tempo todo ostentando uma atitude, porque por dentro são fracos. Ele nem chega perto de você como homem. Enquanto nós três conversamos, eu só via o quanto ele admira você, e como ele tentava não deixar isso claro demais. Você não percebe?"

O grau de prazer que Walter sentiu ao ouvi-la dizer isso lhe pareceu até perigoso. Ele queria acreditar nela, mas não conseguia, porque sabia o quanto Richard, a seu modo, podia ser de uma persistência infatigável.

"É sério, Walter. Esse tipo de homem é muito *primitivo*. Só tem dignidade, autocontrole e atitude. E só tem uma coisa, enquanto você tem todo o resto."

"Mas a coisa que ele tem é o que o mundo quer", disse Walter. "Você leu todas as informações sobre ele que constam no Nexis, e sabe do que estou falando. O mundo não quer ideias ou emoções, quer integridade e comedimento. E é por isso que não confio nele. Ele armou o jogo de um modo que sempre vai ganhar. Em particular, pode achar que admira o que estamos fazendo, mas nunca vai admitir em público, porque precisa manter a atitude, que é o que o mundo espera dele, e ele sabe disso muito bem."

"Sim, mas é por isso que é tão bom ele ter aceitado trabalhar conosco. Eu não *quero* que você esteja na moda, não gosto de homens da moda. Gosto de um homem como você. Mas Richard pode nos ajudar na parte da comunicação."

Walter ficou aliviado quando a garçonete veio anotar os pedidos e pôs fim ao prazer de ouvir os motivos pelos quais Lalitha gostava dele. Mas o perigo só fez se aprofundar quando ela tomou o segundo martíni.

"Posso lhe fazer uma pergunta pessoal?", disse ela.

"Ah — claro."

"A pergunta é a seguinte: você acha que eu devo ligar as minhas trompas?"

Ela falara tão alto que outras mesas ouviram, e Walter, por reflexo, levou o indicador aos lábios. Já sentia que estava chamando atenção demais, espalhafatosamente urbano, dividindo a mesa com uma garota de outra raça em meio às duas variedades de habitantes rurais da Virgínia Ocidental, os obesos e os muito magros.

"E me parece uma pergunta mais que lógica", disse ela em voz mais baixa, "já que eu pelo menos sei que não quero filhos."

"Bom", disse ele, "eu não... eu não..." Queria dizer que, como Lalitha se encontrava tão pouco com Jairam, seu namorado havia tanto tempo, a gravidez não parecia um risco muito iminente, e que se ela engravidasse acidentalmente, sempre podia fazer um aborto. Mas parecia incrivelmente inadequado conversar com sua assistente sobre as suas trompas. Ela sorria para ele com uma espécie de timidez melosa, como se esperasse uma permissão sua ou temesse sua reprovação. "Acho que no fim das contas", disse ele, "Richard tem razão, se me lembro bem do que ele disse. Ele disse que as pessoas sempre mudam de ideia sobre essas coisas. O melhor talvez seja deixar as opções em aberto."

"Mas e se eu tiver *certeza* de que agora estou com a razão, e quem eu vou ser no futuro não me despertar confiança?"

"Bom, no futuro você já não vai ser mais quem foi. Vai ser outra pessoa. E essa nova pessoa pode querer outras coisas."

"Então a pessoa nova que vou ser no futuro *que se foda*", disse Lalitha, debruçando-se para a frente. "Se ela quiser se reproduzir, já não tenho mais o menor respeito por ela."

Walter fez um esforço deliberado para não olhar em volta. "Mas por que você resolveu falar disso agora? Você quase nunca se encontra com Jairam."

"Porque Jairam quer ter filhos, só isso. E não acredita que eu possa estar realmente decidida a não ter. Preciso mostrar a ele, para ele parar de me aborrecer. Não quero mais ser namorada dele."

"Não sei se eu e você devíamos estar conversando sobre essas coisas."

"Mas com quem eu posso conversar, então? Você é a única pessoa que me entende."

"Ah, meu Deus, Lalitha." A cabeça de Walter girava por causa da cerveja. "Sinto muito. Sinto muito mesmo. Estou achando que induzi você a uma estrada a que não queria induzir. Você ainda tem a vida toda pela frente, e eu... fico com a impressão de que induzi você a um caminho errado."

A explicação não podia ser pior. Ao tentar dizer alguma coisa mais delimitada, mais específica em relação ao problema da população mundial, ele pareceu falar de alguma coisa ampla a respeito deles dois. Pareceu excluir uma possibilidade mais ampla que ainda não estava convencido de que devia excluir, muito embora soubesse que não era uma possibilidade concreta.

"É assim que eu penso, e não você", disse Lalitha. "Não foi você quem pôs essas ideias na minha cabeça. Eu só estava pedindo o seu conselho."

"Está bem, então acho que o meu conselho é para não ligar."

"Está bem. Então vou tomar mais uma bebida. Ou você me aconselha a parar?"

"Aconselho você a parar."

"Mas peça mais uma para mim, de qualquer maneira."

Um despenhadeiro se abria à frente de Walter, em que ele poderia saltar no momento em que quisesse. Ficou chocado de ver como uma coisa daquelas podia abrir-se tão depressa diante dele. Na única outra ocasião — ou melhor, não, não, não, na *única* ocasião — em que ele se apaixonara, levara quase todo um ano para tomar uma atitude a respeito, e mesmo depois disso Patty é que respondera pela maior parte do trabalho pesado em nome dele. Agora, parecia que essas coisas podiam acontecer numa questão de *minutos*. Mais umas poucas palavras imprudentes, mais uma caneca de cerveja, e só Deus sabe...

"O que eu quis dizer", atalhou ele, "é que eu posso ter ido longe demais com você nos meus argumentos sobre a superpopulação do mundo. De uma forma um tanto louca. Com a minha raiva meio cega, por causa dos meus problemas. Foi só isso que eu quis dizer."

Ela assentiu com a cabeça. Diminutas pérolas de lágrimas pendiam de seus cílios.

"Eu me sinto muito como se fosse seu pai", balbuciou ele.

"Entendi."

Mas *pai* também era a palavra errada — excludente demais do tipo de amor que ainda lhe doía demais admitir que nunca haveria de se permitir.

"Obviamente", disse ele, "sou novo demais para ser seu pai, ou quase novo demais, e além disso, de qualquer maneira, você tem o seu pai. Eu só estava falando de você ter me pedido um conselho paterno. Do fato de que, por ser seu chefe, e uma pessoa consideravelmente mais velha, eu sinto certa... *preocupação* com você. E disse 'pai' nesse sentido. Não em nenhum sentido tabu."

Tudo isso soava um completo absurdo no momento mesmo em que ele dizia. O problema dele era justamente a porra dos tabus. Lalitha, que parecia saber disso, ergueu seus lindos olhos e olhou direto nos dele. "Você não precisa me amar, Walter. Eu posso amar você sozinha. Está bem? E isso você não tem como evitar."

O abismo se ampliou vertiginosamente.

"Mas eu amo você!", disse ele. "Quer dizer — de certa maneira. Uma maneira bem determinada. Sem dúvida eu amo. Muito. Muito mesmo. Está bem? Só não vejo que isso possa nos levar a lugar algum. Quer dizer, se vamos continuar trabalhando juntos, não podemos ficar conversando desse jeito. Já chegamos a um ponto muito, muito, muito, muito perigoso."

"Eu sei." Ela baixou os olhos. "E você é casado."

"Pois é, exatamente. *Exatamente*. E aqui estamos nós."

"Aqui estamos nós, exatamente."

"Vou pedir a sua bebida."

O amor declarado, o desastre evitado, ele continuou à procura da garçonete que os atendia e lhe pediu um terceiro martíni, carregado no vermute. Seu rosto corado, que fora e voltara durante a vida inteira, agora tinha vindo e não o deixava mais. Refugiou-se, com o rosto em brasas, no banheiro dos homens, e tentou urinar. Sua vontade era ao mesmo tempo premente e difícil de atender. Ficou de pé diante do mictório, respirando fundo, e estava finalmente a ponto de conseguir deixar as coisas fluírem quando a porta se abriu e alguém entrou. Walter ouviu o sujeito lavar as mãos e secá-las enquanto ele ficava ali parado com as faces em fogo e esperava a bexiga sobrepujar sua timidez. Estava de novo à beira do sucesso quando percebeu que o sujeito da pia se demorava de propósito, à espera dele. Desistiu de mijar, desperdiçou água com uma descarga desnecessária, e puxou o fecho das calças.

"Talvez fosse o caso de falar com um médico, amigo, sobre as suas dificuldades urinárias", comentou com um sotaque sádico e arrastado o sujeito da pia. Branco, com uns trinta anos e as marcas de uma vida dura no rosto, correspondia perfeitamente à descrição que Walter faria do tipo de motorista que era contrário a sinalizar suas mudanças de direção com a seta. Postou-se ao lado do ombro de Walter enquanto este lavava depressa as mãos e as secava.

"Quer dizer que você gosta de carne escura?"

"O quê?"

"Estou dizendo que vi o que você está fazendo com aquela pretinha."

"Ela é *asiática*", disse Walter, contornando o sujeito. "Se me dá licença — "

"Doce é bom mas a bebida sobe mais depressa, não é mesmo?"

Sua voz vinha carregada de tanto ódio que Walter, temendo a violência, procurou bater em retirada pela porta sem dar nenhuma resposta. Não dava ou absorvia um soco em trinta e cinco anos, e imaginava que uma porrada fosse incomodar muito mais aos quarenta e sete que aos doze anos. Todo o seu corpo tremia de violência contida, sua cabeça girando diante da injustiça, quando se sentou diante de uma salada de alface hidropônica em sua cabine.

"Que tal sua cerveja?", perguntou Lalitha.

"Interessante", respondeu ele, tomando o resto de uma vez. Sentia a cabeça a ponto de soltar-se do pescoço e ascender até o teto como um balão de gás.

"Desculpe eu ter dito o que não devia."

"Não se preocupe", disse ele. "Eu —" *também estou apaixonado por você. Terrivelmente apaixonado.* "Eu estou numa posição difícil, querida", disse ele, "quer dizer, não 'querida'. Não 'querida' Lalitha. Querida. Estou numa posição difícil."

"Talvez você devesse tomar mais uma cerveja", disse ela com um sorriso malicioso.

"A questão é que eu também sou apaixonado pela minha mulher."

"Claro que sim", disse ela. Mas não estava nem *tentando* ajudar Walter a se livrar da situação. Arqueou as costas como uma gata e esticou-se para a frente por cima da mesa, exibindo as dez unhas claras de suas lindas mãos jovens dos dois lados de sua travessa de salada, convidando-o a tocá-las. "Estou tão bêbada!", disse ela, sorrindo maldosamente para ele.

Ele correu os olhos em volta pelo salão de jantar de plástico para ver se o sujeito que o incomodara no banheiro estava assistindo à cena. Não estava patentemente à vista, e ninguém mais os fitava de maneira indevida. Baixando os olhos para Lalitha, que esfregava o rosto no tampo de plástico da mesa como se fosse o mais macio dos travesseiros, lembrou-se das palavras da profecia de Richard. A moça de joelhos, a cabeça subindo e descendo, sorrindo para cima. Ah, a clareza barata da visão do mundo de Richard Katz. Uma onda de ressentimento atravessou a relativa embriaguez de Walter e o fez recuperar o equilíbrio. Aproveitar-se daquela moça seria a atitude de Richard, mas não a dele.

"Sente-se direito", disse ele em tom severo.

"Daqui a pouquinho", murmurou ela, ondulando os dedos esticados.

"Não, sente-se direito agora. Somos a face pública do Fundo, e precisamos agir de acordo."

"Acho que você devia me levar para o quarto, Walter."

"Primeiro você precisa comer alguma coisa."

"Hum", disse ela, sorrindo de olhos fechados.

Walter levantou-se, foi atrás da garçonete e pediu-lhe que embalasse seus pratos para viagem. Lalitha ainda estava desabada para a frente, o terceiro martíni inacabado ao lado do cotovelo, quando ele voltou para a cabine. Ele a despertou e a segurou com firmeza pela metade superior do braço enquanto a levava para fora e a instalava no banco do carona. Voltando ao restaurante para buscar a comida, encontrou, no vestíbulo envidraçado, o sujeito do banheiro.

"Filho da puta, que gosta de carne escura", disse o sujeito. "Dando espetáculo. Veio fazer o que aqui, filho da puta?"

Walter tentou contorná-lo, mas o sujeito barrou seu caminho. "Eu lhe fiz uma pergunta."

"Não estou interessado", disse Walter. Tentou abrir caminho mas o outro o empurrou com força contra a vidraça, fazendo sacudir a estrutura do vestíbulo. Naquele momento, antes que alguma coisa pior pudesse acontecer, a porta interna se abriu e a recepcionista veterana do restaurante perguntou o que estava havendo.

"Esta pessoa está me incomodando", disse Walter, respirando com força.

"Pervertido de merda."

"Resolvam essa questão fora do estabelecimento", disse a recepcionista.

"Não vou a lugar nenhum. Esse tarado é que vai embora."

"Então volte para a sua mesa, sente-se e não venha usar esse tipo de linguagem comigo."

"Nem consigo comer, esse cara me deixa com o estômago embrulhado."

Deixando os dois outros discutindo suas pendências, Walter entrou e descobriu-se na mira do olhar odiosamente assassino de uma jovem loura um tanto acima do peso, claramente a mulher do seu perseguidor, sozinha a uma mesa junto à porta. Enquanto esperava a chegada da comida, perguntou-se por que logo naquela noite, de todas as noites possíveis, ele e Lalitha haviam despertado aquele tipo de ódio. Tinham provocado alguns olhares aqui e ali, quase sempre em cidades menores, mas as coisas nunca tinham chegado a esse ponto. Na verdade, ficara agradavelmente surpreso com o número de casais mistos que vira em Charleston, e pela prioridade relativamente baixa do racismo entre os muitos males do estado. A maior parte da Virgínia Ocidental era branca demais para que a raça se transformasse numa questão primordial. Viu-se levado à conclusão de que o que tinha atraído a atenção do jovem casal fora a culpa, a culpa suja que ele próprio sentia e que se irradiava de seu reservado. Não sentiam ódio de Lalitha, sentiam ódio *dele*. E ele merecia. Quando a comida finalmente chegou, suas mãos tremiam tanto que ele mal conseguiu assinar o recibo do cartão de crédito.

De volta ao Days Inn, ele carregou Lalitha nos braços pela chuva e a depositou diante da porta do quarto dela. Estava convencido de que ela era perfeitamente capaz de caminhar, mas ele queria obedecer ao desejo que ela manifestara antes de entrar carregada em seu quarto. E na verdade até ajudava carregá-la nos braços como uma criança, porque o fazia lembrar suas responsabilidades. Quando ela se sentou na cama e desabou deitada, ele a cobriu com a colcha como antigamente cobria Jessica e Joey.

"Vou até o meu quarto jantar", disse ele, afastando carinhosamente o cabelo da testa dela. "E vou deixar sua comida aqui."

"Não", disse ela. "Fique aqui e vamos ver televisão. Eu me curo da bebedeira e podemos comer juntos."

E nisso também ele acabou fazendo o que ela queria, sintonizando na PBS e assistindo à última parte do *NewsHour* — alguma discussão sobre a ficha militar de John Kerry cuja irrelevância o deixou tão nervoso que mal conseguiu acompanhar a narração. Praticamente não aguentava mais nenhum tipo de noticiário. Tudo acontecia depressa demais, depressa demais. Sentiu uma pontada de simpatia pela campanha de Kerry, a quem agora restavam menos de sete meses para mudar o estado de espírito do país e expor três anos de mentiras e manipulações apoiadas em alta tecnologia.

Ele próprio vinha sofrendo uma pressão imensa para conseguir que os contratos com a Nardone e a Blasco fossem assinados antes que expirasse o acordo inicial das duas com Vin Haven, no dia 30 de junho, ficando sujeito à renegociação. Em sua pressa de dar conta de Coyle Mathis e cumprir seus prazos, sua única escolha fora assinar o negócio da fabricação de coletes à prova de balas com a LBI, por mais que lhe parecesse exorbitante e discutível. E agora, antes que mais alguma coisa pudesse ser revogada, as companhias de mineração se apressavam em destruir o Nine Mile Valley e invadir as montanhas com suas imensas escavadoras mecânicas, o que estavam autorizadas a fazer porque um dos poucos sucessos claros de Walter, na Virgínia Ocidental, fora conseguir prioridade para as licenças de mineração a céu aberto e convencer o Centro de Leis Ambientais dos Apalaches a remover a área afetada de suas medidas judiciais protelatórias. O acordo foi fechado, e Walter agora precisava esquecer a Virgínia Ocidental e começar a trabalhar com empenho em sua cruzada contra o crescimento populacional — precisava dar início ao programa de estágios antes que os estudantes universitários mais liberais do país já tivessem definido seus planos para o verão e preferissem ir trabalhar na campanha de Kerry.

Nas duas semanas e meia desde sua reunião em Manhattan com Richard, a população mundial tinha aumentado em sete milhões de habitantes. Um aumento *líquido* de sete milhões de seres humanos — o equivalente à população da cidade de Nova York — para abater mais florestas, sujar cursos d'água, pavimentar pastagens e atirar lixo plástico no oceano Pacífico, queimar gasolina e carvão, exterminar outras espécies, obedecer ao filho da puta do papa e continuar produzindo fieiras de doze filhos. Na opinião de Walter, não havia força maior a serviço do mal no mundo, uma causa mais profunda para o desespero com o destino da humanidade e do planeta incrível que lhe fora dado, que a Igreja Católica, embora, sem dúvida, os fundamentalismos siameses de Bush e Bin Laden chegassem perto nos dias atuais. Ele não podia ver uma igreja, um decalque dizendo HOMENS DE VERDADE AMAM JESUS ou o símbolo de um peixe num carro sem sentir um aperto de raiva no peito. Num lugar como a Virgínia Ocidental, isso significava que ele se enraivecia mais ou menos toda vez que saía pelas ruas, o que sem dúvida contribuía para sua fúria nas estradas. E não era só a religião, nem era só *tudo* em tamanho jumbo a que seus compatriotas se julgavam com direito exclusivo, não eram só os Walmarts, os baldes de xarope de milho e os monstruosos caminhões com altura fora do comum; era a sensação de que ninguém mais no país perdia *cinco segundos sequer* pensando no que significava enfiar mais treze milhões de primatas por mês na superfície finita do mundo. A serenidade inabalável da indiferença de seus compatriotas o deixava simplesmente descontrolado de raiva.

Pouco tempo antes Patty tinha sugerido, como um antídoto para a fúria da estrada, que ele se distraísse com o rádio sempre que dirigisse, mas para Walter a mensagem de toda estação de rádio era que ninguém mais nos Estados Unidos pensava na ameaça de ruína do planeta. As estações que falavam de Deus ou só tocavam música country ou passavam os discursos de Russ Limbaugh eram todas, é claro, animadamente a favor da ruína; as estações de rock clássico ou só de notícias viviam criando muito caso em torno de quase nada; e a Rede Nacional de Rádio Pública parecia a Walter ainda pior. *Mountain Stage* e A *Prairie Home Companion*, literalmente tocando suas rabecas enquanto o planeta pegava fogo! E pior ainda eram a *Morning Edition* e *All Things Considered*. A equipe de jornalismo da Rádio Pública, que no passado tinha sido bastante liberal, transformara-se em apenas mais uma voz de ideologia de livre mercado de centro-direita, descrevendo a mínima desaceleração da taxa de crescimento do país como "má notícia", e desperdiçando de propósito preciosos minutos de tempo de transmissão a cada manhã e fim de tarde — minutos que poderiam ter sido empregados para despertar a consciência sobre a premência da superpopulação mundial e da extinção em massa — em comentários ligeiros sobre romances e os maneirismos de conjuntos musicais como o Walnut Surprise.

E a televisão: a televisão era a mesma coisa que o rádio, só que dez vezes pior. O país que acompanhava cada guinada inventada de *American Idol* enquanto o mundo se incendiava parecia a Walter plenamente merecedor de qualquer pesadelo que o futuro lhe reservasse.

Ele sabia, claro, que era errado sentir-se assim — mesmo que só porque, pelos últimos vinte anos, em St. Paul, não era como ele se sentia. Percebia a íntima ligação entre a raiva e a depressão, sabedor de que era mentalmente insalubre viver tão exclusivamente obcecado com desdobramentos apocalípticos, sabedor de como, em seu caso, a obsessão se alimentava da frustração com sua mulher e a decepção com seu filho. É provável que, se estivesse de fato sozinho em sua fúria, não tivesse conseguido suportá-la.

Mas Lalitha estava a seu lado a cada passo. Ratificava sua visão e compartilhava sua sensação de urgência. Em sua entrevista inicial, ela lhe contara a viagem que fizera com a família de volta a Bengala Ocidental, aos catorze anos de idade. Tinha a idade exata para não ficar apenas triste e horrorizada, mas *enojada* com a densidade, o sofrimento e a precariedade da vida humana em Calcutá. Seu asco a levara, depois de sua volta aos Estados Unidos, a uma dieta vegetariana e aos estudos sobre o meio ambiente, mais centralizados, na faculdade, nos problemas da mulher nos países em desenvolvimento. Embora tenha conseguido um bom emprego na Nature Conservancy ao se formar, seu interesse genuíno — como o de Walter na juventude — sempre tinham sido as questões da superpopulação e da sustentabilidade.

Havia, certo, outro lado de Lalitha, um lado suscetível aos homens fortes e tradicionais. Seu namorado, Jairam, era corpulento e um tanto feio, mas arrogante e muito motivado, cirurgião cardíaco em treinamento, e Lalitha não era de modo algum a primeira jovem atraente que Walter tinha visto acoplar seus encantos a um tipo assim a fim de evitar ser abordada em todo lugar aonde ia. Mas seis anos das asneiras cada vez mais elaboradas de Jairam finalmente pareciam estar fazendo Lalitha mudar de ideia a respeito do noivo. A única verdadeira surpresa quanto à pergunta que ela fez a Walter naquela noite, a pergunta sobre a esterilização, era que sentira a necessidade de perguntar a ele.

Por que, de fato, ela havia perguntado isso a ele?

Ele desligou a TV e ficou andando de um lado para o outro pelo quarto dela, pensando melhor na questão, e a resposta lhe veio na hora: o que estava perguntando era se *ele* não podia querer ter um filho com ela. Ou talvez, mais precisamente, estava avisando que, caso ele quisesse, podia ser que ela não estivesse disposta.

E a coisa mais perversa era que — para ser honesto consigo mesmo — ele na verdade *queria* ter um filho com ela. Não que não adorasse Jessica e, de um modo mais abstrato, não amasse Joey. Mas a mãe deles agora lhe parecia muito distante. Patty era uma pessoa que provavelmente jamais quisera muito se casar com ele, alguém de cuja existência tinha descoberto logo através de *Richard*, que mencionou, numa noite de verão muito distante em Minneapolis, que a garota com quem ele dormia morava com uma estrela do time de basquete que não tinha nada a ver com o que ele achava até então das atletas mulheres. Patty quase ficara com Richard, e o fato gratificante de não ter ficado — de ter sucumbido ao amor de Walter — servira de base para toda uma vida em comum, o casamento, a casa e os filhos. Sempre foram um bom casal, mas um casal diferente; hoje em dia, cada vez mais, pareciam simplesmente incompatíveis. Já Lalitha era um espírito genuinamente semelhante ao seu, uma alma gêmea que o adorava sem reservas. Se um dia eles tivessem um filho, o filho seria como ele.

Continuou a andar de um lado para o outro pelo quarto dela, muito agitado. Enquanto sua atenção estivera absorvida pela bebida e pela agressividade dos locais, o abismo a seus pés só fizera aumentar mais e mais de tamanho. Agora ele já estava pensando em *ter filhos* com sua assistente! E nem mesmo estava disfarçando! E tudo isso tinha começado a acontecer na última *hora*.

Sabia que era novo porque, quando ele lhe aconselhara a não ligar as trompas, sinceramente não estava pensando em si mesmo.

"Walter?", disse Lalitha da cama.

"Oi, como é que você está?", perguntou ele, correndo para junto dela.

"Pensei que estava a ponto de vomitar, mas agora já estou achando que não preciso."

"Muito bom!"

Piscava rapidamente os olhos para ele, com um sorriso carinhoso. "Obrigada por ficar comigo."

"Ora, imagine."

"E você, como está indo com a sua cerveja?"

"Nem sei dizer."

Os lábios dela estavam logo ali, aquela boca logo ali, e seu coração parecia a ponto de explodir sua caixa torácica com seus pulos. Beije-a! Beije-a! Beije-a!, era o que lhe dizia.

E então seu BlackBerry tocou. O toque era o canto da mariquita-azul.

"Atenda", disse Lalitha.

"Humm..."

"Não, atenda. Estou bem, deitada aqui."

A ligação era de Jessica, não era urgente, os dois conversavam todo dia. Mas ver o nome dela na telinha foi suficiente para puxar Walter da beira do abismo. Ele se sentou na outra cama e atendeu o telefone.

"Pelo som, você devia estar andando", disse Jessica. "Anda correndo por aí?"

"Não", respondeu ele. "Na verdade estava comemorando."

"Pois parece que está numa *esteira de exercício*, de tanto que está ofegante."

Nem restava ao braço dele a força de segurar o telefone junto ao ouvido. Deitou-se de lado e pôs a filha a par dos acontecimentos daquela manhã e de suas várias inquietações, sobre as quais ela fez o possível para tranquilizá-lo. Ele aprendera a gostar do ritmo daquelas conversas telefônicas diárias. Jessica era a única pessoa no mundo que ele deixava fazer-lhe perguntas sobre ele mesmo antes de cravá-la de perguntas sobre a vida dela; era assim que ela cuidava dele; era a descendente que tinha herdado seu senso de responsabilidade. Embora ela ainda quisesse virar escritora, e trabalhasse no momento como assistente editorial muito mal remunerada em Manhattan, tinha uma profunda simpatia verde e pretendia transformar a causa ambiental no foco de sua obra futura. Walter lhe contou que Richard estava vindo para Washington, e perguntou se ainda estava planejando encontrar-se com eles no fim de semana, para ajudá-los nas reuniões com sua valiosa inteligência de jovem. Ela disse que sem dúvida.

"E como foi o seu dia?", perguntou ele.

"Bem", disse ela. "Minhas companheiras de dormitório não foram magicamente substituídas por companheiras de dormitório melhores enquanto eu estava fora. Estou com uma pilha de roupas vedando a minha porta, para não deixar entrar o cheiro de fumaça."

"Você precisa dizer a elas que não podem fumar no dormitório. Simplesmente vá lá e diga."

"Não adianta, porque eu acabo perdendo no voto. As duas acabaram de começar. Pode ser que elas ainda descubram que é uma estupidez, e acabem parando. Enquanto isso, eu fico prendendo a respiração."

"E o trabalho, como vai?"

"Como sempre. Simon está ficando cada vez mais nojento. Parece uma fábrica de sebo. Depois que ele passa pela sua mesa, você precisa esfregar tudo com um pano. Hoje ele ficou mais ou menos uma hora na mesa da Emily, tentando convencê-la a ir a um jogo dos Knicks com ele. Os editores vivem ganhando convites de graça para tudo, inclusive jogos de basquete, por motivos com que eu não consigo atinar. Imagino que a essa altura os Knicks devem estar desesperados para lotar os lugares para convidados especiais. E tudo que a Emily quer é encontrar mil novas maneiras de dizer não. Depois de algum tempo, entrei na conversa e fiquei pedindo a Simon notícias da *mulher* dele. Sabe como é — a *esposa*? Três filhos, em Teaneck? E aí, não vai parar de olhar dentro da blusa da Emily?"

Walter fechou os olhos e tentou encontrar algo para dizer.

"Papai? Você está aí?"

"Estou, estou aqui. Quantos anos tem, hum, Simon?"

"Não sei. Idade indeterminada. Provavelmente não mais que o dobro de Emily. Ninguém sabe dizer ao certo se ele tinge ou não o cabelo. Às vezes a cor fica um pouco diferente, de uma semana para outra, mas pode ser só uma questão de oleosidade da pele. Por sorte, não sou diretamente subordinada a ele."

Walter teve um súbito receio de começar a chorar.

"Papai? Você está aí?"

"Estou, estou."

"É que o seu celular fica tão mudo quando você não diz nada."

"É, escute", disse ele, "acho ótimo que você esteja vindo para o fim de semana. Acho que vamos acomodar Richard no quarto de hóspedes. Vamos precisar de uma reunião maior no sábado e depois de outra menor no domingo. Para tentar sair com um plano concreto. Lalitha já teve ótimas ideias."

"Sem dúvida", disse Jessica.

"Ótimo, então. Conversamos amanhã."

"Está bem, te amo, papai."

"Eu também, minha querida."

Deixou o telefone escorregar da mão e ficou deitado chorando algum tempo, em silêncio, fazendo a cama vagabunda sacudir. Ele não sabia o que fazer, não sabia como viver. Cada coisa nova com que deparava na vida o impelia numa direção que o convencia plenamente de sua justeza, mas em seguida outra coisa surgia e o impelia na direção oposta, que também lhe parecia correta. Não havia uma narrativa controlando as coisas: ele se via como uma bola metálica puramente reativa num tabuleiro de *pinball* onde o único objetivo era manter-se vivo apenas para manter-se vivo. Jogar fora seu casamento e seguir com Lalitha lhe parecia irresistível até o momento em que viu a si mesmo na pessoa do colega de trabalho mais velho de Jessica, como mais um macho branco americano que consumia em excesso e sentia-se com direito a mais e mais e mais: em que viu o imperialismo romântico de sua paixão por uma mulher jovem e asiática, tendo esgotado os suprimentos domésticos. E o mesmo acontecia com o rumo que tinha traçado para o Fundo por dois anos e meio, convencido da solidez de seus argumentos e da justeza da sua missão, até sentir, naquela manhã, em Charleston, que cometera erros horríveis. E o mesmo com o movimento de controle da superpopulação: qual maneira de viver poderia ser melhor do que atacar de frente o desafio mais crítico de seu tempo? Um desafio que dava a impressão de já estar truncado e infértil, com a decisão de Lalitha de ligar as trompas. Como viver?

Estava enxugando os olhos, readquirindo o controle, quando Lalitha se levantou, aproximou-se e pôs uma das mãos em seu ombro. Ela cheirava a martíni recém-sorvido. "Meu chefe", disse ela baixinho, acariciando o ombro de Walter. "Você é o melhor chefe do mundo. É um homem maravilhoso. Vamos acordar amanhã e tudo vai ter dado certo."

Ele assentiu com a cabeça, fungou e inspirou entrecortadamente. "Por favor, não ligue as trompas", disse ele.

"Não", respondeu ela, sem parar de acariciá-lo. "Hoje à noite não."

"Não precisa ter pressa de nada. Tudo precisa acontecer mais devagar."

"Devagar, devagar, isso mesmo. Tudo vai acontecer bem devagar."

Se ela o beijasse, ele teria correspondido a seu beijo, mas ela se limitou a continuar acariciando seu ombro, e pouco a pouco ele recuperou a capacidade de recompor uma aparência de sua identidade profissional. Lalitha tinha um ar ansioso, mas não decepcionado demais. Ela bocejou e esticou os braços como uma menina sonolenta. Walter a deixou com seu sanduíche e foi para o quarto com o seu filé, que devorou numa selvageria culpada, segurando a carne nas mãos e despedaçando-a com os dentes, a gordura escorrendo pelo queixo. Tornou a pensar no colega de trabalho de Jessica, oleoso e sem atrativos: Simon.

Devolvido à sobriedade pela lembrança, e pela solidão e a esterilidade de seu quarto, lavou o rosto e cuidou de seus e-mails por duas horas, enquanto Lalitha dormia em seu quarto repleto de atrativos, e sonhava — com o quê? Ele nem imaginava. Mas sentia que, por terem chegado tão perto do limiar e depois recuado tão atabalhoadamente, ambos tinham se vacinado contra o perigo de tornarem a se aproximar a esse ponto. O que agora lhe convinha à perfeição. Era assim que ele sabia viver: com a disciplina e a renúncia. Consolou-se com o tempo que ainda haveria de passar antes que ele e Lalitha tornassem a viajar juntos.

Cynthia, sua assessora de imprensa, lhe enviara por e-mail os rascunhos finais do texto completo do comunicado à imprensa, e do anúncio preliminar que ele faria ao meio-dia do dia seguinte, assim que a demolição de Forster Hollow tivesse começado. Havia também um recado seco e insatisfeito de Eduardo Soquel, o chefe das atividades do Fundo na Colômbia, comunicando que estava disposto a perder a *quinceañera* de sua filha mais velha no domingo e pegar um avião para Washington. Walter precisava de Soquel a seu lado na coletiva de segunda-feira, a fim de enfatizar a natureza pan-americana do parque e assinalar os sucessos do Fundo na América do Sul.

Não era incomum que negócios envolvendo a conservação de áreas extensas de terra fossem mantidos em sigilo até a conclusão, mas poucos eram os negócios que continham uma bomba comparável, na forma de mais de cinco mil hectares de floresta sendo liberados para mineração a céu aberto. No final de 2002, quando Walter se limitara a *sugerir* à comunidade ambientalista local que o Fundo poderia permitir a mineração a céu aberto na reserva destinada à mariquita-azul, Jocelyn Zorn tinha entrado em contato com todos os jornalistas adversários do carvão na Virgínia Ocidental. Uma revoada de matérias negativas resultara de seus esforços, e Walter percebera que não podia se dar ao luxo de revelar todos os traços de seu projeto ao público. O relógio não parava; não havia tempo para o trabalho lento de conscientizar o público e dar forma às suas opiniões. Melhor manter em segredo suas negociações com a Nardone e a Blasco, melhor deixar Lalitha convencer Coyle Mathis e seus vizinhos a assinar acordos de sigilo, e esperar que os *faits* ficassem *accomplis*. Mas agora o pano tinha subido, e o equipamento pesado estava a caminho. Walter sabia que precisava tomar a iniciativa e apresentar as coisas à sua maneira, como um exemplo do "sucesso" de uma recuperação respaldada na ciência e de uma relocação que dava a devida atenção aos interesses dos antigos habitantes. No entanto, quanto mais pensava agora no caso, mais convencido ficava de que a imprensa iria massacrá-lo pela decisão de permitir a mineração a céu aberto no alto das montanhas. Ele podia passar semanas empenhado em controlar os incêndios. E enquanto isso o relógio continuava caminhando no seu movimento contra a superpopulação, que a essa altura era tudo a que realmente dava importância.

Depois de reler o comunicado que seria distribuído à imprensa, ele checou mais uma vez sua caixa de entrada de e-mails e encontrou uma nova mensagem, de caperville@nytimes.com.

> Olá, sr. Berglund,
> Meu nome é Dan Caperville e estou trabalhando numa reportagem sobre a conservação de terras na região dos Apalaches. Soube que o Fundo da Montanha Azul fechou recentemente um acordo visando à preservação de um vasto trecho de floresta em Wyoming, Virgínia Ocidental. Adoraria conversar com o senhor assim que lhe for conveniente...

O quê, porra? Como é que o *Times* já sabia dos acordos assinados naquela manhã? Walter estava tão despreparado para refletir sobre esse e-mail, nas circunstâncias atuais, que compôs uma resposta na mesma hora, e a enviou antes de ter tempo de pensar duas vezes:

> Caro sr. Caperville,
> Muito obrigado pelo seu interesse! Adoraria conversar com o senhor sobre as muitas iniciativas interessantíssimas que o Fundo tem em andamento. Por coincidência, darei uma entrevista coletiva na próxima segunda-feira em Washington, para anunciar um novo projeto ambiental de grande importância e interesse, à qual espero que o senhor possa comparecer. Em consideração à importância de seu jornal, também posso enviar-lhe uma cópia adiantada do nosso comunicado na noite de domingo. Se o senhor estiver disponível para conversar comigo no início da manhã de segunda, antes ainda da coletiva, também talvez possa dar um jeito.
> Ansioso para trabalhar em conjunto com o senhor
> Walter E. Berglund
> Diretor executivo, Fundo da Montanha Azul

Mandou cópia de todas as mensagens para Cynthia e Lalitha, acompanhadas do comentário "que diabos foi isso?", e depois ficou andando de um lado para o outro do quarto, muito agitado, pensando em como seria bom tomar uma segunda cerveja naquele momento. (Uma cerveja em quarenta e sete anos, e ele já se sentia dependente.) A coisa certa a fazer agora talvez fosse acordar Lalitha, voltar de carro para Charleston, pegar o primeiro avião para fora da cidade, transferir a coletiva para sexta-feira e procurar tomar a frente da história. Mas parecia que o mundo inteiro, o mundo enlouquecedor e veloz, estava conspirando para privá-lo das *únicas duas coisas* que ele de fato queria nesse momento. Já tendo perdido a oportunidade de beijar Lalitha, ele queria pelo menos passar o fim de semana planejando o movimento contra a superpopulação com ela, Jessica e Richard, antes de precisar lidar com aquela situação difícil na Virgínia Ocidental.

Às dez e meia, ainda caminhando de um lado para o outro pelo quarto, sentia-se tão despossuído, ansioso e com piedade de si mesmo que ligou para Patty em casa. Queria colher algum crédito pela sua fidelidade, ou talvez só pretendesse descontar parte de sua raiva numa pessoa que amava.

"Oi, como vai?", disse Patty. "Eu não esperava que você fosse me ligar. Está tudo em ordem?"

"Está tudo *horrível*."

"Aposto que sim! É difícil ficar dizendo que não quando na verdade quer dizer que sim, não é?"

"Ah, meu Deus, nem comece", disse ele. "Por favor, pelo amor de Deus, não comece com essa história hoje à noite."

"Desculpe. Só estava tentando me mostrar solidária."

"Estou às voltas com um problema *profissional* aqui, Patty. Não é uma coisinha pessoal e emocional, acredite você ou não. Uma *dificuldade profissional muito séria* que me faz esperar pelo menos um pouco de compreensão. Alguém que esteve na reunião hoje de manhã deixou vazar alguma coisa para a imprensa, e eu preciso tentar sair na frente de uma história de que eu nem sei se quero estar na frente, porque eu já estava achando que tinha fodido com tudo por aqui. Porque tudo que eu consegui fazer foi entregar cinco mil e tantos hectares para serem transformados numa paisagem lunar, e agora o mundo precisa ser informado disso, e eu nem me importo mais com o projeto."

"Bom, a verdade", disse Patty, "é que a parte da paisagem lunar realmente causa uma péssima impressão."

"Obrigado! Obrigado pela compreensão e pelo consolo!"

"Hoje mesmo eu li um artigo no *Times* a respeito disso."

"Hoje?"

"É, eles até falaram do seu passarinho, e como a mineração a céu aberto vai fazer mal a ele."

"Inacreditável! Hoje?"

"É, hoje."

"Puta merda! Alguém deve ter visto o artigo no jornal de hoje e ligado para o repórter para passar as informações. Acabei de receber um e-mail dele meia hora atrás."

"Bem, de qualquer maneira", disse Patty, "você deve saber exatamente o que está fazendo, embora essa coisa de mineração a céu aberto pareça realmente um horror."

Ele apertou a testa, sentindo-se de novo à beira das lágrimas. Não acreditava que sua própria mulher estava lhe dizendo aquelas coisas, àquela altura, logo naquele dia. "Desde quando você virou uma leitora tão fiel do *Times*?"

"Só estou dizendo que dá uma péssima impressão. E pela matéria não parece existir ninguém que discorde disso."

"Logo você, que zombava da sua mãe por acreditar em tudo que ela lia no *Times*."

"Rá rá rá! Quer dizer que agora eu virei a minha mãe? Só porque eu não gosto de mineração a céu aberto, de uma hora para outra eu virei *Joyce*?"

"Só estou dizendo que essa história tem outros lados."

"Você acha que precisamos queimar mais carvão. Tornar mais fácil queimar mais carvão. Apesar do aquecimento global."

Ele desceu a mão até os olhos e os apertou até fazê-los doer. "Você quer que eu lhe explique por que é assim? Quer que eu explique?"

"Se você achar melhor."

"Estamos a caminho de uma catástrofe, Patty. De um colapso total."

"Bem, e francamente, eu não sei o que você acha, mas estou começando a achar que pode ser até um alívio."

"Não estou falando de nós dois!"

"Rá rá rá! Eu não tinha entendido, de verdade. Não entendi do que você estava falando."

"Estou dizendo que a população mundial, e o consumo total de energia, precisa começar a diminuir em algum ponto. Já deixamos para trás qualquer hipótese de sustentabilidade. Quando o colapso vier, os ecossistemas vão ter uma oportunidade breve de se recompor, mas só se ainda houver alguma natureza. Assim, a questão é o quanto do planeta vai estar destruído antes do colapso final. Nós acabamos com todos os recursos, cortamos todas as árvores e esterilizamos todos os oceanos, antes do colapso? Ou algumas áreas vão conseguir sobreviver sem tanto estrago?"

"Seja como for, a essa altura eu e você já vamos estar mortos há muito tempo", disse Patty.

"Ainda assim, antes de morrer, estou tentando criar uma área defendida. Um refúgio. Uma coisa para ajudar alguns ecossistemas a superar o ponto fatal. É esse o projeto."

"Como se", insistiu ela, "fosse haver uma epidemia mundial e as pessoas começassem a formar uma fila imensa para tomar Tamiflu, ou Cypro, e você estivesse cuidando de nos transformar nas últimas duas pessoas que ainda tomam os remédios. 'Epa, desculpem, pessoal, foi mal, acabou de acabar aqui.'

Nós vamos nos comportar muito educadamente, com toda a gentileza, e depois todo mundo morre."

"O aquecimento global é uma ameaça terrível", disse Walter, recusando-se a morder a isca, mas ainda é melhor que resíduos radioativos. As espécies são capazes de se adaptar muito mais depressa do que achávamos antes. Se a mudança climática for acontecendo ao longo de cem anos, um ecossistema frágil tem a possibilidade de persistir. Mas quando um reator explode, tudo fica fodido na mesma hora, e fica fodido pelos quinhentos anos seguintes."

"Quer dizer que viva o carvão. Vamos queimar mais carvão, mais carvão."

"É complicado, Patty. O quadro se complica quando você pondera as alternativas. A energia nuclear é uma catástrofe esperando para acontecer. Os ecossistemas não têm *nenhuma* chance de se recuperar de uma calamidade assim. Todo mundo fala de energia eólica, mas o vento também não é uma boa escolha. Essa idiota, Jocelyn Zorn, tem um folheto que mostra as duas opções — as *únicas* duas opções, pelo que se pode deduzir. A Figura A mostra uma paisagem desértica e devastada depois da mineração a céu aberto; a Figura B mostra dez moinhos de vento numa paisagem intacta de montanha. E o que está errado na figura? O que está errado é a presença de apenas dez moinhos: o necessário seriam *dez mil* moinhos. Cada pico de montanha da Virgínia Ocidental precisaria ficar coberto de turbinas. Imagine que você é uma ave migratória tentando passar voando por isso. E se você cobrir o estado com moinhos de vento, acha que vai continuar a ser uma atração turística? E além disso, para concorrer com o carvão, os moinhos de vento teriam de funcionar para sempre. Daqui a cem anos, ainda estarão lá aquelas ventoinhas feias, triturando qualquer animal vivo que tente passar por elas. Enquanto o local da mineração a céu aberto, dentro de cem anos, se for reconstituído da maneira certa, pode não ficar perfeito, mas vai ser uma floresta madura e valiosa."

"E você sabe disso, mas o jornal não", disse Patty.

"Exatamente."

"E não existe a possibilidade de você estar enganado."

"Não em relação aos males do carvão, comparados com os da energia eólica ou nuclear."

"Bem, então talvez, se você conseguir explicar isso tudo, como acabou de me explicar, as pessoas acreditem e você não tenha mais nenhum problema."

"E *você*, acredita?"

"Não conheço bem todos os fatos."

"Mas eu conheço, e estou dizendo a você! Por que você não acredita em mim? Por que não pode me dar um pouco de apoio?"

"Achei que esse papel era da sua Bonitinha. Estou meio sem prática, desde que ela tomou conta desse lado. Ela é tão melhor do que eu."

Walter encerrou a conversa antes que pudesse degringolar ainda mais. Desligou todas as luzes e se arrumou para ir dormir à iluminação difusa do estacionamento que entrava pelas janelas. A escuridão era o único alívio disponível para seu estado de flagelação e sofrimento. Fechou as cortinas, mas a luz ainda se infiltrava pela base delas, de maneira que ele tirou os lençóis da outra cama e usou os travesseiros e cobertas para bloquear o máximo que conseguiu. Vestiu uma máscara de dormir e deitou-se com a cabeça coberta por um travesseiro, mas mesmo assim, por mais que apertasse a máscara, permanecia uma ligeira sugestão de fótons desgarrados atingindo suas pálpebras cerradas com força, uma escuridão imperfeita.

Ele e sua mulher se amavam, e diariamente causavam dor um ao outro. Tudo o mais que ele fazia em sua vida, até mesmo seu desejo por Lalitha, resultava em pouco mais que uma fuga dessas circunstâncias. Ele e Patty não conseguiam viver juntos mas não conseguiam imaginar viver longe um do outro. Cada vez que ele achava que tinham chegado a um ponto intolerável de ruptura, ficava claro que ainda podiam chegar mais longe sem se separar.

Uma noite tempestuosa em Washington, no verão anterior, ele afinal se dedicara a eliminar da desanimadoramente longa lista de coisas a fazer a programação de uma conta bancária online, o que já vinha adiando havia vários anos. Desde que se mudaram para Washington, Patty vinha cuidando cada vez menos da casa, deixando inclusive de fazer compras, mas ainda pagava as contas e mantinha em dia o talão de cheques da família. Walter nunca examinara os canhotos dos cheques até que, ao final de quarenta e cinco minutos de frustração com o programa do banco, deparou com as cifras acesas na tela de seu computador. Sua primeira ideia, quando viu o estranho padrão de retiradas regulares mensais de quinhentos dólares, foi que algum hacker na Nigéria ou em Moscou vinha roubando seu dinheiro. Mas por certo Patty teria reparado.

Subiu até o quartinho dela, onde ela tagarelava alegremente com uma das antigas companheiras de time de basquete — ela ainda produzia risos e graça para as pessoas da sua vida que não eram Walter — e deu-lhe a entender que só iria sair depois que ela parasse de falar ao telefone.

"Foi dinheiro vivo", disse ela quando ele lhe mostrou os extratos impressos da conta. "Eu fiz esses cheques para sacar dinheiro vivo."

"Quinhentos por mês? Perto do fim de cada mês?"

"É nessas horas que preciso de dinheiro."

"Não, você sempre retirou duzentos dólares mais ou menos a cada duas semanas. Eu conheço suas retiradas. E aqui, por exemplo, estão me cobrando uma tarifa por um cheque visado. No dia 15 de maio?"

"Foi."

"Pois me parece um cheque visado, e não um saque em dinheiro vivo."

Na direção do Observatório Naval, onde Dick Cheney morava, a trovoada castigava um céu da cor da água do Potomac. Patty, instalada no seu sofazinho, cruzou os braços numa atitude de desafio. "Está bem!", disse ela. "Você me pegou! Joey precisava do dinheiro para o aluguel do verão. E vai me pagar quando ganhar, mas estava sem fundos na hora em que precisou."

Pelo segundo verão seguido, Joey estava trabalhando em Washington sem ficar na casa dos pais. Sua rejeição à ajuda e à hospitalidade deles já era motivo suficiente de irritação para Walter; mas pior ainda era a identidade do seu empregador de verão: uma nova empresa pequena e corrupta — financiada (embora àquela altura isso não significasse muito para Walter) por amigos de Vin Haven na LBI —, que tinha conseguido o contrato sem concorrência para privatizar a indústria do pão no Iraque recém-liberado. Walter e Joey já tinham brigado por causa disso poucas semanas antes, no feriado de Quatro de Julho, quando Joey veio fazer um piquenique com eles e lhes comunicou muito tardiamente seus planos para as férias de verão. Walter perdeu a cabeça, Patty correu para se esconder no seu quarto e Joey ficou ali sentado, ostentando seu ar superior de republicano. Seu ar superior de quem frequentava Wall Street. Como se fizesse um favor de tolerar o pai idiota e caipira, com seus princípios antiquados; como se ele próprio tivesse certeza do que fazia.

"Quer dizer que nós temos um quarto em perfeita ordem aqui em casa", disse Walter a Patty, "mas para ele não serve, porque ele quer ser mais adulto, mais dono do seu destino. Podia até precisar ir de ônibus para o trabalho! Misturado com a gentalha!"

"Ele precisa continuar sendo residente do estado da Virgínia, Walter. E ele vai pagar, está bem? Eu sei o que você iria dizer se eu lhe perguntasse, por isso fiz sem dizer nada. Se você não quer que eu tome nenhuma decisão por minha conta, devia confiscar o talão de cheques. Tomar meu cartão do banco. Eu venho implorar dinheiro a você toda vez que eu precisar."

"Todo mês! Você tem mandado dinheiro para ele todo mês! Para o Doutor Independência!"

"Tenho *emprestado* dinheiro para ele. Está bem? Quase todos os amigos dele têm recursos ilimitados! Ele é muito frugal, mas se quiser se ligar a essas pessoas, e fazer parte desse mundo — "

"O grande mundo das sedes de fraternidades, frequentado pelas pessoas do melhor tipo — "

"Ele está seguindo um *plano*. Está seguindo um plano, e quer deixar você impressionado — "

"Essa é nova."

"É só para comprar roupas e poder sair com os amigos", disse Patty. "É ele quem paga os próprios estudos, que paga casa e comida e, se um dia você for capaz de perdoá-lo por não ser uma cópia idêntica sua em todos os sentidos, talvez consiga ver o quanto vocês dois são parecidos. Você se sustentava exatamente da mesma maneira que ele quando tinha a mesma idade."

"Verdade, mas eu usei as mesmas três calças de veludo pelos quatro anos de faculdade, não saía para beber cinco dias por semana, não recebia dinheiro da minha mãe nem fodendo."

"*Pois o mundo de hoje é muito diferente, Walter*. E talvez, *talvez*, ele saiba melhor que você do que uma pessoa precisa para progredir neste mundo."

"Trabalhar para um fornecedor militar, encher a cara toda noite com garotos republicanos das fraternidades. Será mesmo a única maneira de progredir? A única opção disponível?"

"Você não faz ideia do quanto esses meninos de hoje sentem medo. É muita pressão. Por isso gostam de se divertir bastante — e daí?"

O velho ar-condicionado da mansão não era páreo para a umidade que se abatia sobre ela de fora para dentro. As trovoadas eram quase contínuas e se espalhavam em todas as direções; a pereira ornamental do lado de fora junto à janela sacudia os ramos como se alguém estivesse subindo em seus galhos. O suor escorria por todas as partes do corpo de Walter sem contato direto com suas roupas.

"É interessante ver você defendendo os jovens de hoje de uma hora para outra", disse ele, "já que costuma ser tão — "

"Estou defendendo o seu *filho*", disse ela. "Que, para quem não reparou, não é um desses idiotas que andam por aí arrastando sandália de dedo, e é consideravelmente mais interessante que — "

"Não consigo *acreditar* que você está mandando dinheiro para ele poder beber! Você sabe o que isso parece? Parece o dinheiro dado às grandes empresas. Todas essas companhias supostamente partidárias da liberdade de mercado penduradas nas tetas do governo federal. 'Precisamos reduzir o tamanho do governo, não queremos mais regulação, não queremos mais taxas, mas, ah, enquanto isso — '"

"Ele não está se pendurando em *teta* nenhuma, Walter", disse Patty em tom de ódio.

"Foi uma expressão metafórica."

"Pois para mim você escolheu uma metáfora muito interessante."

"Foi, escolhi com todo o cuidado. Essas companhias que se fazem de adultas e defensoras do livre mercado, quando na verdade são bebês imensos devorando o orçamento da União enquanto todo o resto da população passa fome. O Departamento de Pesca e Vida Selvagem tem o orçamento cortado todo ano, menos cinco por cento a cada ano que passa. Você precisa ir a um escritório deles, são todos escritórios-fantasma. Sem funcionários, sem dinheiro para comprar terras, sem — "

"Ah, os peixes, tão importantes, e a vida *selvagem...*"

"EU ME PREOCUPO COM ESSAS COISAS. Você não consegue entender? Não consegue respeitar? Se não consegue respeitar, por que ainda está vivendo comigo? Por que não pega e vai embora?"

"Porque ir embora não é *resposta* que se dê. Meu Deus, você acha que eu nunca pensei nisso? Entrar no mercado de trabalho com os meus talentos, a minha experiência profissional e o meu corpo espetacular de meia-idade? Na verdade eu acho maravilhoso o que você tem feito pelo seu passarinho — "

"Conversa."

"Está certo, vá lá, não é a coisa que mais me interessa no mundo, mas — "

"E *qual é* a coisa que interessa você? Não existe *nada* que te interesse. Você fica sentada o dia inteiro sem fazer nada, nada, nada, nada, um dia atrás do outro, e isso acaba comigo. Se você pelo menos saísse e arrumasse um emprego, e ganhasse um salário, ou fizesse alguma coisa por outro ser humano, em vez de ficar fechada no seu quarto com pena de si mesma, podia se sentir menos sem valor, é só isso."

"Certo, mas, meu bem, ninguém quer me pagar oitocentos mil dólares por ano para salvar alguma espécie de passarinho. O emprego é bom, mas é para quem pode. O que não é o meu caso. Quer que eu vá trabalhar preparando Frappuccinos em algum Starbucks? Você acha que oito horas por dia num Starbucks vão me fazer sentir uma pessoa de maior valor?"

"Pode ser! Você bem que podia tentar! Pois nunca tentou, na vida inteira!"

"Ah, até que enfim está aparecendo! Agora estamos chegando a algum lugar!"

"Eu não devia ter deixado você ficar em casa. O erro foi esse. Não sei por que seus pais nunca fizeram você começar a trabalhar, mas — "

"*Eu já trabalhei!* Que *merda*, Walter!" Ela tentou dar-lhe um chute e só por acaso deixou de acertá-lo no joelho. "Trabalhei um verão inteiro para o meu pai, e foi horrível. E depois você me viu na Universidade de Minnesota, você sabe que eu trabalho, se precisar. Trabalhei lá dois anos direto. Mesmo quando estava com oito meses de gravidez, ainda ia ao trabalho."

"Ficava batendo papo com Treadwell, tomando café e assistindo a filmes de jogos antigos. Isso não é trabalho, Patty. É um favor de alguma pessoa que gosta de você. Primeiro você trabalhou com o seu pai, depois com as suas amigas no Departamento de Atletismo."

"E as dezesseis horas por dia em casa, por vinte anos? Sem salário? Não contam? Também foram só um 'favor'? Criar os seus filhos? Cuidar da sua casa?"

"Era o que *você* queria."

"E você, não?"

"Por você. Eu queria por você."

"Ah, conversa fiada, tudo conversa fiada. Queria por você também. Estava o tempo todo concorrendo com Richard, e sabe disso. O único motivo de estar esquecendo isso agora é que no fim das contas não deu tão certo assim. Você não está mais *ganhando*."

"Não tem nada a ver com ganhar."

"Mentira! Você é tão competitivo quanto eu, só que mente a respeito. E é por isso que não me deixa. É por isso que eu preciso do tal emprego. Porque de outro modo é um fracasso *para você*."

356

"Não vou ficar ouvindo essas coisas. Isso deve ser alguma realidade alternativa."

"Seja o que for, não precisa ouvir nada, mas eu ainda faço parte do mesmo time que você. E, acredite ou não, ainda quero ganhar. O motivo de eu estar ajudando Joey é que ele também faz parte da nossa equipe, e vou ajudar você também. Amanhã mesmo vou sair, porque é o que você quer, e —"

"Não tem nada a ver com o que eu quero."

"TEM TUDO A VER COM O QUE VOCÊ QUER. Você ainda não entendeu? *Eu* não quero nada. Não acredito em nada. Não tenho fé em nada. A única coisa que eu tenho é o meu time. E então vou conseguir um emprego porque é o que você quer, e depois disso espero que você pelo menos me deixe em paz, e me deixe mandar o dinheiro que eu quiser para Joey. Você nem precisa me ver muito mais — e não precisa ficar tão enojado."

"Não estou enojado."

"Bem, isso é mais do que eu consigo compreender."

"E você não precisa ir trabalhar, se não quiser."

"Preciso, sim! Está muito claro, você não acha? Você deixou bastante claro."

"Não. Você não precisa fazer nada. Só voltar a ser a minha Patty. Só voltar para mim."

E então ela começou a chorar torrencialmente, e ele se deitou ao lado dela. As brigas tinham se transformado no portal dos dois para o sexo, e eram quase a única maneira como o sexo ainda acontecia. Enquanto a chuva açoitava e o céu relampejava, ele tentava deixá-la cheia de amor-próprio e desejo, tentava transmitir-lhe o quanto ele precisava que ela continuasse a ser a pessoa em que ele pudesse enterrar seu afeto. Nunca funcionava muito, mas ainda assim, quando acabavam, vinham alguns minutos em que ficavam deitados nos braços um do outro na majestade tranquila de seu duradouro casamento, abandonando-se na tristeza compartilhada e no perdão por tudo que tinham infligido um ao outro, e conseguiam descansar.

Na manhã seguinte, Patty saiu à procura de um emprego. Voltou em menos de duas horas e entrou no escritório de Walter, na "estufa" com muitas janelas da mansão, para anunciar que a República da Saúde local a contratara como recepcionista no primeiro balcão da academia.

"Recepcionista do primeiro balcão não me parece muito adequado, tendo em vista as suas possibilidades."

"Adequado para quem?"

"Para as pessoas que vão poder ver você."

"E que pessoas são essas?"

"Não sei. Pessoas a quem eu posso estar pedindo dinheiro, ou apoio no Congresso, ou ajuda com a regulamentação."

"Ah, meu Deus. Você ouviu o que você mesmo está dizendo? Ouviu o que acabou de dizer?"

"Escute, estou tentando ser honesto com você. Não reclame comigo por ser honesto."

"Estou reclamando do *conteúdo* do que você diz, Walter, e não da sua honestidade. Você percebeu: 'Não me parece muito adequado'. Caramba!"

"Estou dizendo é que você é inteligente demais para um trabalho de recepcionista de academia."

"Não, está dizendo que estou velha demais. Você não iria achar nada demais se Jessica passasse o verão trabalhando lá."

"Na verdade, iria ficar decepcionado se ela só quisesse fazer esse trabalho durante as férias."

"Ah, está bom, então. Não tenho mesmo como ganhar. 'Qualquer emprego é melhor que nenhum emprego, mas, não, espere um pouco, o emprego que você quer e para o qual está qualificada *não* é melhor que nenhum emprego.'"

"Então está bom. Aceite. Para mim tanto faz."

"Obrigada pelo interesse."

"Só acho que você está se desvalorizando."

"Bom, talvez seja só por algum tempo", disse Patty. "Talvez eu consiga uma licença de corretora, como todas as mulheres inempregáveis da cidade, e comece a vender casinhas miseráveis no centro com o piso desnivelado por dois milhões de dólares. 'Aqui mesmo neste banheiro, em 1962, Hubert Humphrey defecou em quantidades enormes, e, em reconhecimento por esse momento histórico, a propriedade foi incluída no Registro Nacional, o que explica o excedente de cem mil dólares que os proprietários estão pedindo por ela. E também temos um pequeno mas adorável pé de azaleia no jardim dos fundos, perto da janela da cozinha.' Posso começar a usar cor-de-rosa, verde e uma capa de chuva Burberry. Com a minha primeira comissão, compro uma caminhonete Lexus 4 × 4. Vai ser muito mais adequado."

"Eu disse que está bem."

"Obrigada, meu bem! Obrigada por me deixar aceitar o emprego que eu quero!"

Walter a viu sair a passos largos pela porta e parar ao lado da mesa de Lalitha. "Oi, Lalitha", disse ela. "Acabei de conseguir um emprego. Vou trabalhar na minha academia."

"Ótimo", disse Lalitha. "Você gosta da academia."

"Gosto, mas Walter acha que não é adequado. O que lhe parece?"

"Acho que qualquer trabalho honesto traz dignidade para a pessoa."

"*Patty*", disse Walter. "Eu já disse que tudo bem."

"Está vendo, agora ele mudou de ideia", disse ela a Lalitha. "Antes, ele me disse que não era adequado."

"É, eu ouvi."

"Isso mesmo, rá rá rá. Deve ter ouvido mesmo. Mas é importante fingir que não, está bem?"

"Melhor fechar a porta se não quiser que ninguém escute", respondeu friamente Lalitha.

"Todo mundo aqui precisa se esforçar muito no fingimento."

Tornar-se recepcionista da academia República da Saúde fez pelo estado de espírito de Patty tudo que Walter esperava de um emprego. Tudo e, infelizmente, mais um pouco. A depressão de Patty deu a impressão de melhorar na mesma hora, o que porém só demonstra o quanto a palavra "depressão" é enganosa, porque Walter tinha certeza de que a infelicidade, a raiva e o desespero de Patty continuavam todos presentes por baixo de seu novo modo de ser, animado e quebradiço. Ela passava as manhãs em seu quarto, trabalhava no turno da tarde/noite da academia, e só chegava em casa bem depois das dez. Começou a ler revistas sobre beleza e boa forma, e a aplicar uma perceptível maquiagem nos olhos. As calças de moletom e jeans que ela vinha usando em Washington, o tipo de roupas frouxas que os pacientes psiquiátricos costumam preferir, deram lugar a jeans justos que custavam bem mais caro.

"Você está ótima", disse Walter uma noite, tentando ser simpático.

"Bom, agora que eu tenho renda própria", disse ela, "preciso de alguma coisa em que possa gastar, não é?"

"Sempre pode fazer alguma doação para o Fundo da Montanha Azul."

"Rá rá rá!"

"Estamos muito necessitados."

"Estou achando graça, Walter. Só um pouquinho, mas sempre uma certa graça."

No entanto, não parecia estar achando graça nenhuma. Dava a impressão de estar decidida a atingi-lo, ou contrariá-lo, ou provar alguma coisa. Walter começou a se exercitar ele próprio na República, usando cinco passes gratuitos que ela lhe dera, e ficou perturbado com a intensidade da simpatia que ela dirigia aos frequentadores cujos cartões ela passava pela fenda de leitura. Usava camisetas da academia com mangas bem curtas e dizeres provocativos (EMPURRE, PUXE, SUAR É BOM) que realçavam seus braços lindamente torneados. Seus olhos tinham o brilho dos de um viciado em anfetamina, e seu riso, que sempre exercia um efeito especial sobre Walter, soava falso e um pouco assustador quando ele o ouvia ecoar atrás de si no saguão de entrada da academia. Agora ela o dirigia a todos, sem discriminação, sem nenhum critério, a todos os que passavam pela porta da Wisconsin Avenue. E então um dia ele viu um folheto sobre aumento de seios na mesa dela, em casa.

"Meu Deus", disse ele, examinando as figuras. "Que coisa obscena."

"Na verdade, é um folheto de esclarecimento médico."

"É um folheto produzido pela *doença mental*, Patty. Na verdade, é um guia para mostrar como a mulher pode ficar mais louca."

"Bem, sinto muito, só achei que podia ser bom, pelo pouco que ainda resta da minha relativa juventude, ter um pouco de peito de verdade. Ver como pode ficar."

"Você *já tem* peito. Eu adoro os seus peitos."

"Acho ótimo, meu bem, mas na verdade a decisão não é sua, porque o corpo não é seu. É meu. Não é o que você sempre disse? É você o feminista desta casa."

"Por que você resolveu fazer isso? Não estou entendendo o que você resolveu fazer consigo mesma."

"Bom, se você não gosta, sempre pode ir embora. Já pensou nisso? Seria uma solução, digamos, instantânea para o problema."

"Bom, isto nunca vai acontecer, e assim —"

"EU SEI QUE NUNCA VAI ACONTECER."

"Oh! Oh! Oh! Oh!"

"E já que é assim, acho que bem pode ser a hora de comprar um belo par de peitos novos, para ajudar a passar os anos e me dar algum objetivo para economizar meus trocados, só isso. Não estou falando de peitos imensos, grotescos. Quem sabe você acaba até gostando. Já pensou nessa possibilidade?"

Walter ficava assustado com o envenenamento a longo prazo que podia resultar daquelas brigas entre os dois. Sentia sua toxicidade formar reservatórios em seu casamento, como os rejeitos poluentes da mineração carvoeira nos vales dos Apalaches. Nos locais onde os reservatórios desses rejeitos eram realmente imensos, como no condado de Wyoming, as empresas carvoeiras tinham construído instalações de processamento bem ao lado de suas minas, e usavam a água do rio mais próximo para lavar o carvão extraído. A água poluída era recolhida em reservatórios enormes de lama tóxica, e Walter se preocupara tanto com algum transbordamento dessa lama no meio do parque que encarregara Lalitha de mostrar-lhe que não precisava se preocupar tanto. O que não tinha sido nada fácil, já que não havia como negar que, em paralelo com a extração do carvão, também subiam das profundezas substâncias nefastas como o arsênico e o cádmio, até então sepultadas em segurança por milhões de anos. Era possível tentar jogar o veneno de volta nos poços das minas abandonadas, mas ele sempre dava um jeito de infiltrar-se até os aquíferos da área e de acabar infectando a água potável. Na verdade, era um fenômeno parecido com a merda acumulada no fundo que acaba sendo agitada quando um casal começa a brigar: depois que certas coisas são ditas, como tornar a esquecê-las? Lalitha conseguiu resultados de pesquisa suficientes para convencer Walter de que, se a lama tóxica fosse armazenada com todo o cuidado e devidamente contida, acabava secando o suficiente para ser coberta com pedra moída e terra, e depois era possível fazer de conta que nem existia. E essa história acabara se transformando na narrativa básica sobre a lama tóxica que estava decidido a divulgar na Virgínia Ocidental. E, da mesma forma, Walter acreditava em refúgios ecológicos e na recuperação ambiental em bases científicas, porque precisava acreditar neles, por causa de Patty. Mas agora, deitando-se na cama e tentando adormecer naquele colchão hostil do Days Inn, entre os ásperos lençóis do Days Inn, ele foi tomado pela dúvida. Seria mesmo verdade...?

Deve ter adormecido em algum momento, porque quando o despertador tocou, às três e quarenta, sentiu-se cruelmente arrancado do limbo. Tinha mais dezoito horas de trabalho, pavor e raiva pela frente. Lalitha bateu em sua porta às quatro em ponto, tomada pelo frescor, usando um par de jeans despretensiosos e sapatos de caminhada. "Estou péssima!", disse ela. "E você?"

"Péssimo também. Mas pelo menos a sua cara, ao contrário da minha, está ótima."

A chuva tinha parado durante a noite, sendo sucedida por um nevoeiro denso cheirando a sul que molhava quase tanto quanto ela. Durante o café da manhã, numa parada de caminhões do outro lado da estrada, Walter contou a Lalitha a história do e-mail de Dan Caperville do *New York Times*.

"Você quer voltar agora?", perguntou ela. "Dar a entrevista coletiva amanhã de manhã?"

"Eu já disse a Caperville que ia falar na segunda-feira."

"Mas pode dizer que irá antecipar. E tira logo essa coisa do caminho, para podermos passar o fim de semana em paz."

Mas Walter estava tão dolorosamente exausto que não conseguia imaginar dar uma entrevista coletiva na manhã seguinte. Ficou sentado, sofrendo em silêncio, enquanto Lalitha, fazendo o que ele não tivera coragem de enfrentar na noite anterior, lia a matéria do *Times* em seu BlackBerry. "São só doze parágrafos", disse ela. "Nem é tão mau assim."

"Deve ter sido por isso que ninguém leu e eu só fui saber do artigo pela minha mulher."

"Ah, então falou com ela ontem à noite?"

Lalitha quis dizer alguma coisa com isso, mas ele estava cansado demais para descobrir o quê. "Só me pergunto quem vazou as informações", disse ele. "E até que ponto."

"Talvez tenha sido a sua mulher."

"Vai ver que foi." Ele riu e depois viu a expressão dura no rosto de Lalitha. "Ela jamais faria uma coisa dessas", disse ele. "Na verdade, ela nem liga tanto assim para isso."

"Hum." Lalitha enfiou uma garfada de panqueca na boca e correu os olhos pela lanchonete com a mesma expressão dura e infeliz. Ela, claro, tinha todos os motivos para estar com raiva de Patty, e de Walter, àquela altura. Sentia-se rejeitada e só. Mas foram os primeiros segundos em que ele detectou alguma frieza da parte dela; e foram terríveis. O que ele jamais havia entendido quanto aos homens numa posição como a sua, nos livros que tinha lido e nos filmes que tinha visto sobre o assunto, agora estava mais claro para ele: o sujeito não pode esperar um amor constante e incondicional sem, em algum momento, corresponder. Ninguém podia reivindicar algum crédito apenas por se comportar direito.

"Só quero fazer a nossa reunião do fim de semana", disse ele. "Se eu pelo menos conseguir trabalhar dois dias na questão da explosão populacional, enfrento qualquer coisa na segunda-feira."

Lalitha terminou suas panquecas sem falar com ele. Walter obrigou-se a engolir também boa parte do seu café da manhã, e saíram ambos na manhã escura poluída de luz. No carro alugado, ela ajustou o banco e os espelhos, que ele tinha deslocado na noite anterior. Enquanto ela cruzava o braço à frente do corpo para ajustar o cinto de segurança, ele pousou a palma da mão desajeitada em seu pescoço e puxou-a para perto, deixando os olhos dela muito próximos dos seus, numa troca séria de olhares à luz sempre acesa à beira da estrada.

"Não consigo viver cinco minutos sem você do meu lado", disse ele. "Nem cinco minutos. Você sabia disso?"

Depois de pensar por um instante, ela fez que sim. Em seguida, largando o cinto de segurança, ela pôs as duas mãos nos ombros dele, deu-lhe um beijo solene e recuou um pouco para avaliar o efeito. Ele se sentia como se tivesse ido até onde podia e fosse incapaz de dar mais um passo por conta própria. Ficou simplesmente esperando enquanto ela, franzindo a testa de concentração como uma criança, tirava seus óculos, dobrava-os no painel do carro, punha as mãos em torno de sua cabeça e encostava o narizinho dela no seu. Ficou perturbado por algum tempo ao constatar o quanto o rosto dela se parecia com o de Patty assim tão de perto, mas bastou fechar os olhos e beijá-la para ver o quanto era pura Lalitha, os lábios almofadados, a boca com uma doçura de pêssego, a cabeça em que o sangue circulava tão quente por baixo dos cabelos sedosos. Debateu-se um pouco pensando em como era errado beijar uma pessoa tão jovem. Percebia a juventude dela como uma espécie de fragilidade em suas mãos, e ficou aliviado quando ela tornou a recuar para encará-lo com os olhos cintilantes. Sentiu que era o momento de admitir alguma coisa, mas não conseguia parar de olhar para ela, que pareceu entender essa insistência como um convite para se espremer por cima da alavanca do câmbio e sentar-se no seu colo de frente para ele no banco do carona, para que ele pudesse abraçá-la com mais liberdade. A *violência* com que ela o beijou naquele momento, o abandono faminto, lhe trouxe uma alegria tão extrema que sentiu o

363

chão lhe faltar. Sentiu-se em queda livre, tudo em que acreditava começou a desfazer-se no escuro, e ele começou a chorar.

"Ah, o que foi?", perguntou ela.

"Você precisa ir devagar comigo."

"Devagar, devagar, sei", disse ela, beijando suas lágrimas, enxugando-as com seus polegares acetinados. "Walter, você está triste?"

"Não, querida, pelo contrário."

"Então me deixe amar você."

"Está bem. Eu deixo."

"Está bem mesmo?"

"Está", disse ele, chorando. "Mas acho que devíamos seguir viagem."

"Já já."

Ela estendeu a língua até encostar nos lábios dele, e ele os afastou para deixá-la entrar. Havia mais desejo por ele na boca de Lalitha do que em todo o corpo de Patty. Os ombros dela, que ele abraçava através do casaco de náilon, pareciam só osso e gordura de bebê, sem nenhum músculo, pura maleabilidade e puro desejo. Ela endireitou as costas e afundou-se nele, empurrando os quadris contra seu peito; e ele não estava pronto. Nunca chegara tão perto, mas ainda não estava plenamente a postos. Sua resistência na noite anterior não tinha sido apenas uma questão de tabu ou de princípio, e suas lágrimas não eram de pura alegria.

Intuindo a situação, Lalitha afastou-se dele e estudou seu rosto. Em resposta ao que quer que tenha visto, ela voltou para o banco do motorista e ficou a observá-lo de mais longe. Agora que ele a afastara, sentia uma vontade intensa de vê-la de volta ali, mas tinha uma vaga impressão, a partir das histórias que tinha ouvido e lido acerca de homens naquela posição, de que aquilo era o pior que podiam fazer: manter a menina no anzol, e dar-lhe mais linha. Ficou sentado por mais algum tempo à luz imutável e arroxeada da rua, ouvindo os caminhões que passavam pela estrada interestadual.

"Desculpe", disse ele finalmente. "Ainda estou tentando resolver como vou viver com isso."

"Está tudo bem. Eu lhe dou algum tempo."

Ele assentiu com a cabeça, atentando para a palavra *algum*.

"Mas posso lhe fazer uma pergunta?", disse ela.

"Pode me fazer um milhão de perguntas."

"Bom, por enquanto só uma. Você acha que vai poder me amar?"

Ele sorriu. "Acho que sim, sem a menor dúvida acho que sim."

"Então não preciso de mais nada." E ela deu a partida no motor.

Em algum ponto acima do nevoeiro, o céu azulava. Lalitha enveredou pelas estradas secundárias que saíam de Beckley a uma velocidade bem acima da legal, e Walter ficou feliz de olhar pela janela sem pensar no que lhe acontecia, só se deixando levar pela queda livre. O fato de a floresta de caducifólias dos Apalaches estar entre os ecossistemas temperados de maior biodiversidade do mundo, abrigando uma variedade de espécies de árvores, orquídeas e invertebrados de água doce que as planícies e as costas arenosas só podiam invejar, não era algo fácil de se ver das estradas que percorriam. Ali a terra tinha se traído, sua topografia retorcida e sua riqueza de recursos extraíveis desestimulando o igualitarismo dos pequenos agricultores de Jefferson, dando origem em seu lugar à concentração dos direitos de exploração do solo e à mineração nas mãos dos ricos de fora do estado, e consignando às margens os nativos pobres e os trabalhadores importados: ao abate de madeira, ao trabalho nas minas, à extração do sustento para suas existências pré e, mais tarde, pós-industriais de escassas sobras de terra que, levados pelo mesmo impulso de procriação que agora tomara conta de Walter e Lalitha, tinham ocupado com um excesso de gerações pouco espaçadas de famílias grandes demais. A Virgínia Ocidental era a república das bananas dos próprios Estados Unidos, seu Congo, sua Guiana, sua Honduras. As estradas eram razoavelmente pitorescas no verão, mas àquela altura, com as folhas ainda caídas, era possível ver toda a extensão dos pastos com suas cascas de ferida de pedregulhos à flor da terra, as copas raquíticas de jovens plantas da cobertura secundária, as encostas rasgadas e os cursos d'água arruinados pela mineração, os celeiros decrépitos e as casas sem pintura, os trailers usados como residência enterrados até a cintura em dejetos plásticos e metálicos, os caminhos maltratados de terra batida levando para lugar nenhum.

Mais longe das cidades, as cenas eram menos deprimentes. A distância trazia o alívio da ausência de pessoas: a ausência de pessoas significava maior abundância de tudo o mais. Lalitha deu uma guinada violenta para desviar-se de um tetraz no meio da estrada, um tetraz arauto, um embaixador da boa vontade aviária augurando a devoção à cobertura florestal mais vigorosa, às alturas menos maculadas e aos cursos d'água mais limpos do condado de Wyoming. Até o tempo estava melhorando para eles.

"Eu quero você", disse Walter.

Ela sacudiu a cabeça. "Não diga mais nada, está bem? Ainda temos trabalho pela frente. Vamos cuidar do nosso trabalho, e depois vamos ver."

Walter sentiu-se tentado a pedir que ela parasse numa das áreas rústicas de piquenique ao longo do Black Jewel Creek (do qual o Nine Mile era um dos principais tributários), mas seria uma irresponsabilidade, ponderou ele, pôr as mãos nela antes de ter certeza de que estava pronto. Com a gratificação assegurada, o adiamento era suportável. E a beleza da região ali no alto, a doce umidade carregada de esporos do ar do início de primavera, era tão reconfortante para ele.

Já passava das seis quando chegaram à bifurcação que conduzia a Forster Hollow. Walter tinha esperado encontrar a circulação de caminhões pesados e equipamentos de terraplanagem na estrada de Nine Mile, mas não havia nenhum veículo à vista. Em vez disso, encontraram marcas profundas de pneus e lagartas na lama. Nos pontos onde a mata tinha sido invadida, galhos recém--partidos jaziam no chão ou pendiam aleijados das árvores que se elevavam acima deles.

"Parece que alguém chegou aqui antes da hora", disse Walter.

Lalitha acelerava a espasmos, fazendo o carro derrapar de traseira na lama, andando perigosamente junto à beira da estrada para evitar os galhos caídos maiores.

"Parece até que chegaram aqui ainda ontem", disse Walter. "Acho que podem ter entendido mal e trazido o equipamento para cá ontem, para hoje começar bem cedo."

"Já tinham o direito legal de entrar, a partir do meio-dia."

"Mas não foi o que disseram. Disseram que seria às seis da manhã de hoje."

"Foi. Mas são empresas carvoeiras, Walter."

Chegaram a uma das passagens mais estreitas do caminho e a encontraram grosseiramente alargada por uma escavadeira e o arrasto de correntes, os troncos empurrados para o fundo da grota ao lado. Lalitha aumentou o giro do motor, balançou e deslizou de lado por uma ladeira improvisada de lama, pedra e tocos. "Ainda bem que este carro é de aluguel!", disse ela, enquanto acelerava com gosto rumo à estrada desimpedida mais à frente.

Três quilômetros adiante, no limite de terras que não pertenciam ao Fundo, o caminho estava bloqueado por alguns carros de passageiros que tinham parado, de ré, à frente de uma cancela de corrente montada por trabalhadores de colete laranja. Walter reconheceu Jocelyn Zorn e algumas de suas mulheres discutindo com um encarregado de capacete plástico com uma prancheta nas mãos. Num outro mundo, não muito diverso daquele, Walter poderia ter sido amigo de Jocelyn Zorn. Ela lembrava a Eva do famoso retábulo de Van Eyck; era pálida, tinha os olhos opacos e um ar vagamente macrocefálico de tanto que sua testa era alta. Mas tinha uma compostura graciosa e desconcertante, uma inalterabilidade que fazia pensar em ironia, e era o tipo de tempero amargo que geralmente agradava ao paladar de Walter. Ela veio andando pela estrada ao encontro dele e de Lalitha, chegando assim que os dois puseram os pés na lama.

"Bom dia, Walter", disse ela. "Pode me explicar o que está acontecendo aqui?"

"Parece que estão trabalhando na estrada", respondeu Walter com dissimulação.

"E jogando muita sujeira no rio. Que já está turvo quase até a metade do caminho do Black Jewel. Não estou vendo muito esforço de controle da erosão por aqui. Na verdade, não estou vendo nada aqui em matéria de controle."

"Vamos falar com eles sobre isso."

"Pedi ao Departamento de Proteção do Meio Ambiente que viesse dar uma espiada. Imagino que devam chegar lá por volta do mês de junho. Você comprou a aprovação deles também?"

Por baixo das manchas marrons que cobriam o para-choque do carro mais próximo às máquinas, Walter conseguiu ler AS CARVOEIRAS QUEREM VER MINHA CAVEIRA.

"Vamos recuar um pouco, Jocelyn", disse ele. "Será que podemos dar uns dois passos atrás, e tentar ver essa situação em plano geral?"

"Não", respondeu ela. "Não me interessa. O que me interessa é a sujeira no rio. E também o que estará acontecendo do outro lado desta cerca."

"O que está acontecendo é o começo da preservação de mais de vinte e cinco mil hectares de mata, sem estradas, até o fim dos tempos. Estamos garantindo um hábitat contínuo para até dois mil casais em idade reprodutiva de mariquitas-azuis."

Zorn baixou os olhos opacos para o chão enlameado. "Exatamente. A espécie pela qual vocês se interessam. Um bonito passarinho."

"Por que não vamos a algum outro lugar", disse Lalitha em tom animado, "sentar e conversar sobre a situação maior? Estamos do mesmo lado, afinal."

"Não", disse Zorn. "Vou ficar por aqui mais um pouco. Pedi a um amigo meu da *Gazette* para vir até aqui ver como andam as coisas."

"E também andou conversando com o *New York Times*?", ocorreu a Walter perguntar.

"Andei. E eles estavam muito interessados. Hoje em dia, basta falar em mineração a céu aberto que qualquer um se interessa. É o que vocês estão pensando em fazer aqui em cima, não é?"

"Vamos dar uma coletiva na segunda-feira", disse ele. "E vou explicar todo o plano. Acho que, quando você souber dos detalhes, vai ficar animada. Podemos lhe conseguir uma passagem de avião, se você quiser vir. Adoraria ver você por lá. Você e eu podíamos até dialogar em público, se você quiser falar das suas dúvidas."

"Em Washington?"

"É."

"Faz sentido."

"É onde fica a nossa base."

"Sei. É onde fica a base de todo mundo."

"Jocelyn, temos vinte mil hectares aqui que nunca mais vão ser tocados. O resto vai se seguir daqui a poucos anos. Na minha opinião, tomamos decisões bastante certas."

"Acho que discordamos, então."

"Pense a sério em vir nos encontrar em Washington na segunda-feira. E peça para o seu amigo da *Gazette* me ligar mais tarde." Walter entregou a Zorn um cartão de visitas que tirou da carteira. "Diga a ele que podemos levá-lo a Washington também, se ele se interessar."

De algum ponto mais alto das montanhas, chegou-lhes um murmúrio de trovoada que soava como uma explosão, provavelmente no alto de Forster Hollow. Zorn enfiou o cartão de visitas num dos bolsos de sua parca impermeável. "Aliás", disse ela, "tenho conversado com Coyle Mathis. Já sei o que vocês estão fazendo."

"Coyle Mathis está legalmente impedido de falar a respeito disso", respondeu Walter. "Terei o maior prazer em me sentar com você e conversar sobre o assunto, se for o caso."

"O fato de ele estar morando numa casa novinha de cinco quartos em Whitmanville já fala por si mesmo."

"Uma bela casa, não é?", perguntou Lalitha. "Muito, muito melhor que a antiga casa dele."

"Talvez você devesse ir fazer uma visita e ver se ele concorda mesmo com isso."

"De qualquer maneira", disse Walter, "vocês precisam tirar os carros do caminho, para podermos passar."

"Hum", disse Zorn, em tom desinteressado. "Acho que você poderia chamar alguém para nos rebocar, se o celular pegasse aqui em cima. Mas não pega."

"Ah, deixe disso Jocelyn." A raiva de Walter estava superando as barreiras que ele erguera para contê-la. "Não podemos nos comportar como adultos? Reconhecer que estamos fundamentalmente do mesmo lado, apesar de não concordarmos quanto aos métodos?"

"Infelizmente, não", disse ela. "Meu método é fechar a passagem na estrada."

Sem se permitir dizer mais nada, Walter saiu andando encosta acima e deixou que Lalitha viesse correndo atrás dele. Um flagelo, a manhã estava sendo um flagelo. O encarregado de capacete, que lhe parecia tão jovem quanto Jessica, explicava às outras mulheres, com uma cortesia notável, por que elas precisavam tirar seus carros da frente. "Você tem um rádio?", perguntou-lhe Walter em tom abrupto.

"Desculpe. E você, quem é?"

"Sou o diretor do Fundo da Montanha Azul. Eu tinha marcado um encontro no alto da estrada às seis da manhã."

"Exatamente, senhor Berglund. Mas acho que vai ser difícil se essas senhoras não tirarem os carros delas do caminho."

"Bem, então que tal usar o rádio e pedir que alguém desça para vir nos buscar?"

"Infelizmente, estão fora do alcance. Esses vales aqui em cima ficam todos numa zona morta."

"Está bem." Walter respirou fundo. Viu uma caminhonete estacionada do outro lado da cerca. "Então você talvez possa nos levar até lá na sua caminhonete."

"Não estou autorizado a sair da área da cancela."

"Então empreste o carro para nós."

"Também não posso. O seguro não vai cobrir o senhor na área de trabalho. Mas se essas senhoras tirarem o carro da frente só por um instante, o senhor pode seguir no seu veículo."

Walter virou-se para as mulheres, nenhuma das quais parecia menos que sexagenária, e dirigiu-lhes um vago sorriso de súplica. "Por favor?", disse ele. "Não trabalhamos numa companhia carvoeira. Somos conservacionistas."

"Conservacionistas o cacete!", disse a mais velha delas.

"Não, é verdade", disse Lalitha num tom tranquilizador. "Seria do interesse de todos se nos deixassem passar. Estamos aqui para monitorar o trabalho e verificar se está sendo feito de forma responsável. Estamos de fato do mesmo lado, e temos a mesma preocupação com o meio ambiente. Na verdade, se uma ou duas de vocês quiserem vir conosco — "

"Infelizmente, isso eu não posso autorizar", disse o encarregado.

"Pois foda-se a sua autorização!", disse Walter. "Precisamos passar! Eu sou o *dono* dessa porra toda! Entendeu agora? *Isso tudo aqui é meu!*"

"E então, está gostando?", perguntou-lhe a mais velha das mulheres. "Nessas horas a sensação não é tão boa. De estar do outro lado da cerca."

"O senhor pode passar se quiser, andando", disse o encarregado, "mas adianto que fica bem longe. Com toda essa lama, calculo que deve levar umas duas horas."

"Só me empreste a caminhonete, está bem? Eu indenizo você, ou você pode dizer que eu roubei o carro, ou o que você quiser. Só me empreste a porra da caminhonete."

Walter sentiu a mão de Lalitha em seu braço. "Walter? Vamos nos sentar no carro um minutinho." Ela se virou para as mulheres. "Estamos totalmente do mesmo lado, e agradecemos a vocês por terem vindo para manifestar sua preocupação por esta linda floresta, que estamos totalmente empenhados em preservar."

"Interessantes, os métodos que vocês escolheram", comentou a mais velha das mulheres.

Enquanto Lalitha conduzia Walter na direção do carro alugado, foram escutando o equipamento pesado que, com um ronco poderoso, vinha subindo a estrada atrás deles. O ronco transformou-se num rugido que depois se revelou um par de imensas retroescavadeiras da largura da estrada, com as lagartas cobertas de lama. O motorista da escavadeira da frente deixou o motor tossindo fuligem enquanto descia da cabine para trocar uma palavra com Walter.

"O senhor precisa chegar seu veículo mais para a frente, para podermos seguir adiante."

"E por acaso você está vendo algum modo de eu sair daqui?", respondeu ele, furioso. "Está vendo a porra de algum modo de eu sair da porra do lugar?"

"Não sei. Mas nós não podemos sair de ré. O último lugar onde dava para fazer a volta ficou mais de um quilômetro e meio para trás."

Antes que Walter pudesse se enfurecer mais ainda, Lalitha o pegou pelos braços e cravou os olhos fervorosos no seu rosto. "Você precisa me deixar cuidar disso. Você está nervoso demais."

"Tenho bons motivos para estar nervoso!"

"Walter. *Vá sentar no carro. Agora.*"

E ele obedeceu. Ficou lá sentado por mais de uma hora, mexendo em seu BlackBerry desconectado da rede e ouvindo os ruídos do desperdício insensato de combustível fóssil enquanto a retroescavadeira parada atrás dele continuava com o motor funcionando em ponto morto. Quando o motorista finalmente teve a ideia de desligá-lo, Walter ouviu um coro de motores vindo de mais além — a essa altura mais quatro ou cinco caminhões pesados e equipamentos de terraplanagem estavam enfileirados. Alguém precisava convocar a polícia estadual para lidar com Zorn e suas fanáticas. Enquanto isso, inacreditavelmente, num dos pontos mais isolados do condado de Wyoming, ele estava preso num engarrafamento de trânsito. Lalitha corria para cima e para baixo pela estrada, conversando com os vários grupos, fazendo o possível para manter um clima de boa vontade. Para passar o tempo, Walter compilava mentalmente a grandeza de todos os novos problemas acumulados no mundo desde que ele acordara de madrugada. Aumento líquido da população: 60 mil. Aumento da área de ocupação humana nos Estados Unidos: 400 hectares. Aves mortas por gatos domésticos e silvestres nos Estados Unidos: 500 mil. Barris de petróleo queimados no mundo: 12 milhões. Toneladas de dióxido de carbono despejadas na atmosfera: 11 milhões. Tubarões mortos só para remoção das barbatanas e largados no mar sem as ditas cujas: 150 mil... Os valores, quando ele tornou a fazer as contas algum tempo mais tarde, lhe trouxeram uma estranha satisfação ressentida. Há dias tão ruins na vida que só quando pioram, só quando degeneram numa verdadeira orgia de infelicidade, podemos achar que foram de algum modo resgatados.

Já eram quase nove da manhã quando Lalitha voltou para junto dele. Um dos motoristas, disse ela, tinha encontrado um ponto da estrada, duzentos metros abaixo, onde um carro de passeio podia encostar para deixar passar o equipamento mais pesado. O motorista do fim da fila ia descer de ré com o caminhão até o asfalto, e ligar para a polícia.

"Quer tentar subir a pé até Forster Hollow?", perguntou Walter.

"Não", respondeu Lalitha, "quero ir embora imediatamente. Jocelyn trouxe uma câmera. Não queremos ser fotografados perto da ação policial."

Seguiu-se meia hora de troca de marchas, ranger de freios e emissões explosivas de fumaça de diesel, sucedida por mais quarenta e cinco minutos de estrada respirando as descargas malcheirosas do último caminhão da fila, enquanto desciam de ré centímetro a centímetro a entrada do vale. Quando finalmente chegaram à estrada, na liberdade da pista desimpedida, Lalitha dirigiu de volta até Beckley numa velocidade frenética, pisando no acelerador até o fundo em cada curto trecho reto, queimando borracha em cada curva.

Estavam nos miseráveis arredores da cidade quando o BlackBerry de Walter entoou um canto de mariquita-azul, chancelando a volta dos dois à civilização. A ligação era de um número das Cidades Gêmeas, talvez conhecido, talvez não.

"Papai?"

Walter franziu a testa, espantado. "Joey! Ora essa! Alô!"

"É, oi. Alô."

"Tudo bem com você? Nem reconheci seu número, já faz tanto tempo."

A linha pareceu emudecer, como se a ligação tivesse caído. Ou talvez ele tivesse dito a coisa errada. Mas aí Joey falou de novo, numa voz que parecia pertencer a outra pessoa. A um garoto trêmulo e hesitante. "É, pois então, papai, hum — você tem um tempinho?"

"Pode falar."

"Pois, então, é, acho que é o seguinte, estou com uma espécie de problema."

"O quê?"

"Eu disse que estou com um problema."

Era o tipo de ligação que todo pai e toda mãe sempre tem medo de receber; mas Walter, por um instante, não se sentia pai de Joey. E disse, "Ora veja, eu também! E mais todo mundo!".

Já está de bom tamanho

Poucos dias depois que a entrevista feita pelo jovem Zachary foi postada em seu blog, a caixa de recados do celular de Katz foi ficando repleta. O primeiro era de um alemão insuportável, Matthias Dröhner, de quem Katz se lembrava ter precisado fazer força para se livrar durante a curta turnê do Walnut Surprise pela Pátria-Mãe. "Agora que você voltou a dar entrevistas", dizia Dröhner, "espero que tenha a gentileza de falar comigo, como prometeu, Richard. E você prometeu!" Dröhner, em sua mensagem, não dizia como tinha obtido o número do celular de Katz, mas um bom palpite é que fora graças ao vazamento blogosférico do guardanapo de bar de alguma garota na qual ele tinha dado em cima durante a turnê. Sem dúvida, agora recebia mais pedidos de entrevista também por e-mail, provavelmente em número bem maior, mas não tivera a coragem de se aventurar online desde o verão anterior. O recado de Dröhner foi acompanhado de ligações de uma garota do Oregon chamada Euphrosyne; um jovial e ruidoso crítico de música de Melbourne, na Austrália; e do apresentador de uma rádio universitária em Iowa City que dava a impressão de ter uns dez anos de idade. Todos queriam a mesma coisa. Queriam que Katz tornasse a dizer — mas usando palavras ligeiramente diferentes, para que pudessem postar ou publicar a entrevista com crédito para eles próprios — exatamente a mesma coisa que já tinha dito para Zachary.

"Foi um espetáculo, velho", disse-lhe Zachary no telhado da White Street, enquanto esperavam a chegada do objeto do desejo de Zachary, Caitlyn. Aquela coisa de se dirigir a ele como "velho" era nova e irritante para Katz, mas totalmente coerente com sua experiência de convívio com entrevistadores. Assim que se submetia à vontade deles, desaparecia toda admiração mais ostensiva que lhe votavam.

"Não me chame de velho", respondeu ele ainda assim.

"Claro, foi mal", disse Zachary. Ele caminhava se equilibrando por uma comprida ripa de madeira tratada como se fosse uma trave de equilíbrio, com os braços magros estendidos para os lados. A tarde estava fresca e ventosa. "Só estou dizendo que o meu contador de acessos pirou. Estão linkando o meu blog no mundo inteiro. Você já viu algum dos sites dos seus fãs?"

"Não."

"Agora sou o link mais alto no melhor deles. Posso ir pegar meu computador para te mostrar."

"Não precisa, pode deixar."

"Acho que está todo mundo querendo muito ouvir alguém que fale a verdade sobre o poder. Quer dizer, hoje existe uma pequena minoria que diz que você é um pentelho chorão e só fala merda. Mas isso é só uma turma de fora, que detesta quem faz música. Eu se fosse você não ficaria preocupado."

"Obrigado por me tranquilizar", disse Katz.

Quando a garota Caitlyn apareceu no telhado, acompanhada por duas asseclas, Zachary continuou empoleirado em sua trave de equilíbrio, moderno demais para apresentar as pessoas, enquanto Katz ficou sentado junto à sua pistola de pregos, submetendo-se ao escrutínio das visitantes. Caitlyn envergava uma indumentária hippie, um colete de brocado e um casaco de veludo semelhante aos que eram usados por Carole King e Laura Nyro, e certamente mereceria o esforço se Katz, por toda a semana desde que estivera com Walter Berglund, não estivesse de novo preocupado com Patty. Conhecer alguma adolescente a essa altura era o mesmo que aspirar o perfume de morangos quando sentia fome de um bom filé.

"O que posso fazer por vocês?", perguntou ele às meninas.

"Fizemos um bolo de banana para você", disse a mais gordinha das três, entregando-lhe um pão envolto em papel-alumínio.

As outras duas meninas giraram os olhos para o alto. "*Ela* fez o bolo de banana", disse Caitlyn. "Nós duas não tivemos nada a ver com isso."

"Espero que você goste de *nozes*", disse a doceira.

"Ah, pode crer que sim", respondeu Katz.

Fez-se um silêncio confuso. Rotores de helicóptero golpeavam o espaço aéreo da parte sul de Manhattan, e o vento produzia efeitos estranhos a partir do som.

"Todas nós adoramos *Lago Sem Nome*", disse Caitlyn. "E soubemos que você estava construindo um deque aqui."

"Bom, como vocês podem ver, o seu amigo Zachary não mentiu."

Zachary fazia a tira de madeira oscilar com seus tênis cor de laranja, afetando impaciência para se ver de novo a sós com Katz, evidenciando assim o domínio de certas técnicas básicas da conquista.

"Zachary é um bom músico jovem", disse Katz. "E conta com o meu endosso total. É um talento prestes a estourar."

As garotas viraram a cabeça na direção de Zachary com uma espécie de tédio triste.

"É sério", disse Katz. "Vocês deviam pedir para descer com ele e ouvi-lo tocar guitarra."

"Gostamos mais de country alternativo", disse Caitlyn. "Não curtimos muito rock adolescente."

"Ele faz uns solos country muito bons", persistiu Katz.

Caitlyn endireitou os ombros, retificando a postura como uma bailarina, e olhou fixamente para ele, como que para lhe dar uma oportunidade de corrigir a indiferença que lhe demonstrava. Era evidente que não estava acostumada à indiferença. "Por que você está construindo este deque?", perguntou ela.

"Ar fresco e exercício."

"E precisa de exercício para quê? Estou achando você em grande forma."

Katz sentiu um cansaço enorme, gigantesco. Ser incapaz de se convencer a se interessar por dez segundos que fosse pelo jogo que Caitlyn estava tão empenhada em jogar com ele era o mesmo que entender os atrativos da morte. Morrer seria o melhor modo de cortar sua ligação com aquela coisa — a *ideia* que as meninas faziam de Richard Katz — que tanto o incomodava. Bem a sudoeste de onde elas estavam erguia-se um imenso prédio comercial da era Eisenhower que maculava os panoramas arquitetônicos oitocentistas dos mo-

375

radores de quase todos os *lofts* de Tribeca. Houve uma época em que esse edifício ofendia a sensibilidade estética urbana de Katz, mas agora ele achava bom que ofendesse a sensibilidade estética urbana dos milionários que tinham tomado conta do bairro. Assomava como a morte acima das vidas excelentes que ocorriam por ali; de certa forma, tornara-se um amigo seu.

"Vamos dar uma olhada nesse bolo de banana", disse ele à menina gorducha.

"E também trouxe chicletes de hortelã", disse ela.

"Posso autografar a caixa para você, e você guarda."

"Que barato!"

Ele pegou uma caneta hidrográfica na caixa de ferramentas. "Como você se chama?"

"Sarah."

"Foi um prazer conhecer você, Sarah. Vou levar seu bolo de banana para a minha casa e comer todinho de sobremesa hoje à noite."

De passagem, tomada de algo semelhante a uma ofensa *moral*, Caitlyn observou aquela indiferença ativa dirigida à sua bela pessoa. Depois voltou-se para Zachary, seguida pela outra garota. E essa, pensou Katz, era uma boa ideia: em vez de tentar comer as garotas que ele detestava, por que simplesmente não rejeitá-las de verdade? Para manter sua atenção em Sarah, e longe da magnética Caitlyn, ele tirou do bolso a lata de fumo de mascar Skoal que tinha trazido para dar a seus pulmões algum descanso dos cigarros, e enfiou um bom punhado do tabaco entre a gengiva e a parte interna da bochecha.

"Posso experimentar um pouco?", perguntou Sarah, encorajada.

"Vai ficar enjoada."

"Mas e se for só um pouquinho?"

Katz fez que não com a cabeça e guardou a lata no bolso, e Sarah então perguntou se podia disparar a pistola de pregos. Ela parecia um anúncio ambulante da educação de último tipo que seus pais lhe tinham dado: Você tem permissão de pedir o que quiser! Só porque não é bonita, não quer dizer que não possa pedir o que quiser! Suas oferendas, se você tiver a ousadia de fazê-las, serão bem recebidas pelo mundo! A seu modo, ela era tão cansativa quanto Caitlyn. Katz se perguntou se ele próprio tinha sido igualmente cansativo aos dezoito anos, ou se, como agora lhe parecia, a raiva que sentia do

376

mundo — sua percepção do mundo como um adversário hostil, digno de sua cólera — fazia dele uma pessoa mais interessante que aquelas duas jovens encarnações do amor-próprio ou, como diziam ultimamente, da "autoestima".

Deixou Sarah disparar a pistola de pregos (ela gritou de susto com o coice da ferramenta e quase deixou a pistola cair) e em seguida a mandou embora. Caitlyn fora esnobada com tamanha competência que nem sequer se despediu, mas simplesmente desceu as escadas atrás de Zachary. Katz se dirigiu à clarabóia do quarto do casal na esperança de um vislumbre da mãe de Zachary, mas só conseguiu ver a cama DUX, a tela de Eric Fischl, a TV de tela plana.

Essa suscetibilidade de Katz a mulheres de mais de trinta e cinco anos lhe trazia algum constrangimento. Causava-lhe certa tristeza e a sensação de pulsão patológica, pela maneira como parecia remeter à sua própria mãe louca e ausente, mas não havia como alterar os circuitos básicos do seu cérebro. As crianças eram perenemente tentadoras e perenemente insatisfatórias, quase na mesma medida em que a cocaína era sempre insatisfatória: sempre que parava de consumi-la, tinha a lembrança de que era fabulosa e insuperável, e sentia uma forte ânsia de voltar a ela, mas bastava recomeçar para lembrar-se que não era nada fabulosa, mas estéril e vazia: uma droga neuromecânica com sabor de morte. Hoje em dia, sobretudo, as meninas trepavam hiperativamente, trocando de posição até percorrer rapidamente todas as variações conhecidas pela espécie, fazendo isso, mais aquilo e aquilo outro, suas xoxotas de menina pouco fragrantes demais e depiladas com cuidado excessivo para nem ao menos poderem ser devidamente vistas como partes do corpo humano. Lembrava-se mais detalhadamente de suas poucas horas com Patty Berglund que de décadas de trepadas com garotas. Claro, ele conhecia Patty desde sempre e sempre se sentira atraído por ela, e a longa espera sem dúvida tinha contribuído. Mas também havia alguma coisa mais intrinsecamente humana em Patty que em todas essas meninas. Algo mais difícil, mais envolvente, que merecia mais empenho em atingir. E agora que seu pau profético, sua vara rabdomântica, tornava a apontar na direção dela, ele não conseguia recordar por que não aproveitara mais amplamente a oportunidade que tivera com ela. Alguma ideia indevida de bom comportamento, que hoje lhe parecia incompreensível, impedira que ele fosse ao hotel dela em Filadélfia e se fartasse mais um pouco de Patty. Tendo traído Walter uma vez, em meio ao frio de uma noite setentrional, devia ter seguido em frente e traído mais cem vezes, até se livrar para sempre daquele desejo. E a evidência do quanto esse desejo era intenso saltava aos olhos nas canções que ele escrevera para o álbum *Lago Sem Nome*. Ele transformara em arte seu desejo ingratificado. Mas agora, já tendo produzido aquelas obras artísticas e colhido suas dúbias recompensas, não tinha mais razão para continuar renunciando a uma coisa que ainda queria. E se Walter, por sua vez, se sentisse no direito de comer a garota indiana, e parasse de ser tão irritante do ponto de vista moral, seria bem melhor para todos os envolvidos.

Tomou um trem de Newark para Washington no começo da noite de sexta-feira. Ainda não conseguia ouvir música, mas seu aparelho de MP3 não Apple estava carregado com uma faixa contínua de som cor-de-rosa — um som branco com a frequência ligeiramente alterada na direção dos graves, capaz de neutralizar qualquer som ambiente que o mundo pudesse produzir à sua volta — e pondo seus imensos fones de ouvido envoltos em espuma, virando-se um pouco na direção da janela e segurando um romance de Bernhard bem perto do rosto, conseguiu obter uma privacidade absoluta até o trem parar em Filadélfia. E lá um casal branco de vinte e poucos anos, usando camisetas brancas e tomando sorvete branco que traziam em copos de papel encerado, instalou-se nos assentos recém-liberados à frente dele. O branco extremo de suas camisetas pareceu a Katz a cor do regime de Bush. A menina imediatamente reclinou seu assento, invadindo o espaço dele, e quando terminou o sorvete, poucos minutos mais tarde, jogou o copinho e a colher para baixo do banco, onde estavam os pés dele.

Com um suspiro pesado, ele retirou os fones de ouvido, pôs-se de pé e largou o copinho no colo dela.

"Meu Deus!", gritou ela com uma repulsa candente.

"Ei, cara, que porra é essa?", disse seu resplandecente companheiro de viagem.

"Você jogou esse copinho nos meus pés", disse Katz.

"Mas ela não jogou no seu *colo*."

"Estou admirado com a sua façanha", disse Katz. "Falar como se tivesse razão quando a sua namorada jogou um copinho molhado de sorvete nos pés de alguém."

"O trem é *público*", disse a garota. "Você devia viajar de jatinho particular se não suporta outras pessoas."

"É, vou tentar me lembrar disso da próxima vez."

O resto do caminho até Washington, o casal passou tentando empurrar seus encostos mais para trás, além do limite, e invadindo mais ainda o espaço dele. Não pareciam tê-lo reconhecido, mas, se reconheceram, certamente em pouco tempo estariam dizendo em seus blogs como Richard Katz era um completo babaca.

Embora ele tivesse tocado muitas vezes em Washington ao longo dos anos, a horizontalidade da capital e suas desconcertantes avenidas diagonais nunca deixavam de incomodá-lo profundamente. Sempre se sentia como um rato num labirinto governamental. Pelo que era capaz de ver do banco traseiro do seu táxi, era bem possível que o motorista não o estivesse levando para Georgetown, mas para a embaixada israelense, para um interrogatório com técnicas extremas. Os pedestres de todos os bairros pareciam ter todos tomado as mesmas pílulas de deselegância. Como se o estilo individual fosse uma substância volátil que se evaporasse na vacuidade das calçadas e nas praças infernalmente largas da capital do país. Toda a cidade era um breve imperativo dirigido a Katz em sua jaqueta surrada de motociclista. Dizendo: morra.

A mansão de Georgetown, contudo, tinha alguma personalidade. Até onde Katz sabia, Walter e Patty não tinham eles próprios escolhido a casa, mas ainda assim refletia o excelente gosto citadino que ele sempre esperara do casal. Tinha um telhado de ardósia, várias águas-furtadas e janelas altas no térreo que se abriam para algo que se assemelhava a um modesto mas autêntico gramado. Acima da campainha da porta via-se uma placa discreta de latão admitindo discretamente a presença do FUNDO DA MONTANHA AZUL.

Jessica Berglund abriu a porta. Katz não a via desde o tempo da escola secundária, e sorriu com prazer perante a visão da menina plenamente crescida e transformada em mulher. Ela parecia contrariada e constrangida, e mal o cumprimentou. "Oi, ahn", disse ela, "venha comigo até a cozinha, está bem?"

E olhou por cima do ombro para um enorme saguão de entrada com piso de parquê. A moça indiana estava de pé na outra extremidade do saguão. "Oi, Richard", disse ela, acenando para ele com gestos nervosos.

"Só um segundo", disse Jessica. Enveredou pelo saguão, seguida por Katz, que trazia sua sacola de viagem, passando por uma sala grande cheia de mesas de trabalho, arquivos verticais, para chegar a uma sala menor com uma mesa de reunião. O lugar cheirava a semicondutores aquecidos e a produtos de papelaria recém-desempacotados. Na cozinha ficava uma imensa mesa de fazenda francesa, que ele reconheceu de St. Paul. "É só um segundo", disse Jessica enquanto saía atrás de Lalitha até uma sala com ar mais executivo, nos fundos da casa.

"Eu sou jovem", ele a ouviu dizer. "Está bem? Eu é que sou jovem aqui. Entendeu?"

Lalitha: "Mas é claro! É por isso que é tão bom você ter vindo. Só estou dizendo que eu não sou tão velha assim, entende?".

"Você tem vinte e sete anos!"

"E isso é velha?"

"Quantos anos você tinha quando ganhou seu primeiro celular? Quando começou a se conectar?"

"Quando estava na faculdade. Mas, Jessica, escute aqui — "

"Existe uma diferença *muito grande* entre a faculdade e uma escola secundária. Hoje em dia as pessoas se comunicam de modo totalmente diferente. Um modo que as pessoas da minha idade já aprenderam muito antes do que você."

"Eu sei. Não discordo de nada disso. Só não entendo por que você está com tanta raiva de mim."

"Por que estou com raiva? Porque você convenceu meu pai de que é uma verdadeira especialista em relação aos jovens, quando *não* entende grande coisa, como acabou de demonstrar com a maior clareza."

"Jessica, eu conheço perfeitamente a diferença entre mensagem de texto e e-mail. Só me confundi porque estou cansada. Mal dormi a semana inteira. Não é justo você dar tanta importância a isso."

"Alguma vez na vida você já *mandou* uma mensagem de texto?"

"Eu não preciso. Nós usamos BlackBerrys, que fazem a mesma coisa, só que melhor."

"Não é a mesma coisa. *Meu Deus!* É justamente disso que estou falando! Se você não cresceu usando celular na escola, não entende que o celular é muito, muito diferente do e-mail. É uma forma totalmente diversa de ficar em contato com as pessoas. Eu tenho amigos que praticamente não olham mais os e-mails. E se você e o papai estão com a ideia de falar com os meninos de faculdade, é importante que entendam bem como isso funciona."

380

"Então está bem. Pode ficar com raiva de mim. À vontade. Mas ainda assim eu tenho coisas para fazer agora à noite, e você precisa me deixar trabalhar."

Jessica voltou para a cozinha, sacudindo a cabeça, com o maxilar tenso. "Desculpe", disse ela. "Você deve estar querendo tomar um banho e jantar. A sala de jantar fica no andar do cima, e acho uma boa ideia que ela seja usada de vez em quando. Temos, ahn." Olhou em volta, nervosa. "Fiz uma salada grande e posso esquentar uma massa. Também temos um pão bom, o pão proverbial que minha mãe parece ser incapaz de compartilhar, mesmo quando a casa vai estar cheia de gente no fim de semana."

"Não se preocupe comigo", disse Katz. "Ainda tenho um bom pedaço de sanduíche na minha sacola."

"Não. Eu vou subir e sentar à mesa com você. É só que as coisas andam meio desorganizadas por aqui. A casa está... está... está..." Ela cerrou os punhos e sacudiu as mãos. "Ahhhh, esta casa!"

"Calma", disse Katz. "Estou adorando ver você."

"Não sei como eles *sobrevivem* quando eu não estou aqui. Não dá para entender. Como a coisa funciona no nível mais elementar, como levar o lixo para fora." Jessica fechou a porta da cozinha e baixou a voz. "Só Deus sabe o que *ela* tem comido. Pelo que minha mãe diz, tem subsistido à base de cereal com leite e sanduíches de queijo. E banana. Mas onde ela guarda isso tudo? Não tem nem *leite* nessa geladeira!"

Katz fez um gesto vago com as mãos, para sugerir que não podia ser responsabilizado.

"E, você sabe, no fim das contas", disse Jessica, "eu até que entendo bastante de cozinha regional indiana. Porque muitos dos meus colegas de faculdade eram indianos. E *anos* atrás, da primeira vez em que estive aqui, perguntei se ela podia me ensinar algum prato regional, tipo de Bengala, onde ela nasceu. Respeito muito as tradições dos outros, e achei que podíamos fazer belas refeições juntas, ela e eu, com todo mundo sentado em torno da mesa da sala de jantar, como uma família. Achei que podia ser legal, já que ela é indiana e eu me interesso por culinária. Ela riu de mim, e disse que não sabe nem fritar um ovo. Parece que o pai e a mãe dela são os dois engenheiros, e nunca cozinharam nada na vida. E lá se foi meu plano por água abaixo."

Katz sorria, apreciando a maneira como ela combinava e mesclava harmonicamente, sem fissuras, em sua pessoa unitária e compacta, as personalidades do pai e da mãe. A voz parecia a de Patty e a indignação era igual à de Walter, mas ainda assim Jessica era uma pessoa totalmente à parte. Usava os cabelos louros puxados para trás e presos com uma severidade que parecia manter as sobrancelhas erguidas, contribuindo para sua expressão de espanto ultrajado e ironia. Ele não se sentiu nem um pouco atraído por ela, e gostou dela mais ainda por isso.

"E onde está todo mundo?", perguntou ele.

"Mamãe está na academia, 'trabalhando'. E papai eu não sei. Uma reunião, eu acho, em algum lugar da Virgínia. Ele me pediu para dizer que amanhã de manhã conversa com você — o plano dele era voltar hoje à noite, mas aconteceu algum imprevisto."

"E quando sua mãe chega em casa?"

"Bem tarde, sem dúvida. Sabe, hoje em dia ela é mais difícil de encontrar, mas foi uma ótima mãe quando eu era criança. Do tipo, sabe, que cozinha? Recebe bem as pessoas? Põe flores num vaso ao lado da cama? Pelo jeito, agora tudo isso ficou para trás."

Em sua posição de anfitriã improvisada, Jessica subiu com Katz uma escada estreita nos fundos e lhe mostrou os grandes aposentos do segundo andar que tinham sido convertidos em salas de jantar e estar, o quartinho em que Patty mantinha seu computador e um sofá-cama, e depois, no terceiro andar, o quarto também acanhado onde ele iria dormir. "Oficialmente, o quarto é do meu irmão", disse ela, "mas aposto que ele não dormiu nem dez noites nele desde que eles se mudaram para cá."

De fato, não havia no quarto nenhum sinal da passagem de Joey, só mais alguns móveis de muito bom gosto de Walter e Patty.

"E como vão as coisas com Joey, aliás?"

Jessica deu de ombros. "Você está perguntando para a pessoa errada."

"Vocês dois não conversam?"

Ela ergueu para Katz seus olhos bem abertos e um tanto protuberantes, com uma expressão de humor. "Conversamos às vezes, de vez em quando."

"E então? Como vão as coisas com ele?"

"Bom, ele virou republicano, e por isso as conversas com ele tendem a ser meio desagradáveis."

"Ah."

"Separei toalhas para você. Quer uma toalhinha também?"

"Nunca usei essas toalhinhas, não precisa."

Quando desceu, meia hora mais tarde, depois de tomar banho e vestir uma camiseta limpa, encontrou o jantar à sua espera na mesa. Jessica instalou-se na outra extremidade da mesa com os braços dobrados muito junto do corpo — no fim das contas era uma garota muito tensa — e ficou vendo Katz comer. "Parabéns, aliás", disse ela, "por tudo que aconteceu. Foi estranho de uma hora para outra começar a escutar você cantando em todo lugar, e seu nome na lista de música de todo mundo."

"E você? Gosta de escutar que tipo de coisa?"

"Gosto mais de música estrangeira, especialmente africana e da América do Sul. Mas gostei do seu disco. E reconheci o lago de cara."

Era possível que ela estivesse querendo dizer alguma outra coisa, ou era possível que não. Teria Patty contado a ela o que aconteceu à beira do lago? A ela mas não a Walter?

"E o que está acontecendo?", perguntou ele. "Percebi que você não se dá bem com Lalitha."

De novo os olhos ironicamente arregalados.

"O que é?", perguntou ele.

"Nada, é que eu ando muito impaciente com a minha família."

"Estou achando que ela é um problema entre o seu pai e a sua mãe."

"Hã-hã."

"Ela me parece ótima. Inteligente, cheia de energia, esforçada."

"Hã-hã."

"Você quer me contar alguma coisa?"

"Não! Só acho que ela está de olho no meu pai. O que vem deixando minha mãe louca. Ficar vendo isso tudo. E eu sempre achei que, quando a pessoa é casada, você fica longe, não é? Estão fora do alcance, quando são casados. Não é?"

Katz pigarreou, sem saber onde aquela conversa iria parar. "Teoricamente é assim", disse ele. "Mas a vida se complica quando você fica mais velho."

"Mas nem por isso eu sou obrigada a gostar dela. Nem a aceitar a presença dela. Você sabia que ela mora aqui mesmo, no andar de cima? Ela está aqui *o tempo todo*. Muito mais que a minha mãe. E eu acho que é injusto. Por mim, ela precisa sair daqui e encontrar uma casa só para ela. Mas acho que o meu pai não quer."

"E por que será que ele não quer?"

Jessica dirigiu um sorriso tenso a Katz, com uma expressão muito infeliz. "Meus pais andam com muitos problemas. O casamento deles está muito mal. E qualquer um pode ver, não precisa ser telepata. Minha mãe anda muito deprimida. Há vários anos. E não consegue sair da depressão. Mas os dois se amam, eu *sei* que eles se amam, e fico muito chateada com o que está acontecendo aqui. Se pelo menos ela fosse *embora* — estou falando de Lalitha —, se ela saísse daqui, para a minha mãe voltar a ter alguma chance..."

"Você e a sua mãe conversam muito?"

"Não. Não muito."

Katz jantou em silêncio e ficou esperando para saber mais. Por sorte, parecia ter encontrado Jessica numa disposição de revelar coisas para quem estivesse nas proximidades.

"Quer dizer, ela bem que tenta", disse ela. "Mas tem o dom de sempre dizer a coisa errada. Não respeita as minhas opiniões. Não vê que eu sou basicamente uma adulta inteligente capaz de pensar por mim mesma. Meu namorado na faculdade era um doce, e ela foi horrível com ele. Parece que estava com medo de que eu fosse me casar com ele, e por isso zombava dele o tempo todo. Ele foi o meu primeiro namorado de verdade, e eu só queria algum tempo para aproveitar bastante, mas ela não me deixou em paz. Houve uma vez em que William e eu viemos passar o fim de semana, para ir aos museus e participar de uma passeata a favor do casamento gay. Ficamos aqui, e ela começou a perguntar a ele se ele gostava quando as meninas mostravam os peitos nas festas das fraternidades. Tinha lido um artigo idiota em algum jornal sobre os rapazes que ficam gritando para as meninas mostrarem os peitos. E eu lá, dizendo, não, mamãe, não estou na Virgínia. Na minha faculdade não existem essas fraternidades, uma estupidez da Idade da Pedra que só funcionam ainda no Sul, eu não vou para a Flórida na semana de férias da primavera, não somos iguais às pessoas desse artigo imbecil. Mas nem assim ela se convence. E continua perguntando a William o que ele acha dos peitos das outras meninas. E ainda fingiu surpresa quando ele disse que não tinha o menor interesse. Ela *sabia* que ele estava falando com sinceridade, e que estava muito encabulado de ter de conversar com a mãe da namorada sobre os peitos de outras mulheres, mas ela só dava a entender que não acreditava nele. Para ela, era tudo uma piada. Ela queria que *eu* risse de William. Que, vá lá, às vezes é meio chato. Mas será que eu não posso ter a chance de concluir isso por minha conta?"

"Só quer dizer que ela gosta de você. Não queria que você se casasse com o sujeito errado."

"Mas justamente, eu não ia me casar com ele!"

Os olhos de Katz foram atraídos para os peitos quase totalmente cobertos pelos braços fortemente cruzados de Jessica. Ela tinha seios pequenos como a mãe, mas era menos proporcional. O que ele sentia agora era que seu amor por Patty se aplicava por extensão à filha dela, com a exceção do desejo de trepar com ela. Agora via do que Walter estava falando quando disse que ela era uma jovem que dava esperanças aos mais velhos quanto ao futuro. Ela realmente dava a impressão de ser iluminada.

"Você vai ter uma ótima vida", disse ele.

"Obrigada."

"Você tem uma cabeça boa. Estou muito feliz de ver você de novo."

"Eu sei, eu também", disse ela. "Nem lembro quando foi a última vez em que nos vimos. Eu ainda estava na escola?"

"Estava trabalhando numa cozinha para os pobres. Seu pai me levou para ver você lá."

"Isso mesmo, meus anos de construção de currículo. Eu tinha umas dezessete atividades extracurriculares. Uma espécie de Madre Teresa que tomasse bolinha."

Katz serviu-se de mais um pouco da massa, que tinha azeitonas e alguma verdura de salada. Isso mesmo, rúcula: ele estava novamente a salvo no seio da elite. Perguntou a Jessica o que ela faria caso seus pais se separassem.

"Bem, eu não sei", respondeu ela. "Espero que eles não se separem. Você acha que vão? É o que papai tem dito a você?"

"Eu não excluiria a possibilidade."

"Bem, então acho que vou aderir à maioria. Metade dos meus amigos vem de lares desfeitos. Só nunca imaginei que fosse acontecer conosco. Até Lalitha aparecer."

"Mas sabe, essas coisas dependem da vontade dos dois. Você não devia jogar tanta culpa em cima dela."

"Ah, pode acreditar que eu também ponho a culpa no meu pai. Pode acreditar que vou jogar a culpa nele. Dá para perceber quando ele fala, e é

385

realmente... uma coisa que me deixa confusa. Uma coisa *errada*. E eu sempre achei que conhecia ele bem. Mas parece que estava enganada."

"E a sua mãe?"

"Sem dúvida também está muito infeliz com isso tudo."

"Não, mas se fosse ela a pessoa a ir embora? O que você ia achar?"

O desconcerto de Jessica com a pergunta foi tal que era impossível que Patty lhe tivesse feito alguma revelação. "Acho que ela nunca faria uma coisa dessas", disse ela. "A não ser que se sentisse obrigada pelo meu pai."

"Ela está satisfeita?"

"Bem, Joey diz que não. Acho que ela contou a Joey muitas coisas que não conta para mim. Ou talvez Joey só invente essas coisas para me aborrecer. Ela, sem dúvida, zomba muito do meu pai, o tempo todo, mas isso não quer dizer muita coisa. Ela zomba de todo mundo — inclusive de mim, tenho certeza, quando eu não estou por perto. Ela acha todo mundo muito engraçado, e isso sem dúvida me deixa puta da vida. Mas ela gosta da família. Acho que mudar isso nem passa pela cabeça dela."

Katz se perguntou se podia ser verdade. A própria Patty lhe dissera, quatro anos antes, que não estava interessada em deixar Walter. Mas o profeta entre as pernas de Katz insistia em afirmar o contrário, e Joey talvez fosse mais sensível que a irmã quanto à da felicidade da mãe.

"Sua mãe é uma pessoa diferente, não é?"

"Eu sinto muita pena dela", disse Jessica, "sempre que ela não me deixa com raiva. Ela é tão inteligente, mas nunca conseguiu nada além de ser boa mãe. A única coisa que eu sei com certeza do futuro é que *nunca* vou ficar em casa com os meus filhos em tempo integral."

"Quer dizer que você quer filhos. Apesar de toda a crise de superpopulação."

Ela arregalou os olhos para ele e corou. "Um ou dois, quem sabe. Se um dia eu encontrar o homem certo. O que não me parece muito provável em Nova York."

"Nova York é um lugar muito duro."

"Meu Deus, obrigada. Obrigada por dizer isso. Nunca na minha vida me senti tão diminuída, invisível e totalmente ignorada como nos últimos oito meses. Achei que Nova York devesse ser um ótimo lugar para conhecer gente e namorar. Mas os sujeitos ou são uns fracassados, ou idiotas, ou casados. É uma coisa *assustadora*. Quer dizer, eu sei que não sou linda nem nada, mas acho que bem mereço pelo menos cinco minutos de conversa e bons modos. Já faz oito meses que estou lá, e esses cinco minutos ainda não aconteceram. Nem sinto mais vontade de sair, é uma coisa tão desanimadora."

"Não é você. Você é uma garota muito bonita. Mas pode ser gente fina demais para Nova York. A economia de lá é muito crua."

"Mas por que existem tantas garotas como eu? E quase nenhum homem? Será que todos os homens legais resolveram ir morar noutra freguesia?"

Katz passou em revista mental os jovens rapazes que conhecia na grande Nova York, inclusive seus antigos companheiros do Walnut Surprise, e não viu ninguém que pudesse recomendar para sair com Jessica. "As moças todas vêm para trabalhar em editoras, com arte e em organizações sem fins lucrativos", disse ele. "E os caras vêm atrás do dinheiro e da música. O que influencia a seleção. As moças tendem a ser boas e interessantes, e os caras a ser uns escrotos como eu. Não é nada pessoal contra você."

"Eu só queria sair *uma vez* com um cara interessante."

Ele estava arrependido de ter dito que ela era bonita. Podia dar a impressão distante de um começo de cantada, e ele esperava que ela não tivesse tido essa impressão. Infelizmente, parece que tinha.

"Você é mesmo escroto?", perguntou ela. "Ou só falou por falar?"

A nota de provocação sedutora era alarmante, e precisava ser abafada no nascedouro. "Eu só vim aqui para fazer um favor ao seu pai."

"O que não me parece coisa de uma pessoa escrota", disse ela em tom de implicância.

"Pode acreditar quando eu digo que sou." Ele a fitou com o olhar mais duro que conseguia dirigir a outra pessoa, e percebeu que a deixou um pouco amedrontada.

"Não entendi", disse ela.

"Não sou seu aliado na questão indiana. Estou do outro lado."

"O quê? Por quê? O que você tem a ver com isso?"

"Eu já disse. Sou um escroto."

"Meu Deus. Está bem, então." Ela fixou os olhos no tampo da mesa com as sobrancelhas muito erguidas, confusa, assustada e enfurecida ao mesmo tempo.

"E a massa está ótima, aliás. Obrigado por ter feito para mim."

"Claro. E não deixe de provar a salada." Ela se levantou da mesa. "Acho que vou subir para ler um pouco. Se precisar de mais alguma coisa, me diga."

Ele assentiu com a cabeça, e ela saiu da sala. Ficou com pena da garota, mas sua missão em Nova York era um trabalho sujo, e não fazia sentido ficar dourando a pílula. Assim que acabou de comer, passou cuidadosamente em revista a vasta coleção de livros de Walter, e a coleção ainda mais vasta de CDs e LPs, retirando-se em seguida para o quarto de Joey no andar de cima. Queria ser a pessoa a entrar no aposento onde Patty estivesse, e não a pessoa à espera no aposento em que ela entrasse. Ser a pessoa à espera era um excesso de vulnerabilidade, uma coisa nada katziana. Embora ele não costumasse usar tapa-ouvidos, pela verdadeira sinfonia que desencadeavam em função do zumbido permanente em seus ouvidos, enfiou um par de esponjas nos canais auditivos, para não ficar deitado escutando vorazmente cada passo ou qualquer som de voz.

Na manhã seguinte, ficou no quarto até quase as nove antes de descer a escada dos fundos em busca do café da manhã. A cozinha estava vazia, mas alguém, quem sabe Jessica, fizera café, cortara frutas e servira bolinhos. Uma chuva ligeira de primavera caía no jardinzinho dos fundos, molhando seus narcisos e junquilhos, e os flancos das casas vizinhas muito próximas. Ouvindo vozes na frente da mansão, Katz enveredou pelo saguão levando seu café e um bolinho, e encontrou Walter, Jessica e Lalitha, todos com a pele matinal bem esfregada e o cabelo molhado do banho, à sua espera na sala de reuniões.

"Ótimo, você chegou", disse Walter. "Podemos começar."

"Eu não sabia que nossa reunião era tão cedo."

"Já são nove horas", disse Walter. "Para nós, hoje é dia útil."

Ele e Lalitha estavam sentados lado a lado perto do meio da mesa enorme. Jessica se instalara bem longe, numa das pontas, com os braços cruzados e irradiando um ceticismo tenso e defensivo. Katz sentou-se do lado oposto da mesa, à frente dos outros dois.

"Dormiu bem?", perguntou Walter.

"Dormi. E Patty, onde está?"

Walter deu de ombros. "Ela não vem a essa reunião, se é isso que você quer saber."

"Nós estamos tentando chegar a algum lugar", disse Lalitha. "Não queremos passar o dia inteiro rindo de como é impossível conseguir alguma coisa."

Grrrr!

Os olhos de Jessica pulavam de um para o outro, atentos a cada detalhe. Walter, a um exame mais detido, estava com olheiras horríveis, e seus dedos, no tampo da mesa, apresentavam alguma coisa entre um tremor e um tamborilar. Lalitha também tinha um ar um tanto arrasado, o rosto apresentando o azulado da palidez da pele mais escura. Observando a posição relativa dos seus corpos, seu afastamento calculado, Katz se perguntou se a química já não teria produzido seus resultados. Tinham ambos um ar soturno e culpado, como amantes secretos obrigados à compostura em público. Ou, pelo contrário, como pessoas que ainda não tivessem chegado a um acerto e estivessem muito insatisfeitas uma com a outra. A situação merecia um acompanhamento detalhado, fosse qual fosse.

"Então vamos começar com o problema", disse Walter. "O problema é que ninguém tem a coragem de incluir a superpopulação entre os temas da discussão nacional. E por que não? Porque o tema é deprimente. Porque soa como coisa do passado. Porque, como também acontece com o aquecimento global, ainda não chegamos exatamente ao ponto em que as consequências se tornaram impossíveis de negar. E porque é uma coisa elitista dizer aos pobres e às pessoas sem instrução que não deviam ter tantos filhos. O tamanho das famílias costuma ser inversamente proporcional à situação econômica, assim como a idade em que as garotas começam a ter filhos, o que tem o mesmo efeito danoso de uma perspectiva estatística. Seria possível reduzir a taxa de crescimento à metade se a idade das mães ao nascimento do primeiro filho saltasse de dezoito para trinta e cinco anos. É uma das razões pelas quais os ratos se reproduzem tão mais que os leopardos — porque atingem muito mais cedo a maturidade sexual."

"Uma analogia que por si só, claro, já é problemática", comentou Katz.

"Exato", disse Walter. "É novamente a tal história do elitismo. Os leopardos são uma espécie 'superior' aos ratos ou aos coelhos. O que é a outra parte do problema: transformamos os pobres em roedores quando chamamos a atenção para suas taxas de natalidade mais altas e a idade precoce em que começam a se reproduzir."

"Acho que a analogia do cigarro é melhor", disse Jessica da ponta da mesa. Era óbvio que ela tinha frequentado uma faculdade cara e aprendera a debater em seminários. "As pessoas endinheiradas têm acesso ao Zoloft e ao

Xanax. Assim, quando os governos aumentam os impostos sobre os cigarros, e o álcool, estão atingindo mais os pobres. Encarecendo as drogas mais baratas."

"Isso mesmo", disse Walter. "Ótimo argumento. E também se aplica à religião, outra droga importante para as pessoas sem oportunidades econômicas. Se tentarmos puxar briga com a religião, que é nosso verdadeiro inimigo, vamos acabar atingindo os oprimidos."

"E as armas também", disse Jessica. "Caçar é uma coisa das camadas mais baixas."

"Ah, vá dizer isso ao senhor Haven", disse Lalitha em sua maneira de falar, em que cada palavra era muito articulada. "Vá dizer isso a Dick Cheney."

"Mas na verdade Jessica tem razão", disse Walter.

Lalitha virou-se para ele. "É mesmo? Eu não acho. O que a caça tem a ver com o crescimento da população?"

Jessica revirou os olhos, impaciente.

O dia vai ser muito comprido, pensou Katz.

"Tudo gira em torno do mesmo problema, das liberdades individuais", disse Walter. "As pessoas vieram para o nosso país em busca de dinheiro ou de liberdade. Então, quem não tem dinheiro se aferra às liberdades com mais ferocidade. Mesmo que o fumo te mate, mesmo que você não tenha dinheiro para dar de comer às crianças, mesmo que seus filhos estejam sendo abatidos a tiros por loucos armados de rifles de combate. Você pode ser pobre, mas ninguém tem o direito de tirar sua liberdade de foder com a própria vida da maneira como bem entender. Foi isso que Bill Clinton percebeu — que ninguém consegue ganhar uma eleição indo contra as liberdades individuais. Especialmente, no fim das contas, contra a posse de armas."

O fato de Lalitha ter assentido submissa diante dessas palavras, em vez de emudecer aborrecida, deixou a situação mais clara. Ela continuava na posição de suplicante, e Walter no papel de contido. E aqui ele estava em seu elemento natural, a sua fortaleza pessoal: a possibilidade de falar em termos abstratos. Não tinha mudado nada desde os tempos de faculdade no Macalester.

"Mas o verdadeiro problema", disse Katz, "é o capitalismo de livre mercado. Não é? A menos que você esteja pensando em *banir por lei* a reprodução, o seu problema não são as liberdades civis. Você não consegue ressonância cultural para a questão do crescimento populacional porque falar da redução do número de bebês significa falar de limites para o crescimento. Não é? E o crescimento não é uma questão secundária para a ideologia da liberdade de mercado. É a essência da questão. Não é? Para a teoria econômica do livre mercado, coisas como o meio ambiente ficam fora da equação. Qual era aquela palavra que você adorava? 'Externalidades'?"

"Isso mesmo", disse Walter.

"E não imagino que a teoria tenha mudado muito desde os nossos tempos de estudante. A teoria é de que não existe teoria nenhuma. Não é? O capitalismo não pode se dar ao luxo de falar dos limites, porque o que o capitalismo defende é justamente o crescimento ininterrupto do capital. Se você quiser ser ouvido nos meios de comunicação capitalistas, e se comunicar numa cultura capitalista, a questão do excesso de população não tem como fazer sentido. É, sem exagero, um despropósito. E é esse o seu verdadeiro problema."

"Então talvez seja o caso de encerrarmos logo os trabalhos de hoje", disse Jessica secamente. "Já que não podemos fazer nada."

"Não fui eu que inventei o problema", disse-lhe Katz. "Só estou aqui lembrando que ele existe."

"Nós sabemos que ele existe", disse Lalitha. "Mas somos uma organização pragmática. Não estamos tentando derrubar todo o sistema, só tentando melhorar a situação. Fazer essa crise ser incluída na discussão cultural, antes que seja tarde. Queremos fazer, em relação ao problema populacional, o mesmo que Gore fez quanto à mudança climática. Temos um milhão de dólares em dinheiro, e podemos tomar algumas medidas bem concretas desde já."

"Eu adoraria decidir pela derrubada de todo o sistema", disse Katz. "Se entrarem nessa, podem contar comigo."

"No nosso país, o sistema não pode ser derrubado", disse Walter, "por causa da questão da liberdade. O livre mercado, na Europa, é temperado por um certo socialismo porque eles não são tão aferrados às liberdades individuais. E o crescimento da população deles também é menor, apesar de um nível de renda bem parecido. Os europeus são mais racionais praticamente em todos os aspectos. E a discussão em torno dos direitos no nosso país não é nada racional. É totalmente marcada pela emoção, por ressentimentos de classe, e é por isso que a direita consegue explorar tão bem a questão. E é por isso que eu queria voltar ao que Jessica disse sobre os cigarros."

Jessica fez um gesto de reconhecimento, como se dissesse Obrigada!.

Do saguão vinham os sons de alguém, Patty, andando de um lado para o outro pela cozinha com saltos sólidos. Katz, com vontade de fumar um cigarro, pegou a caneca de café vazia de Walter e um bocado de fumo de mascar.

"A mudança social positiva funciona de cima para baixo", disse Walter. "O ministro da Saúde publica um relatório, as pessoas instruídas leem o que ele disse, os jovens mais inteligentes começam a perceber que fumar é uma estupidez, e nada bacana, e aos poucos o número de fumantes vai se reduzindo no país inteiro. Ou Rosa Parks se senta no seu ônibus, os estudantes ouvem falar do caso, organizam uma marcha em Washington, embarcam de ônibus para o Sul e, de uma hora para outra, surge um movimento nacional em defesa dos direitos civis. Hoje, estamos numa situação em que qualquer pessoa minimamente instruída é capaz de entender o problema da explosão populacional. O próximo passo, então, é fazer que os estudantes universitários achem bacana se interessar pela questão."

Enquanto Walter se estendia sobre os estudantes universitários, Katz se esforçava para ouvir o que Patty estaria fazendo na cozinha. O ridículo essencial da sua situação agora estava ficando mais claro. A Patty que ele desejava era a Patty que não queria Walter: a dona de casa que não queria mais ser dona de casa; a dona de casa que queria trepar com um roqueiro. Mas em vez de simplesmente ligar para ela e dizer que queria estar com ela, tinha vindo participar daquela reunião como um segundanista de faculdade, dando força às fantasias intelectuais do seu velho amigo. O que havia em Walter para deixá-lo tão incapaz de fazer as coisas direito? Sentia-se como um inseto solto no ar que de repente se visse preso na teia viscosa da família. Não conseguia parar de se *comportar bem* com Walter, porque gostava dele; se não gostasse tanto dele, pode ser que não tivesse sentido tanto desejo por Patty; e se não tivesse sentido aquele desejo por ela, não estaria sentado ali fazendo de conta. Que cagada.

E agora os passos dela se aproximavam da sala. Walter parou de falar e respirou fundo, numa preparação visível para o confronto. Katz girou a cadeira na direção da porta; e lá estava ela. A mãe de rosto limpo com uma face oculta. Estava usando botas pretas, uma saia justa de brocado de seda vermelho e preto, e uma capa de chuva curta muito elegante que lhe caía muito bem, mas que não tinha nada a ver com ela. Katz não se lembrava de jamais ter visto Patty usando qualquer coisa que não fossem jeans.

"Oi, Richard", disse ela, dando uma olhada geral na sua direção. "Oi, todo mundo. Está tudo correndo bem?"

"Estamos só começando", disse Walter.

"Então não vou interromper."

"Você está toda arrumada", disse Walter.

"Vou fazer compras", respondeu ela. "Talvez eu veja vocês de noite, se ainda estiverem por aqui."

"Você vai fazer o jantar?", perguntou Jessica.

"Não, vou trabalhar até as nove. Se vocês quiserem, eu sempre posso trazer alguma coisa pronta de algum lugar."

"Ia ajudar bastante", disse Jessica, "já que vamos passar o dia inteiro nesta reunião."

"E eu teria o maior prazer de preparar um jantar se não precisasse trabalhar um expediente de oito horas."

"Ah, deixe para lá", disse Jessica. "Pode esquecer. Nós saímos para comer, ou coisa assim."

"Parece a ideia mais simples", concordou Patty.

"Bom, então", disse Walter.

"Exatamente, então", disse ela. "Espero que o dia seja muito divertido para todo mundo."

Tendo assim em pouco tempo irritado, ignorado ou decepcionado cada um dos outros quatro, ela enveredou pelo saguão e saiu pela porta da frente. Lalitha, que vinha digitando em seu BlackBerry desde o momento em que Patty apareceu, exibia a aparência mais obviamente infeliz de todos.

"Ela agora está trabalhando sete dias por semana?", perguntou Jessica.

"Não, normalmente não", respondeu Walter. "Não sei o que aconteceu."

"Sempre acontece alguma coisa, não é", murmurou Lalitha enquanto digitava com os polegares em seu aparelho.

Jessica virou-se para ela, reorientando de imediato sua implicância. "Só faça o favor de nos avisar quando acabar de olhar seus e-mails, está bem? Vamos ficar esperando até que você esteja pronta."

Lalitha, com os lábios apertados, continuou a digitar com os polegares.

"Quem sabe você termina isso mais tarde?", perguntou Walter gentilmente.

Ela bateu com o BlackBerry na mesa. "Está bem", disse ela. "Pronto!"

Quando a nicotina começou a circular pelo organismo de Katz, ele se sentiu melhor. Patty lhe dera uma impressão de desafio, e o desafio era uma coisa boa. E o fato de ela estar *toda arrumada* também não escapou à sua atenção. Toda arrumada por que motivo? Para aparecer diante dele. E trabalhando nas noites de sexta e sábado por que motivo? Para evitar estar com ele. Exatamente, para fazer o mesmo jogo de gato e rato que ele vinha praticando com ela. Agora que ela tinha saído, ele conseguia vê-la melhor, receber seus sinais sem muita interferência, imaginar que estava passando as mãos naquela fina saia, e lembrar-se de como ela o desejava em Minnesota.

Mas enquanto isso havia o problema dos excessos de procriação: a primeira tarefa concreta, disse Walter, era inventar um nome para a organização. A ideia inicial que ele tinha era Jovens Contra a Insanidade, uma homenagem a "Youth Against Fascism", que ele considerava (e Katz concordava) uma das melhores canções que o Sonic Youth já tinha gravado. Mas Jessica não abria mão de escolher um nome que fosse afirmativo, em vez de dizer não a alguma coisa. Uma coisa pró, e não contra. "O pessoal da minha idade é mais libertário do que vocês eram", explicou ela. "Eles são alérgicos a qualquer coisa que cheire a elitismo, ou que pareça desrespeito ao ponto de vista dos outros. A campanha de vocês não pode querer dizer às pessoas o que elas não devem fazer. Deve falar de uma escolha positiva e bacana que *todo mundo* vai fazer."

Lalitha sugeriu o nome Primeiro os Vivos, que ofendeu os ouvidos de Katz, e que Jessica abateu em pleno voo com um sarcasmo calcinante. E assim passaram o resto da manhã entregues a esse *brainstorm*, demonstrando uma carência aguda, na opinião de Katz, da colaboração de algum consultor profissional da área de relações públicas. Cogitaram Planeta Mais Solitário, Ar Mais Fresco, Camisinhas Ilimitadas, Coalizão dos que Já Nasceram, Espaço Livre, Qualidade de Vida, Barraca Menor e De Bom Tamanho! (de que Katz gostou, mas os outros ainda acharam negativo demais; de toda maneira, Katz arquivou a ideia como título de uma futura canção ou de um futuro álbum). Pensaram ainda em Alimentar os Vivos, Sejamos Razoáveis, Cabeças Mais Frescas, Um Caminho Melhor, A Força do Número Menor, Menos é Mais, Ninhos Mais Vazios, A Alegria de Nenhum, Sem Filhos Para Sempre, Sem Bebês a Bordo, Comida na Própria Boquinha, Ousar Não Procriar, Melhor Não Tê-los, Despovoar!, Viva a Gente!, Talvez Nenhum, Menos Que Zero, Pisar Fundo no

Freio, Abaixo a Família, Chega de Agitação, Área de Manobra, Mais para Mim, Crescer Sozinho, Fôlego, Espaço Aberto, Ame o Que Existe, Estéril Porque Quero, Fim da Infância, Todas as Crianças Para Trás, Núcleo a Dois, Talvez Nunca, e Qual é a Pressa?, e rejeitaram todos. Para Katz, o exercício demonstrava a impossibilidade geral do empreendimento, e o ranço inevitável das modas pré-fabricadas, mas Walter conduzia as discussões com um equilíbrio constante que denunciava seus longos anos no mundo artificial das ongs. E, o que não deixava de ser incrível, os dólares que ele planejava gastar eram de verdade.

"Acho que devemos ficar com Espaço Livre", disse ele finalmente. "Gosto do jeito como se apropria da palavra 'livre', usada pelo outro lado, e também da retórica dos espaços abertos. Se isso der certo, também pode virar o nome de todo um movimento, não só do nosso grupo. O movimento do Espaço Livre."

"Sou a única pessoa que está ouvindo ecos da procura por terrenos para construir?", perguntou Jessica.

"Mas nem é uma conotação tão ruim", respondeu Walter. "Todos sabemos como é difícil encontrar um bom terreno, ou uma vaga para estacionar. Menos gente no planeta, mais facilidade para nos instalarmos? Na verdade, é um bom exemplo corriqueiro de como a superpopulação nos traz problemas."

"Precisamos ver se Espaço Livre ainda não foi registrado como marca", disse Lalitha.

"Nem pense na merda do registro", disse Katz. "Todas as expressões conhecidas pela humanidade já foram registradas por alguém."

"Podíamos incluir um segundo espaço entre as duas palavras", disse Walter. "Mais ou menos o contrário do que fez a EarthFirst!, e sem ponto de exclamação. Se alguém nos processar pelo uso da marca, podemos nos defender com base no espaço a mais. Pode funcionar, não é? A Batalha Legal pelo Espaço?"

"Pois eu acho bem melhor nem sermos processados", disse Lalitha.

Na parte da tarde, depois que sanduíches foram pedidos e comidos, que Patty chegou em casa e tornou a sair sem interagir com eles (Katz teve um rápido vislumbre de seus jeans pretos de recepcionista de academia enquanto suas pernas se afastavam pelo corredor), os quatro membros do conselho consultivo da Espaço Livre redigiram um plano para os vinte e cinco estagiários que Lalitha já começara a recrutar e selecionar para trabalhar nas férias de verão. Ela imaginara um festival de música e debates no final do verão, numa propriedade de dez hectares comprada pelo Fundo da Montanha Azul na extremidade sul da reserva da mariquita-azul — uma visão em que Jessica imediatamente percebeu uma série de equívocos. Será que Lalitha não entendia *nada* da relação entre os jovens e a música? Já não bastava ter recrutado um músico importante? Precisavam mandar vinte estagiários para vinte cidades por todo o país, para organizar festivais *locais* — "Programas de calouros", disse Katz. "Exatamente, vinte programas de calouros locais", respondeu Jessica. (Tinha tratado Katz com extrema frieza o dia inteiro, mas deu a impressão de ter ficado agradecida por seu apoio para sobrepujar Lalitha.) Oferecendo prêmios em dinheiro, podiam atrair cinco boas bandas para cada uma das vinte cidades, todas competindo pelo direito de representar a música local numa finalíssima realizada na Virgínia Ocidental ao longo de um fim de semana inteiro, sob a égide da Espaço Livre, com alguns nomes famosos para participar do último júri final e contribuir com sua aura para a causa da reversão do crescimento da população global e tirar de moda a ideia de ter filhos.

Katz, que mesmo pelos seus próprios padrões já tinha consumido quantidades colossais de cafeína e nicotina, terminou num estado quase maníaco, em que respondia sim a tudo que lhe perguntavam: que ia escrever músicas especialmente para a Espaço Livre, que voltaria em maio a Washington para reunir-se com os estagiários da Espaço Livre e ajudar em sua doutrinação, que se apresentaria de surpresa no festival local de Nova York e seria o apresentador da última fase na Virgínia Ocidental, recompondo o Walnut Surprise para uma apresentação, e que iria importunar vários grandes nomes para que também se apresentassem e fizessem parte do júri da finalíssima. Até onde percebia, não estava fazendo nada além de emitir cheques contra uma conta zerada, porque, a despeito das substâncias químicas muito reais que tinha ingerido, a verdadeira substância de seu estado era um foco exclusivo e latejante na ideia de tirar Patty de Walter: era essa a base rítmica dos acontecimentos, todo o resto era superficial e irrelevante. A Família em Pedaços: outro bom nome para uma canção. E depois de espatifar a família, não precisaria manter nenhuma das suas promessas.

Estava tão alterado que quando a reunião acabou, por volta das cinco da tarde, e Lalitha voltou para sua sala a fim de começar a pôr o plano em ação, e Jessica desapareceu no andar de cima, ele concordou em sair com

Walter. Pensava que seria a última vez que sairiam juntos. E acontece que a banda Bright Eyes, que acabara de ficar famosa, comandada por um jovem talentoso chamado Conor Oberst, estava tocando num lugar conhecido de Washington naquela noite. Os ingressos para o show estavam esgotados, mas Walter queria encontrar-se com Oberst nos bastidores e propor que participasse da Espaço Livre, e Katz, interesseiro, deu os telefonemas um tanto aviltantes necessários para obter duas credenciais na porta. Qualquer coisa era melhor que ficar parado naquela mansão, esperando Patty chegar em casa.

"Não acredito que você está fazendo tudo isso por mim", disse Walter no restaurante tailandês, perto de Dupont Circle, quando pararam para jantar no caminho.

"Está tudo certo." Katz pegou uma concha cheia de *satay*, ponderou se seria capaz de digeri-la e concluiu que não. Mascar mais tabaco era uma péssima ideia, mas ainda assim ele tirou a latinha do bolso.

"Parece que só agora estamos finalmente fazendo as coisas sobre as quais costumávamos conversar nos tempos de estudante", disse Walter. "Para mim, significa muito, de verdade."

Os olhos de Katz percorriam agitados o panorama do restaurante, pousando em tudo menos no amigo. Ele tinha a sensação de que se jogara de um despenhadeiro, e ainda estava mexendo as pernas, mas dali a pouco iria se espatifar no chão.

"Tudo bem?", perguntou Walter. "Estou achando você meio nervoso."

"Não. Está tudo bem, tudo bem."

"Não é o que parece. Você já mascou uma lata inteira dessa merda desde hoje cedo."

"Só estou me esforçando para não fumar perto de vocês."

"Bom, muito obrigado."

Walter consumiu todo o *satay*, enquanto Katz despejava baba em seu copo de água, sentindo-se momentaneamente aplacado, da maneira enganosa da nicotina.

"E como vão as coisas entre você e a menina?", perguntou ele. "Senti um lance estranho entre vocês dois mais cedo."

Walter corou e não disse nada.

"Você já está dormindo com ela?"

"Ora, Richard! Não é da sua conta!"

"Epa, quer dizer que sim?"

"Não, quer dizer que você não tem porra nenhuma a ver com isso!"

"Apaixonado por ela?"

"Meu Deus! Chega! Já está de bom tamanho."

"Bem que eu achei que esse nome era melhor, De Bom Tamanho! Com ponto de exclamação. Espaço Livre parece uma letra do Lynyrd Skynyrd."

"Por que você está tão interessado em me ver dormir com ela? Qual é?"

"Só falei do que estou vendo."

"Bem, mas eu e você somos muito diferentes. Entendeu? Você não entende que eu possa ter valores mais importantes que uma trepada?"

"Entender eu entendo. Em termos gerais, de maneira abstrata."

"Bem, então pare de falar nisso, está bem?"

Katz olhou impaciente em volta, à procura do garçom. Estava ficando de péssimo humor, e tudo que Walter vinha dizendo só o irritava mais ainda. Se Walter era fresco demais para arrochar Lalitha, se queria continuar a se passar por todo-certinho, não fazia mais diferença para Katz. "Vamos embora desta porra", disse ele.

"E que tal antes esperar pelo meu prato? Você pode não estar com fome, mas eu estou."

"Não, claro. É óbvio. Foi mal."

E seu ânimo começou a fraquejar uma hora mais tarde, no meio da aglomeração de jovens em frente ao 9:30 Club. Havia muitos anos que Katz não fazia parte da plateia de um show, não ia ouvir um ídolo jovem desde que ele próprio era garoto, e ficara tão acostumado com o público mais velho dos concertos dos Traumatics e do Walnut Surprise que não se lembrava do quanto um show para jovens podia ser diferente. Quase religioso em sua seriedade coletiva. Ao contrário de Walter, que devido à sua avidez cultural possuía a obra completa do Bright Eyes e tecera extensos comentários a respeito no restaurante tailandês, Katz só tinha uma vaga ideia do que era a banda, e mesmo assim por osmose. Ele e Walter eram pelo menos duas vezes mais velhos que qualquer outro presente, meninos de cabelos lisos e garotas nada magras, segundo a última moda. Sentia como olhavam para ele e o reconheciam, aqui e ali, enquanto ele e Walter se dirigiam à plateia esvaziada pelo intervalo, e pensou que talvez não pudesse ter tomado uma decisão mais infeliz que a de aparecer em público e, por sua simples presença, endossar uma banda que praticamente desconhecia por completo. Não sabia o que seria pior nas circunstâncias, ser reconhecido e bajulado pelo público ou ficar ali parado em sua obscura meia-idade.

"Quer tentar os bastidores?", perguntou Walter.

"Não vai dar, meu amigo. Não estou com a menor vontade."

"Só para me apresentar. Um minuto, e pronto. Depois eu volto lá sozinho e converso com calma."

"Não estou com a menor vontade. Não conheço esse pessoal."

A trilha sonora do intervalo, cuja escolha era prerrogativa do artista principal da noite, era impecavelmente surpreendente. (Katz, quando se apresentava como artista principal da noite, sempre detestou a pose e o didatismo da escolha da trilha sonora do intervalo, a pressão para se mostrar atualizado em seu gosto de ouvinte, e deixava a decisão para seus companheiros de banda.) Os ajudantes de palco estavam ajustando dezenas de microfones e instrumentos, enquanto Walter não parava de falar da história de Conor Oberst: como ele tinha começado a gravar aos doze anos, como ainda morava em Omaha, como sua banda era antes um coletivo, ou uma família, que uma banda de rock habitual. Jovens invadiam a plateia por todas as entradas, os olhos brilhantes (em homenagem ao nome babaca e francamente ridículo de tão congratulatório à juventude usado pela banda, pensou Katz) e as xerecas bem depiladas. A sensação que tinha de deslocamento não resultava exatamente em inveja, nem inteiramente na impressão de ter vivido além da conta. Era mais uma espécie de desespero diante do esfacelamento do mundo. Os Estados Unidos estavam travando duas guerras terrestres e feias em dois países, o planeta estava se aquecendo como um forno elétrico, e ali no 9:30, ao seu redor, havia centenas de meninos e meninas do mesmo molde que Sarah, a assadora de bolos de banana, com suas suaves aspirações, sua ideia inocente de que tinham pleno direito — a quê? À emoção. À adoração invariável muito especial. A poder ficar a sós uns com os outros e repudiar por uma ou duas horas de uma noite de sábado, como num rito, a desfaçatez e o ódio a seus pais e avós. Pareciam, como Jessica tinha sugerido mais cedo na reunião, não ter nada contra ninguém. Katz percebia isso em suas roupas, que não traíam nada da fúria e do desgosto das plateias de que tinha participado quando era mais novo. Congregavam-se não na raiva mas na celebração de terem descoberto, como geração, um modo mais suave e respeitoso de ser. Um modo de vida, não por acaso, que se harmonizava muito melhor com o consumo. E que, por isso, dizia a Katz: morra.

Oberst entrou sozinho no palco, usando um smoking azul muito claro, empunhou um violão acústico e tocou alguns solos demorados. Ele era de fato um autêntico gênio precoce, e por isso Katz o achou ainda mais insuportável. Sua postura de Artista Inspirado e Sofredor, a autocomplacência que o fazia estender suas canções para muito além de seus limites naturais de tolerabilidade, seus crimes engenhosos contra a convenção pop: ele encenava sinceridade e, quando sua encenação ameaçava desmentir a sinceridade, ele encenava sua angústia sincera diante do quanto era difícil ser sincero. E então o resto da banda entrou no palco, além de três jovens e lindas Graças vocalistas em vestidos provocantes, e no fim das contas o espetáculo foi bastante bom — o que Katz nem se deu ao trabalho de negar. Só se sentia a única pessoa impassivelmente sóbria num salão tomado por bêbados, o único descrente numa reunião religiosa carismática. Sentiu uma saudade dolorosa de Jersey City, aquelas ruas onde nenhuma crença podia prosperar. Pareceu-lhe que tinha algum trabalho a fazer lá, em seu próprio nicho esfacelado, antes que o mundo acabasse de uma vez.

"O que você achou?", perguntou Walter muito animado no táxi de volta para casa.

"Acho que estou ficando velho", respondeu ele.

"Achei a banda ótima."

"Um certo excesso de canções sobre os seriados de adolescentes."

"Elas falam da fé", disse Walter. "O disco novo deles é um incrível esforço panteísta para continuar a acreditar em alguma coisa, num mundo tomado pela morte. Oberst consegue falar de 'arrebatamento' em todas as canções. É o nome do disco, *Lifted*. É como se fosse uma religião, mas sem as babaquices dos dogmas religiosos."

"Admiro a sua capacidade de admirar", disse Katz. E acrescentou, enquanto o táxi se arrastava em meio ao trânsito num complexo entroncamento diagonal, "Acho que não posso fazer o que você quer de mim, Walter. Estou me sentindo tomado por altos níveis de vergonha".

"Então faça só o que puder. Vá só até o seu limite. Se você só quiser vir em maio para passar um ou dois dias e conhecer os estagiários, talvez trepar com uma ou duas delas, por mim tudo bem. Já vai ser bastante."

"Estou pensando em voltar a compor."

"Ótimo! Grande notícia. Chego a achar melhor ver você compondo do que trabalhando para nós. Mas pare de construir deques, pelo amor de Deus."

"Pode ser que eu precise continuar construindo deques. Não depende de mim."

A mansão estava às escuras e silenciosa quando voltaram, uma única lâmpada acesa na cozinha. Walter foi direto para a cama, mas Katz ficou ainda algum tempo na cozinha, pensando que Patty podia ouvir seus movimentos e descer. Além de tudo, ele estava ansioso pela companhia de alguém dotado de senso de ironia. Comeu um pouco da massa fria e fumou um cigarro no jardim dos fundos. Depois subiu para o segundo andar e dirigiu-se ao quartinho de Patty. Pelos travesseiros e cobertas que tinha visto em cima do sofá na noite anterior, ele concluíra que era lá que ela dormia. A porta estava fechada, e não se via luz em fresta alguma.

"Patty", disse ele numa voz que ela poderia ouvir se estivesse acordada.

Ficou escutando com toda a atenção, imerso em seu zumbido.

"Patty", ele tornou a dizer.

Seu pau não acreditou nem por um instante que ela estivesse dormindo, mas era possível que a porta estivesse fechada e o quarto vazio, e ele sentia uma curiosa relutância em abrir a porta para ver. Precisava de um estímulo mínimo ou da confirmação de seus instintos. Voltou a descer para a cozinha, comeu o resto da massa, leu o *Post* e o *Times*. Às duas da manhã, ainda ligado de tanta nicotina, e começando a ficar furioso com Patty, voltou até a porta de seu quarto, em que bateu e depois abriu.

Ela estava sentada no sofá no escuro, ainda vestindo seu uniforme preto de ginástica, olhando para a frente, as mãos agarradas uma à outra no colo.

"Desculpe", disse Katz. "Você se incomoda?"

"Não", disse ela, sem olhar para ele. "Mas é melhor irmos lá para baixo."

Ele sentia uma pressão inédita no peito enquanto tornava a descer a escada dos fundos, uma intensidade de tensão e expectativa sexual que achava nunca mais ter experimentado desde os tempos de secundarista. Entrando na cozinha depois dele, Patty fechou atrás de si a porta que dava para a escada. Usava meias de aparência muito macia, as meias de alguém cujos pés não eram mais tão jovens e bem acolchoados quanto antes. Mesmo sem a ajuda de sapatos, a altura dela continuava a ser a mesma surpresa agradável que sempre fora para ele. A letra de uma das suas próprias canções lhe ocorreu num estalo, a que dizia que o corpo dela era o corpo certo para ele. O velho Katz tinha chegado a este ponto: comover-se com as próprias letras. E o corpo certo para ele ainda estava ótimo, nada ativamente desagradável em nenhum aspecto: produto, por certo, de muitas horas de suor naquela academia. Em letras maiúsculas brancas no peito da camiseta preta dela, estava a palavra LEVANTE.

"Vou tomar um chá de camomila", disse ela. "Quer uma xícara também?"

"Claro. Acho que nunca tomei chá de camomila."

"Ah, que vida mais alienada a sua."

Ela foi até o escritório e voltou com duas canecas de água instantaneamente quente, das quais pendiam as etiquetas de saquinhos de chá.

"Por que você não disse nada quando eu subi da primeira vez?", perguntou ele. "Fiquei duas horas sentado aqui, esperando."

"Acho que estava perdida nos meus pensamentos."

"Você achou que eu ia simplesmente me deitar e dormir?"

"Não sei. Estava meio que pensando sem pensar, sabe como é? Mas entendi que você iria querer falar comigo, e que eu precisava ter essa conversa. E pronto, estou aqui."

"Você não é obrigada a fazer nada."

"Não, eu sei, é bom a gente conversar." Ela se instalou do outro lado da mesa de fazenda. "Vocês dois se divertiram? Jessie me disse que foram ver um show."

"Nós dois e mais uns oitocentos meninos de vinte e um anos."

"Rá rá rá. Coitadinho."

"Walter gostou muito."

"Ah, certamente. Ele anda muito entusiasmado com os jovens de hoje."

Katz sentiu-se estimulado pelo tom de desgosto. "E, pelo que estou vendo, você não?"

"Eu? Certamente que não, com a exceção dos meus dois filhos. Ainda gosto dos meus filhos. Mas os outros? Rá rá rá!"

Seu riso irresistível e contagioso não tinha mudado. Por baixo de seu corte de cabelo recente, porém, por baixo da maquiagem que usava nos olhos, ela estava visivelmente mais velha. A idade só avançava numa direção, o envelhecimento, e bem no íntimo, como forma de proteger-se, ao constatar a idade dela, ele se dizia que devia sair correndo enquanto podia. Tinha obedecido aos seus instintos, ido até ali, mas havia uma diferença muito grande, percebia agora, entre os instintos e um plano de ação.

"Do que você não gosta neles?", perguntou ele.

"Ah, ora, por onde eu começo?", disse Patty. "Que tal a moda de usar sandálias de dedo? Tenho um certo problema ao ver esse tipo de sandália. Eles tratam o mundo como se fosse o quarto em que dormem. E nem escutam o barulho dessas malditas sandálias batendo no chão, porque cada um deles está carregando o seu aparelho, com os fones enfiados nos ouvidos. Cada vez que começo a detestar os meus vizinhos daqui, esbarro na calçada com algum garoto da Universidade de Georgetown e de uma hora para outra perdoo todos os vizinhos, porque pelo menos eles são adultos. Pelo menos não andam de um lado para o outro de sandália de dedo, anunciando como são pessoas muito mais à vontade e mais razoáveis que nós, os adultos. Do que eu, uma pessoa tensa, que preferia não ter de olhar para os pés de ninguém no metrô. Porque, veja bem, quem pode ser contra olhar para aqueles lindos dedinhos sujos? Aquelas unhazinhas perfeitas. Só uma pessoa infelizmente de idade avançada demais para obrigar o mundo à contemplação dos seus próprios pés."

"Eu nunca reparei nas sandálias de dedo."

"Nesse caso, é porque você realmente leva uma vida muito alienada."

Suas palavras soavam um tanto mecânicas e desconectadas, não irônicas de um modo a que ele pudesse responder. Diante dessa falta de estímulo, toda a expectativa que ele vinha sentindo começou a se dissipar. Começou a desgostar dela por não se encontrar no estado em que ele imaginara encontrá-la.

"E a história do cartão de crédito?", disse ela. "De pagar um cachorro quente ou um pacote de chicletes com cartão de crédito? Dinheiro é uma coisa antiga, não é? Para andar com dinheiro, você precisa fazer somas e subtrações. Precisa prestar atenção na pessoa que está pegando o troco para você. Quer dizer, por um instante, você precisa deixar de estar cem por cento na sua, encerrado em seu mundinho. Mas com o cartão de crédito não é assim. Basta entregar o cartão e recebê-lo de volta com toda a tranquilidade."

"Agora sim, está mais parecido com as pessoas que vi lá hoje", disse ele. "Bons meninos, só que absortos demais em si mesmos."

"Pois vá se acostumando. Jessica me disse que você vai passar o verão inteiro às voltas com gente jovem."

"É, pode ser."

"Achei que já estava tudo acertado."

"É, mas agora estou pensando em recuar. Na verdade, já disse isso ao Walter."

Patty se levantou para pôr os saquinhos de chá na beira da pia, e ficou de pé, de costas para ele. "Então pode ser que você não venha mais aqui", disse ela.

"Isso mesmo."

"Bom, nesse caso, eu acho que devo me arrepender de não ter descido antes."

"Você sempre pode vir me visitar em Nova York."

"Até parece que alguma vez fui convidada."

"Estou convidando agora."

Ela deu meia-volta, apertando os olhos. "Não venha querer brincar comigo, está bem? Não quero ter de lidar com esse seu lado. É uma coisa que me deixa de estômago meio revirado. Entendeu?"

Sustentou o olhar dela, tentando mostrar-lhe que estava falando sério — tentando *sentir* que estava falando sério —, mas aparentemente só conseguiu deixá-la mais exasperada. Ela recuou, balançando a cabeça, refugiando-se no canto oposto da cozinha.

"Como você e Walter estão se dando?", perguntou ele, sem piedade.

"Não é da sua conta."

"É o que todo mundo me responde. O que isso quer dizer?"

Ela corou um pouco. "Quer dizer que não é da sua conta."

"Walter disse que as coisas não vão muito bem."

"Bom, não deixa de ser verdade. No geral." Ela tornou a corar. "Mas você devia pensar só em Walter, está bem? Pense no seu melhor amigo. Você já fez a sua escolha. E deixou bem claro com a felicidade de qual de nós dois se preocupa mais. Você teve uma oportunidade de ficar comigo, mas preferiu Walter."

Katz percebeu que estava começando a perder o controle, o que era muito desagradável. Uma pressão entre os ouvidos, uma raiva crescente, a necessidade de discutir. Era como se estivesse virando Walter.

"Foi você quem me afastou", disse ele.

"Rá rá rá! Desculpe, mas não posso ir passar nem um dia em Filadélfia, por causa do pobre Walter?"

"Foi o que eu disse por um minuto. Por trinta segundos. E depois disso você passou *uma hora* —"

"Estragando tudo. Eu sei. Eu sei eu sei eu sei. Eu sei quem estragou essa merda toda. Eu sei que fui eu. Mas Richard, você *sabia* que era bem mais difícil para mim! Você podia ter me ajudado de alguma forma! Por exemplo, naquele minuto, deixando de falar sobre o pobre Walter e sua pobre sensibilidade e falando de *mim*! E é por isso que eu disse que você já fez a sua escolha. Você podia nem saber que era o caso, mas foi o que você fez. Então agora enfrente as consequências."

"Patty."

"Eu posso ser uma doida de merda, mas pelo menos tive algum tempo para pensar nos últimos anos, e cheguei a algumas conclusões. Cheguei a uma ideia um pouco melhor sobre quem você é, e sobre como você funciona. Posso imaginar como deve ser difícil para nossa amiguinha indiana não ter ficado interessada em você. Deve ser muito inesperado, uma coisa terrrrrrível. Está tudo de cabeça para baixo no mundo de hoje! Que onda mais negativa! Imagino que você pudesse tentar alguma coisa com Jessica, mas acho que vai ser dureza. Se você chegar ao ponto de se sentir muito a perigo mesmo, acho que a melhor saída seria Emily, do departamento de produção. Mas Walter não liga para ela, então imagino que ela não vá lhe interessar muito."

Katz estava alterado, estava trêmulo. Era como uma onda de pó misturado a uma metadona das piores.

"Eu vim aqui atrás de você", disse ele.

"Rá rá rá! Não acredito. Nem você mesmo acredita nisso. Você mente tão mal."

"E por que mais eu viria até aqui?"

"Não sei. Envolvimento na questão da biodiversidade e de um controle sustentável da população?"

Ele se lembrava agora de como tinha sido desagradável discutir com ela pelo telefone. Como tinha sido extremamente desagradável, mortalmente exaustivo para a sua paciência. O que ele não conseguia lembrar era o motivo por que ele aguentava aquilo tudo. Alguma coisa na maneira como ela o desejava, na maneira como ela viera atrás dele. Uma coisa que agora estava ausente.

"Passei tanto tempo sentindo raiva de você", disse ela. "Você faz ideia? E lhe mandei milhares de e-mails que você nunca respondia, tive essa longa e humilhante conversa unilateral com você. Você pelo menos leu algum desses e-mails?"

"A maior parte."

"Ah. Nem sei se isso é melhor ou pior. Acho que nem faz diferença, porque de qualquer maneira era uma coisa que só acontecia na minha cabeça. Passei três anos querendo uma coisa que eu sabia que nunca iria me fazer feliz. Mas nem assim eu deixei de querer. Você era como uma droga que faz mal, mas eu não conseguia deixar de querer. E foi, sem exagero, só ontem, quando finalmente vi você, que entendi que não precisava mais dessa droga. De repente, eu me perguntei, 'O que passou pela minha cabeça? Ele só veio aqui para se encontrar com Walter'."

"Não", disse ele. "Foi por você."

Ela nem lhe dava atenção. "Estou me sentindo tão velha, Richard. Só porque uma pessoa não aproveita bem a própria vida, nem assim a vida dela deixa de passar. Na verdade, só faz a vida dela passar mais depressa."

"Você não está nada velha. Está linda."

"Bom, e é isso que conta, não é? Virei uma dessas mulheres que investem toneladas de tempo na boa aparência. Se eu der um cadáver bonito, vai ser o fim de todos os meus problemas."

"Vamos embora juntos."

Ela sacudiu a cabeça.

"Vamos embora juntos. Vamos para algum lugar, e Walter fica livre."

"Não", disse ela, "embora eu até goste de finalmente ouvir você fazer a proposta. Posso imaginar retroativamente que tenha sido feita há três anos, e criar fantasias ainda mais caprichadas da nossa vida. Agora posso imaginar que fico em casa no seu apartamento enquanto você sai em turnê pelo mundo, comendo garotinhas de dezenove anos, ou que saio em viagem com você, no papel de mãezinha de toda a banda — sabe como é, copos de leite e biscoitos feitos em casa às três da manhã — ou que sou sua Yoko e deixo todo mundo achar que a culpa é minha se você está acabado e com pouca inspiração, e depois faço cenas horríveis e deixo você descobrir, da maneira mais lenta possível, como foi ruim me admitir na sua vida. Deve dar para meses e meses de devaneios."

"Não entendo o que você quer."

"Pode acreditar que, se eu própria soubesse, esta conversa não estaria acontecendo. E eu *achava* que sabia o que queria. Sabia que não era uma coisa boa, mas achava que sabia. E agora você está aqui, e parece que o tempo nem passou."

"Só que Walter está se apaixonando pela garota."

Ela assentiu. "Exato. E quer saber? Descobri que isso me faz sofrer uma dor horrível. Devastadora." As lágrimas encheram seus olhos, e ela se virou bruscamente para escondê-las.

Katz já tinha atravessado algumas cenas de choro na vida, mas era a primeira vez que se via obrigado a ver uma mulher chorar pelo amor de outra pessoa. E não gostou nem um pouco.

"Aí ele voltou da Virgínia Ocidental na noite de quinta", disse Patty. "E para você eu posso contar, porque somos velhos amigos, não é? Chegou em casa na noite de quinta e subiu para o meu quarto, e o que aconteceu, Richard, era a coisa que eu sempre quis. *Sempre* quis. Por toda a minha vida adulta. Eu mal reconhecia o rosto dele! Parecia que ele tinha enlouquecido. Mas só estava vindo me procurar porque já era um caso perdido. Era um adeus. Um presentinho de despedida, para me mostrar o que eu nunca mais voltaria a ter. Porque eu o fiz sofrer por tempo demais. E agora ele está finalmente pronto para uma coisa melhor, mas não comigo, porque eu o fiz sofrer além da conta por tempo demais."

Pelo que Katz estava ouvindo, a conclusão era que tinha chegado com quarenta e oito horas de atraso. Quarenta e oito horas. Incrível. "Você ainda pode acertar as coisas", disse ele. "Faça Walter feliz, seja uma boa esposa. Ele acaba esquecendo a garota."

"Talvez." Ela passou as costas da mão nos olhos. "Se eu fosse uma pessoa normal, equilibrada, era isso que eu deveria estar fazendo. Porque antigamente, sabe, eu queria ganhar sempre. Lutava sempre. Mas eu adquiri algum tipo de alergia a fazer a coisa mais sensata. Passo a minha vida fora de mim, de tão frustrada comigo mesma."

"E é isso que me faz amar você."

"Ah, agora é amor. Amor. Richard Katz falando de amor. Deve ser o sinal de que chegou a minha hora de ir dormir."

Era uma fala de fim de cena; e ele nem tentou detê-la. Tão forte era sua fé em sua intuição, entretanto, que quando ele próprio subiu as escadas, dez minutos mais tarde, ainda imaginava que poderia encontrá-la esperando por ele em sua cama. Mas o que encontrou no lugar dela, pousado em seu travesseiro, foi um original grosso e sem capa, com o nome dela na primeira página. O título era "Todo mundo erra".

Ele sorriu. Em seguida, pôs um bom naco de fumo de mascar por dentro da bochecha e começou a ler, cuspindo periodicamente num vaso da mesa de cabeceira, até o dia clarear na janela. Notou como se interessava mais pelas páginas sobre si mesmo que pelas demais; o que só confirmava sua suspeita de longa data de que as pessoas só querem ler o que fala delas mesmas. E notou ainda, com prazer, que aquela sua identidade tinha deixado Patty autenticamente fascinada; o que lhe lembrava por que gostava dela. No entanto, sua sensação mais nítida, depois que leu a última página e cuspiu no vaso o bolo de fumo a essa altura muito encharcado, foi de derrota. Não de ter sido derrotado por Patty: o talento dela para escrever era impressionante, mas ele também tinha suas realizações no departamento de expressão própria. A pessoa que o derrotara era Walter, como uma espécie de pedido dilacerado de desculpas que jamais poderia ser-lhe feito. Era Walter a estrela do drama de Patty; Katz, no fim das contas, não passava de um coadjuvante.

Por um instante, no que passava por sua alma, uma porta se abriu o suficiente para que ele vislumbrasse seu orgulho pateticamente ferido, mas ele bateu a porta com força e pensou no quanto tinha sido burro ao permitir-se desejar Patty. Sim, ele gostava do jeito como ela falava, sim, tinha uma fraqueza fatal por um certo tipo de mulher inteligente e depressiva, mas a única maneira que conhecia de interagir com esse tipo de mulher era trepar com ela, ir embora, voltar e trepar mais com ela, ir embora de novo, ficar de novo com ódio, tornar a trepar com ela e assim por diante. Queria poder voltar no tempo e cumprimentar a pessoa que tinha sido aos vinte e quatro anos, naquele covil imundo da parte sul de Chicago, por ter percebido que uma mulher como Patty só podia ser de um homem como Walter, que, por mais bobo que pudesse ser, tinha paciência e imaginação de sobra para lidar com ela. O erro que Katz cometeu depois disso foi continuar voltando para uma situação em que estava destinado à derrota. Todo o documento de Patty comprovava a dificuldade exaustiva de compreender, numa situação desse tipo, o que era "bom" e o que não era. Ele era muito bom em matéria de perceber o que era bom *para si*, o que normalmente bastava para qualquer finalidade da sua vida. Era só nas proximidades do casal Berglund que ele sentia que precisava de mais. E estava de saco cheio desse sentimento; tinha chegado ao limite.

"Então, meu amigo", disse ele, "nós dois chegamos ao fim. Essa você ganhou, meu velho."

A claridade na janela aumentava. Foi até o banheiro, jogou na privada seu cuspe e o tabaco mascado, depois devolveu o vaso a seu lugar na mesinha. O rádio-relógio mostrava 5:57. Arrumou suas coisas e desceu até o escritório com o documento, que deixou no centro da mesa de trabalho de Walter. Um presentinho de despedida. Alguém precisava limpar a área, alguém precisava acabar com todas aquelas mentiras, e Patty obviamente não tinha coragem. Queria que Katz fizesse o trabalho sujo? Pois muito bem. Estava pronto para ser o menos frouxo dos três. Sua missão na vida era enunciar a suja verdade. Ser o escroto. Atravessou o saguão de entrada e saiu pela porta da frente, que tinha uma tranca automática. O estalido da lingueta, quando fechou a porta atrás de si, soou irrevogável. Adeus à família Berglund.

A umidade tinha tomado conta do ar durante a noite, cobrindo de orvalho os carros estacionados em Georgetown e molhando as pedras desalinhadas das calçadas de Georgetown. Havia passarinhos ativos nas árvores cobertas de brotos, um jato que decolou cedo percorria o céu descorado de primavera. Até o zumbido nos ouvidos de Katz parecia amortecido no silêncio daquela manhã. *Hoje é um bom dia para morrer!* Tentou se lembrar do autor dessas palavras. Crazy Horse? Neil Young?

Passando a correia da sacola pelo ombro, saiu descendo a rua na direção do tráfego murmurante e chegou por fim a uma ponte comprida que levava ao centro do domínio mundial americano. Parou perto do meio da ponte, olhou para uma mulher que corria pela trilha à margem do rio muito abaixo dele, e tentou avaliar, pela intensidade da interação fotônica entre a bunda da corredora e suas retinas, o quanto aquele dia seria de fato bom para morrer. A altura era suficiente para matá-lo se ele mergulhasse, e um bom mergulho era sem dúvida a maneira certa de morrer. Seja homem, pule de cabeça. Isso mesmo. Mas agora seu pau começou a responder sim a alguma coisa, que certamente não era a bunda um tanto excessiva da corredora cada vez mais distante.

Seria a morte, na verdade, a mensagem que seu pau lhe mandara ao enviá-lo a Washington? Teria ele simplesmente errado na interpretação daquela profecia? Estava convencido de que ninguém sentiria muito a sua falta depois que morresse. Podia deixar Patty e Walter livres do estorvo que era ele, livrar-se do estorvo de ser um estorvo. Podia ir para onde quer que Molly tivesse chegado antes dele, e antes dela seu pai. Curvou-se para contemplar o ponto onde provavelmente aterrizaria, um trecho muito batido de terra e cascalho, e perguntou-se se aquele pedacinho de chão seria digno de matá-lo. Ele, o grande Richard Katz. Estaria à altura?

Riu da pergunta e continuou a cruzar a ponte.

De volta a Jersey City, empunhou armas contra o mar de lixo que tomara seu apartamento. Abriu as janelas para o ar morno e levou a cabo a faxina da primavera. Lavou e enxugou cada prato da casa, jogou fora resmas de papel inútil, e deletou manualmente três mil mensagens de spam do seu computador, parando a intervalos para inalar os aromas de charco, porto e lixo dos meses mais quentes em Jersey City. Depois que escureceu, tomou duas cervejas e tirou das caixas seu banjo e suas guitarras e violões, checando se o braço empenado de sua Stratocaster não teria magicamente se consertado por conta própria nos meses que a guitarra passara guardada. Tomou uma terceira cerveja e ligou para o baterista do Walnut Surprise.

"E aí, babaca", disse Tim. "Finalmente você ligou — *quando não devia.*"

"O que eu posso dizer", disse Katz.

"Que tal, 'Desculpe por ser um completo cretino e ter desaparecido, contando umas cinquenta mentiras diferentes'. Babaca."

"É, mas tinha várias coisas que eu precisava resolver."

"Eu sei, ser escroto como você acaba tomando todo o tempo da pessoa. E me ligou por quê, cacete?"

"Para saber como você vai indo."

"Quer dizer, além de ser um completo cretino e de foder com a gente de todas as maneiras, e de mentir para a gente o tempo todo?"

Katz sorriu. "Talvez você possa fazer uma lista das suas queixas e me apresentar por escrito, assim falamos de alguma outra coisa."

"Já fiz isso, seu escroto. Você abriu seu e-mail alguma vez nos últimos meses?"

"Bom, então me ligue, se tiver vontade, alguma hora. Meu telefone está funcionando de novo."

"Seu telefone está funcionando de novo! Essa é muito boa, Richard. E o seu computador, vai bem? Também voltou a funcionar ultimamente?"

"Só estou dizendo que vou estar aqui, se você resolver ligar."

"Vá tomar no cu, é só o que eu tenho a dizer."

Katz desligou o telefone achando que a conversa tinha sido boa. Achava improvável que Tim se desse ao trabalho de xingá-lo tanto se estivesse trabalhando em alguma coisa melhor que o Walnut Surprise. Tomou uma última cerveja, mascou um dos comprimidos tiro e queda de mirtazapine que um médico receita-fácil de Berlim lhe dera, e dormiu por treze horas seguidas.

Acordou numa tarde tórrida e ensolarada e saiu para um passeio pelas redondezas, observando as mulheres que trajavam a moda daquele ano, roupas sem muita forma, e comprou alguns gêneros alimentícios de verdade — manteiga de amendoim, bananas, pão. Mais tarde, foi de carro até Hoboken para deixar sua Stratocaster com o sujeito que cuidava das suas guitarras, cedeu ao impulso de jantar no Maxwell's e assistir ao espetáculo que estivesse em cartaz. O pessoal da casa tratou Katz como se fosse o general MacArthur voltando da Coreia e desafiando a má reputação. As garotas se debruçavam sobre ele com os peitos caindo para fora das blusinhas justas, um sujeito que ele nem conhecia ou tinha conhecido mas esquecera havia muito tempo não deixava que ficasse um minuto sem cerveja, e a banda local que estava tocando, Tutsi Picnic, não era repulsiva. No todo, sentia que sua decisão de não ter pulado da ponte em Washington fora correta. Livrar-se da família Berglund acabava sendo uma morte mais suave e não de todo desagradável, uma extinção sem dor, um estado de existência meramente parcial em que ele podia ir ao apartamento de uma editora de livros de uns quarenta anos ("adoro, a-do-ro a sua música") que se aproximara dele enquanto o Tutsi Picnic tocava, molhar o pau nela umas poucas vezes e então, ao amanhecer, comprar roscas fritas no caminho pela Washington Street para trocar sua caminhonete de vaga antes que começasse o horário do estacionamento pago.

Havia um recado de Tim em seu telefone e nenhum dos Berglund. Recompensou-se tocando violão por várias horas. O dia estava gloriosamente quente e ruidoso, com a vida das ruas tornando a descertar depois da latência de um longo inverno. As pontas dos seus dedos da mão esquerda, desprovidas de calos, estavam prestes a sangrar, mas os nervos subjacentes, mortos havia várias décadas, continuavam devidamente mortos. Tomou uma cerveja e foi até a esquina, até sua lanchonete predileta de *gyros*, na intenção de comprar alguma coisa para comer antes de continuar tocando. Quando chegou de volta ao seu edifício, trazendo a carne, encontrou Patty sentada nos degraus da frente.

Usava uma saia de linho e uma blusa azul sem mangas com manchas circulares de suor que lhe chegavam quase à cintura. Ao lado dela, uma mala grande e uma pequena pilha de agasalhos.

"Ora, ora, ora", disse ele.

"Fui posta para fora de casa", disse ela com um sorriso triste e humilde. "Graças a você."

O pau dele, à diferença de todas as demais partes do seu corpo, ficou muito satisfeito com aquela ratificação dos seus poderes divinatórios.

Más notícias

A mãe de Jonathan e Jenna, Tamara, teve um acidente em Aspen. Tentando evitar uma colisão com um adolescente impetuoso, ela cruzou os esquis e fraturou dois ossos da perna esquerda, acima da bota, ficando assim impossibilitada de juntar-se a Jenna na viagem de janeiro para cavalgar na Patagônia. Para Jenna, que presenciara o tombo de Tamara e saíra atrás do adolescente, dando queixa contra ele enquanto Jonathan prestava os primeiros socorros à mãe caída, o acidente foi apenas o último item de uma longa lista de coisas que deram errado em sua vida depois que se formara na Universidade de Duke, na primavera anterior; mas para Joey, que vinha falando com Jenna duas ou três vezes por dia nas semanas mais recentes, o acidente fora uma mais do que esperada pequena dádiva dos deuses — a chance que ele aguardava havia mais de dois anos. Jenna, depois de formar-se, mudara-se para Manhattan a fim de trabalhar para uma famosa promotora de festas e tentar morar com seu quase-noivo, Nick, mas em setembro acabou alugando outro apartamento só para ela, e em novembro, cedendo à pressão declarada e incessante da família e às sabotagens mais sutis de Joey, que se autonomeara seu Confidente Compreensivo de Plantão, declarou que sua relação com Nick estava rescindida e extinta em caráter irrevogável. A essa altura, ela vinha tomando uma dose razoavelmente alta de Lexapro, e não havia *nada* em sua vida que a animasse além da ideia de ir cavalgar na Patagônia, viagem que Nick prometera várias vezes fazer com ela e várias vezes tinha adiado, alegando sua intensa carga de trabalho na Goldman Sachs. Ocorre que Joey já tinha montado, um tanto sem jeito, durante férias escolares de verão em Montana. Pela alta frequência das ligações e das mensagens de texto de Jenna para seu celular, ele já desconfiava que tinha sido promovido à posição de objeto provisório, ou mesmo de potencial namorado de pleno direito, e suas últimas dúvidas se dissiparam quando ela o convidou para dividir com ela o quarto no luxuoso *resort* argentino que Tamara tinha reservado antes do acidente. Como calhou de Joey ter negócios no Paraguai, logo ao lado, sabendo que mais cedo ou mais tarde precisaria ir até lá, quisesse ou não, ele respondeu que sim na mesma hora. O único argumento concreto contra viajar com ela para a Argentina era o fato de que, cinco meses antes, aos vinte anos de idade, num surto de loucura em Nova York, ele se dirigira ao Fórum na ponta sul de Manhattan e lá se casara com Connie Monaghan. Mas essa não era nem de longe a maior das suas preocupações, e ele decidiu, por algum tempo, ignorá-la.

Na véspera de tomar um avião para Miami, onde Jenna estava visitando uma avó e iria encontrá-lo no aeroporto, ele ligou para Connie em St. Paul e lhe deu a notícia de sua viagem iminente. Sentia muito ter de decepcioná-la e ficar longe dela, mas seus planos sul-americanos lhe davam um boa desculpa para adiar mais um pouco a vinda dela para a Costa Leste e sua mudança para o apartamento próximo à rodovia que ele alugava numa área de Alexandria totalmente desprovida de encantos. Até poucas semanas antes, sua desculpa eram os estudos, mas agora ele trancara a matrícula por um semestre para poder dedicar-se aos seus negócios, e Connie, que sofria o diabo em casa com Carol, Blake e suas irmãs gêmeas bebês, não entendia por que ainda não podia ir morar com o marido.

"Também não entendo por que você vai a Buenos Aires", disse ela, "se o seu fornecedor fica no Paraguai."

"Quero ter algum tempo para praticar espanhol", disse Joey, "antes de precisar usá-lo a sério. Todo mundo diz que Buenos Aires é uma cidade linda. E de qualquer maneira meu voo faz escala no aeroporto de lá."

"Bem, e o que você acha de tirar uma semana inteira e a gente passar a nossa lua de mel por lá mesmo?"

A viagem de lua de mel que não tinham feito era um dos vários temas ingratos atravessados entre os dois. Joey repetiu seu pronunciamento oficial a respeito, tornando a dizer que estava enlouquecido demais com o trabalho para conseguir relaxar numa viagem de férias, e Connie caiu num dos silêncios a que recorria à guisa de protesto. Ainda era incapaz de reclamar abertamente com ele.

"Literalmente em qualquer ponto do planeta", disse ele. "Depois que eu receber, levo você para qualquer lugar do mundo que você queira conhecer."

"Para mim já estava bom morar com você e acordar na mesma cama."

"Eu sei, eu sei", disse ele. "E eu também acharia ótimo. É só que a pressão agora está tão grande que eu não vejo a menor graça para ninguém em estar ao meu lado."

"É que você não quer ver a graça", disse ela.

"Falamos disso quando eu voltar, está bem? Eu prometo."

Ao fundo, em St. Paul, ele ouvia os guinchos distantes de uma criança de um ano. Não era filho de Connie, mas passava tão perto disso que ele ficava nervoso. Ele só tinha estado com ela uma vez depois de agosto, em Charlottesville, no fim de semana prolongado do Dia de Ação de Graças. O período do Natal (outro tema ingrato) ele passara se mudando de Charlottesville para Alexandria e fazendo rápidas aparições em Georgetown em visita à família. Contou a Connie que estava trabalhando muito em suas vendas para o governo, mas na verdade tinha passado dias inteiros à toa, assistindo futebol americano, escutando Jenna ao telefone, e de maneira geral se sentindo totalmente fodido. Connie podia tê-lo convencido a deixá-la tomar o avião para visitá-lo de qualquer maneira, se não estivesse derrubada de gripe. Ele ficara perturbado de ouvir aquela vozinha fraca, sabendo que era casado com ela, e não sair correndo para o lado dela, mas naquele mesmo momento precisava ir à Polônia. O que ele descobriu em Łódź e Varsóvia, durante três dias frustrantes com um "intérprete" expatriado que vivia nos Estados Unidos e cujo polonês, no fim das contas, era excelente para fazer pedidos em restaurantes mas dependia quase integralmente de um aparelho eletrônico quando precisava lidar com calejados negociantes eslavos, deixara-o tão infeliz e assustado que, nas semanas que haviam transcorrido desde a sua volta, fora incapaz de concentrar o espírito no trabalho por mais que cinco minutos de cada vez. Tudo agora dependia do Paraguai. E era muito mais agradável imaginar a cama que iria dividir com Jenna que pensar no Paraguai.

"Você está usando a aliança?", perguntou Connie.

"Bem — não", disse ele, antes de pensar melhor no assunto. "Está no meu bolso."

"Hum."

"Mas botei agora no dedo", disse ele, deslocando-se na direção do pratinho onde punha as moedas em sua mesa de cabeceira e onde deixara a aliança. Sua mesa de cabeceira era um caixote de papelão. "Entrou muito bem, está linda."

"A minha eu não tiro nunca", disse Connie. "Adoro usar o tempo todo. Faço força para me lembrar de usar na mão direita fora do meu quarto, mas às vezes eu esqueço."

"Não se esqueça. Não vai ser bom."

"Está tudo bem, cara. Carol nunca repara nessas coisas. Nem gosta de olhar para mim. A vista de uma não tem agradado a outra ultimamente."

"Mas mesmo assim precisamos tomar cuidado, está bem?"

"Não sei."

"Só mais um pouco", disse ele. "Só até eu contar para os meus pais. Aí você pode começar a usar aliança o quanto quiser. Quer dizer, nós dois vamos usar. Foi o que eu quis dizer."

É difícil comparar silêncios, mas o silêncio em que ela recaiu agora parecia especialmente ressentido, especialmente triste. Ele sabia o quanto era penoso para ela manter o casamento em segredo, e ele nunca parava de desejar que a perspectiva de dar a notícia a seus pais se tornasse menos assustadora para ele, mas com a passagem dos meses a perspectiva só lhe metia mais medo. Tentou pôr a aliança no dedo, mas ela não passou pela primeira junta. Tinha comprado aquelas alianças às pressas, em agosto, em Nova York, e a dele era um pouco pequena. Ele a enfiou na boca, percorrendo seu perímetro interno com a língua como se fosse um dos orifícios de Connie, o que o deixou um tanto excitado. Estabeleceu uma ligação entre ele e ela, transportou-o de volta para agosto e a loucura do que os dois tinham feito. Tentou enfiar a aliança, muito lubrificada pela baba, em seu dedo.

"Conte o que você está vestindo", disse ele.

"Roupas."

"Mas de que jeito?"

"Nenhum. Só roupas."

"Connie, juro que conto para eles assim que eu receber. Por enquanto, só preciso manter as coisas mais ou menos separadas. A porra desse contrato está me levando à loucura, e por enquanto não vou conseguir enfrentar mais nenhuma dificuldade. Então me conte o que você está vestindo, que tal? Eu quero poder imaginar você."

"Roupas."

"Por favor..."

Mas ela tinha começado a chorar. Ele ouviu um gemido muito abafado, o micrograma de sofrimento que ela deixou tornar-se audível. "Joey", sussurrou ela. "Cara. Desculpe, desculpe muito. Acho que não consigo mais."

"Só mais um pouquinho", pediu ele. "Só espere então até eu voltar da minha viagem."

"Não sei se consigo. Estou precisando de alguma coisinha, e já. Alguma coisa pequena, mas que seja de verdade. Só uma migalha, que seja mais do que nada. Sabe como é. Você sabe que eu não quero dificultar nada para você. Mas quem sabe você me deixa contar pelo menos para Carol? Só quero que alguém fique *sabendo*. Faço ela jurar que não conta para mais ninguém."

"Ela vai sair contando para os vizinhos. Você sabe que ela não se controla."

"Não, eu faço ela jurar."

"Aí alguém vai atrasar o preenchimento dos cartões de Natal", disse ele com raiva, ressentido não com Connie mas com a maneira como o mundo conspirava contra ele, "e vai dizer alguma coisa aos meus pais. E depois — E depois — ?"

"Então o que sobra para mim, se nem isso eu posso fazer? Uma coisinha pequena que seja?"

A intuição de Connie deve ter-lhe dito que aquela viagem para a América do Sul tinha alguma coisa esquisita. E agora ele sem dúvida estava se sentindo culpado, mas não exatamente por causa de Jenna. De acordo com seus cálculos morais, o fato de ter se *casado* com Connie lhe dava o direito de pelo menos mais um uso extremo de sua licença para a liberdade sexual, que ela lhe oferecera anos antes e nunca revogara de modo explícito. Se por acaso ele e Jenna se encaixassem com perfeição, mais tarde ele cuidaria disso. O que o incomodava agora era o contraste entre a abundância do que ele possuía — um contrato assinado que lhe valeria um lucro líquido de seiscentos mil dólares se tudo desse certo no Paraguai; o projeto de uma semana viajando com a garota mais linda que ele conhecia — e a nulidade do que, naquele momento, ele poderia oferecer a Connie. A culpa sempre foi um dos ingredientes do seu impulso de casar-se com ela, mas nem por isso sentia-se menos culpado cinco meses depois. Tirou a aliança do dedo e a pôs nervoso de volta na boca, prendeu-a entre os incisivos e a revirou com a língua. A dureza do ouro de dezoito quilates era surpreendente. Antes achava que o ouro era um metal mais macio.

"Então me diga alguma coisa boa que vai acontecer", pediu Connie.

"Vamos ganhar um monte de dinheiro", disse ele, empurrando a aliança com a língua para trás e prendendo-a com os molares. "E aí vamos fazer uma viagem maravilhosa para algum lugar, um segundo casamento, e viver muito bem. Depois vamos nos formar e fundar uma empresa. Tudo vai dar muito certo."

O silêncio com que ela recebeu essas palavras tinha o sabor da descrença. Ele próprio não acreditava no que dizia. Ainda que só pelo medo mórbido que sentia de contar aos pais que tinha se casado — em sua imaginação, a cena da revelação assumira proporções francamente monstruosas —, o documento que ele e Connie tinham assinado em agosto parecia antes um pacto de morte que uma certidão de casamento: extrapolava num muro de pedra. A relação entre eles só fazia sentido no presente, quando ficavam juntos em carne e osso, podiam fundir suas identidades e criar um mundo à parte.

"Queria que você estivesse aqui", disse ele.

"Eu também."

"Você devia ter vindo passar o Natal comigo. Foi um erro meu."

"Você teria pegado a minha gripe."

"Só me dê mais umas semanas. Garanto que não vai se arrepender."

"Não sei se vou conseguir. Mas vou tentar."

"Sinto muito."

E sentia mesmo. Mas também sentiu um alívio fora do comum quando ela o deixou desligar o telefone e dirigir seus pensamentos para Jenna. Removeu com a língua a aliança para fora do cantinho da bochecha, com a intenção de secá-la e guardar, mas de algum modo, em vez disso, sem querer, com uma espécie de reversão da língua, engoliu o aro de ouro.

"Puta merda!"

Ele sentia a aliança perto do final do seu esôfago, uma dureza hostil naquelas paragens, o protesto dos tecidos moles. Tentou regurgitar a aliança, mas só conseguiu fazê-la descer ainda mais, fora do alcance de sua percepção, com os restos do supersanduíche Subway que tinha sido seu jantar. Correu para a pia da quitinete e enfiou um dedo na garganta. Não vomitava desde pequeno, e os espasmos de engasgo que eram o prelúdio do vômito lembraram a ele como era grande o medo que tinha adquirido de vomitar. Daquela violência. Era como tentar dar um tiro na própria cabeça — não conseguia obrigar-se àquilo. Debruçou-se na pia com a boca aberta, esperando que o conteúdo do seu estômago pudesse refluir naturalmente sem violência; mas é claro que nada aconteceu.

"Caralho! Covarde de merda!"

Faltavam vinte para as dez. Seu voo para Miami decolava do aeroporto Dulles às onze da manhã seguinte, e nem lhe passava pela cabeça embarcar no avião com o anel ainda nas entranhas. Percorreu de um lado para o outro o carpete bege da sala e resolveu que o melhor era procurar um médico. Uma rápida busca na internet revelou qual era o hospital mais próximo, na Seminary Road.

Vestiu um casaco de qualquer jeito e saiu correndo pela Van Dorn Street, à procura de um táxi, mas a noite estava fria, e o trânsito especialmente esparso. Ele tinha fundos suficientes em sua conta para ter comprado um carro, até mesmo bom, mas como parte do dinheiro era de Connie e o resto era um empréstimo bancário garantido pelo dinheiro dela, estava tomando o máximo cuidado com seus gastos. Saiu andando pelo meio das ruas, como se, ao oferecer-se como alvo, pudesse atrair uma circulação maior de carros e, assim, um táxi. Mas nenhum táxi estava passando naquela noite.

No telefone, enquanto acelerava o passo a caminho do hospital, encontrou uma nova mensagem de texto de Jenna: animada. e vc?. Ele respondeu: demais. As comunicações de Jenna para ele, a simples visão do nome dela ou de seu endereço de e-mail, nunca deixavam de ter um efeito pavloviano sobre suas gônadas. O efeito era muito diferente daquele que Connie produzia nele (ultimamente, Connie o atingia cada vez mais alto: no estômago, nos músculos que comandavam os pulmões, no coração), porém não menos insistente e intenso. Jenna o deixava excitado da mesma forma que o excitavam grandes somas de dinheiro, da maneira como o excitava a abdicação de toda responsabilidade social e a adesão ao consumo excessivo de recursos limitados. Ele sabia perfeitamente que Jenna não prestava. Na verdade, o que o deixava mais excitado era querer descobrir se ele próprio conseguiria não prestar a ponto de poder conquistá-la.

A caminhada até o hospital fez Joey passar por perto da fachada de espelho azul do prédio de escritórios em que tinha passado a maior parte dos dias e muitas noites no verão anterior, trabalhando para um grupo conhecido como RIPI (Restaurem a Iniciativa Privada no Iraque), uma subsidiária da LBI que obtivera, sem concorrência, o direito de privatizar a indústria panificadora, antes estatal, no Iraque recém-ocupado. Seu chefe na RIPI era Kenny Bartles, um nativo da Flórida com vinte e poucos anos e excelentes contatos, que Joey conseguira impressionar um ano antes, quando trabalhara no centro de estudos do pai de Jonathan e Jenna. O emprego de férias de Joey no centro de estudos era um dos cinco financiados pela LBI, e seu trabalho, embora para todos os efeitos consistisse no aconselhamento de entidades governamentais, na verdade era voltado para a pesquisa de estratégias para a LBI explorar comercialmente uma possível invasão e ocupação do Iraque pelas forças americanas, apresentando depois essas possibilidades comerciais como argumentos em favor da invasão. Em recompensa a Joey pela pesquisa primária sobre a produção de pão no Iraque, Kenny Bartles tinha lhe oferecido um emprego de tempo integral na RIPI em plena Bagdá, na Zona Verde. Por vários motivos, entre eles a resistência de Connie, as advertências de Jonathan, o desejo de ficar perto de Jenna, o medo de ser morto, a necessidade de continuar residindo na Virgínia e uma incômoda sensação de que Kenny não era uma pessoa de confiança, Joey recusara a oferta e preferira, em vez dela, passar as férias montando o escritório da RIPI na capital e cuidando da interface com o governo.

O esporro interminável que havia tomado do pai por causa desse trabalho era um dos motivos pelos quais não tinha coragem de contar aos pais que estava casado, e um dos motivos pelos quais, desde então, vinha tentando avaliar até que ponto ele próprio seria capaz de ser inescrupuloso. Queria ficar muito rico, e muito calejado, bem depressa, para nunca mais ter de ouvir um esporro do pai. Ser capaz de simplesmente achar graça, dar de ombros e seguir em frente: ficar mais parecido com Jenna, que, por exemplo, sabia quase tudo sobre Connie, menos o fato de que ela e Joey eram casados, e ainda assim considerava Connie, no máximo, um acréscimo de sabor picante a seu jogo com Joey. Jenna tirava um prazer especial de lhe perguntar se sua namorada sabia o quanto ele andava conversando com a namorada de um outro, e de ouvi-lo relatar as mentiras que tinha contado. Ela prestava ainda menos do que dizia o irmão dela.

No hospital, Joey percebeu por que as ruas em torno estavam tão vazias: toda a população de Alexandria tinha convergido para o pronto-socorro local. Ele precisou de vinte minutos só para se registrar, e a enfermeira da recepção não ficou impressionada com as fortes dores de estômago que ele simulava na esperança de conseguir furar a fila. Durante a hora e meia que ele passou esperando, inalando a tosse e os espirros de seus concidadãos de Alexandria, assistindo à última meia hora do seriado *ER* na televisão da sala de espera, e mandando torpedos para colegas de universidade que ainda não tinham voltado dos feriados de fim de ano, ocorreu-lhe o quanto seria mais fácil e mais barato simplesmente comprar uma aliança para substituir a primeira. Não haveria de custar mais de trezentos dólares, e Connie jamais perceberia a diferença. Sentir tamanha ligação romântica por um objeto inanimado — sentir que devia a Connie recuperar aquela aliança específica, que ela o ajudara a escolher na rua 47 numa tarde sufocante — não coadunava propriamente com seu projeto de se transformar numa pessoa que não prestava.

O médico que finalmente o atendeu no pronto-socorro era um jovem branco de olhos lacrimejantes com uma irritação pronunciada na pele devida ao barbeador. "Não tem com que se preocupar", o médico procurou tranquilizar Joey. "Essas coisas se resolvem por conta própria. O objeto deve sair sem que você nem perceba."

"Não estou preocupado com a minha saúde", disse Joey. "O que eu quero é recuperar a aliança hoje à noite."

"Hum", disse o médico. "O objeto é realmente de valor?"

"Grande valor. E estou imaginando que exista algum — procedimento?"

"Se você precisa mesmo recuperar o objeto, o procedimento é esperar um, dois ou três dias. E então..." O médico sorriu para si mesmo. "Existe uma velha piada sobre a mãe que chega ao pronto-socorro com um menino de colo que engoliu um punhado de moedas. Ela pergunta ao médico se o menino vai ficar bom, e o médico responde: 'A senhora só deve reparar se as fezes dele ficarem com o aspecto muito trocado'. É uma piada boba. Mas o procedimento é esse, se você quiser recuperar o objeto."

"Mas estou perguntando sobre algum procedimento imediato."

"E estou respondendo que não existe."

"Olhe, a piada era bem engraçada", disse Joey. "Eu ri bastante. Rá rá. Foi muito bem contada."

O preço da consulta foi duzentos e setenta e cinco dólares. Como não tinha seguro-saúde — pois a administração do estado da Virgínia considerava que se beneficiar do seguro-saúde dos pais era uma forma de apoio financeiro — foi obrigado a apresentar seu cartão para pagar a conta no ato. A menos que por acaso ficasse constipado, o exato oposto do problema que geralmente associava à América Latina, ele podia contar com um começo bastante malcheiroso para suas férias na companhia de Jenna.

De volta ao seu apartamento, bem depois da meia-noite, arrumou a mala para a viagem e depois ficou deitado na cama, tentando acompanhar o andamento da sua digestão. Vinha digerindo alimentos a cada minuto da vida inteira sem prestar a menor atenção ao processo. Como era estranho pensar que o revestimento interno do seu estômago e seu misterioso intestino delgado faziam parte dele tanto quanto seu cérebro, sua língua ou seu pênis. Enquanto se esforçava para perceber os suspiros, os sinais sutis e as mudanças no seu abdômen, teve uma premonição do seu corpo como um parente de que passara muito tempo afastado e o esperava ao fim do longo caminho que tinha pela frente. Um parente obscuro que só agora ele vislumbrava pela primeira vez. Em algum momento, esperava que num futuro bem distante, ele precisaria contar com o seu corpo, e em algum momento posterior a esse, esperava que num futuro ainda bem mais distante, seu corpo haveria de falhar, e ele morreria. Imaginou sua alma, aquele eu a que estava tão acostumado, como uma aliança de ouro inoxidável descendo lentamente por paragens cada vez mais estranhas e malcheirosas, até a morte com seu cheiro de merda. Estava a sós com o seu corpo; e como, estranhamente, ele *era* o seu corpo, isso queria dizer que estava inteiramente só.

Sentia falta de Jonathan. O curioso é que sua iminente viagem representava uma traição mais a Jonathan que a Connie. Apesar dos sobressaltos de seu primeiro Dia de Ação de Graças, tinham se tornado excelentes amigos naqueles dois anos, e só nos últimos meses, a partir dos negócios de Joey com Kenny Bartles e culminando no momento em que Jonathan descobrira seus planos de viagem com Jenna, é que a amizade entre eles vinha estremecendo. Até então, nas mais diversas ocasiões, Joey ficara surpreendido com os indícios de como Jonathan gostava dele de verdade. E gostava dele como era, inteiro, e não só das partes que julgava adequado apresentar ao mundo na condição de aluno interessante da Universidade da Virgínia. A maior e mais agradável das surpresas tinha sido o quanto Jonathan havia gostado de Connie. Na verdade, podia-se dizer que, sem a validação de Jonathan para aquele relacionamento, Joey jamais teria chegado ao ponto de casar-se com ela.

Tirante seus sites pornôs preferidos, que eram por sua vez pungentemente brandos em comparação com os que Joey procurava em momentos de necessidade, Jonathan não tinha vida sexual. Era bastante caxias, claro, mas estudantes muito mais aplicados que ele já transavam. Ele era apenas desajeitadíssimo com as mulheres, desajeitado a ponto de ficar desinteressado, e Connie, quando ele finalmente a conheceu, acabou sendo a única mulher perto de quem ele conseguia ficar à vontade e ser quem era. Sem dúvida o fato de ela estar tão profunda e exclusivamente envolvida com Joey ajudava, poupando assim Jonathan da tensão de tentar impressioná-la ou preocupar-se com o que ela podia querer dele. Connie comportava-se como uma irmã mais velha, muito mais afetuosa e interessada do que Jenna. Enquanto Joey estudava ou fazia algum trabalho na biblioteca, ela ficava horas jogando videogame com Jonathan, rindo desencanada quando perdia e prestando atenção, com seus modos límpidos, às explicações que ele lhe dava sobre cada jogo. Embora para Jonathan sua cama costumasse ser um fetiche, assim como seu travesseiro da infância e sua necessidade de nove horas de sono por dia, saía discretamente do quarto antes que Joey precisasse pedir para ficar sozinho com Connie. Depois que ela voltou para St. Paul, Jonathan disse a Joey que tinha achado a namorada dele *bárbara*, linda mas ao mesmo tempo muito fácil de conviver, o que deixou Joey, pela primeira vez, orgulhoso de Connie. Parou de vê-la tanto como uma fraqueza sua, um problema que precisava resolver na primeira oportunidade, e passou a considerá-la uma namorada cuja existência não se importava de revelar a seus outros amigos. O que, por sua vez, o deixou ainda mais revoltado com a hostilidade velada mas implacável de sua mãe.

"Uma pergunta, Joey", dissera sua mãe ao telefone, durante as semanas que ele e Connie passaram tomando conta do apartamento de sua tia Abigail. "Posso fazer uma pergunta só?"

"Depende de qual seja", respondeu Joey.

"Você e Connie andam brigando?"

"Mãe, não vou falar sobre isso com você."

"Você pode querer saber por que essa é a única pergunta que eu faço. Ficou um pouco curioso?"

"Nada."

"É porque vocês dois *deviam* estar brigando, e se não estiverem é por algum problema."

"Bem, por essa definição você e o papai devem estar fazendo tudo certo."

"Rá rá rá! Muito engraçado, Joey!"

"Por que eu devia estar brigando? As pessoas brigam quando não se dão bem."

"Não, as pessoas brigam quando se amam mas têm personalidades próprias e vivem no mundo real. Claro que não estou querendo dizer que brigar o tempo todo é bom."

"Não, só na conta certa. Entendi."

"Se vocês não brigam nunca, precisam descobrir por quê, só isso. Você devia se perguntar onde está a fantasia."

"Não, mamãe. Desculpe. Mas não vou falar sobre isso."

"Ou *quem* está vivendo uma fantasia. Se você me entende."

"Juro por Deus que vou desligar, e vou passar um ano sem telefonar para você."

"Quais realidades não estão sendo levadas em conta."

"Mãe?"

"De qualquer maneira, eu só tinha essa pergunta, que já fiz e não vou mais repetir."

Embora o índice de felicidade de sua mãe não fosse nada de que ela pudesse se orgulhar, ela insistia em infligir a Joey as normas de sua própria vida. Devia achar que estava tentando protegê-lo, mas ele só escutava os tambores da negatividade. Ela estava especialmente "preocupada" com o fato de Connie não ter outros amigos além do próprio Joey. Joey respondeu que Connie tinha amigos sim, e quando sua mãe o desafiara a citar os nomes, ele se recusara agressivamente a discutir as coisas que ela desconhecia por completo. Connie tinha algumas amigas do tempo de escola secundária, pelo menos duas ou três, mas quando falava delas era sobretudo para dissecar sua superficialidade ou comparar desfavoravelmente a inteligência delas com a de Joey, e ele jamais conseguiu guardar seus nomes direito. Assim, sua mãe marcara um ponto palpável. E ela sabia que não devia remexer numa ferida existente, mas ou ela era a melhor insinuadora do mundo ou Joey o entendedor mais sensível do planeta. Bastava ela mencionar a visita próxima de sua antiga companheira de basquete Cathy Schmidt para Joey perceber críticas ressentidas a Connie. Se ele as denunciasse abertamente, ela apelaria para o psicológico e pediria a ele para refletir sobre sua suscetibilidade ao tema. O contra-ataque que poderia de fato fazê-la calar a boca — perguntar-lhe quantos amigos *ela* havia feito depois que parara de estudar (resposta: nenhum) — era o único que ele não seria capaz de desferir. A mãe tinha a vantagem final injusta, em todas as discussões entre os dois, de despertar a piedade do filho.

Connie não sentia uma inimizade correspondente pela mãe dele. Tinha todo o direito de se queixar, mas nunca se queixava. E isso tornava ainda mais gritante a injustiça da hostilidade da mãe dele. Quando era pequena, Connie mandava espontaneamente para Patty, sem qualquer incentivo de Carol, cartões de aniversário feitos à mão. Sua mãe ficava encantada todo ano com aqueles cartões até ele e Connie começarem a trepar. Connie continuou a fazer seus cartões de aniversário, e Joey, quando ainda morava em St. Paul, tinha visto sua mãe abrir um deles, ler seus dizeres com uma expressão de pedra e colocá-lo de lado com a correspondência de mala direta. Em anos recentes, Connie começara a adicionar pequenos presentes de aniversário — um ano brincos, no outro, bombons — que lhe valiam agradecimentos tão impessoais e falsos quanto um comunicado da Receita Federal. Connie tentava o possível para fazer a mãe dele voltar a gostar dela, menos a única coisa que teria funcionado: parar de ver Joey. Tinha um coração puro, e sua mãe cuspia nela. A injustiça dessa situação era mais um motivo pelo qual se casara com ela.

A injustiça, de modo indireto, também tornara o Partido Republicano mais atraente para Joey. Sua mãe se julgava superior a Carol e Blake, e considerava Connie culpada do simples fato de morar com eles. Achava ser um fato estabelecido que todas as pessoas que pensavam direito, inclusive Joey, estavam de acordo quanto aos gostos e às opiniões dos brancos de origem menos privilegiada que a sua. O que Joey apreciava entre os republicanos era que eles não *desprezavam* as pessoas como os democratas liberais faziam. Odiavam os liberais, sim, mas só porque os liberais começaram a odiá-los primeiro. Estavam simplesmente fartos do tipo de condescendência acrítica que sua mãe destinava à família Monaghan. Nos últimos dois anos, Joey aos poucos trocara de lugar com Jonathan em suas discussões políticas, em especial no que dizia respeito ao Iraque. Joey convenceu-se de que uma invasão era necessária para salvaguardar os interesses petropolíticos dos Estados Unidos e tomar as armas de destruição em massa de Saddam Hussein, enquanto Jonathan, que conseguira interessantíssimos estágios de verão no jornal *The Hill*, especializado na cobertura da Câmara e do Senado, e depois no *Washington Post*, planejando tornar-se cronista político, desconfiava cada vez mais de gente como Douglas Feith, Paul Wolfowitz, Richard Perle e Ahmed Chalabi, que defendiam o começo da guerra. Tanto Joey como Jonathan gostavam de terem trocado de papel e de terem se transformado nos renegados políticos das respectivas famílias, o discurso de Joey cada vez mais parecido com o do pai de Jonathan, e o de Jonathan cada vez mais parecido com o do pai de Joey. Quanto mais Joey insistia em ficar ao lado de Connie e em defendê-la do esnobismo da mãe, mais à vontade se sentia com o partido do antiesnobismo enfurecido.

E por *que* ele ficava com Connie? A única resposta que fazia sentido era que ele a amava. Tivera suas chances de livrar-se dela — na verdade, criara várias dessas chances —, mas a cada vez, no momento decisivo, decidira não aproveitá-las. A primeira grande oportunidade tinha sido em sua partida para a faculdade. E sua chance seguinte veio um ano depois, quando Connie também fora para o Leste, para o Morton College, em Morton's Glen, na Virgínia. A partir daí, ela ficava a pouco tempo de viagem de Charlottesville no Land Cruiser de Jonathan (que este, tendo aprovado Connie, emprestava a Joey), mas também se punha no rumo de tornar-se uma estudante normal, desenvolvendo uma vida independente. Depois da segunda visita de Joey a Morton, em que os dois passaram quase todo o tempo se esforçando para driblar a coreana companheira de quarto de Connie, Joey propôs que, *pelo bem dela* (já que ela não parecia estar se adaptando bem à faculdade), deviam tentar de novo romper com aquela dependência mútua e parar de se comunicar por um tempo. A proposta não era de todo desajeitada; não excluía de todo um futuro comum. Mas ele vinha escutando muito o que Jenna dizia, e esperava passar o período de festas com ela e Jonathan em McLean. Quando Connie por fim ficou sabendo desses planos, algumas semanas antes do Natal, ele perguntou se ela não queria ir a St. Paul ver seus amigos e sua família (isto é, o que qualquer calouro normal faria). "Não", respondeu ela, "quero ficar com você." Atiçado pela perspectiva de estar com Jenna, e ainda estimulado por um caso especialmente satisfatório que começara numa festa semiformal, ele assumiu uma linha dura com Connie, que teve um acesso de choro tão tempestuoso ao telefone que acabou em soluços. Ela disse que não queria voltar para casa *nunca mais*, que *nunca mais* queria passar outra noite com Carol e suas irmãzinhas. Mas Joey a obrigou a ir para lá assim mesmo. E muito embora ele mal tivesse falado com Jenna durante as festas — pois ela fora esquiar, e depois ver Nick em Nova York —, ele persistiu em sua estratégia de fuga até a noite do início de fevereiro em que Carol ligou para ele com a notícia de que Connie largara os estudos em Morton e voltara a morar em Barrier Street, mais profundamente deprimida do que nunca.

Connie ao que parece tirara dez em dois de seus exames de dezembro, mas deixara de comparecer a dois outros, e uma virulenta antipatia se desenvolvera entre ela e a companheira de quarto, que passava os dias escutando os Backstreet Boys tão alto que os agudos que vazavam de seus fones de ouvido bastariam para enlouquecer qualquer um, além de deixar a TV sintonizada num canal de compras o dia inteiro, implicando com Connie por causa do namorado "metido", dizendo-lhe que imaginasse todas as vagabundas metidas que ele devia estar comendo pelas suas costas, e consumindo picles que empestavam o quarto. Connie retomou os estudos no mês de janeiro, em período de experiência, mas passava tanto tempo na cama que o serviço de saúde do *campus* afinal interveio e a mandou de volta para casa. Tudo isso Carol relatou a Joey com uma preocupação contida e poupando-o felizmente de maiores recriminações.

O fato de ele ter deixado passar sua última boa oportunidade de livrar-se de Connie (que não conseguia mais fazer de conta que sua depressão era só produto da imaginação de Carol) estava de algum modo relacionado à notícia recente e amarga da "espécie de" noivado de Jenna com Nick, mas só até certo ponto. Embora Joey tivesse a clareza de temer a doença mental profunda, parecia-lhe que, caso eliminasse de seu repertório de possibilidades toda garota interessante em idade universitária com alguma história de depressão, ficaria muitíssimo limitado. E Connie tinha *bons motivos* para ficar deprimida: sua companheira de quarto era insuportável e ela vinha morrendo de solidão. Quando Carol a chamou para vir ao telefone, ela pediu desculpas umas cem vezes. Desculpas por ter deixado Joey na mão, desculpas por não ter sido mais forte, desculpas por desviar a atenção dele dos estudos, desculpas por ter desperdiçado o dinheiro gasto naquele ano de estudos, desculpas por ser um fardo para Carol, desculpas por ser um fardo para todo mundo, desculpas por ser tão chata e insuportável. Apesar de (ou *por causa* de) estar abatida demais para pedir alguma coisa dele — dando finalmente a impressão de ter quase chegado ao ponto de estar pronta a deixá-lo ir embora —, ele disse a ela que estava forrado de dinheiro que conseguira com sua mãe, e que tomaria um avião para ir encontrá-la. Quanto mais ela dizia que não precisava, mais ele concluía que precisava sim.

A semana que ele passou em seguida na casa da Barrier Street foi a primeira semana realmente adulta da sua vida. Sentado com Blake no grande salão, cujas dimensões eram bem mais modestas do que recordava, ficou assistindo à cobertura do ataque a Bagdá pela Fox News e sentindo seu ressentimento empedernido por causa do Onze de Setembro começar a se dissolver. O país finalmente entrava em ação, finalmente retomava nas mãos as rédeas da história, o que de certa maneira se harmonizava com a deferência e a gratidão com que Blake e Carol o tratavam. Regalou Blake com histórias sobre o centro de estudos, as discussões que tivera com figuras do noticiário, o planejamento das ações posteriores à invasão de que ele vinha participando. A casa era pequena, e nela ele ficava enorme. Aprendeu a segurar um bebê no colo e o ângulo em que devia inclinar a mamadeira. Connie estava pálida e assustadoramente magra, os braços finos e a barriga tão côncava como quando ela tinha catorze anos e ele a tocara pela primeira vez. Deitava-se ao lado dela e a segurava em seus braços à noite, tentando excitá-la, conseguindo penetrar a espessa casca afetiva da absorção dela, o suficiente para sentir-se autorizado a trepar com ela. Os remédios que ela vinha tomando ainda não tinham produzido efeito, e ele se sentia quase grato pelo quanto ela se sentia mal, o que conferia a ele seriedade e um objetivo. Ela repetia o tempo todo que fora uma decepção para ele, mas ele tinha a impressão quase oposta. Como se um mundo novo e mais adulto do amor se tivesse revelado a ele: como se ainda houvesse uma infinidade de portas internas a serem abertas por eles dois. Através de uma das janelas do quarto de Connie, via-se a casa onde ele tinha crescido, uma casa hoje ocupada por uma família negra que Carol definia como pernóstica e que não se dava com ninguém, com seus diplomas de doutorado emoldurados na sala de jantar. ("Na sala de jantar", sublinhou Carol, "onde podem ser vistos por todo mundo, inclusive da rua.") Joey ficou satisfeito de constatar como não se sentia afetado pela visão de sua antiga casa. Até onde ele se lembrava, sempre quisera livrar-se dela, e agora tinha a impressão de finalmente ter se desapegado. Certa noite, chegou ao ponto de ligar para a mãe e contar-lhe o que estava acontecendo.

"Ah", disse ela. "Está bem. Acho que eu andava um pouco desinformada. Está me dizendo que Connie chegou a ir estudar numa faculdade da Costa Leste?"

"Isso. Mas a colega de quarto dela era insuportável, e ela ficou deprimida."

"Bom, gostei de ser informada, agora que já é coisa do passado."

"Nunca foi uma experiência exatamente agradável contar a você o que estava acontecendo com ela."

"Não, claro, a vilã da história sou eu. Essa pessoa velha e negativa. Deve ser assim que você me vê."

"Talvez tenha um motivo. Já pensou nessa possibilidade?"

"Minha impressão é que você estava livre e desimpedido. Sabe, o tempo de estudante não dura muito, Joey. Eu me comprometi quando era muito jovem e acabei perdendo muitas experiências que talvez tivessem sido boas para mim. Por outro lado, pode ser que eu não fosse madura como você."

"Pois é", disse ele, sentindo-se inatacável e, de fato, maduro. "Pode ser."

"Só queria dizer que você meio que mentiu para mim, em algum momento, há dois meses, quando eu perguntei se tinha notícias de Connie. E isso, mentir para mim, não é exatamente a coisa *mais madura* do mundo."

"A sua pergunta não foi simpática."

"E a sua resposta não foi honesta! Não que você tenha obrigação de ser honesto comigo, mas pelo menos vamos falar francamente a respeito."

"Era Natal. Eu disse que achava que ela estava em St. Paul."

"Exatamente. E não quero ficar insistindo, mas quando uma pessoa diz 'acho', em princípio quer dizer que você não sabe ao certo. Você fez de conta que não sabia de uma coisa que sabia muito bem."

"Eu disse que era lá que ela devia estar, pelo que eu achava. Mas ela podia estar em Wisconsin, ou coisa assim."

"Sei, visitando uma das muitas amigas íntimas que ela tem."

"Meu Deus!", disse ele. "Você realmente só pode pôr a culpa disso em si mesma."

"Não me entenda mal", disse ela. "Acho muito admirável você estar com ela agora, e estou falando sério. É um ótimo sinal a seu respeito. Fico orgulhosa por ver você cuidando de uma pessoa importante para você. Tenho uma boa ideia do que seja a depressão, e, pode acreditar, sei que não é brincadeira. Connie está tomando algum remédio?"

"Está. Celexa."

"Bem, espero que funcione no caso dela. A minha medicação não funcionou muito bem para mim."

"Você tomou antidepressivos? Quando?"

"Ah, faz pouco tempo."

"Meu Deus, eu não fazia ideia."

"É porque, quando eu digo que quero deixar você livre e desimpedido, estou falando sério. Não queria que você se preocupasse comigo."

"Mas ainda assim, meu Deus, você podia ter pelo menos me contado."

"Foram só alguns meses. Eu não era o que se pode chamar uma paciente-modelo."

"Esses remédios só fazem efeito depois de algum tempo", disse ele.

"Foi o que todo mundo disse. Especialmente seu pai, que estava mais ou menos na linha de frente comigo, e ficou muito triste ao se despedir desses bons tempos. Mas eu gostei de recuperar a minha cabeça, mesmo do jeito que é."

"Eu sinto muito."

"É, eu sei. Se você tivesse me contado essas coisas sobre Connie há três meses, eu teria respondido sem me importar. La-la-la! Mas agora vocês precisam me aturar sentindo novamente as coisas."

"Sinto muito por você estar sofrendo, foi o que eu quis dizer."

"Obrigada, meu querido. Perdoe meus sentimentos."

Por mais generalizada que a depressão parecesse ter se tornado nos últimos tempos, Joey ainda achava preocupante que as duas mulheres que mais o amavam estivessem ambas clinicamente deprimidas. Seria um simples acaso? Ou será que ele tinha algum efeito nefasto concreto sobre a saúde mental das mulheres? No caso de Connie, concluiu, a verdade é que sua depressão era outra faceta da mesma intensidade que ele tanto amava nela. Na última noite que passou em St. Paul, antes de voltar para a Virgínia, ele ficou observando enquanto ela apalpava todo o crânio com as pontas dos dedos, como se tentasse extrair do cérebro os sentimentos excedentes. Contou a ele que o motivo pelo qual vinha chorando em momentos que pareciam aleatórios era que mesmo o menor dos maus pensamentos era horrivelmente doloroso, e só lhe ocorriam maus pensamentos, nenhum bom. Lembrava-se de que tinha perdido um boné da faculdade que ele lhe dera; que vivia tão preocupada com a sua companheira de quarto, na segunda vez que ele foi visitá-la em Morton, que nem lhe perguntara quanto ele tinha tirado em seu trabalho de História Americana; que Carol certa vez lhe dissera que os rapazes gostariam mais dela se ela fosse mais sorridente; que uma de suas meias-irmãzinhas, Sabrina, começara a gritar na primeira vez que a tinha segurado no colo; que ela tivera a estupidez de admitir para a mãe de Joey que ia a Nova York encontrar-se com ele; que tinha sangrado de maneira nojenta na última noite antes de ele partir para a faculdade; que tinha escrito as coisas mais equivocadas nos cartões-postais que enviara a Jessica, numa tentativa de se tornar amiga da irmã dele, que Jessica nunca respondera a nenhum deles; e assim por diante. Estava perdida numa floresta escura de remorso e horror a si mesma em que mesmo a menor das árvores assumia proporções monstruosas. Joey nunca entrara numa mata como aquela, mas sentia-se inexplicavelmente atraído por suas paragens. Ficou inclusive excitado ao vê-la prorromper em soluços enquanto ele trepava com ela em despedida, pelo menos até os soluços se transformarem em contorções, autoflagelação e ódio de si mesma. O nível de sofrimento que ela apresentava parecia na fronteira do perigo extremo, um primo do suicídio, e ele passou metade daquela noite acordado, tentando convencê-la a não se tratar tão mal por se sentir tão mal por não conseguir lhe dar nada do que ele queria. Era exaustivo, circular e insuportável, mas ainda assim, na tarde seguinte, a bordo do avião que o levava de volta, ocorreu-lhe sentir medo do efeito que o Celexa poderia ter sobre ela quando começasse a atuar. Lembrou-se do que sua mãe dissera sobre os antidepressivos matarem os sentimentos: uma Connie sem oceanos de sentimento era uma Connie que ele não reconhecia e desconfiava que não iria querer.

Enquanto isso o país entrara em guerra, mas era um tipo estranho de guerra em que, dentro de certa margem de erro, as baixas só ocorriam do outro lado. Joey ficou satisfeito ao ver que a tomada do Iraque foi o passeio que ele esperava, e Kenny Bartles lhe mandou e-mails muito animados sobre a necessidade de pôr sua empresa panificadora em funcionamento o mais depressa possível. (Joey precisava sempre explicar que ainda era estudante, e que só poderia começar a trabalhar depois dos exames de fim de ano.) Jonathan, entretanto, estava mais amargurado do que nunca. Estava *obcecado*, por exemplo, pelas antiguidades iraquianas que tinham sido roubadas por saqueadores do Museu Nacional de Bagdá.

"Foi só um erro à toa", disse Joey. "Alguma coisa sempre dá merda, não é? Você só não quer admitir que as coisas estão indo bem."

"Vou admitir quando encontrarem o plutônio e os mísseis carregados com vírus de varíola", disse Jonathan. "O que nunca vai acontecer, porque era tudo invenção, e invenção de quinta, porque as pessoas que começaram tudo isso são uns palhaços incompetentes."

"Escute, todo mundo diz que as armas de destruição em massa existem. Até a *New Yorker* disse que existem. Minha mãe contou que meu pai pensou em cancelar a assinatura, de tão puto que ficou. Meu pai, o grande especialista em política externa."

"Quanto você quer apostar que seu pai tem razão?"

"Não sei. Cem dólares?"

"Fechado!", disse Jonathan, estendendo a mão. "Cem dólares como eles não vão achar arma nenhuma até o fim do ano."

Joey apertou a mão do amigo e em seguida começou a ficar preocupado, pensando que Jonathan podia ter razão em relação às Armas de Destruição em Massa. Não que cem dólares fossem fazer diferença, pois ele estaria ganhando oito mil dólares por mês com Kenny Bartles. Mas Jonathan, que era seriamente viciado em noticiários políticos, parecia tão seguro de si que Joey se perguntou se de algum modo não teria deixado de entender o que estava em jogo em sua experiência com os chefes do grupo de estudos e com Kenny Bartles: deixado de perceber uma troca de piscadelas entre eles ou a inflexão irônica de suas vozes quando falavam dos motivos, além de seu enriquecimento pessoal ou corporativo, para a invasão do Iraque. Na opinião de Joey, o grupo de estudos tinha de fato algum motivo oculto para dar seu apoio à invasão: a proteção de Israel, que, à diferença dos Estados Unidos, ficava ao alcance até dos mísseis vagabundos que os cientistas de Saddam Hussein eram capazes de fabricar. Mas ele acreditava que os neoconservadores falavam sério pelo menos ao temer pela segurança de Israel. Agora, porém, à medida que março se transformava em abril, eles abanavam as mãos e agiam como se nem fizesse diferença se descobrissem ou não as tais Armas de Destruição em Massa; como se a liberdade do povo iraquiano fosse a questão principal. E Joey, cujos interesses na guerra eram basicamente financeiros, mas que gostaria do conforto moral da ideia de que mentes mais sábias que a sua tinham motivos melhores, começou a sentir que fora levado na conversa. O que não esvaziava seu desejo de lucrar, mas lhe dava sensação de que era um dinheiro mais sujo.

Nesse espírito de impureza, achou mais fácil conversar com Jenna sobre seus planos para o verão. Jonathan, entre outras coisas, tinha ciúme de Kenny Bartles (ficava irritado sempre que ouvia Joey falando ao telefone com Kenny), enquanto Jenna exibia cifrões nos olhos e era totalmente a favor de ganhar dinheiro a qualquer custo. "Talvez a gente se encontre em Washington nas férias", disse ela. "Eu venho de Nova York e você me leva para jantar e comemorar o meu noivado."

"Claro", disse ele. "Vai ser muito divertido."

"Mas fique sabendo que eu só gosto de restaurantes *muito* caros."

"E o que Nick vai achar de você sair para jantar comigo?"

"Pelo menos dessa vez a conta não vai pesar na carteira dele. Nunca passou pela cabeça dele ter medo de você. E a sua namorada, o que vai achar?"

"Ela não é do tipo ciumento."

"Pois é, o ciúme não tem a menor graça, rá rá."

"Longe dos olhos, longe do coração."

"Pois é, e muita coisa acontece longe dos olhos dela, não é? Quantas escorregadelas você já deu a essa altura?"

"Cinco."

"Quatro a mais do que Nick conseguiria dar antes que eu cuidasse de remover cirurgicamente os seus testículos."

"É, mas se você não soubesse, não ia sentir nada."

"Pode acreditar", respondeu Jenna, "que eu acabaria sabendo. É a diferença entre a sua namorada e a minha pessoa. Eu *sou* do tipo ciumento. Se alguém começa a me sacanear, eu viro a Santa Inquisição. Sem dó nem piedade."

Uma informação interessante, pois tinha sido Jenna quem o aconselhara, no outono do ano anterior, a aproveitar todas as oportunidades eventuais que ele tivesse na faculdade, e era a Jenna que imaginava estar provando alguma coisa ao seguir seus conselhos. Ela lhe ensinara os fundamentos da arte de ignorar, no refeitório, a moça cuja cama tinha deixado quatro horas antes. "Não seja frouxo", disse ela. "Elas *querem* ser esnobadas. Não é favor nenhum deixar de ignorar essas garotas. Você precisa fingir que nunca viu nenhuma delas na vida. A última coisa que elas querem no mundo é você por perto, ou fazendo cara de culpado. Estão rezando para que você não crie nenhum embaraço para elas." Era bem claro que ela estava falando por experiência própria, mas Joey só foi acreditar na primeira vez que seguiu o que ela recomendava. E a partir de então sua vida ficou bem mais fácil. Embora tivesse a condescendência com Connie de não contar suas escapadas, continuava a achar que ela não se importaria tanto assim. (A pessoa que ele precisava enganar ativamente era Jonathan, que alimentava noções medievais quanto ao comportamento romântico e se dirigira a Joey em tom furioso, como um irmão mais velho ou o cavaleiro andante encarregado da guarda de Connie, quando a notícia de um caso de Joey chegou aos seus ouvidos. Joey jurou que nenhum zíper tinha sido aberto, mas aquela mentira era tão absurda que só podia ser recebida com sarcasmo, e Jonathan respondeu dizendo que ele era um cretino mentiroso, indigno de Connie.) Agora ele tinha a impressão de que Jenna, com seus padrões morais variáveis acerca da fidelidade, o levara na conversa mais ou menos da mesma forma que seus superiores do centro de estudos. E fez por simples recreação, por pura maldade contra Connie, o que os defensores da guerra faziam por amor ao lucro. Mas nem por isso ele perdia a vontade de levá-la para jantar num ótimo restaurante ou de ganhar, na RIPI, o dinheiro para tanto.

Sentado sozinho no escritório de uma única sala da RIPI em Alexandria, Joey transformou os faxes confusos enviados por Kenny de Bagdá em relatórios convincentes sobre o emprego ponderado do dinheiro dos contribuintes na transformação das panificações subsidiadas por Saddam Hussein em empresas privadas apoiadas pelo comando das forças de ocupação do Iraque. Usou seus estudos dos casos das cadeias americanas Breadmasters e Hot & Crusty, escritos nas férias do ano anterior, para criar um belo modelo de plano de negócios a ser seguido por aqueles supostos empresários. Desenvolveu um plano para, em dois anos, elevar os preços do pão até um patamar próximo do valor justo de mercado, usando o *khubz* básico iraquiano para nele concentrar os prejuízos, e doces e bebidas com apresentação sofisticada à base de café para com eles ganhar dinheiro de tal modo que, já em 2005, os subsídios da Coalizão pudessem ser retirados sem provocar a revolta popular. Tudo que ele produzia era pelo menos em parte, e quase sempre na totalidade, pura cascata. Não tinha a mais vaga ideia da aparência concreta de um mercadinho em Basra; desconfiava, por exemplo, que as vitrines refrigeradas de vidro temperado do tipo em que a Breadmasters exibia seus doces podiam não funcionar bem numa cidade onde os atentados a bomba eram frequentes e, no verão, o calor chegava quase a cinquenta e cinco graus. Mas as fabulações do comércio contemporâneo constituíam uma linguagem em que ele tinha a felicidade de ser fluente, e Kenny lhe garantia que a aparência de atividade e de resultados imediatos era mais que suficiente. "Dê a impressão de que a coisa deu certo *ontem*", dizia Kenny, "e com isso vamos fazer o possível aqui, localmente, para corresponder ao que você disser. Jerry quer o livre mercado funcionando da noite para o dia, e vamos corresponder." ("Jerry" era Paul Bremer, o chefe dos negócios em Bagdá, que Kenny podia ou não conhecer pessoalmente.) Nas horas vagas de Joey no escritório, em especial nos fins de semana, ele trocava mensagens com colegas que estavam trabalhando em estágios não remunerados ou grelhando hambúrgueres em suas cidades natais, e que o cobriam de elogios por ter conseguido o melhor emprego de férias de *todos os tempos*. E Joey tinha a impressão de que o curso da sua vida, que o Onze de Setembro tinha forçado a mudar de rumo, havia recuperado agora sua trajetória devidamente ascensional.

Por algum tempo, as únicas sombras que maculavam sua satisfação eram os sucessivos adiamentos da viagem de Jenna a Washington. Um tema recorrente de suas conversas era o arrependimento que ela sentia por ter aprontado pouco antes de se comprometer com Nick ("acho que ter galinhado por um ano em Duke não conta", dizia ela). E Joey percebia naquele arrependimento a sugestão da oportunidade, e ficou confuso quando, apesar do tom de sedução cada vez mais cru dos telefonemas que ela lhe dava, Jenna desmarcou por duas vezes os planos de vir visitá-lo, e mais ainda quando ficou sabendo, por Jonathan, que ela tinha ido visitar os pais em McLean sem lhe contar nada.

E então, no feriado de Quatro de Julho, durante uma visita à família que só fez por delicadeza, ele revelou ao pai os detalhes de seu trabalho na RIPI, na expectativa de deixá-lo impressionado com o tamanho do seu salário e a vastidão das suas responsabilidades; e o pai quase o deserdou ali mesmo. Até aquele momento, em toda a sua vida, a relação entre eles tinha sido essencialmente um enfrentamento imobilizado, um empate de vontades. Mas agora não bastava mais a seu pai mandá-lo passear com um sermão sobre sua frieza e arrogância. Agora ele dizia aos berros que Joey o deixava *enojado*, que sentia *náuseas físicas* ao pensar que tinha criado um filho tão egoísta e irrefletido, capaz de se aliar a monstros que vinham destruindo o país em favor de seu enriquecimento pessoal. Sua mãe, em vez de defendê-lo, saiu correndo dali: para cima, para o quartinho dela. Joey sabia que ela ligaria para ele no dia seguinte, tentando acertar a situação, com besteiras do tipo de que seu pai só tinha ficado bravo porque o amava. Mas ela era covarde demais para ficar ali, e não havia nada que ele pudesse fazer além de cruzar os braços com força, transformar o rosto numa máscara e sacudir a cabeça, repetindo para o pai, vezes sem conta, que não devia criticar coisas que não entendia direito.

"O que eu não estou entendendo direito?", perguntou o pai. "A guerra só começou por causa da política e do lucro. E ponto final!"

"Só porque você não gosta das posições políticas das pessoas", disse Joey, "não quer dizer que tudo que elas fazem está errado. Você parte do princípio de que tudo que elas fazem é ruim, e fica esperando que nada dê certo, porque detesta as posições políticas delas. Não quer nem saber das coisas boas que estão acontecendo."

"Nada de bom está acontecendo."

"Ah, claro. O mundo é todo definido em preto e branco. Nós somos todos maus, e vocês são todos bons."

"E você acha que o modo certo de o mundo funcionar é os garotos do Oriente Médio da sua idade terem as cabeças e as pernas arrancadas a bomba para você poder ganhar um monte de dinheiro? É esse o mundo perfeito em que você vive?"

"Claro que não, pai. Quer parar um pouco de ficar falando essas besteiras? As pessoas lá estão morrendo porque a economia do país está fodida! Estamos tentando consertar a economia, entende?"

"Você não devia ganhar oito mil dólares por mês", disse o pai dele. "Eu sei que você se acha esperto, mas só pode haver algum problema num mundo em que um garoto despreparado de dezenove anos consegue ganhar esse salário. A sua situação fede a corrupção *de longe*. Para mim você está cheirando muito mal."

"Francamente, pai. Dane-se."

"Nem quero mais saber o que você anda fazendo. Eu fico enojado. Pode contar para a sua mãe, mas faça o favor de me deixar de fora."

Joey teve a bravura de sorrir para não chorar. Estava sentindo uma dor que lhe parecia estrutural, como se ele e o pai só tivessem escolhido suas posições políticas para poderem detestar um ao outro, e a única maneira de sair desse impasse fosse a ruptura. Não contar nada para seu pai, não tornar mais a vê-lo a menos que precisasse muito, não lhe parecia má ideia. Não ficou nem mesmo com raiva, só queria deixar aquela mágoa para trás. Voltou no automático para o seu apartamento conjugado, que a mãe o ajudara a alugar mobiliado, e mandou mensagens tanto para Connie quanto para Jenna. Connie devia ter ido cedo para a cama, mas Jenna ligou de volta à meia-noite. Não era propriamente a melhor ouvinte do mundo, mas ouviu o suficiente sobre o horrível feriado que ele passara em família para responder que o mundo não era justo e nunca iria ser, que sempre haveria gente que ganhava e gente que perdia, e que pessoalmente, na vida tragicamente finita que lhe fora dada, ela preferia ganhar e viver cercada de outros ganhadores. Quando ele perguntou a ela, então, por que não ligara para ele de McLean, ela disse que não achava "seguro" sair com ele para jantar.

"Por que não seria seguro?"

"Você virou um mau hábito meu", disse ela. "Que eu preciso manter sob controle. Não posso tirar os olhos do meu objetivo."

"Pois não me parece que você e o seu objetivo estejam se dando muito bem."

"O objetivo está muito ocupado tentando tirar o emprego do chefe. É o que as pessoas fazem naquele mundo, tentam comer o fígado uns dos outros. O que, pasme, ninguém acha censurável. Mas também consome quase todo o tempo das pessoas. Qualquer mulher gosta de ser convidada para sair de vez em quando, especialmente nas primeiras férias depois de se formar."

"E é por isso que você precisa vir me encontrar", disse ele. "Eu sem dúvida vou convidar você para sair."

"Sem dúvida. Mas meu chefe tem compromissos seguidos nos Hamptons pelas próximas três semanas, e não posso ser dispensada do meu papel de seguradora de prancheta. Pena que também precise trabalhar tanto, caso contrário eu tentava encaixar você em alguma coisa."

Ele tinha perdido as contas dos encontros pela metade e das meias promessas que ela já lhe fizera desde que se conheciam. Nenhuma das coisas interessantes que ela sugeria jamais chegava a acontecer, e ele jamais conseguia saber por que ela insistia em sugeri-las. Às vezes ele achava que podia ser uma competição entre ela e o irmão. Ou talvez porque Joey fosse judeu e do gosto do pai dela, a única pessoa que ela nunca zoava. Ou talvez ela estivesse fascinada pela relação dele com Connie, regalando-se com as pepitas de intimidade que ele depunha a seus pés. Ou talvez ela estivesse autenticamente interessada em Joey e quisesse ver como ele iria ficar quando envelhecesse mais um pouco, e quanto dinheiro conseguiria ganhar. Ou talvez todas as respostas anteriores. Jonathan não tinha nenhuma outra explicação a propor, além de que sua irmã não prestava, era um monstro do Planeta Meninas Mimadas, com a consciência ética de uma esponja marinha, mas Joey tinha a impressão de vislumbrar coisas mais profundas na garota. Recusava-se a acreditar que alguém que dispusesse do poder de tamanha beleza pudesse carecer tanto assim de ideias interessantes quanto ao respectivo uso.

No dia seguinte, quando contou a Connie que brigara com o pai, ela não entrou no mérito dos argumentos de cada um, mas atacou diretamente a mágoa que ele estava sentindo, e disse que ficava com muita pena dele. Tinha voltado a trabalhar de garçonete e parecia disposta a esperar o verão inteiro para tornar a vê-lo. Kenny Bartles lhe prometera as duas últimas semanas de agosto de férias pagas se ele concordasse em trabalhar todos os fins de semana até lá, e ele não queria Connie por perto para complicar as coisas se Jenna viesse encontrá-lo em Washington; não via como poderia escapar por uma, duas ou três noites sem contar a Connie o tipo de mentira flagrante que tentava manter num nível mínimo.

Ele atribuiu aos efeitos do Celexa a equanimidade com que ela aceitou o adiamento. Mas uma noite, durante um telefonema de rotina, enquanto ele tomava uma cerveja em seu apartamento, ela recaiu num silêncio especialmente prolongado que só terminou quando ela disse, "Cara, eu preciso lhe contar umas coisas". A primeira coisa é que ela tinha parado de tomar a medicação. A segunda é que o motivo de ter parado é que havia começado a dormir com o gerente do restaurante onde trabalhava, e já estava cansada de não gozar nunca. Fez sua confissão com um curioso distanciamento, como se falasse de alguma garota que não fosse como ela, uma garota cujo comportamento fosse deplorável mas compreensível. O gerente, contou ela, era casado, tinha dois filhos adolescentes e morava na avenida Hamlin. "Achei melhor contar para você", disse ela. "Posso parar, se você quiser que eu pare."

Joey tremia. Quase convulsivamente. Uma corrente de ar gelado entrava por uma porta mental que ele supunha fechada e trancada à chave, mas na verdade ficara escancarada; uma porta pela qual ele poderia fugir. "E você, quer parar?"

"Não sei", respondeu ela. "Eu até que gosto um pouco, por causa do sexo, mas não sinto nada por ele. Só sinto coisas por você."

"Bem. Meu Deus, preciso pensar um pouco."

"Eu sei que é um horror, Joey. Eu devia ter contado assim que aconteceu. Mas por algum tempo foi tão bom que outra pessoa se interessasse. Você sabe quantas vezes nós transamos desde outubro?"

"É, eu sei. Estou ciente."

"Ou duas vezes ou nenhuma vez, se você contar o tempo em que eu estava doente. Alguma coisa aí não está certa."

"Eu sei."

"Nós nos amamos mas nunca nos encontramos. Você não sente falta?"

"Sinto."

"E está transando com outras pessoas? É assim que você consegue aguentar?"

"É, eu transei. Poucas vezes. Mas *nunca* mais de uma vez com ninguém."

"Bem que eu desconfiava, mas não queria perguntar. Não queria que você achasse que eu não permitia. E não foi por isso que eu acabei transando com outro. Transei porque estou me sentindo só. Estou me sentindo tão só, Joey. Me dá vontade de morrer. E me sinto só porque amo você e você está longe. Transei com outro homem porque amo você. Sei que pode parecer uma loucura, ou desonestidade, mas é verdade."

"Eu acredito em você", disse ele. E acreditava mesmo. Mas a dor que sentia dava a impressão de não ter nada a ver com acreditar ou não, com o que ela contou ou pudesse não ter contado. O simples fato de sua linda Connie ter se deitado com algum porco de meia-idade, ou de ter tirado suas calças jeans e sua calcinha mínima e ter aberto as pernas, *várias vezes*, se concretizara em palavras só o tempo suficiente para ela dizê-las e Joey escutá-las antes de retornar à mudez e alojar aquilo dentro de si, fora do alcance das palavras, como uma bola de giletes. Entendia, com toda a lucidez, que ela podia gostar menos daquele porco gerente do que ele próprio das meninas, todas bêbadas ou profundamente bêbadas, em cujas camas excessivamente perfumadas ele fora parar no ano anterior, mas a essa altura a lucidez não conseguia mais alcançar a dor que havia dentro dele, assim como não adiantava pensar Pare! para interromper o movimento de um ônibus sem freio vindo em nossa direção. A dor era fora do comum. Mas ainda assim era estranhamente bem-vinda e restauradora, servindo de aviso de que estava vivo e participando de uma história que ia bem além de si mesmo.

"Me diga alguma coisa, cara", disse Connie.

"Quando foi que começou?"

"Não sei. Há três meses."

"Bem, talvez seja melhor você continuar com ele, e só ele", disse Joey. "Talvez seja melhor você ter logo um filho com ele; quem sabe ele instala você numa casa só sua."

Era feio referir-se a Carol assim, mas em resposta Connie se limitou a perguntar-lhe, com uma sinceridade límpida. "É o que você quer que eu faça?"

"Não sei mais o que eu quero."

"E não é nem de longe o que eu quero. O que eu quero é estar com você."

"Pode ser. Mas depois de passar três meses trepando com outro cara."

O que devia tê-la feito começar a chorar e pedir perdão, ou pelo menos agredi-lo de volta, mas ela não era uma pessoa comum. "É verdade", disse ela. "Você tem razão. É perfeitamente justo. Eu devia ter contado da primeira vez que aconteceu, e nunca mais ter repetido. Mas ir pela segunda vez não parecia tão pior do que ter ido da primeira. E depois a terceira, e a quarta. E aí eu resolvi parar com o meu remédio, porque me parecia uma idiotice transar sem sentir praticamente nada. E aí precisei começar a conta do zero."

"E agora você está sentindo tudo, e adorando."

"Sem dúvida melhorou muito. Você é a pessoa que eu amo, mas pelo menos as minhas terminações nervosas voltaram a funcionar."

"E por que você resolveu me contar logo agora? Por que não deixou completar quatro meses? Quatro meses não são piores do que três, não é?"

"O que eu estava planejando eram exatamente quatro meses", disse ela. "Achei que devia deixar para contar quando fosse até aí no mês que vem, e a gente podia fazer planos de se ver mais, para voltarmos logo à monogamia. Ainda é o que eu quero. Mas ontem à noite voltei a ter maus pensamentos, e achei que era melhor contar logo a você."

"Você está deprimida? A sua médica sabe que você parou de tomar o remédio?"

"Ela sabe, mas Carol não. Carol acha que o remédio vai resolver todos os problemas entre nós. E acha que vai resolver o problema dela para sempre. Eu pego um comprimido no frasco toda noite e enfio na minha gaveta de meias. Acho que ela pode estar contando quando eu vou trabalhar."

"Acho que você devia continuar tomando", disse Joey.

"Eu volto, se não puder mais estar com você. Mas se eu for te ver, quero sentir tudo. E acho que não vou precisar do remédio se continuar me encontrando com você. Sei que pode parecer uma ameaça ou coisa parecida, mas é apenas a verdade. Não estou querendo forçar você a decidir a voltar a me ver ou não. Eu sei que fiz uma coisa muito errada."

"E está arrependida?"

"Eu sei que devia dizer que sim, mas na verdade eu não sei. Você está arrependido de ter dormido com outras pessoas?"

"Não. Sobretudo agora."

"É o que estou sentindo, cara. Exatamente a mesma coisa que você. Espero que você se lembre disso, e me deixe voltar a ficar com você."

A confissão de Connie foi a última, e melhor, chance que Joey teve de sair da situação com a consciência limpa. Teria sido fácil dispensá-la por justa causa, se ele sentisse raiva suficiente para tanto. Depois que desligou o telefone, recorreu à garrafa de Jack Daniels de que normalmente tinha a disciplina de manter-se afastado, e em seguida saiu caminhando pelas ruas úmidas e desertas de seu não bairro, deleitando-se com o calor estúpido do verão e o rugido coletivo dos aparelhos de ar condicionado que só faziam aumentá-lo. Num dos bolsos de suas calças estava um punhado de moedas que ele tirou e começou a atirar, algumas de cada vez, na rua. Jogou todas fora, os tostões de sua inocência, as moedas mais valiosas de sua autossuficiência. Precisava livrar-se, ficar livre. Não tinha com quem falar da sua dor, seus pais nem pensar, mas tampouco Jonathan, por medo de estragar a boa imagem de Connie que o amigo cultivava, e certamente não Jenna, que não entendia o que era o amor, nem seus colegas — todos eles, sem exceção, viam uma namorada como um empecilho insensato no caminho dos prazeres a que pretendiam dedicar os dez anos seguintes. Estava totalmente só, e não entendia como aquilo lhe acontecera. De que modo uma dor chamada Connie se instalara no centro da sua vida. Era levado à loucura por sentir com tantos pormenores o que ela sentia, por entendê-la tão bem, por não ser capaz de imaginar a vida dela sem ele. Toda vez que tinha uma oportunidade de livrar-se dela, a lógica do interesse próprio o deixava na mão: era suplantada, como uma roda de engrenagem de que sua mente insistia em se desencaixar, pela lógica deles dois como casal.

Uma semana inteira se passou sem que ela tornasse a ligar, e depois mais outra. Pela primeira vez, o fato de que ela era mais velha atingiu sua sensibilidade. Ela já chegara aos vinte e um anos e se tornara legalmente adulta, uma mulher interessante e atraente para homens casados. Nas garras do ciúme, ele se via de uma hora para outra como o mais afortunado dos dois, o carinha em quem ela concentrara o seu ardor. Ela assumiu proporções fantasticamente irresistíveis em sua imaginação. Às vezes, tinha a impressão vaga de que a ligação entre eles dois era extraordinária, mágica, parecendo um conto de fadas, mas que só agora ele entendia o quanto precisava dela. Nos primeiros dias desse silêncio, Joey conseguiu acreditar que a estava castigando ao deixar de ligar para ela, mas logo percebeu que era ele o castigado, a pessoa esperando para ver se ela, em seu oceano de sentimento, conseguiria encontrar uma gota de misericórdia e romper o silêncio por ele.

Enquanto isso, sua mãe lhe informou que não lhe mandaria mais cheques mensais de quinhentos dólares. "Seu pai, infelizmente, não deixa mais", disse ela com uma ligeireza que o deixou amuado. "Espero que pelo menos tenha sido útil enquanto durou." Joey sentiu certo alívio por não ter mais que permitir que sua mãe o sustentasse e não ter mais a obrigação de corresponder ligando regularmente para ela; também era um alívio parar de mentir para o estado da Virgínia sobre o quanto ainda dependia do sustento dos pais. Mas ele acabara contando com aquelas contribuições mensais para fechar suas contas, e agora se arrependia de ter tomado tantos táxis e pedido que lhe entregassem tantas refeições ao longo daquelas férias. Não tinha como deixar de odiar o pai e sentir-se traído pela mãe, que, na hora do aperto, apesar de tantas queixas sobre o casamento que desfiava nos ouvidos de Joey, parecia sempre se curvar à vontade do seu pai.

E foi então que sua tia Abigail ligou para lhe oferecer seu apartamento no final de agosto. Nos últimos dezoito meses, ele fora incluído na lista de destinatários dos e-mails que Abigail enviava para anunciar as performances que fazia em pequenas salas de espetáculo de nome bizarro em Nova York, e com intervalos de poucos meses sempre ligava para ele a fim de declamar-lhe um de seus solilóquios de autojustificativa. Quando ele apertava o botão Ignorar do seu telefone, ela não deixava recado, mas simplesmente continuava a ligar até que ele apertasse Atender. Ele tinha a impressão de que os dias dela consistiam basicamente em percorrer todos os números de telefone que conhecia até alguém atender, e ele detestava ficar cogitando sobre quem mais poderia estar nessa agenda, tendo em vista a fragilidade de sua própria relação com a tia. "Estou me dando umas feriazinhas de presente na praia", disse-lhe ela dessa vez. "E o pobre Tigger morreu de câncer felino, não antes de alguns tratamentos caríssssssimos para câncer de gatos, e Piglet está completamente sozinho." Embora Joey estivesse se sentindo um tanto mal por causa de seu flerte com Jenna, parte de um novo desconforto de ordem geral em torno da infidelidade, aceitou a oferta de Abigail. Se Connie nunca mais aparecesse, pensou ele, podia consolar-se materializando-se na vizinhança de Jenna e convidando-a para jantar.

E então Kenny Bartles ligou com a notícia de que estava passando adiante a RIPI e seus contratos para um amigo dele na Flórida. Na verdade, já tinha vendido. "Mike vai ligar para você amanhã de manhã", disse Kenny. "Eu disse a ele que você precisava continuar contratado até 15 de agosto. Não queria ter de me preocupar com sua substituição depois disso, de qualquer jeito. Agora arranjei negócios bem maiores e melhores."

"É mesmo?", perguntou Joey.

"É. A LBI está disposta a me subcontratar para lhes conseguir uma frota de caminhões pesados. Não é trabalho para gente fresca, e vai dar muito mais dinheiro que a história do pão. É fácil, só entrar e sair — e nem precisa dessa cascata de relatórios trimestrais. Eu compareço com os caminhões, eles preenchem o cheque, e ponto final."

"Parabéns."

"É, mas tem uma coisa", disse Kenny. "Ainda posso precisar de você aí em Washington. Estou procurando um sócio para dividir o investimento comigo e cobrir parte do que me falta para começar o negócio. Se você estiver disposto a trabalhar, pode tirar um bom salário mensal, também."

"Me parece boa ideia", disse Joey. "Mas preciso voltar para a universidade, e não tenho dinheiro para investir."

"Está bem. Certo. A vida é sua. Mas que tal uma participação nos lucros? Até onde entendi o edital, o caminhão polonês Pladsky A 10 serve perfeitamente. Não são mais fabricados, mas existem verdadeiras frotas deles paradas em bases militares da Hungria e da Bulgária. E em algum lugar da América do

Sul também, o que não me ajuda muito. Mas vou contratar motoristas na Europa Oriental, formar um comboio de caminhões que vai atravessar a Turquia, e entregar o lote em Kirkuk. Isso vai me deixar ocupado por não sei quanto tempo, e também preciso subcontratar uma compra de novecentos mil dólares em peças de reposição. Você acha que pode cuidar dessa parte das peças, como um subcontratado do subcontratado?"

"Não entendo nada de peças de caminhão."

"Nem eu. Mas a Pladsky produziu uns vinte mil A 10, nos bons tempos. Devem existir toneladas de peças soltas por lá. Você só precisa descobrir onde estão, encaixotar todas, e embarcar num navio. Entra com trezentos mil dólares, e recebe novecentos seis meses mais tarde. É um retorno mais que razoável, dadas as circunstâncias. Minha impressão é de que a margem de lucro é até pequena em relação à dificuldade para encontrar o material. E ninguém vai fazer muitas perguntas. Você acha que consegue pôr as mãos em trezentos mil dólares?"

"Mal consigo pôr as mãos em dinheiro para pagar meu almoço", disse Joey. "Tendo de pagar meus estudos e tudo o mais."

"Bom, mas na verdade você só precisa conseguir cinquenta mil. Com isso, e mais um contrato assinado na mão, qualquer banco do país adianta o resto. Você pode cuidar de quase tudo pela internet sem sair do dormitório da universidade, ou da sua casa. Bem melhor que trabalhar lavando pratos, não é?"

Joey pediu algum tempo para pensar. Mesmo com a comida de restaurante e todos os táxis que se permitira, ele tinha dez mil dólares separados para o ano letivo seguinte, além de outros oito mil potenciais em seu cartão de crédito, e uma busca rápida na internet revelou vários bancos dispostos a fazer empréstimos a juros altos contra garantias pequenas, bem como várias páginas encontradas pelo Google a partir de "peças pladsky a 10". Ele sabia que Kenny jamais lhe teria oferecido o contrato das peças se localizá-las fosse tão fácil quanto tinha dado a entender, mas Kenny cumprira tudo que prometera em relação à RIPI, e Joey não conseguia parar de pensar no quanto seria excelente ganhar meio milhão de dólares antes de completar vinte e um anos, dali a um ano. Num impulso, porque ficou animado e, para variar, *des*preocupado com sua relação, rompeu seu silêncio telefônico com Connie para solicitar a opinião dela. Muito mais tarde, ele haveria de se censurar por já ter em mente a poupança que ela possuía, além do fato de estar agora legalmente habilitada a dispor dos recursos, mas no momento em que fez a ligação sentia-se inocente de todo e qualquer interesse pessoal.

"Ah, meu Deus, cara", disse ela. "Eu estava começando a achar que você nunca mais falaria comigo."

"Essas semanas foram muito complicadas."

"Meu Deus, eu sei, eu sei. Estava começando a achar que eu não devia ter contado nada a você. Você vai conseguir me perdoar?"

"É provável."

"Ah! Ah! É melhor do que provavelmente não."

"É muito provável", disse ele. "Se você ainda quiser vir me ver."

"Você sabe que sim. Mais que qualquer coisa no mundo."

Ela não dava nem um pouco a impressão da mulher mais velha e independente que ele vinha imaginando, e um estremecimento em seu estômago o avisou de que ele precisava reduzir a velocidade e que sem dúvida queria voltar com ela. Mas aconselhava também a não confundir o medo de perdê-la com um desejo ativo de estar com ela. Mas ele estava louco para mudar de assunto, para não atolar num terreno emocional abstrato, e ouvir a opinião dela sobre a proposta de Kenny.

"Meu Deus, Joey", disse ela depois que ele explicou tudo, "você tem de aceitar. Eu ajudo você."

"Como?"

"Eu lhe dou o dinheiro", disse ela, como se fosse uma bobagem da parte dele até mesmo perguntar. "Ainda tenho mais de cinquenta mil dólares na minha poupança."

A mera menção da cifra o deixou sexualmente excitado, e o remeteu aos primeiros dias dos dois juntos na Barrier Street, no primeiro outono de seu curso colegial. O disco *Achtung baby*, do U2, adorado pelos dois mas especialmente por Connie, foi a trilha sonora de seu defloramento recíproco. A faixa de abertura, em que Bono admitia estar pronto para qualquer coisa, pronto para o avanço (*"ready for the push"*), era a canção do amor de um pelo outro e de ambos pelo capitalismo. A canção deixara Joey se sentindo pronto para o sexo, pronto para largar a infância, pronto para ganhar dinheiro de verdade vendendo relógios na escola católica de Connie. Ele e ela já começaram como sócios no sentido mais pleno, ele o empreendedor e fabricante, ela sua leal contrabandista e vendedora com um dom surpreendente. Até seu negócio ser fechado pelas freiras ressentidas, ela exibira um talento notável para a venda indireta, uma frieza aparente que deixava as colegas loucas pelo produto que ela e Joey ofereciam. Todo mundo na Barrier Street, inclusive a mãe de Joey, sempre confundira os modos quietos de Connie com uma certa burrice, ou lentidão. Só Joey, com seu acesso privilegiado, tinha visto todo o potencial que ela possuía, e hoje achava que era esta a história da vida do casal: ele ajudando e estimulando Connie a contrariar as expectativas gerais, especialmente da mãe dele, que subestimava o valor de seus recursos ocultos. Era central para sua fé em seu futuro nos negócios aquela capacidade de perceber valor, identificar oportunidades, onde outros não viam nada, e central também para o seu amor por Connie. Ela funcionava de um modo misterioso. Os dois tinham começado a trepar em meio às pilhas de notas de vinte dólares que ela trouxera da escola.

"Mas você precisa da sua poupança para voltar para a universidade", disse ele ainda assim.

"Posso voltar mais adiante", respondeu ela. "Você precisa dele agora, e eu posso lhe dar. Mais tarde você me devolve."

"Mais tarde eu devolvo *em dobro*. Você vai ter dinheiro de sobra para cobrir os quatro anos de estudo."

"Se você preferir", disse ela. "Mas não precisa."

Marcaram um encontro para comemorar juntos o vigésimo aniversário dele em Nova York, local onde tiveram a semana mais feliz depois que ele deixou St. Paul. Na manhã seguinte, Joey ligou para Kenny e se declarou pronto para o negócio. A nova rodada de contratos no Iraque só seria assinada em novembro, disse Kenny, e assim Joey podia continuar estudando e só se certificar de que tinha o financiamento à mão para quando fosse preciso.

Sentindo-se rico por antecipação, ele pagou sem piscar a passagem do trem expresso Acela para Nova York e comprou uma garrafa de champanhe de cem dólares a caminho da casa de Abigail. O apartamento dela estava mais abarrotado do que nunca, e Joey ficou feliz de fechar a porta atrás de si e tomar um táxi até o aeroporto de La Guardia para buscar Connie no avião que ele fizera questão que ela pegasse em vez de vir de ônibus. Toda a cidade, seus pedestres seminus ao calor de agosto, seus tijolos e suas pontes desbotados no nevoeiro, lhe parecia um afrodisíaco. Indo receber sua namorada, que vinha dormindo com outra pessoa mas voltara voando para a sua vida, ímã atraído por outro ímã, ele se sentia o rei da cidade. Quando a viu caminhando pelo corredor do aeroporto, evitando com agilidade os encontrões com outros passageiros, como se absorta demais para vê-los antes do último instante, sentiu-se muito rico, dono de mais do que apenas dinheiro. Repleto de importância, de vida para queimar, de riscos loucos a correr, da história deles dois. Ela o viu e começou a assentir com a cabeça, concordando com alguma coisa que ele nem dissera ainda, o rosto tomado pela alegria e pela admiração. "É! É! É!", disse ela espontaneamente, soltando a alça de sua maleta e colidindo com ele. "É!"

"É?", respondeu ele, rindo.

"É!"

Sem nem mesmo trocarem um beijo, passaram correndo pelo andar onde a bagagem era entregue e correram para o ponto dos táxis, onde, por algum milagre, não havia fila. No banco de trás do seu táxi, ela tirou o casaco leve e suado, sentou no colo dele e começou a soluçar de um modo que lembrava um orgasmo ou um ataque. Seu corpo parecia totalmente, totalmente novo nos braços de Joey. Parte da mudança era real — estava um pouco menos eriçada, um pouco mais mulher —, mas a maior parte estava apenas na cabeça dele. Sentia-se inexprimivelmente grato pela infidelidade de Connie. Seu sentimento era tão vasto que achou que só um pedido de casamento teria como comportá-lo. E poderia ter feito o pedido ali mesmo, e naquela hora, se não tivesse percebido as estranhas marcas na parte interna do antebraço esquerdo dela. Corria pela pele fina uma série de cortes retos paralelos, cada um de uns cinco centímetros de comprimento, os mais próximos do cotovelo apagados e totalmente cicatrizados, os outros, quanto mais próximos do pulso, mais frescos e avermelhados.

"Pois é", disse ela, com o rosto molhado, olhando para as cicatrizes com ar admirado. "Eu que fiz. Mas já está tudo bem."

Ele perguntou o que tinha acontecido, embora soubesse a resposta. Ela beijou sua testa, beijou seu rosto, beijou seus lábios e fitou longamente seus olhos. "Não fique assustado, cara. Foi só uma coisa que eu precisei fazer como penitência."

"Meu Deus."

"Joey, preste atenção. Escute. Eu tomava todo o cuidado, limpava a lâmina com álcool. Só precisava fazer um corte a cada noite que não tinha notícias suas. Fiz três na terceira noite e depois mais um em cada noite seguinte. Parei assim que você apareceu."

"E se eu não tivesse ligado? O que você iria fazer? Cortar os pulsos?"

"*Não*. O suicídio nem me passava pela cabeça. Isso é o que eu fiz *em vez* de pensar nessas coisas. Só precisava sentir um pouco de dor. Você não consegue entender?"

"Tem certeza de que nunca pensou em suicídio?"

"Eu nunca faria uma coisa dessas com você. Nunca."

Ele percorreu as cicatrizes com as pontas dos dedos. Em seguida, ergueu seu pulso sem marcas e o pressionou contra os olhos. Ele achava *bom* ela ter se cortado por ele; não tinha como evitar o sentimento. A maneira como ela funcionava era misteriosa mas fazia sentido para ele. De algum modo, na sua cabeça, Bono estava cantando que tudo ia bem: *all right, all right*.

"E você sabe o que é incrível?", perguntou Connie. "Parei em quinze, exatamente o número de vezes que traí você. Você ligou para mim exatamente na noite certa. Foi uma espécie de sinal. E tome aqui." Do bolso traseiro das calças jeans, tirou um cheque administrativo dobrado. Tinha adquirido a curva da sua bunda, e estava impregnado com o suor da sua bunda. "Eu tinha cinquenta e um mil dólares na minha conta. Quase exatamente o que você me disse que precisava. Mais um sinal, não acha?"

Ele desdobrou o cheque, preenchido em nome de JOSEPH R. BERGLUND na quantia de CINQUENTA MIL DÓLARES. Ele não costumava ser supersticioso, mas não tinha como deixar de admitir que os sinais eram impressionantes. Eram do mesmo tipo dos sinais que diziam às pessoas desequilibradas, "Você precisa matar o presidente AGORA", ou às pessoas deprimidas, "Se atire de uma janela AGORA". Aqui, o imperativo urgente e irracional era, aparentemente, "Unam as suas vidas em matrimônio AGORA".

Na altura da Grand Central Station, o trânsito para fora da cidade estava engarrafado, mas andava bem no outro sentido, e o táxi avançava sem problemas: mais um sinal. O fato de não terem precisado entrar na fila para pegar um táxi fora um sinal. O fato de amanhã ser aniversário dele era mais um sinal. Não se lembrava do estado em que se encontrava nem uma hora antes, quando seguia para o aeroporto. Tudo que existia era o momento presente com Connie, o que antes, quando tinham caído numa fissura e mergulhado num mundo em que eram duas pessoas distintas, só acontecia à noite, num quarto ou em outro espaço confinado. Agora, acontecia à luz do dia, em meio ao nevoeiro da cidade. Ele a tomou nos braços, com o cheque administrativo repousando no esterno suado de Connie, entre as alças úmidas de sua camiseta sem mangas. Uma das mãos dela pressionava um dos peitos dele, como se ele pudesse dar leite. O cheiro adulto das axilas dela o deixou intoxicado, desejou que fosse muito mais forte, sentiu que não havia limite para o quanto ele desejava que os sovacos dela emitissem um forte odor.

"Obrigado por ter dado para outro sujeito", murmurou ele.

"Não foi nada fácil."

"Eu sei."

"Quer dizer, foi bem fácil num certo sentido. Mas quase impossível num outro. Você sabe, não sabe?"

"Sei, sem a menor dúvida."

"E foi difícil para você também? O que você fez, seja o que for, no ano passado?"

"Na verdade não."

"Porque você é homem. Eu sei exatamente como você se sente, Joey. Você acredita nisso?"

"Acredito."

"Então vai dar tudo certo."

E, pelos dez dias seguintes, tudo deu certo. Mais tarde, claro, Joey perceberia que os primeiros dias encharcados de hormônios depois de um longo período de abstinência foram um momento nada ideal para tomar decisões importantes quanto ao futuro. Perceberia que, em vez de tentar responder ao peso insuportável da doação de cinquenta mil dólares de Connie com algo tão pesado quanto uma proposta de casamento, ele devia ter assinado uma nota promissória com previsão detalhada de pagamento tanto do principal quanto dos juros. Perceberia que, se tivesse passado pelo menos uma hora longe dela, caminhando sozinho ou conversando com Jonathan, podia ter adquirido alguma proveitosa lucidez ou distância. Perceberia que decisões pós-coitais eram muito mais realistas que as pré-coitais. Àquela altura, entretanto, ainda estavam no pós-nada, tudo era pré, pré e pré. A avidez com que se desejavam só fazia aumentar, num ciclo ininterrupto que atravessava as noites e os dias, como o compressor do produtivo aparelho de ar condicionado instalado na janela do quarto de Abigail. As novas dimensões do prazer de ambos, a sensação de seriedade adulta que lhes conferia sua sociedade comercial e a doença e a infidelidade de Connie, tornavam todos os prazeres anteriores irrelevantes e pueris em comparação. O prazer deles era tão intenso, e seu apetite por ele tão infinito, que quando parou por apenas uma hora, na terceira manhã que passaram juntos na cidade, Joey saiu automaticamente à procura do que pudesse trazê-lo de volta. E disse, "Nós dois precisamos nos casar".

"Eu estava pensando a mesma coisa", disse Connie. "Quer se casar agora?"

"Assim, hoje?"

"É."

"Acho que você precisa esperar um tempo. Fazer um exame de sangue?"

"Bom, então vamos fazer o exame. Você quer?"

O coração dele pulsava em sua virilha. "Quero!"

Mas primeiro precisavam trepar para gastar a excitação de ir fazer o exame de sangue. Depois trepar porque ficaram excitadíssimos ao descobrir que não precisavam de exame nenhum. Depois saíram andando pela Sexta Avenida como um casal de bêbados que não se incomodava com o que alguém pudesse pensar sobre eles, como assassinos com as mãos banhadas em sangue, Connie sem sutiã, extravagante e atraindo os olhares masculinos, Joey num tal estado de irreflexão movida a testosterona que, se alguém o tivesse desafiado, ele teria respondido com um murro pela pura felicidade da luta. Estava dando o passo que precisava ser dado, o passo que vinha querendo dar desde a primeira vez que seus pais lhe tinham dito que não. A caminhada de cinquenta quarteirões rumo ao norte da cidade com Connie, num calor de forno, ao som das buzinas dos táxis, pelas calçadas imundas, lhe pareceu durar tanto quanto até então tinha durado toda a sua vida.

Entraram na primeira joalheria deserta com que depararam na rua 47, e pediram um par de alianças de ouro que pudessem usar imediatamente. O joalheiro vestia um traje hassídico da cabeça aos pés — quipá, cachinhos nas têmporas, filactérios, casaca preta, tudo de acordo com as regras. Olhou primeiro para Joey, cuja camiseta branca estava manchada com pingos de mostarda de um cachorro-quente que tinha devorado pelo caminho, e depois para Connie, cujo rosto ardia de calor e abrasão contra o rosto de Joey. "Vocês dois vão se casar?"

Ambos assentiram com a cabeça, nenhum dos dois ousando dizer sim em voz alta.

"*Mazel tov*", disse o joalheiro, abrindo gavetas. "Tenho aqui alianças de todos os tamanhos."

A Joey, através de um fino rasgo em sua bolha de loucura ademais bastante resistente, ocorreu algum remorso em relação a Jenna. Não como uma pessoa que ele desejava (o desejo retornaria mais tarde, quando voltasse a ficar sozinho, devolvido à sanidade mental), mas por ser a esposa judia com quem agora ele nunca mais haveria de casar: como a pessoa para quem podia fazer alguma diferença o fato de ele ser judeu. Havia muito que ele tinha desistido de se importar, ele próprio, com sua condição judaica, mas ainda assim, ao ver o joalheiro envergando todos aqueles surrados ornamentos hassídicos, seu uniforme de minoria religiosa, teve a sensação peculiar de que era uma traição àquele povo casar-se com uma não judia. Por mais moralmente dúbia que Jenna fosse em quase todos os aspectos, ainda assim era judia, com irmãos e irmãs de seus bisavós mortos nos campos de concentração, e aquilo a humanizava, atenuava sua beleza desumana, e lhe causava pena por deixá-la para trás. E o interessante é que tinha esse sentimento em relação a Jenna mas não a Jonathan, que já era plenamente humano para Joey e não precisava da condição judaica para humanizar-se mais.

"O que você acha?", perguntou Connie, olhando para as alianças dispostas sobre o veludo escuro.

"Não sei", disse ele de dentro de sua nuvenzinha de remorso. "Estou achando todas lindas."

"Pegue as alianças, sinta o peso, a textura", disse o joalheiro. "Ouro não estraga."

Connie virou-se para Joey e procurou seus olhos. "Tem certeza de que quer isso mesmo?"

"Acho que sim. E você?"

"Tenho. Se você quiser."

O joalheiro se afastou do balcão e encontrou alguma coisa com que se ocupar. E Joey, ao se ver através dos olhos de Connie, não aguentou a incerteza presente na expressão do seu próprio rosto, que o enfurecia imensamente em nome dela. Todo mundo sempre duvidava dela, e ela precisava que ele não hesitasse: ele decidiu que não teria a menor dúvida.

"Claro", disse ele. "Vamos olhar as alianças."

Quando escolheram as alianças, Joey tentou barganhar o preço, o que

sabia ser a praxe numa loja como aquela, mas o joalheiro se limitou a lançar-
-lhe um olhar decepcionado, como se dissesse: Você vai se casar com essa garota e vem criar caso comigo por causa de cinquenta dólares?

Deixando a loja, com as alianças no bolso da frente, ele quase colidiu na
calçada com um de seus antigos companheiros de ala de dormitório, Casey.

"Rapaz!", disse Casey. "O que você está fazendo aqui?"

Usava um terno com colete e já começava a perder o cabelo. Ele e Joey
tinham se afastado, mas Joey ouvira dizer que ele ia passar as férias trabalhando no escritório de advocacia do pai. Esbarrar com ele naquele momento pareceu a Joey mais um sinal importante, embora não soubesse dizer exatamente do quê. E ele perguntou: "Você se lembra de Connie, não é?".

"Oi, Casey", disse ela com os olhos amigáveis e cintilantes.

"Claro que sim, oi", disse Casey. "Mas, rapaz, que porra é essa? Achei que
você estava em Washington."

"Estou de folga."

"Pois devia ter ligado para mim, eu não tinha ideia. Mas o que vocês dois
estão fazendo nesta rua, aliás? Comprando as alianças de noivado?"

"É, rá rá, isso mesmo", disse Joey. "E você?"

Casey pescou um relógio na ponta de uma corrente do bolso do colete.
"É ou não é o máximo? Era do pai do meu pai. Mandei limpar e consertar."

"É lindo", disse Connie. Inclinou-se para admirá-lo, ao que Casey franziu
as sobrancelhas para Joey, com uma expressão cômica de alarme. Dentre as
várias reações de homem para homem que tinha à disposição, Joey optou por
um ar sarcástico de submissão, sugerindo uma abundância de sexo excelente,
as exigências irracionais das namoradas, a respectiva cobiça por bugigangas
reluzentes e assim por diante. Casey lançou um breve olhar de entendido aos
ombros nus de Connie e assentiu com ar ponderado. Toda essa troca levou
quatro segundos, e Joey ficou aliviado ao constatar como era fácil, mesmo naquele momento, ser visto por Casey como uma pessoa igual a ele, Casey:
compartimentalizar. Era um bom modo de levar adiante sua vida habitual de
estudante.

"Rapaz, você não está morrendo de calor com esse terno?", perguntou ele.

"Meu sangue é do Sul", disse Casey. "Eu não suo como vocês que vêm de
Minnesota."

"Suar é muito bom", respondeu Connie. "Eu adoro suar no verão."

Palavras que deixaram Casey um pouco chocado: era uma declaração intensa demais. Guardou o relógio no bolso e olhou rua abaixo. "De qualquer maneira", disse ele, "se vocês quiserem sair ou fazer alguma coisa, não deixem de me ligar."

Quando ficaram novamente a sós, em meio ao intenso fluxo de empregados que deixavam o trabalho, às cinco horas, pela Sexta Avenida, Connie perguntou a Joey se tinha dito alguma coisa errada. "Você ficou envergonhado?"

"Não", respondeu ele. "Esse cara é uma besta completa. Trinta e cinco graus à sombra e ele sai de terno e colete? É uma besta, um sujeito metido, com aquele relógio antigo. Já está virando o pai dele."

"Eu abro a boca e saem coisas estranhas."

"Não fique preocupada com isso."

"Você fica com vergonha de estar se casando comigo?"

"Não."

"Pois me pareceu que sim. Não estou dizendo que seja culpa sua. Só não quero deixar você encabulado perto dos seus amigos."

"Você não me deixa com vergonha", respondeu ele, irritado. "É só que a maioria dos meus colegas nem têm namorada. Eu fico numa posição muito diferente."

Seria razoável esperar uma briga a essa altura, esperar que ela tentasse extrair dele, ou por retraimento ou através de queixas, uma declaração mais categórica sobre seu desejo de casar-se com ela. Mas era quase impossível brigar com Connie. Insegurança, desconfiança, ciúme, possessividade, paranoia — o tipo de coisa desagradável que tanto incomodava os amigos dele que, por pouco tempo, haviam tido namoradas — eram-lhe todas estranhas. Se de fato ela não tinha esses sentimentos, ou se alguma poderosa inteligência animal a levava a suprimi-las, ele não saberia dizer. Quanto mais ele se misturava a ela, mais sentia também, ao mesmo tempo, que não a entendia nem um pouco. Ela só reconhecia a existência do que estava bem à sua frente. Fazia o que fazia, reagia ao que escutava, mas de outro modo dava a impressão de não ser nem um pouco afetada por coisas que ocorriam fora do seu campo de visão. Ele estava impregnado pela afirmação de sua mãe, de que brigar era bom num relacionamento. Na verdade, quase lhe parecia que só estava se casando com Connie para ver se ela enfim começaria a brigar com ele: para afinal começar a saber quem ela era. Mas quando eles se casaram de verdade, na tarde seguinte, nada mudou, em absoluto. No banco traseiro de um táxi, enquanto se afastavam do Fórum, ela trançou os dedos de sua mão esquerda, onde brilhava a aliança, aos dedos igualmente ornamentados da mão esquerda dele e deitou a cabeça em seu ombro com uma expressão que não podia ser exatamente descrita como satisfação, porque implicaria que antes ela estava insatisfeita. Era antes algo como uma entrega muda ao ato, ao crime, que os dois precisaram cometer. No encontro seguinte entre Joey e Casey, em Charlottesville, uma semana mais tarde, nenhum dos dois sequer mencionou Connie.

A aliança ainda estava em algum ponto do seu abdômen enquanto ele abria caminho em meio ao mar quente e revolto dos viajantes no Aeroporto Internacional de Miami, localizando Jenna numa área mais protegida e fresca da sala vip da classe executiva. Ela estava de óculos escuros e ainda portava a proteção adicional de um iPod e do último número da *Condé Nast Traveler*. Ela passou Joey em revista da cabeça aos pés, como quem verifica se um produto encomendado lhe foi entregue em estado aceitável, e em seguida retirou sua bagagem de mão da cadeira ao lado da sua e — com certa relutância, achou ele — puxou os fones do iPod para fora dos ouvidos. Joey sentou-se sorrindo apalermado com o maravilhamento de viajar com ela. E nunca tinha voado de executiva.

"O que foi?", perguntou ela.

"Nada. Só estou sorrindo."

"Ah, achei que era alguma sujeira no meu rosto, ou coisa assim."

Vários homens próximos a ela olhavam para Joey com ar hostil. Ele se obrigou a devolver o olhar de cada um deles, para deixar bem claro que Jenna já lhe estava prometida. Ia ser cansativo, percebeu ele, precisar repetir aquilo em cada lugar público aonde fossem. Os homens também olhavam para Connie, às vezes, mas pareciam aceitar, sem maiores ressentimentos, que ela pertencia a ele. Com Jenna, desde já, ele tinha a sensação de que o interesse dos outros homens não era desestimulado pela sua presença, mas persistia, procurando maneiras de contorná-la.

"Vou logo avisando que estou meio rabugenta", disse ela. "Estou ficando menstruada, e acabei de passar três dias em meio a meus ancestrais, vendo fotografias dos respectivos netos. Além do mais, nem acreditei nisso, mas nesta sala VIP agora é preciso pagar pelas bebidas. E eu fiquei boba. Se é assim, podia ter ficado sentada mais perto do portão de embarque."

"Quer que eu traga alguma coisa para você?"

"Quero, sim. Um Tanqueray duplo, com tônica."

Não parecia ocorrer a ela ou, por sorte, ao atendente do bar, que Joey era menor de vinte e um anos. Voltando com as bebidas e a carteira bem mais leve, ele encontrou Jenna com os tampões novamente nos ouvidos e o rosto enfiado em sua revista. Ele se perguntou se ela não o estaria confundindo de algum modo com Jonathan, de tão pouca importância que dava à sua chegada. Ele tirou da sacola o livro que sua irmã lhe dera de Natal, *Reparação*, se esforçando para se interessar em suas descrições de salas e jardins, mas seu espírito não se afastava do texto que Jonathan lhe mandara naquela tarde: "espero q vc se divirta olhando o dia inteiro p/ uma bunda de cavalo". Era a primeira vez que o amigo se dirigia a ele desde que Joey lhe telefonara preventivamente, três semanas antes, contando-lhe seus planos de viagem. "Posso ver que está dando tudo certo para você", disse Jonathan. "Primeiro a insurgência dos iraquianos, e depois a perna da minha mãe."

"Não que eu *quisesse* que ela quebrasse a perna", disse Joey.

"Não, claro que não. E também imagino que você esperasse que os iraquianos nos recebessem com corbelhas de flores. Tenho certeza de que você lamenta muito a maneira como as coisas estão se desdobrando. Só não o suficiente para deixar de lucrar com os acontecimentos."

"E o que eu podia fazer? Dizer não? Sugerir que ela fosse sozinha? Ela na verdade está bastante deprimida. E com muita vontade de viajar comigo."

"E com certeza Connie concorda plenamente com tudo isso. E já deu o selo de aprovação aos seus planos."

"E o que você tem a ver com isso? Se fosse da sua conta, pode ser que eu me desse ao trabalho de lhe dar alguma resposta."

"Sabe o quê? Eu na verdade tenho muito a ver com isso, porque vou precisar mentir para ela. Já preciso mentir quando converso com ela e ela me pergunta o que eu acho de Kenny Bartles, porque você está usando o dinheiro dela e não quero que ela se preocupe. E agora vou precisar mentir a respeito de mais essa história."

"E que tal simplesmente deixar de conversar com ela a toda hora?"

"Não é a toda hora, seu escroto. Eu devo ter tido umas três conversas com ela nos últimos três meses. Ela me considera um amigo, está bem? E pelo que eu entendi, passa semanas inteiras sem nenhuma notícia sua. E eu, devia fazer o quê? Deixar de atender o telefone quando ela me liga? Ela me liga para saber de você. O que é meio estranho mesmo, afinal de contas, não é? Porque ela ainda é sua namorada."

"Eu não vou para a Argentina para comer a sua irmã."

"Rá. Rá. Rá."

"Juro por Deus, estou indo como amigo dela. Da mesma forma como você e Connie são amigos. Porque a sua irmã está deprimida e é uma gentileza com ela. Mas Connie não ia entender, então eu preferia que você simplesmente deixasse de tocar no assunto, se ela ligasse; é o melhor que você pode fazer por todos os envolvidos."

"Você é um babaca, Joey, de querer me convencer disso, e nem quero mais falar com você. Aconteceu alguma coisa com você que me deixa verdadeiramente enojado. Se Connie ligar para mim enquanto você estiver viajando, não sei o que eu vou dizer. Acho que não vou contar nada para ela. Mas ela só me liga quando você fica um tempo sem aparecer, e estou de saco cheio de ficar no meio dessa situação. Então vá se foder, faça o que quiser, mas me deixe fora dessa história."

Tendo jurado a Jonathan que não transaria com Jenna, Joey sentia-se protegido contra qualquer contingência na Argentina. Se nada acontecesse, sua honra ficaria provada. Se alguma coisa viesse a acontecer, ele não precisaria lidar com a decepção e a tristeza por nada ter acontecido. Seria uma resposta para a questão que ainda estava em aberto em seu espírito: ele era uma pessoa durona ou uma pessoa delicada? O que o futuro lhe reservava? Sentia-se muito curioso em relação ao seu futuro. A julgar por seu torpedo enfurecido, Jonathan não pretendia fazer parte desse futuro, qualquer que fosse. E a mensagem sem dúvida era afiada, mas Joey, de seu lado, já estava farto do moralismo permanente do amigo.

No avião, refugiados na privacidade de seus assentos imensos, e sob a influência de uma segunda bebida reforçada, Jenna dignou-se a tirar os óculos escuros e trocar algumas palavras. Joey lhe contou sua recente viagem à Polônia, perseguindo a miragem de peças de reposição para o Pladsky A 10, e sua descoberta de que só pouquíssimos dentre as aparentes dúzias de fornecedores que anunciavam essas peças na internet não eram uma completa falcatrua ou clones do mesmo único fornecedor de Łódź, onde Joey e seu intérprete quase pior que imprestável encontraram pouquíssimas peças para comprar pelo preço que fosse. Lanternas traseiras, para-lamas, chapas de porta, algumas caixas de baterias e grades de radiador, mas pouquíssimas peças para o motor e a suspensão, que eram críticas para a manutenção adequada desses veículos fora de linha desde 1985.

"A internet é mesmo uma merda, não é?", disse Jenna. Ela tinha catado todas as amêndoas de sua tigelinha, e agora começava a catar as do pote de Joey.

"Demais, demais", concordou ele.

"Nick sempre dizia que o comércio internacional via internet é coisa para otários. Qualquer coisa financeira pela internet, aliás, a não ser que o sistema seja exclusivo de quem opera. Diz que a informação gratuita, por definição, não vale nada. Quer dizer, se um fornecedor chinês aparece na internet, você já pode deduzir, só por isso, que não presta."

"Eu sei, é isso mesmo, eu sei disso perfeitamente", disse Joey, sem querer ouvir falar de Nick. "Mas peças de caminhão, e coisas assim, tendem a aparecer mais em lugares do tipo do eBay. É só um meio de conectar compradores e vendedores que, de outra maneira, não teriam como se encontrar."

"Só sei que Nick nunca compra nada pela internet. Não confia nem no PayPal. E sabe como é, ele é muito bem informado sobre essas coisas."

"E foi justamente por isso que eu fui à Polônia. Porque essas coisas precisam ser feitas pessoalmente."

"Exato, é o que Nick sempre diz."

A maneira como ela mastigava as amêndoas com o maxilar um tanto solto demais estava deixando Joey irritado, bem como os dedos dela, por mais bem tratados que fossem, fuçando metodicamente em seu potinho. "Achei que você não gostava de beber", disse ele.

"He-he. Ultimamente venho me aplicando em aumentar a minha tolerância. E progredi muito."

"Bom, de qualquer maneira", disse ele, "eu preciso que coisas boas aconteçam no Paraguai, ou não sei o que vou fazer. Gastei uma fortuna no transporte daquela sucata polonesa, e agora o meu sócio, Kenny, me disse que aquilo tudo não dá nem para receber parte do dinheiro. Está tudo largado no meio de um pasto perto de Kirkuk, provavelmente sem ninguém tomar conta. E Kenny ficou puto comigo por eu não ter mandado peças de caminhão mesmo, ainda que fossem de outras marcas, apesar de serem totalmente inúteis se não forem do mesmo modelo e do mesmo fabricante. E Kenny me disse, você só precisa de peso; eu recebo por peso, dá para acreditar? E eu: esses caminhões têm mais de trinta anos, e não foram fabricados para funcionar no meio de tempestades de areia ou do verão do Oriente Médio, vão todos quebrar, e quando você organiza comboios para atravessar um terreno cheio de insurgentes inimigos, não quer que um dos caminhões vá quebrar. E, enquanto isso, continuamos tendo muitos gastos, mas renda zero."

Ele podia ter ficado um pouco apreensivo de admitir isso para Jenna caso ela estivesse prestando alguma atenção, mas ela estava engalfinhada com seu monitor individual do sistema de entretenimento a bordo, tentando desajeitadamente puxá-lo para fora do buraco onde ficava guardado. Ele, galante, a ajudou.

"Então, desculpe", disse ela, "mas você estava dizendo...? Que não vai receber o dinheiro que esperava?"

"Não, ah, não, vou receber tudo, sem a menor dúvida. Na verdade, acho que vou ganhar mais dinheiro com esse negócio do que Nick no ano todo."

"Francamente, duvido muito."

"Bom, vai ser muito dinheiro."

"Nick vive num outro universo de remuneração."

Foi demais para Joey. "O que eu estou fazendo aqui?", perguntou ele. "Você pelo menos queria que eu viesse? Ou me ignora ou fica falando sobre Nick, com quem eu achei que você tivesse terminado."

Jenna deu de ombros. "Eu avisei que estava meio rabugenta. Mas posso te dizer uma coisa? Não estou muito interessada nos seus negócios. O motivo de você estar aqui, e de Nick não ter vindo, é que estou de saco cheio de ficar ouvindo ele falar de dinheiro o dia inteiro e toda noite."

"Achei que você gostava de dinheiro."

"Mas nem por isso quero ficar ouvindo falar dele o tempo todo. Foi você quem tocou no assunto."

"Desculpe ter tocado no assunto!"

"Está bem. Aceito as suas desculpas. Mas sabe o que mais? Não entendo por que não posso falar de Nick quando você passa o tempo todo falando da sua namorada."

"Eu só falo dela porque você *me pergunta* sobre ela."

"Não sei qual é a diferença."

"Bom, e além do mais, ela ainda é minha namorada."

"Ah, sim. Essa diferença eu tenho de reconhecer." E inesperadamente ela se debruçou e ofereceu sua boca à dele. Primeiro só um roçar de lábios, depois uma maciez que lembrava creme batido em temperatura morna, e depois pura carne. A sensação dos seus lábios correspondia plenamente à beleza, tão complexamente animada e valiosa, que sempre chamara a atenção dele. Ele se entregou àquele beijo, mas ela se afastou e sorriu com ar de aprovação. "Menino *de sorte*", disse ela.

Quando uma comissária veio saber o que queriam para o jantar, ele pediu carne. Estava planejando comer apenas carne na viagem toda, na esperança de que pudesse deixá-lo constipado; esperava já estar no Paraguai quando precisasse se pôr à cata da aliança no banheiro. Jenna assistiu a *Piratas do Caribe* enquanto comia; ele pôs os fones de ouvido e ficou vendo com ela, preferindo entortar-se um pouco para dentro do espaço dela do que levantar seu próprio monitor, mas não houve mais nenhum beijo, e o problema dos assentos da classe executiva, como Joey descobriu quando o filme terminou e ambos se estenderam por baixo dos respectivos cobertores, era que qualquer aconchego ou contato acidental era impossível.

Ele não achava que adormeceria, mas de repente já era de manhã e o café estava sendo servido, e chegaram à Argentina. Não era nem de longe tão exótico quanto ele imaginara. Tirando que tudo estava em espanhol e que muito mais gente fumava, a civilização, lá, era igual à civilização em toda parte. O vidro temperado, a cerâmica do piso, as cadeiras de plástico e as luminárias eram exatamente iguais, e o embarque do voo até Bariloche começava pelos assentos do fundo, como qualquer voo local americano, e não havia nada de notavelmente diferente no 727, nas fábricas, nos campos cultivados ou nas estradas que Joey via de sua janela. A terra era a mesma terra, e plantas cresciam nela. A maioria dos passageiros da primeira classe falava inglês, e seis deles — um casal de ingleses e uma americana com três filhos — se reuniram a Joey e Jenna puxando suas malas com selos de prioridade na direção da van branca da Estancia El Triunfo que os esperava numa área de estacionamento proibido bem junto à porta do aeroporto de Bariloche.

O motorista, um jovem que não sorria e ostentava no peito uma negra pelagem espessa emergindo da camisa meio desabotoada, correu para pegar a mala de Jenna, acomodá-la na traseira e instalar a dona no banco da frente antes que Joey pudesse entender o que estava acontecendo. O casal de ingleses apoderou-se dos dois assentos seguintes, e Joey acabou por se sentar mais aó fundo, com a mãe e sua filhinha, que estava lendo um livro para adultos sobre a história de um cavalo.

"Meu nome é Félix", disse o motorista num microfone desnecessário, "bem-vindos à província de Río Negro por favor usem os cintos de segurança vamos viajar duas horas a estrada às vezes é esburacada temos água e refrigerantes para quem quiser El Triunfo fica longe mas é lucsuosa desculpem os buracos na estrada obrigado."

A tarde estava clara e quente, e o caminho até El Triunfo atravessava um próspero terreno subalpino, tão parecido com a parte oeste de Montana que Joey se perguntou por que tinham voado quase treze mil quilômetros para chegar lá. Mas o que Félix estava contando a Jenna, falando sem parar, num espanhol sussurrado, ficava totalmente abafado pelos zurros infindáveis de Jeremy, o inglês. Zurrava sobre os bons tempos em que a Inglaterra travara uma guerra contra a Argentina pelas ilhas Falklands ("A *segunda* melhor atuação armada da nossa história"), a captura de Saddam Hussein ("Ah, eu só queria sentir o *cheiro* desse senhor quando saiu daquele buraco"), essa vigarice do aquecimento global e a irresponsabilidade da manipulação do medo alheio por seus inventores ("No ano que vem vão querer nos falar dos perigos de uma nova *era do gelo*"), a inépcia ridícula dos dirigentes dos bancos centrais sul-americanos ("Se você chega a uma taxa de inflação de mil por cento, o problema não pode ser só falta de sorte"), a louvável indiferença dos sul-americanos ao futebol feminino ("Dessa vez são vocês, americanos, que podem brilhar nessa absurda caricatura de esporte"), os tintos surpreendentemente palatáveis produzidos na Argentina ("Deixam os melhores vinhos da África do Sul muito — para — *trás*"), e sua própria salivação copiosa só de pensar em comer bifes no café, no almoço e no jantar ("Sou *carnívoro*, *carnívoro*, total e repulsivamente *carnívoro*").

Para aliviar a tagarelice de Jeremy, Joey travou uma conversa com a mãe, Ellen, que era bonitona sem ser atraente e usava as calças *stretch* cheias de bolsos que um certo tipo de mãe preferia nos dias de hoje. "Meu marido é um construtor de muito sucesso", contou ela. "Estudei arquitetura em Stanford, mas atualmente fico em casa tomando conta das crianças. Resolvemos ensinar-

-lhes o primário em casa, o que tem ótimos resultados, e permite tirar férias de acordo com a nossa agenda, mas dá *muito* trabalho, isso eu posso dizer."

Seus filhos, a menina leitora e os meninos que jogavam videogames portáteis atrás dela, ou não ouviram o que disse ou não se incomodavam em lhe dar tanto trabalho. Quando ela soube que Joey tinha uma pequena empresa em Washington, perguntou se ele por acaso conhecia Daniel Jennings. "Dan é um amigo nosso de Morongo Valley", disse ela, "que fez um estudo completo sobre os nossos impostos. Voltou, estudou todos os debates que tinham acontecido no Congresso, e sabe o que ele descobriu? Que não existe base jurídica para o imposto de renda federal."

"Na verdade não existe base jurídica para nada, quando você examina bem de perto", disse Joey.

"Mas é óbvio que o governo federal não quer deixar ninguém saber que todo o dinheiro que ele coletou nos últimos cem anos na verdade pertence por direito a nós, os cidadãos americanos. Dan tem um site, onde dez professores de história concordam que ele tem razão, e que não existe a menor base jurídica para o imposto de renda. Mas ninguém nos grandes jornais ou televisões quer falar no assunto. Você não acha isso um pouco estranho? Não acha que pelo menos *uma* rede de tv, ou *um* jornal, não ia querer cobrir a questão?"

"É capaz de essa história ter um outro lado", disse Joey.

"Mas por que só escutamos falar dele? Será que não merece ser noticiado que o governo federal deve aos contribuintes americanos trezentos *trilhões* de dólares? Porque foi esse o total que Dan calculou, com juros compostos. Trezentos *trilhões* de dólares."

"É muito dinheiro mesmo", concordou ele educadamente. "Mais ou menos um milhão de dólares para cada habitante dos Estados Unidos."

"Exatamente. É um absurdo, você não acha? Quanto o governo deve a cada um de nós."

Ele cogitou mencionar como seria difícil para o Tesouro reembolsar aos contribuintes, digamos, o dinheiro que tinha sido gasto para vencer a Segunda Guerra Mundial, mas Ellen não lhe pareceu uma pessoa com quem se podia argumentar, e ele estava ficando enjoado com a viagem. Ouviu Jenna falar um espanhol tão excelente que ele, tendo feito apenas alguns anos no curso secundário, não entendia nada muito além de *caballos* isso e *caballos* aquilo. Sentado de olhos fechados, numa van cheia de idiotas, foi tomado pelo pensamento de que as três pessoas que ele mais amava (Connie), respeitava (seu pai) e curtia (Jonathan) estavam no mínimo muito insatisfeitas com ele, para não dizer, nas palavras delas próprias, *enojadas* com ele. Não conseguia livrar-se dessa lembrança; era como um tipo de consciência se apresentando para o serviço. Usou toda sua força de vontade para não vomitar, posto que vomitar agora, trinta e seis horas depois que vomitar com vontade teria resolvido seus problemas, seria o cúmulo da ironia. Imaginara que o caminho para se tornar um sujeito totalmente calejado, para não prestar, ficaria mais íngreme e mais árduo só aos poucos, com muitos prazeres compensatórios durante o percurso, e que ele teria tempo de se aclimatar a cada estágio. Mas lá estava ele, ainda no início do caminho, já se sentindo como se fosse lhe faltar o estômago necessário.

A Estancia El Triunfo, entretanto, era sem dúvida paradisíaca. Aninhados junto a um rio de águas límpidas, cercados por montanhas amarelas que subiam mansamente na direção da linha arroxeada da cordilheira, ficavam jardins fartamente irrigados, cocheiras, estábulos de pedra e chalés para hóspedes dotados de todos os confortos mais modernos. O quarto de Joey e Jenna tinha um farto espaço deliciosamente desnecessário de piso de lajotas frescas e janelas imensas que se abriam para o rio que corria logo abaixo. Ele ficara preocupado com a possibilidade de deparar com duas camas, mas ou Jenna tinha a intenção original de dividir uma cama king size com a mãe ou havia alterado a reserva. Ele se estendeu sobre a colcha de brocado de um vermelho muito escuro, mergulhando em sua maciez de mil dólares por noite. Mas Jenna já estava vestindo suas roupas de montaria, e calçando suas botas. "Félix vai me mostrar os cavalos", disse ela. "Quer vir também?"

Ele não queria, mas sabia que era melhor ir de qualquer modo. *A bosta deles continua cheirando mal* foi a frase que tomou sua mente quando se aproximaram dos fragrantes estábulos. À luz dourada do anoitecer, Félix e um ajudante conduziam um esplêndido garanhão negro pelo cabresto. Ele bufava, estremecia e corcoveava de leve, e Jenna se aproximou imediatamente dele, com uma expressão de arrebatamento que lembrou Connie e fez Joey gostar mais ainda dela, estendendo a mão para acariciar o lado de sua cabeça.

"Cuidado", disse Félix.

"Está tudo bem", respondeu Jenna, olhando fixamente nos olhos do animal. "Ele já está gostando de mim. Confia em mim, estou vendo. Não é, meu garoto?"

"*¿Deseas que algo algo algo?*", perguntou Félix, puxando a rédea do cavalo.

"Fale inglês, por favor", pediu Joey com frieza.

"Ele me perguntou se eu quero que ele sele o cavalo", explicou Jenna, e então respondeu depressa em espanhol para Félix, que objetou que era *algo algo algo peligroso*; mas ela não aceitava ser contrariada. Enquanto o ajudante puxava com força o cabresto, ela agarrou a crina do animal, Félix pôs as mãos peludas em sua coxa e a ajudou a montar no dorso nu do cavalo. Este abriu as pernas e deu um salto de lado, puxando o cabresto, mas Jenna já estava debruçada sobre seu pescoço, o peito apoiado na crina do animal, o rosto perto das suas orelhas, murmurando palavras vazias mas reconfortantes. Joey ficou muitíssimo impressionado. Depois que o cavalo se acalmou, ela pegou as rédeas e saiu trotando até o canto das cocheiras, travando com a montaria recônditas negociações equestres, obrigando o animal a ficar imóvel, a andar para trás, a abaixar e erguer a cabeça.

O ajudante disse alguma coisa a Félix sobre a *chica*, em palavras roucas e cheias de admiração.

"Meu nome, aliás, é Joey", disse Joey.

"Como vai", disse Félix sem tirar os olhos de Jenna. "Quer um cavalo também?"

"Por enquanto estou bem. Só quero que me faça um favor e fale só inglês, está bom?"

"Como quiser."

Fez bem a Joey ver o quanto Jenna ficava feliz montada no cavalo. Antes estava tão deprimida e mal-humorada, não só durante a viagem mas nas conversas por telefone dos últimos meses, que ele começara a se perguntar se havia qualquer outra coisa de que se pudesse gostar nela além de sua beleza. Agora ele percebia que Jenna pelo menos era capaz de fruir o que o dinheiro lhe facultava. Ainda assim, era desanimador pensar na quantidade de dinheiro necessária para fazê-la feliz. Ser a pessoa que a mantinha em cima de bons cavalos não era tarefa para os fracos de coração.

O jantar só foi servido depois das dez da noite, numa comprida mesa comunitária talhada inteira de uma árvore que devia ter quase dois metros de diâmetro. Os afamados filés argentinos estavam excelentes, e o vinho suscitou loas de aprovação da parte de Jeremy. Joey e Jenna traçaram taças e mais taças, e pode ter sido por isso que, depois da meia-noite, quando *finalmente* começaram os trabalhos em sua cama oceânica, ele viveu a primeira manifestação de um fenômeno de que já tinha ouvido falar, mas nunca tinha imaginado experimentar pessoalmente. Até no menos interessante dos seus casos, seu desempenho na cama sempre tinha sido admirável. Mesmo agora, enquanto ficava confinado pelas calças, tinha a impressão de estar tão duro quanto a madeira da mesa de jantar coletiva, mas ou estava enganado a respeito ou respondia muito mal à plena exposição a Jenna. Enquanto ela se esfregava de calcinha em suas pernas nuas, gemendo um pouco a cada investida, ele se sentia escapando centrifugamente pelos ares, um satélite escapando da gravidade, mentalmente cada vez mais longe da mulher cuja língua estava enfiada em sua boca e cujos seios espantosamente nada triviais estavam esmagados contra seu peito. Ela praticava preliminares um pouco mais brutais, e menos flexíveis, que as de Connie — o que respondia por parte do problema. Mas ele também não conseguia ver o rosto dela no escuro, e sem poder vê-lo ficava apenas com a memória, a ideia abstrata, do quanto era lindo. Repetia para si mesmo que até que finalmente estava ficando com Jenna, de que quem estava ali era *Jenna, Jenna, Jenna*. Entretanto, na falta de confirmação visual, o que tinha nos braços era apenas uma mulher genérica, suarenta e agressiva.

"Podemos acender a luz?", perguntou ele.

"Fica claro demais. E assim eu não gosto."

"Mas se for só a luz do banheiro? Está escuro demais."

Ela rolou para longe dele e suspirou aborrecida. "Talvez fosse o caso de irmos dormir. Já é tão tarde, e de qualquer maneira estou toda ensanguentada."

Ele levou a mão ao pênis e ficou desolado ao encontrá-lo ainda mais flácido do que julgava. "Pode ser que eu tenha tomado vinho demais."

"Eu também. Então vamos dormir."

"Vou só acender a luz do banheiro, está bom?"

Acendeu, e a visão dela esparramada na cama, confirmando sua identidade, a da mulher mais bonita que ele conhecia, deu-lhe a esperança de que todos os seus sistemas voltassem a funcionar. Ele rastejou para junto dela e deu início ao projeto de beijar cada centímetro do seu corpo, começando por seus pés e tornozelos perfeitos, depois subindo pelas pernas e pela parte interna das coxas.

"Desculpe, mas acho isso nojento", disse ela de modo abrupto, quando ele chegou à sua calcinha. "Deixe comigo." Ela o deitou de costas e abocanhou seu pênis. Mais uma vez, de início, estava duro, e a boca de Jenna era simplesmente celestial, mas em seguida ele escorregou e amoleceu um pouco, e Joey começou a se preocupar com esse amolecimento e a querer fazê-lo voltar a ficar duro pela força da vontade, de fazer a conexão acontecer na marra, a pensar na boca de quem ele estava penetrando, e aí, infelizmente, lhe ocorreu como a felação lhe interessava pouco, e se perguntou qual seria o seu problema. O interesse por Jenna sempre se devera em grande parte à impossibilidade de imaginar que poderia de fato transar com ela. Agora que ela se transformara numa pessoa cansada, embriagada e ensanguentada acocorada entre as pernas dele e se entregando profissionalmente ao desempenho oral, ela podia ser praticamente qualquer uma, menos Connie.

Justiça seja feita: Jenna continuou se esforçando bem depois que a fé dele próprio se extinguira. Quando ela finalmente parou, examinou o pênis dele com uma curiosidade de naturalista; e deu-lhe uma balançadinha. "Não está rolando, não é?"

"Não sei explicar. Estou muito envergonhado."

"Rá, bem-vindo ao meu mundo dos antidepressivos."

Depois que ela adormeceu e começou a emitir um ronco suave, ele ficou lá deitado, ardendo de vergonha, remorso e saudades. Estava muito, muito decepcionado consigo mesmo, embora não soubesse dizer por que deixar de comer uma garota por quem não estava apaixonado e de quem nem gostava tanto assim era uma decepção tão grande. Pensou no heroísmo de seus pais, que ficaram juntos todos esses anos, a necessidade mútua presente no fundo mesmo das piores brigas entre os dois. Viu a deferência de sua mãe pelo pai de um novo ângulo, e perdoou-a um pouco. Era uma infelicidade precisar de alguém, era um sinal de fragilidade flagrante, mas ele próprio agora se via, pela primeira vez, como alguém infinitamente incapaz de qualquer coisa, cem por cento incapaz de se adaptar em nome de qualquer objetivo em que pousasse a sua mira.

Às primeiras luzes austrais do amanhecer, acordou com um tesão monstruoso de cuja durabilidade não tinha a menor sombra de dúvida. Sentou-se e contemplou o emaranhado dos cabelos de Jenna, a fenda entre os seus lábios, a linha delicada de seu queixo, sua beleza quase sagrada. Agora que a luz era melhor, ele não acreditava no quanto tinha sido idiota no escuro. Escorregou de novo para baixo das cobertas e a cutucou de leve na base das costas.

"Pare com isso!", disse ela em voz alta, imediatamente. "Estou tentando voltar a dormir."

Ele aproximou o nariz dos ombros dela e inalou seu aroma de patchuli.

"Estou falando sério", disse ela, afastando-se dele num arranco. "Não é culpa *minha* nós termos ficado acordados até as três da manhã."

"Não eram três", murmurou ele.

"Pois *parece* que eram três. Parece que eram cinco da manhã!"

"Agora são cinco da manhã."

"Aaaagh! Nem me diga uma coisa dessas! Eu preciso dormir!"

E ele ficou ali interminavelmente deitado, monitorando com as mãos o quanto seu pau estava duro, tentando mantê-lo pelo menos a meia bomba. De fora vinham relinchos, sons metálicos distantes, o canto de um galo, os sons rurais de qualquer lugar no campo. Enquanto Jenna continuava a dormir, ou fingia que dormia, um movimento se anunciou nos intestinos de Joey. A despeito de sua resistência mais ferrenha, os movimentos recrudesceram até transformar-se numa urgência que sobrepujava todas as demais. Saiu andando para o banheiro e trancou a porta. Em sua bolsa de toalete trouxera um garfo justamente para a tarefa muito desagradável que se anunciava. Sentou-se segurando o garfo na mão suada enquanto a merda escorregava para fora dele. Era muita, o correspondente a dois ou três dias. Pela porta, ouviu o telefone tocar, a chamada que tinham pedido à portaria para despertá-los às seis e meia.

Ajoelhou-se no chão frio e olhou para dentro da privada, onde flutuavam quatro cocôs de bom tamanho, esperando ver de imediato a cintilação do ouro. O mais antigo dos quatro cagalhões era escuro, firme e coberto de nódulos, os que tinham vindo de profundezas maiores eram mais claros e já começavam a se dissolver um pouco. Embora ele, como qualquer pessoa, gostasse secretamente do cheiro de seus próprios peidos, o cheiro do próprio cocô era outra história. Era tão ruim que parecia alguma coisa maligna, no sentido moral. Cutucou um dos cagalhões mais moles com o garfo, tentando fazê-lo girar e examinar sua face inferior, mas a coisa se curvou e começou a esfacelar-se, turvando a água de marrom, e Joey viu que aquela história de garfo era uma fantasia, quem dera fosse tão simples. A água dali a pouco estaria toda turva e não deixaria passar a visão de coisa alguma, mesmo um aro de metal brilhante,

466

e se a aliança se desprendesse da substância que a envolvia rolaria até o fundo da privada e possivelmente desceria cano abaixo. Sua única opção era remover os cagalhões um a um e esfacelá-los com os dedos, e precisava fazê-lo depressa, antes que as coisas absorvessem água demais. Prendendo a respiração, com os olhos lacrimejando furiosamente, pegou o cocô que lhe pareceu mais promissor e se viu obrigado a abandonar sua derradeira fantasia, a de que uma única mão pudesse bastar. Precisava usar as duas, uma segurando a merda e a outra vasculhando seu interior. Teve um engulho seco e foi ao trabalho, enterrando os dedos no excremento, um cilindro mole, morno e de uma leveza inesperada.

Jenna bateu na porta. "O que está acontecendo aí?"

"Um minuto!"

"O que você está fazendo aí? Batendo punheta?"

"Eu disse que abro daqui a um minuto! Estou com diarreia!"

"Ah, meu Deus. Pelo menos pode me passar um absorvente?"

"Um minutinho!"

Misericordiosamente, a aliança apareceu no segundo dos cocôs que ele desfez nas mãos. Algo duro no meio da maciez, um círculo luminoso em meio ao caos. Enxaguou as mãos o melhor que pôde na água imunda, acionou a descarga com o cotovelo e transferiu a aliança para a pia. O fedor era espantoso. Lavou as mãos, a aliança e a pia três vezes com muito sabão, enquanto Jenna, encostada à porta por fora, reclamava que só faltavam vinte minutos para o café da manhã. E a sensação foi muito estranha, mas foi a que decididamente o dominou: quando emergiu do banheiro com a aliança no dedo anular, e Jenna passou correndo por ele e depois saiu de novo às pressas, gemendo e xingando por causa do mau cheiro, ele já era outra pessoa. Enxergava sua própria pessoa com tamanha clareza que era como se conseguisse ver-se de fora. Era a pessoa que enfiara as mãos na própria merda para recuperar sua aliança de casamento. Não era a pessoa que achava que era, ou que preferiria ser se tivesse escolha, mas havia algo de reconfortante e libertador em ser de fato uma pessoa determinada, e não um amontoado de pessoas potenciais contraditórias.

Na mesma hora, o mundo lhe pareceu reduzir a velocidade e estabilizar-se, como se ele também estivesse se acomodando a novas necessidades. O primeiro cavalo que lhe entregaram nos estábulos, animal nervoso, o derrubou quase com gentileza, sem maldade, empregando apenas a violência estritamente necessária para desalojá-lo da sela. Puseram-no então em cima de uma égua de uns vinte anos de idade, de cujo dorso largo ele pôde ver Jenna afastar--se rapidamente em seu garanhão por uma trilha de terra seca, o braço esquerdo erguido num adeus de costas ou talvez por exigência do equilíbrio equestre, enquanto Félix passou a galope por Joey no encalço dela. Joey percebeu que faria mais sentido se ela acabasse trepando com Félix, e não com ele, pois Félix montava muito melhor; e isso lhe pareceu um alívio, talvez até uma *mitzvah*, visto que a pobre Jenna com certeza precisava ser comida por alguém. Ele, por seu lado, passou a manhã inteira cavalgando a passo, e afinal trotando um pouco ao lado da filha mais nova de Ellen, Meredith, a leitora de romances, que lia copiosamente histórias envolvendo cavalos. E nem por isso ele se sentiu mais frouxo; sentiu-se firme. O ar andino era adorável. Meredith deu a impressão de estar um pouco interessada nele, e transmitiu-lhe pacientes instruções de como comandar seu cavalo sem deixá-lo tão confuso. Jeremy, quando o grupo se reuniu para um lanche matinal ao lado de um riacho durante o qual não tiveram sinal de Jenna e Félix, mostrou-se instrutivo de modo mais maldoso com sua mulher de rosto muito corado, a quem aparentemente culpava por terem ficado tão para trás dos outros. Joey, pondo as mãos limpas em concha para beber água pura de uma bacia de pedra, e sem se incomodar nem um pouco com o que Jenna poderia estar fazendo, teve pena de Jeremy. Era divertido cavalgar na Patagônia — quanto a isso ela não tinha mentido.

Sua sensação de paz durou até o final da tarde, quando foi checar suas mensagens de voz a partir do telefone do quarto, às custas da mãe de Jenna, e deparou com recados de Carol Monaghan e Kenny Bartles. "Oi, querido, aqui é a sua *sogra*", disse Carol. "E essa agora, hein? Sogra! Que coisa mais estranha de dizer. Achei a notícia maravilhosa, mas sabe de uma coisa, Joey? Vou ser honesta com você. Acho que se você gosta de Connie o suficiente para se casar com ela, e se tem sua maturidade em tão alta conta a ponto de resolver-se casar, devia ter a decência de contar aos seus pais. Só estou metendo o meu bedelho, mas não vejo motivo para tanto segredo, a não ser que você tenha vergonha de Connie. E não sei o que dizer de um genro que sente vergonha da minha filha. Talvez eu só deva dizer que não sou muito boa em matéria de guardar segredos, e pessoalmente sou contra todo esse mistério. Entendeu? Talvez seja melhor eu parar por aqui."

"Mas que porra é essa, cara?", dizia Kenny Bartles. "Onde é que você se meteu, cacete? Acabei de lhe mandar dez e-mails. Já chegou ao Paraguai? É por isso que não está me respondendo? Se o contrato diz 31 de janeiro, o Departamento de Defesa quer dizer 31 de janeiro. Espero que você tenha arranjado alguma coisa para mim, porque só faltam nove dias para 31 de janeiro; a LBI já está querendo comer a minha bunda porque essas merdas desses caminhões não param de quebrar. Um defeito na porra do eixo traseiro, parece, e espero que você consiga me mandar uns eixos traseiros para reposição. Ou qualquer merda, cara. Quinze toneladas de enfeites de capô, e eu vou agradecer muito. Até eu receber algum peso de você, até você me mostrar uma data de entrega confirmada de *qualquer porra*, eu não posso ter certeza de nada."

Jenna voltou ao pôr do sol, ainda mais linda por estar coberta de poeira. "Estou apaixonada", disse ela. "Conheci o cavalo dos meus sonhos."

"Preciso ir embora", respondeu Joey na mesma hora. "Preciso ir ao Paraguai."

"O quê? Quando?"

"Amanhã de manhã. Melhor ainda seria hoje à noite."

"Meu Deus, você ficou tão puto assim comigo? Não é minha culpa você ter mentido sobre o quanto sabe montar a cavalo. Não vim até aqui para ficar cavalgando *a passo*. E também não vim até aqui para desperdiçar cinco noites de quarto duplo."

"É, sinto muito. Depois eu lhe devolvo a minha metade."

"Pagar a metade é o caralho." Ela o olhou da cabeça aos pés com uma expressão de desdém. "É só que não sei de que outra maneira você ainda pode me decepcionar. Acho que ainda não passei por todas as decepções possíveis com você."

"Que coisa horrível de se dizer", comentou ele em voz baixa.

"E pode acreditar que sou capaz de dizer coisas ainda piores, e vai ser logo."

"Ah, e também não lhe contei que eu era casado. Que sou casado. Eu me casei com Connie. Vamos viver juntos."

Os olhos de Jenna se arregalaram, como que de dor. "Meu Deus, você é muito estranho! Você é totalmente maluco."

"Eu sei disso."

"Achei que você me entendia de verdade. Ao contrário de todos os outros homens que já encontrei. Meu Deus, eu sou muito burra mesmo!"

"Não é verdade", disse ele, apiedando-se dela pela profunda desvantagem da sua beleza.

"Mas se você acha que eu fico perturbada de saber que você é casado, está muito enganado. Se você acha que eu pensei que você podia servir *como marido*: meu Deus! Nem sair para jantar com você eu quero."

"Então eu também não quero jantar com você."

"Ótimo, então", disse ela. "A partir de agora, você está confirmado como o pior companheiro de viagem de *todos os tempos*."

Enquanto ela tomava banho, ele arrumou a mala e em seguida ficou deitado na cama, pensando que, talvez agora que estava tudo esclarecido entre eles, talvez eles pudessem transar pelo menos uma vez, para evitar a vergonha e a derrota de não terem transado nunca, mas quando Jenna saiu do banheiro, envolta num grosso roupão da Estancia El Triunfo, ela entendeu corretamente a expressão do rosto dele e disse, "Nem pensar".

Ele deu de ombros. "Tem certeza?"

"Tenho, certeza absoluta. Volte para a sua mulherzinha. Não gosto de gente maluca que mente para mim. Na verdade, estou envergonhada de estar no mesmo quarto que você."

E então ele foi para o Paraguai, e foi tudo um desastre. Armando da Rosa, o proprietário do maior estabelecimento paraguaio de venda de excedentes das forças armadas, era um ex-oficial sem pescoço com sobrancelhas brancas, que se uniam sobre o nariz e cabelos que pareciam tingidos com graxa preta de sapato. Seu escritório, num subúrbio de Assunção coalhado de favelas, tinha piso de linóleo lustroso de cera e uma imensa mesa metálica sobre a qual uma bandeirinha do Paraguai pendia de um mastro de madeira. A porta traseira dava para hectares e mais hectares de erva daninha, terra batida e barracões com telhados corrugados, patrulhados por cães imensos que não passavam de presas, esqueleto e pelagem eriçada, e davam a impressão de ter acabado de sobreviver à eletrocussão. O que Joey deduziu do solilóquio um tanto a esmo de Da Rosa, num inglês só um pouco melhor que o espanhol de Joey, foi que ele tinha sofrido um acidente de percurso em sua carreira, alguns anos antes, e só escapara da corte marcial graças a certos oficiais amigos que se mantiveram leais a ele, e recebera mais adiante, a título de *compensação*, a concessão para vender excedentes das forças armadas e equipamento militar descartado. Usava uniforme camuflado e uma pistola na cintura que provocava em Joey um certo desconforto quando caminhava à frente dele. Atravessaram um matagal cada vez mais alto e mais lenhoso, e tomado por um zumbido mais forte de imensas vespas sul-americanas, até que, perto de uma cerca frouxamente coroada de arame-navalha, chegaram à jazida mais importante de peças de caminhão Pladsky A 10. A boa notícia é que eram sem dúvida muito numerosas. A má notícia é que estavam em condições abomináveis. Uma fila de capôs de caminhão com as bordas corroídas de ferrugem se estendia em vários ângulos como dominós parcialmente caídos; eixos e para-choques se acumulavam em pilhas irregulares, lembrando gigantescos ossos de frango; blocos de motor se espalhavam pelo mato como cocô de um tiranossauro rex; montes cônicos de peças menores e mais seriamente oxidadas exibiam flores silvestres crescendo em suas encostas. Atravessando o mato alto, Joey foi desencavando emaranhados de peças de plástico entupidas de lama e/ou espatifadas, ninhos de cobra de mangueiras e correias rachadas pela exposição ao tempo, e caixotes de papelão apodrecidos e identificados por rótulos em polonês. Tentou conter lágrimas de decepção à vista daquilo.

"Muita ferrugem, não é?", disse ele.

"Ferrugem? O que é isso?"

Joey quebrou um floco grande da calota mais próxima. "Ferrugem. Óxido de ferro."

"É por causa da chuva", explicou Da Rosa.

"Posso pagar dez mil dólares por tudo", disse Joey. "Se o total for maior que trinta toneladas, pago quinze. Muito mais do que o valor de sucata."

"Por que você quer essa merda?"

"Tenho uma frota desses caminhões, e preciso de peças."

"Você é um rapaz muito novo. Por que quer esse lixo?"

"Porque eu sou um cretino."

Da Rosa passeou o olhar pela cansada mata secundária que crescia, repleta de zumbidos, do outro lado da cerca. "Não posso vender tudo."

"Por que não?"

"Esses caminhões, o exército não usa. Mas pode querer usar se começar uma guerra. Aí minhas peças vão valer muito."

Joey fechou os olhos e estremeceu diante da estupidez daquilo tudo. "Qual guerra? O Paraguai vai lutar contra quem? A Bolívia?"

"Só estou dizendo que, se começar uma guerra, vamos precisar das peças."

"Essas peças não prestam para porra nenhuma. Estou oferecendo quinze mil dólares por elas. *Quince mil dólares.*"

Da Rosa fez que não. "*Cincuenta mil.*"

"Cinquenta mil dólares? Nem. Por. Um. Caralho. Entendeu? De jeito nenhum."

"*Treinta.*"

"Dezoito. *Diez y ocho.*"

"*Veinticinco.*"

"Vou pensar", disse Joey, virando-se na direção do escritório. "Vou pensar se lhe pago vinte, no caso de serem mais de trinta toneladas. *Veinte*, está bem? É minha última oferta."

Por mais ou menos um minuto, depois de apertar a mão sebenta de Da Rosa e entrar de novo no táxi que deixara à sua espera na rua, ficou satisfeito consigo mesmo, quanto à maneira como tinha conduzido a negociação, e acima de tudo com sua coragem de ter viajado até o Paraguai para isso. O que seu pai não entendia a respeito dele, o que só Connie entendia, é que ele tinha uma cabeça excelente para negócios, que nunca esquentava. Desconfiava que havia herdado esse instinto da mãe, que era uma competidora inata, e sentia uma satisfação filial particularmente intensa em exercê-lo. O preço que ele impusera a Da Rosa era muito menor do que se permitia esperar, e mesmo com o custo adicional de pagar a um despachante local para carregar tudo em contêineres e transportá-los até o aeroporto, mesmo com a quantia incrível que precisaria pagar para fretar um avião cargueiro para levar tudo até o Iraque, ainda ficaria dentro de parâmetros que lhe garantiam um lucro francamente obsceno. Mas à medida que o táxi se deslocava por áreas mais antigas, coloniais, de Assunção, começou a ficar com medo de não ser capaz. De não ser capaz de despachar aquele lixo tão notoriamente imprestável para tropas americanas que tentavam vencer uma guerra difícil e nada convencional. Embora não tenha sido ele quem criou o problema — inventado por Kenny Bartles, ao escolher os Pladsky obsoletos e desvalorizadíssimos para cumprir seu contrato —, ainda assim o problema era dele. E redundava num problema ainda pior: contando os custos iniciais do negócio e o carregamento parco mas ridiculamente caro das peças que encontrara em Łódź, ele já tinha gastado todo o dinheiro de Connie e metade da primeira parcela do empréstimo que o banco lhe fizera. Mesmo que a essa altura ele de algum modo conseguisse se livrar do negócio, deixaria Connie sem um tostão e ele próprio irremediavelmente endividado. Revirou com nervosismo a aliança no dedo, várias e várias vezes, querendo enfiá-la de novo na boca para tranquilizar-se mas inseguro quanto à possibilidade de engoli-la de novo. Tentou se dizer que devia haver mais peças de A 10 em algum lugar, em algum armazém esquecido mas à prova d'água da Europa Oriental, mas já tinha passado dias inteiros procurando na internet e dando telefonemas, e as chances não lhe pareciam nada boas.

"Kenny escroto", disse ele em voz alta, pensando que aquele era um péssimo momento para começar a ter uma consciência culpada. "Bandido, filho da puta."

De volta a Miami, na última escala de seu voo de regresso, obrigou-se a ligar para Connie.

"Alô, cara", respondeu ela animada. "Como estava Buenos Aires?"

Ele passou correndo pelos detalhes do itinerário e foi direto ao relato das suas ansiedades.

"Pois estou achando que você se saiu muito bem", disse Connie. "Quer dizer, vinte mil dólares foi um preço ótimo, não foi?"

"Só uns dezenove mil a mais do que aquele lixo vale."

"Não, cara, vale o que Kenny vai pagar a você."

"E você não acha que eu devia estar com uma certa, digamos, inquietação moral em relação a isso? Por vender uma sucata imprestável para o governo?"

Ela ficou calada enquanto refletia a respeito. "Acho", disse ela afinal, "que se você fica muito insatisfeito, talvez não devesse seguir adiante com isso. Eu queria que você só fizesse o que te deixasse feliz."

"Não vou perder o seu dinheiro", disse ele. "Disso pelo menos eu sei."

"Não, pode perder. Não tem problema. Depois você ganha mais de algum outro modo. Eu confio em você."

"Não vou perder. Quero que você volte a estudar. Quero uma vida para nós dois."

"Bom, então vamos em frente! Por mim, estou pronta. Pronta até demais!"

Na pista do aeroporto, debaixo de um céu floridiano de um cinza instável, armas comprovadas de destruição em massa taxiavam. Joey queria que houvesse um outro mundo do qual ele pudesse fazer parte, um mundo mais simples em que uma vida confortável não precisasse ocorrer às custas de ninguém. "Recebi um recado da sua mãe", disse ele.

"Eu sei", disse Connie. "Eu mandei mal, Joey. Não contei nada para ela, mas ela viu a minha aliança e me perguntou diretamente, e aí não consegui deixar de responder."

"Ela reclamou muito, dizendo que eu devia contar para os meus pais."

"Deixa ela. Você conta para eles quando estiver preparado."

Ele estava de péssimo humor quando chegou de volta a Alexandria. Sem poder mais viver na expectativa ou na fantasia de futuros encontros com Jenna, sem poder mais imaginar um bom resultado das negociações no Paraguai, tendo pela frente só obrigações desagradáveis, ele comeu todo um saco grande de batatas chips onduladas e ligou para Jonathan, na intenção de se arrepender e encontrar algum consolo na amizade. "E o pior de tudo é o seguinte", disse ele. "Quando eu viajei, já era casado."

"Não!", respondeu Jonathan. "Você se casou com Connie?"

"Casei. Em agosto."

"Eu nunca ouvi uma loucura maior na minha vida."

"Achei melhor contar logo para você, porque de qualquer maneira você ia saber por Jenna. Que aliás não está nada feliz comigo a essa altura."

"Ela deve ter ficado *puta* até a ponta dos cachos."

"Eu sei que você acha que ela é horrível, e tudo o mais, mas não é assim. Na verdade ela só está perdida, e as pessoas só conseguem enxergar a beleza dela. Você teve muito mais sorte."

Em seguida, Joey contou a Jonathan toda a história da aliança, a cena de horror no banheiro, com as mãos cobertas de merda e Jenna batendo na porta, e então, em seu próprio riso, e nas risadas e gemidos de nojo de Jonathan, encontrou o alívio que vinha procurando. Quando em seguida admitiu que Jonathan tinha razão sobre Kenny Bartles, a resposta de Jonathan foi clara e peremptória: "Você precisa se livrar desse contrato".

"Não é fácil. Preciso proteger o investimento de Connie."

"Arranje um jeito de sair. Agora. O que está acontecendo lá é horrível. Pior ainda do que você pensa."

"Você ainda me odeia?", perguntou Joey.

"Não te odeio. Só acho você um completo babaca. Mas odiar você está fora de questão."

Joey ficou mais tranquilo com essa conversa, tanto que foi para a cama e dormiu doze horas. Na manhã seguinte, quando no Iraque já era o meio da tarde, ligou para Kenny Bartles e pediu para ser liberado do contrato.

"E as peças do Paraguai?", perguntou Kenny.

"Em matéria de peso, tinha de sobra. Mas tudo uma merda, tudo enferrujado e inútil."

"Mande de qualquer maneira. Senão quem se fode sou eu."

"Foi você quem teve a ideia idiota de comprar os A 10", disse Joey. "Não é culpa minha se não existem peças para eles."

"Você acabou de me dizer que encontrou *montes* de peças. E estou dizendo para você me mandar o que achou. O que é que eu não estou entendendo aqui?"

"Só disse para você encontrar outra pessoa para comprar a minha parte. Não quero estar envolvido nisso."

"Joey, calma, velho, escute aqui. Você assinou um contrato. E não está quase acabando o prazo para a Primeira Entrega: *já passou* da hora. Você não pode tirar o corpo logo agora. Pelo menos não sem perder tudo que já desembolsou. No momento, nem eu tenho o dinheiro para comprar a sua parte, porque o Exército ainda não me pagou pelas peças, já que o seu carregamento da Polônia chegou leve demais. Tente ver as coisas pelo meu lado, está bem?"

"Mas o que eu encontrei no Paraguai está com uma cara tão horrível que não acho que vão aceitar."

"Isso você deixa por minha conta. Eu conheço o pessoal da LBI que atua aqui, e posso dar um jeito. Você só precisa me mandar trinta toneladas de carga, e depois pode voltar a ler poesia, ou o que você quiser."

"Como é que eu posso saber que você vai dar um jeito?"

"*Esse* problema é meu. O seu contrato é *comigo*, e *eu* estou dizendo para você me mandar o peso e então vai receber o seu dinheiro."

Joey não sabia o que era pior, o medo de que Kenny estivesse mentindo para ele e que ele iria se foder por completo, perdendo não só o dinheiro que já tinha desembolsado como os pagamentos que ainda tinha pela frente, ou a ideia de que Kenny estivesse dizendo a verdade e a LBI ia de fato pagar oitocentos e cinquenta mil dólares por peças praticamente sem valor. Ele não viu outra possibilidade além de passar por cima de Kenny e falar direto com a LBI. O que acarretou uma manhã inteira sendo transferido de telefone em telefone da sede da LBI, em Dallas, antes de conseguir falar com o vice-presidente a quem o caso dizia respeito. Apresentou seu dilema da maneira mais clara possível: "Não existem peças em bom estado disponíveis para esses caminhões, Kenny Bartles não quer rescindir o contrato e eu não quero mandar peças imprestáveis".

"Bartles está disposto a aceitar o que você conseguiu?", perguntou-lhe o vice.

"Está. Mas elas não prestam."

"Não é problema seu. Se Bartles aceita, você está limpo. Acho que você devia despachar o carregamento agora mesmo."

"Acho que o senhor não ouviu", disse Joey. "Estou dizendo que o carregamento *não serve* para vocês."

O vice passou algum tempo digerindo a informação e disse, "Não vamos mais fazer negócios com Kenny Bartles no futuro. Não estamos nem um pouco satisfeitos com a situação em torno dos caminhões A 10. Mas você não precisa se preocupar. Só precisa se preocupar com a possibilidade de ser processado por não cumprir o contrato."

"Mas por quem — por Kenny?"

"É totalmente hipotético. Nunca vai acontecer, contanto que você despache as peças. Você só precisa se lembrar de que não estamos travando uma guerra perfeita num mundo perfeito."

E Joey tentou se lembrar disso. Tentou se lembrar de que o pior que podia acontecer, nesse mundo imperfeito, era que todos os caminhões A 10 dessem defeito e precisassem ser trocados por caminhões melhores em algum momento, e que a vitória no Iraque poderia, por causa disso, sofrer um atraso infinitesimal, enquanto os contribuintes americanos teriam transferido alguns milhões de dólares para ele, Kenny Bartles, Armando da Rosa e os crápulas de Łódź. Com a mesma determinação que usara para colher nas mãos o próprio cocô, tomou um avião de volta para o Paraguai, contratou um despachante e supervisionou pessoalmente o embarque de trinta e duas toneladas de peças em contêineres, tomando cinco garrafas de vinho nas cinco noites que precisou esperar para que a empresa Logística Internacional pusesse os contêineres a bordo de um veterano C-130 e o avião decolasse com eles, mas não havia aliança de ouro oculta *nessa* pilha de merda. Quando voltou a Washington, continuou a beber, e quando Connie finalmente chegou com três malas e se instalou na casa dele, ele continuou a beber e a dormir mal, e quando Kenny ligou de Kirkuk para dizer que a carga tinha sido aceita e que os 850 mil dólares de Joey estavam a caminho, ele passou uma noite tão terrível que ligou para Jonathan e contou tudo que tinha feito.

"Cacete, que coisa horrorosa", disse Jonathan.

"E precisa me dizer?"

"Você precisa torcer para que ninguém descubra nada. Já estou ouvindo muitas histórias sobre os dezoito bilhões de dólares em contratos que foram liberados em novembro. Não me espantaria nem um pouco se o Congresso resolvesse investigar."

"Existe alguém a quem eu possa contar tudo? Nem quero esse dinheiro, além do que eu devo a Connie e ao banco."

"É muita nobreza da sua parte."

"Eu não posso tirar esse dinheiro da Connie. Você sabe que eu só fiz essas coisas por causa dela. Mas eu me pergunto se você não podia contar essa história a alguém do *Washington Post*. Como se alguma fonte anônima tivesse contado a você."

"Não se você quiser ficar anônimo. E se não quiser, sabe quem vai acabar se sujando, não é?"

"E se for eu o delator?"

"No momento em que você começar a delação, Kenny joga merda em você. A LBI joga mais merda. Eles têm uma verba imensa alocada só para cobrir de merda quem resolver abrir o bico. E você vai ser o bode expiatório perfeito. O universitário bonitinho que comprou as peças enferrujadas? Até o *Post* vai acreditar que a culpa é sua. Não que a sua atitude não mereça elogios. Mas recomendo vivamente que você fique de boca fechada."

Connie conseguiu emprego numa agência de trabalho temporário enquanto esperavam que os oitocentos e cinquenta mil dólares percorressem toda a tubulação do sistema. Joey atravessava os dias vendo TV, jogando videogames e tentando adquirir alguns talentos domésticos, como planejar um jantar e comprar os ingredientes certos, mas uma simples ida ao supermercado o deixava exausto. A depressão que havia anos atocaiava as mulheres à sua volta parecia ter finalmente identificado a presa certa e cravado nele os dentes. A única coisa que tinha certeza de que precisava fazer, contar à sua família que se casara com Connie, não era capaz de ser feita. E essa necessidade preenchia seu apartamento como um caminhão Pladsky A 10, deixando para ele apenas um estreito espaço marginal e ar insuficiente para respirar. Continuava lá quando acordava, e quando ia dormir. Não conseguia imaginar-se dando a notícia para a sua mãe, porque era inevitável que ela percebesse o casamento como um golpe desferido pessoalmente contra ela. O que, de certa maneira, não deixava de ser. Mas Joey não temia menos a conversa com seu pai, a reabertura dessa ferida. E assim, todo dia, enquanto o segredo o sufocava, enquanto imaginava Carol dando com a língua nos dentes e contando tudo para os antigos vizinhos, um dos quais sem dúvida logo daria a notícia para os seus pais, Joey adiava o anúncio por mais um dia. E o fato de Connie jamais lhe cobrar nada só tornava o problema mais exclusivamente dele.

E então certa noite, na CNN, ele viu a notícia de uma emboscada perto de Fallujah em que vários caminhões americanos tinham quebrado, deixando os motoristas contratados para dirigi-los à mercê dos insurgentes que os chacinaram. Embora não tenha visto nenhum A 10 nas imagens da CNN, ficou tão ansioso que precisou beber até apagar. Acordou poucas horas depois, coberto de suor, quase sóbrio, ao lado de sua mulher, que dormia literalmente como um bebê — com aquela doce quietude de quem confia cegamente no mundo — e entendeu que precisava ligar para seu pai na manhã seguinte. Nada nunca lhe metera tanto medo de alguma coisa quanto de dar esse telefonema. Mas entendia agora que ninguém mais poderia aconselhá-lo quanto ao que fazer, se era o caso de botar a boca no trombone e aguentar as consequências ou ficar calado e embolsar o dinheiro, e que ninguém mais seria capaz de absolvê-lo. O amor de Connie era incondicional demais, o de sua mãe envolvido demais com ela mesma, o de Jonathan, secundário demais. Era para seu pai, homem rigoroso, de princípios, que ele precisava fazer um relato completo. Vinha combatendo aquele homem a vida inteira; agora chegara o momento de admitir que estava derrotado.

O monstro de Washington

O pai de Walter, Gene, era o filho mais novo de um sueco difícil chamado Einar Berglund, que emigrara para os Estados Unidos na virada do século XX. Havia muito o que não gostar na Suécia rural — o serviço militar obrigatório, pastores luteranos que se metiam na vida dos moradores da paróquia, uma rígida hierarquia social que praticamente impedia qualquer mobilidade de baixo para cima —, mas o que de fato fez Einar partir para os Estados Unidos, segundo a história que Dorothy contou a Walter, foi um problema que teve com a mãe.

Einar era o mais velho de oito irmãos, o príncipe herdeiro da propriedade da família, no sul da Österland. Sua mãe, que talvez não fosse a primeira mulher a ficar insatisfeita ao se casar com um Berglund, favorecia escandalosamente o primogênito, vestindo-o com roupas melhores que as dos irmãos, servindo-lhe o creme do leite dos outros, e dispensando-o de trabalhos na propriedade para que ele pudesse se dedicar à sua formação e aos cuidados com a aparência. ("O homem mais vaidoso que eu conheci", dizia Dorothy.) O sol materno iluminou Einar por vinte anos, mas logo depois, por descuido, sua mãe teve um bebê temporão, um menino, e se apaixonou por ele como antes se apaixonara por Einar; Einar jamais lhe perdoou. Incapaz de suportar o fim do favoritismo, zarpou para os Estados Unidos em seu vigésimo segundo aniversário. Depois de lá chegar, nunca mais voltou à Suécia, nunca mais viu a mãe, e confessava com orgulho que tinha esquecido totalmente a língua materna, e emitia, à menor provocação, prolongadas diatribes contra "o país mais imbecil, mais metido e mais tacanho da Terra". Tornou-se mais uma fração percentual no experimento americano de autogoverno, experimento estatisticamente enviesado desde o início porque não eram as pessoas com a herança genética mais sociável que fugiam do superlotado Velho Mundo em busca do novo continente; eram as pessoas que não se davam bem com os demais.

Em sua juventude, em Minnesota, trabalhando primeiro como lenhador na derrubada das últimas florestas virgens da área e depois cavando barrancos para a construção de estradas, e sem ganhar um salário decente em nenhuma das duas situações, Einar se sentira atraído pela ideia comunista de que sua força de trabalho estava sendo explorada por capitalistas da Costa Leste americana. E um belo dia, ao ouvir um fulminante orador comunista na Pioneer Square, teve um estalo e percebeu que a maneira de avançar naquele país novo era ele próprio explorar a força de trabalho de outros. Com vários dos irmãos mais novos que tinham vindo para os Estados Unidos atrás dele, começou a atuar como empreiteiro de construção de estradas. Para ter o que fazer nos meses gelados, ele e os irmãos também fundaram uma cidadezinha às margens do alto Mississippi e abriram um empório de secos e molhados. Suas posições políticas talvez ainda fossem radicais àquela altura, porque concedia um crédito interminável aos agricultores comunistas, na maioria finlandeses, que lutavam para subsistir fora do alcance das capitais da Costa Leste. A loja logo começou a perder dinheiro, e Einar estava a ponto de vender sua parte quando um antigo amigo seu, um homem chamado Christiansen, abriu uma loja concorrente do outro lado da rua. Só por despeito (segundo Dorothy), Einar continuou tocando sua loja por mais cinco anos, atravessando o nadir da Grande Depressão, acumulando vales irresgatáveis de todos os agricultores num raio de mais de dez quilômetros, até o pobre Christiansen ser finalmente levado à falência. Em seguida Einar se transferiu para Bemidji, onde prosperou como construtor de estradas mas acabou vendendo sua empresa a preço desastrosamente baixo para um sócio de maneiras untuosas que simulava simpatias socialistas.

Os Estados Unidos, para Einar, eram a terra da liberdade antissueca, o país de espaços vazios onde um filho ainda podia imaginar que era especial.

Mas nada perturba tanto a sensação de ser o escolhido quanto a presença de outros seres humanos dominados pelo mesmo sentimento. Tendo conseguido, graças à sua inteligência inata e ao trabalho duro, certo grau de prosperidade e independência, mas nem de longe o bastante, transformou-se num caso clássico de ódio e desapontamento. Depois de sua aposentadoria, na década de 50, começou a enviar aos familiares cartas anuais de Natal em que fustigava a estupidez do governo americano, as iniquidades de sua política econômica e a fatuidade de sua religião — traçando, por exemplo, num cartão de Natal especialmente cáustico, um agudo paralelo entre a Madona virgem de Belém e a "meretriz sueca" Ingrid Bergman, cujo "rebento bastardo" (Isabella Rossellini) vinha sendo festejado pelos meios de comunicação americanos controlados pelos "interesses das grandes empresas". Embora fosse ele próprio um empresário, Einar detestava as grandes coorporações. Embora tenha construído sua carreira com base em contratos com o Estado, odiava também todo tipo de governo. E embora amasse a vida ao ar livre na estrada, as estradas o deixavam infeliz e louco. Comprava sedãs americanos com os motores mais potentes do mercado, para poder chegar a cento e cinquenta ou cento e sessenta quilômetros por hora nas rodovias estaduais absolutamente planas de Minnesota, muitas construídas por ele próprio, passando batido, com um ronco, pelos imbecis do caminho. Se um carro vinha do lado oposto à noite com faróis altos, a reação de Einar era acender seus próprios faróis altos e mantê-los acesos. Se algum idiota se atrevesse a tentar ultrapassá-lo numa estrada de mão dupla, ele pisava até o fundo no acelerador para emparelhar-se e depois desacelerava para impedir o candidato à ultrapassagem de voltar à pista da direita, derivando um prazer especial quando o sujeito corria o perigo de colisão frontal com um caminhão que se aproximava. Se outro motorista lhe cortasse o caminho ou se recusasse a deixá-lo passar, ele perseguia o malfeitor e tentava forçá-lo a sair da estrada, pondo a cabeça para fora e gritando impropérios para o motorista. (A personalidade suscetível ao sonho da liberdade ilimitada é uma personalidade que também tende, quando o sonho desanda, à misantropia e à ira.) Einar tinha setenta e oito anos quando uma péssima decisão tomada ao volante o forçou a escolher entre uma colisão frontal e uma vala profunda à beira da Route 2. Sua mulher, que estava a seu lado e, ao contrário de Einar, afivelara o cinto de segurança, lutou por três dias no hospital de Grand Rapids antes de sucumbir às queimaduras. Segundo a polícia, ela poderia ter sobrevivido caso não tivesse tentado retirar o marido morto do Eldorado em chamas. "Ele a tratou como um cão a vida inteira", disse o pai de Walter, "e depois ainda acabou com ela."

Dos quatro filhos de Einar, Gene era o único sem ambição que ficou perto de casa, o único que queria aproveitar a vida, o único que tinha centenas de amigos. O que se devia em parte à sua natureza e, em parte, às objeções sistemáticas do pai. Gene foi o craque do time de hóquei no gelo de Bemidji e em seguida, depois de Pearl Harbor, para grande tristeza do pai antimilitarista, um dos primeiros jovens a se alistar no exército americano. Serviu dois anos no Pacífico, dos quais emergiu incólume e sem jamais superar a patente de soldado raso, e voltou a Bemidji para farrear com os amigos, trabalhar numa oficina e ignorar as severas injunções do pai, que lhe dizia para se aproveitar das leis que favoreciam os ex-combatentes. Não está claro se ele teria desposado Dorothy caso não a tivesse engravidado, mas depois que se casaram ele se empenhou em amá-la com toda a ternura que, para ele, seu pai tinha sonegado à sua mãe.

O fato de Dorothy ter acabado no fim das contas trabalhando como uma escrava para ele a vida inteira, levando seu próprio filho Walter a nutrir por ele um ódio profundo, foi só uma dessas ironias do destino das famílias. Gene pelo menos não insistia em pensar, à diferença de seu respectivo pai, que era melhor do que a mulher. Pelo contrário, reduziu-a à escravidão com sua fraqueza — particularmente sua tendência à bebida. Os outros traços em que acabou parecido com Einar eram igualmente tortuosos na origem. Tinha posições populistas beligerantes, ostentando um orgulho desafiador por *não* ser especial, e graças a isso era atraído pelo lado escuro das posições políticas de direita. Era amoroso e gentil com a mulher, famoso entre os amigos e companheiros ex-combatentes por sua generosidade e lealdade, mas ainda assim, e com frequência cada vez maior à medida que envelhecia, era dado a erupções escaldantes de ressentimento berglundiano. Odiava os pretos, os índios, os diplomados, os arrogantes e, muito especialmente, o governo federal, e adorava as suas liberdades (de beber, fumar, enfiar-se com os amigos numa cabana para pescar no gelo) com intensidade maior ainda, porque eram todas modestas. Só maltratava Dorothy quando ela sugeria, com uma solicitude tímida — pois no geral punha a culpa em Einar, e não em Gene, pelos defeitos de Gene — que ele devia beber menos.

482

A parte que coube a Gene dos bens de Einar, embora muito desvaloriza-da pelos termos autodepreciativos da venda da empresa do pai, foi suficiente para deixá-lo próximo da aquisição do pequeno motel de beira de estrada que, fazia muito tempo, ele achava que seria "bacana" comprar e administrar. O Whispering Pines, quando Gene comprou o estabelecimento, tinha um siste-ma de fossa séptica ultrapassado, um problema sério de mofo e já ficava próxi-mo demais do acostamento de uma estrada com tráfego pesado de caminhões de minério e com o alargamento previsto para dali a pouco tempo. Por trás dele ficava uma vala repleta de sucata onde cresciam impetuosos vidoeiros, um dos quais atravessava o esqueleto de um carrinho de compras que ao cabo de algum tempo acabaria por estrangulá-lo e deter seu desenvolvimento. Gene devia saber que um motel mais interessante acabaria aparecendo no mercado local, se tivesse um pouco de paciência. Todavia, as más decisões de negócios têm um ímpeto próprio. Para investir com sensatez, ele teria de ser uma pessoa mais ambiciosa, mas já que ele não era esse outro tipo de pessoa, estava impaciente para cometer logo os seus erros, gastar tudo que tinha e entregar-se de uma vez à longa tarefa de esquecer quanto dinheiro tinha des-perdiçado, esquecendo-se literalmente de quanto tinha sido para se lembrar de uma soma mais próxima à que depois contaria a Dorothy ter pagado. Existe, afinal das contas, certa felicidade na infelicidade, se ela for uma infelicidade do tipo certo. Gene não precisava mais sentir medo de uma grande decepção no futuro, pois já tinha produzido uma decepção imensa; havia ultrapassado essa barreira, transformara-se definitivamente numa vítima do mundo. Fez uma segunda hipoteca arrasadora para construir um novo sistema de esgoto, e todas as calamidades subsequentes, maiores ou menores — um pinheiro que desabou em cima do telhado do escritório, um hóspede que pagou em dinhei-ro e resolveu limpar seus peixes em cima das cobertas da cama, a parte do le-treiro luminoso que dizia NÃO TEMOS acesa ao lago de VAGAS durante quase todo um fim de semana de Quatro de Julho antes de Dorothy perceber — só serviam para confirmar sua visão do mundo e do lugar infeliz que lhe fora re-servado nele.

Nos primeiros verões do motel, os irmãos e irmãs de Gene, todos mais prósperos que ele, traziam suas famílias dos outros estados em que viviam e passavam uma ou duas semanas pagando diárias especiais para a família, cujas negociações não deixavam ninguém feliz. Os primos de Walter se apropriavam da piscina manchada de tanino enquanto seus tios ajudavam Gene a passar impermeabilizante no estacionamento ou evitar o aumento da erosão que havia atrás da propriedade com escoras feitas de dormentes. No fundo da vala propícia à malária, perto dos restos do carrinho de compras, o primo sofisticado de Walter que morava em Chicago, Leif, contava histórias instrutivas e apavorantes sobre os subúrbios das grandes cidades; a mais memorável e assustadora, para Walter, era a que falava de um aluno da oitava série de Oak Park que tinha dado um jeito de ficar nu com uma colega e então, sem saber ao certo o que devia acontecer em seguida, mijou nas pernas dela. Como os primos citadinos de Walter eram muito mais parecidos com ele que seus irmãos, aqueles primeiros verões foram os mais felizes da sua infância. Cada dia trazia novas aventuras e acidentes: picadas de vespa, injeções antitetânicas, tentativas malsucedidas de transformar garrafas em foguetes, casos medonhos de irritação da pele por urtiga, vários quase afogamentos. No fim da noite, quando o trânsito diminuía, os pinheiros próximos ao escritório cuidavam, honestamente, de sussurrar.

Em pouco tempo, entretanto, os cônjuges dos outros Berglund começaram a fincar pé, e as visitas foram cessando. Para Gene, era apenas mais uma prova de que seus irmãos e irmãs o olhavam de cima, com desprezo, considerando-se elegantes demais para o seu motel, enquadrando-se de maneira geral naquela classe privilegiada de americanos que ele vinha tendo cada vez mais prazer em espezinhar e rejeitar. E elegeu Walter como alvo simplesmente porque Walter gostava dos primos da cidade e sentia falta deles. Na esperança de deixar Walter menos parecido com os parentes, Gene atribuía ao filho mais amante dos livros as tarefas mais imundas e humilhantes da manutenção. Walter raspava tinta, tirava manchas de sangue e sêmen do tapete, e usava arame de cabides desfeitos para pescar maçarocas de lodo e cabelo em vários estágios de decomposição para fora do ralo das banheiras. Quando um hóspede deixava a privada especialmente salpicada de diarreia, e quando Dorothy não estava por perto para limpá-la antes, Gene levava seus três filhos para examinar o estrago e então, depois de provocar a hilaridade enojada dos irmãos de Walter, mandava que este fizesse a limpeza sozinho. E dizia: "Vai ser bom para ele". E os irmãos repetiam: "É, vai ser bom para ele!". E quando Dorothy descobria e reclamava dele, Gene ficava sentado, sorrindo e fumando com um prazer especial, absorvendo toda a raiva dela sem rebater nada —

484

orgulhoso, como sempre, de não levantar a voz nem a mão para ela. "Aaaaah, Dorothy, deixe pra lá", dizia ele. "Trabalhar vai fazer bem a ele. Assim ele não fica muito cheio de si."

Era como se toda a hostilidade que Gene poderia ter dirigido à sua mulher diplomada, mas se recusava a permitir-se por medo de ficar igual a Einar, tivesse encontrado um alvo mais aceitável na pessoa do filho do meio, que, como a própria Dorothy percebia, era forte o bastante para suportá-la. Dorothy tinha uma visão paciente da justiça. Em termos imediatos, podia ser injusto Gene tratar Walter com tanta dureza, mas a longo prazo seu filho acabaria sendo bem-sucedido na vida, enquanto o marido nunca chegaria a ser grande coisa. E o próprio Walter, ao aceitar sem queixa as tarefas perversas que o pai lhe atribuía, ao recusar-se a chorar ou ir reclamar com Dorothy, mostrava ao pai que era capaz de derrotá-lo até mesmo em seu próprio jogo. Os esbarrões diários que Gene dava tarde da noite nos móveis, seus acessos infantis de pânico quando ficava sem cigarros, sua difamação sistemática das pessoas bem-sucedidas: se Walter não estivesse sempre ocupado com o ódio que sentia do pai, poderia ter ficado com pena dele. E havia pouca coisa que metia mais medo em Gene do que ser objeto de compaixão.

Quando Walter tinha nove ou dez anos, prendeu na porta do quarto que dividia com o irmão mais novo, Brent, sempre incomodado pelos cigarros de Gene, um cartaz feito à mão dizendo que era proibido fumar. Walter jamais faria a mesma coisa por si mesmo — preferia deixar Gene soprar fumaça direto nos seus olhos a lhe dar a satisfação de ouvir uma queixa. E Gene, pelo seu lado, não se sentia suficientemente à vontade com Walter para simplesmente arrancar o cartaz. Preferiu, em vez disso, contentar-se com a zombaria. "E se o seu irmãozinho quiser fumar um cigarro no meio da noite? Você vai obrigá-lo a sair no meio da noite gelada?"

"Ele já respira mal de noite por causa de tanta fumaça", respondeu Walter.

"Nunca tinha ouvido falar disso."

"Eu durmo lá, e escuto."

"Só estou dizendo que você pregou o cartaz para os dois, não é? Mas o que Brent acha? Ele divide o quarto com você, não é?"

"Ele só tem seis anos", respondeu Walter.

"Gene, acho que Brent pode ser alérgico à fumaça", disse Dorothy.

"Pois eu acho que *Walter* é alérgico a *mim*."

"Não queremos que ninguém fume no nosso quarto, só isso", disse Walter. "Pode fumar do lado de fora da porta, mas não dentro do quarto."

"Não vejo a diferença que faz o cigarro estar de um lado ou de outro da porta."

"Mas é a nova regra do nosso quarto."

"Quer dizer que agora você está criando regras por aqui?"

"No nosso quarto, sim", disse Walter.

Gene estava a ponto de dar uma resposta enfurecida quando um ar cansado tomou conta dele. Balançou a cabeça e produziu o sorriso torto e obstinado com que sempre reagira a afirmações de autoridade ao longo da vida inteira. Talvez tivesse visto, na alergia de Brent, a desculpa que procurava para acrescentar ao motel um "salão" onde pudesse fumar em paz e seus amigos pudessem vir e pagar alguma coisa para beber com ele. Dorothy anteviu com toda a razão que um salão assim acabaria com ele.

O grande alívio da infância de Walter, além da escola, era a família da mãe. O pai dela era um médico de cidade pequena, e entre os irmãos, irmãs, tios e tias de Dorothy havia professores universitários, um casal de antigos artistas de *vaudeville*, um pintor amador, duas bibliotecárias e várias pessoas que nunca se casaram e deviam ser homossexuais. Os parentes de Dorothy nas Cidades Gêmeas de Minneapolis e St. Paul costumavam convidar Walter para fins de semana estonteantes compostos de idas a museus, teatros e apresentações de música; os que ainda viviam no extremo nordeste do estado, a chamada Iron Range, organizavam imensos almoços de verão e festas nos feriados. Gostavam de mímica e de jogos de cartas antiquados como canastra; tinham pianos em casa, e todo mundo cantava. Eram tão obviamente inofensivos que até Gene ficava relaxado na companhia deles, tratando como excentricidades risíveis seus gostos e preferências políticas, compadecendo-se deles com simpatia diante de sua incompetência absoluta para trabalhos de homem. Eles faziam aflorar um lado domesticado de Gene que Walter amava mas que quase nunca tinha como ver, exceto na época do Natal, quando se dedicava à fabricação de doces.

A produção de doces era grande e importante demais para ser deixada só por conta de Dorothy e Walter. Começava na primeira semana do Advento e atravessava a maior parte do mês de dezembro. Utensílios metálicos de bruxaria — caldeirões e grelhas de ferro, pesados aparelhos de alumínio para processar nozes e amêndoas — emergiam de armários profundos. Grandes dunas sazonais de açúcar se erguiam, bem como torres de latinhas. Mais de um metro cúbico de manteiga natural era derretido com leite e açúcar (para o *fudge* de chocolate) ou só com açúcar (para os famosos caramelos *toffee* de Natal de Dorothy), ou transferido penosamente por Walter para o esquadrão de reserva de panelas e caçarolas rasas que sua mãe, ao longo dos anos, tinha comprado de gente que se mudava. Havia muita discussão sobre "bolhas duras", "bolhas moles" e "rachaduras". Gene, de avental, mexia os caldeirões com os gestos de um remador viking, fazendo o possível para manter a cinza dos cigarros fora da mistura. Tinha três antigos termômetros de doceiro, cujos envoltórios de metal tinham a forma de raquetes e cuja função natural era mostrar que a temperatura não aumentava em nada por várias horas, até que, de repente e ao mesmo tempo, todos registravam a temperatura à qual o *fudge* queima e o caramelo endurece como epóxi. Ele e Dorothy nunca funcionavam tão bem em equipe como quando trabalhavam contra o relógio para adicionar as nozes e castanhas na hora certa e verter os doces do caldeirão. E mais tarde vinha a faina brutal de cortar o caramelo já endurecido além da conta: a lâmina da faca se curvava debaixo da tremenda pressão exercida por Gene, o som desagradável (menos ouvido do que sentido na medula dos ossos, nos nervos dos dentes) de uma lâmina afiada que perdia o gume contra o fundo de uma panela de metal, as explosões de um âmbar castanho e pegajoso, os gritos paternos de *Meu Deus puta merda*, e as repreensões maternas que lhe pediam para não dizer palavrões.

Na última semana do Advento, quando oitenta ou cem latinhas já tinham sido forradas de papel-manteiga e abastecidas de pedaços de *fudge* e caramelos *toffee*, e guarnecidas com amêndoas confeitadas, Gene, Dorothy e Walter saíam distribuindo. Levavam um fim de semana inteiro, às vezes mais. O irmão mais velho de Walter, Mitch, ficava no motel com Brent que, embora mais tarde tenha se transformado em piloto da Força Aérea, quando criança enjoava muito no automóvel. Os doces eram entregues primeiro aos muitos amigos que Gene tinha em Hibbing, e depois, com muitas marchas a ré, erros de caminho e estradas sem saída, a parentes e amigos mais distantes, do Iron Range no nordeste do estado até Grand Rapids e ainda mais além. Era inconcebível deixar de aceitar um café ou um biscoito em cada casa que visitavam. Entre as paradas, Walter ficava sentado no banco de trás do carro lendo um livro, ou observando a mancha de sol da forma da janela a seu lado no banco que, quando o carro afinal chegava ao entroncamento onde precisava fazer uma curva de noventa graus, deslizava pelo cânion do piso e reaparecia, retorcida, nas costas do assento dianteiro. Do lado de fora, eram os eternos terrenos cobertos de árvores, a eterna lama coberta de neve, os anúncios de fertilizante impressos em círculos de metal pregados aos postes telefônicos, os gaviões envoltos nas asas dobradas e os corvos mais ousados. No banco a seu lado havia uma pilha crescente de presentes das casas já visitadas — bolos e tortas escandinavos, guloseimas finlandesas e croatas, garrafas de "agrado" dos amigos solteiros de Gene — e a pilha que lentamente diminuía das latinhas produzidas pelos Berglund. O maior mérito dessas latinhas era que continham os mesmos doces que Gene e Dorothy vinham distribuindo desde o casamento. Os doces tinham sofrido uma lenta mutação ao longo dos anos, que os transformara de guloseimas em lembranças de guloseimas do passado. Era o presente anual que os Berglund de poucos recursos ainda podiam distribuir à larga.

Walter estava terminando seu primeiro ano do colegial quando o pai de Dorothy morreu e deixou para ela a casinha do lago em que passavam os verões da infância. Na cabeça de Walter, a casa estava associada às dificuldades de sua mãe, pois fora lá, ainda menina, que ela suportara longos meses combatendo a artrite que prejudicara sua mão direita e deformara sua pélvis. Numa estante baixa ao lado da lareira ficavam os tristes velhos "brinquedos" com que ela costumava "se divertir" horas a fio — um instrumento que lembrava um quebra-nozes com molas de aço, um trompete de madeira com cinco válvulas — para tentar preservar e melhorar a mobilidade das juntas devastadas de seus dedos. Os Berglund sempre estiveram ocupados demais com o motel para desfrutar da casinha, mas Dorothy adorava o lugar, e sonhava que iria morar lá depois de se aposentar, se Gene conseguisse se livrar do motel, e por isso não concordou na mesma hora quando Gene propôs que a vendessem. A saúde de Gene ia mal, o motel estava hipotecado até o último prego, e todo pouco encanto de beira de estrada que possuíra um dia tinha sido completamente erodido pelos inclementes invernos de Hibbing. Embora Mitch tivesse deixado os estudos e trabalhasse numa oficina de lanternagem mas ainda morasse em casa, gastava todo o salário com mulheres, bebida, armas, equipamento de pesca e seu Thunderbird envenenado. Gene poderia ter outra opinião sobre a casa se o pequeno lago sem nome tivesse peixes mais merecedores de serem pescados do que percas e lambaris mas, como não tinha, ele não via nenhum sentido em manter-se apegado a uma casa de férias que não tinham tempo de usar. Dorothy, geralmente a suprema encarnação do pragmatismo, ficou tão triste que se recolhia cedo todo dia, queixando-se de dor de cabeça. E Walter, que não se incomodava em sofrer ele próprio, mas não aguentava ver a mãe sofrendo, interveio.

"Eu posso ir para lá e consertar a casa nas férias de verão, e depois quem sabe a gente passe a alugar", disse aos pais.

"Mas precisamos de você ajudando aqui", respondeu Dorothy.

"De qualquer maneira, daqui a um ano vou embora da cidade. Como vocês vão fazer depois que eu me mudar?"

"A gente resolve isso quando chegar a hora", disse Gene.

"Mais cedo ou mais tarde vocês vão precisar contratar uma pessoa."

"E é por isso que precisamos vender a casa do lago", disse Gene.

"Ele tem razão, Walter", completou Dorothy. "Eu não queria me desfazer da casa, mas ele tem razão."

"Bom, e Mitch? Ele pelo menos podia pagar aluguel a vocês, e com esse dinheiro dava para vocês contratarem alguém."

"Ele já é independente", respondeu Gene.

"Mas ainda come aqui, e a mamãe lava a roupa dele! Por que ele não paga pelo menos alguma coisa de aluguel?"

"Não é da sua conta!"

"É da conta da mamãe! Você prefere vender a casa da mamãe a obrigar Mitch a se comportar como adulto."

"O quarto é dele, e não vou botar meu filho para fora!"

"Você acha mesmo que podíamos alugar a casa?", perguntou Dorothy esperançosa.

"Íamos precisar fazer faxina toda semana, e mandar lavar toda a roupa de cama", disse Gene. "O trabalho não ia acabar nunca."

"Eu posso ir até lá de carro uma vez por semana", propôs Dorothy. "Nem é muito complicado."

"Mas precisamos do dinheiro *agora*", disse Gene.

"E se eu fizesse como o Mitch?", perguntou Walter. "E se eu simplesmente me recusasse? Se eu simplesmente fosse para lá e passasse as férias consertando a casa do lago?"

489

"Você não é Jesus Cristo", disse Gene. "Podemos nos virar aqui sem você."

"Gene, podemos pelo menos *tentar* alugar a casa nas férias do verão que vem. Se não der certo, sempre podemos vender."

"Eu vou nos fins de semana", disse Walter. "Que tal assim? Mitch pode me cobrir nos fins de semana, não pode?"

"Se você quer tentar convencer Mitch disso, pode ir em frente", respondeu Gene.

"Eu não sou pai dele!"

"Pois para mim já chega", disse Gene, e retirou-se para o salão.

A razão de Gene deixar Mitch fazer o que quisesse era bem clara: ele enxergava em seu filho mais velho uma réplica quase exata de si mesmo, e não queria forçá-lo como se sentira forçado por Einar. Mas a passividade de Dorothy diante de Mitch era mais misteriosa para Walter. Talvez ela já estivesse tão desgastada pelo marido que simplesmente não tinha a energia necessária para combater também seu primeiro filho, ou talvez conseguisse ver o fracasso futuro de Mitch e desejasse a ele mais alguns anos de bons tratos em casa antes que o mundo o tratasse com a dureza costumeira. De qualquer maneira, foi a Walter que coube bater na porta de Mitch, coberta de adesivos de STP e Pennzoil, e tentar tratar seu irmão mais velho como a um filho.

Mitch estava deitado na cama, fumando um cigarro e ouvindo o Bachman-Turner Overdrive no aparelho de som que tinha comprado com seus ganhos na oficina de lanternagem. A expressão contrafeita com que sorriu para Walter era semelhante à do pai deles, mas com um desprezo mais acentuado. "O que você quer?"

"Quero que você comece a pagar aluguel nesta casa, trabalhe um pouco ou então vá embora."

"E desde quando você manda aqui?"

"Papai me disse para falar com você."

"Diga a ele que venha falar comigo pessoalmente."

"Mamãe não quer vender a casa do lago, então alguma coisa precisa mudar."

"Problema dela."

"Meu Deus, Mitch. Você é o sujeito mais egoísta que eu já vi na vida."

"Até parece. Você vai embora estudar em Harvard, ou coisa assim, e eu é que vou acabar tomando conta deste lugar. Mas eu é que sou o egoísta."

"É mesmo!"

"Só estou economizando para o caso de Brenda e eu precisarmos, mas eu é que sou o egoísta."

Brenda era a garota muito bonita que tinha sido quase deserdada pelos pais por namorar Mitch. "E qual é exatamente o seu plano de poupança?", perguntou Walter. "Comprar um monte de coisas para depois botar no prego?"

"Eu trabalho muito. Você acha que eu devia fazer o quê, nunca comprar nada?"

"Eu também trabalho muito, e não tenho nada, porque não recebo salário nenhum."

"E aquela câmera de filmar?"

"Foi minha *escola* que me emprestou, seu cretino. Não é minha."

"Bem, pois ninguém me empresta nada, porque eu não sou um veadinho puxa-saco."

"Mas nem por isso você precisa deixar de pagar algum aluguel, ou pelo menos ajudar no motel nos fins de semana."

Mitch olhou para o seu cinzeiro como se contemplasse um pátio de penitenciária repleto de prisioneiros empoeirados, pensando na maneira de enfiar mais um no meio dos outros. "Quem foi que nomeou você o Jesus Cristo da área?", disse ele, sem muita originalidade. "Não sou obrigado a negociar com você."

Mas Dorothy se recusava a conversar com Mitch ("Prefiro simplesmente vender a casa", disse ela), e Walter, ao final do ano letivo, que também era o início da estação mais movimentada do motel, se é que se pode falar de muito movimento, decidiu forçar a discussão, entrando em greve. Enquanto ele estava no motel, não tinha como deixar de fazer as coisas que precisavam ser feitas. A única maneira de forçar Mitch a assumir a responsabilidade era ir embora, e assim ele anunciou que passaria as férias consertando a casa do lago e fazendo um documentário experimental sobre a natureza. Seu pai disse que, se ele queria melhorar o estado da casa para vender, não tinha nada contra, mas que a casa ia ser vendida de qualquer maneira. A mãe implorou que ele deixasse de lado a história daquela casa. Disse que tinha sido egoísmo da parte dela criar tanto caso por causa daquilo, que nem *gostava* tanto assim da casa, só queria que todo mundo se desse bem, e quando Walter disse que ia de qualquer maneira, ela gritou que, se ele de fato se importasse com o que ela queria, não iria embora. Mas ele se sentia, pela primeira vez, realmente enfurecido com ela. Não fazia diferença saber o quanto ela o amava ou o quanto ele a compreendia — ficou com ódio por ela submeter-se de um jeito tão servil ao pai e ao irmão dele. Estava farto daquilo. Pediu que sua melhor amiga, Mary Siltala, o levasse de carro até a casa do lago com uma mochila de roupas, dez galões de tinta, sua velha bicicleta sem marchas, um exemplar de segunda mão de uma edição de bolso de *Walden*, a filmadora Super-8 que lhe tinha sido emprestada pelo departamento de áudio e vídeo de sua escola e oito caixas amarelas de negativo Super-8. Era de longe a atitude mais rebelde que já tinha tomado na vida.

A casa ainda estava cheia de cocô de rato e besouros mortos, e precisava, além da pintura, de um telhado novo e de novas telas para as janelas. No seu primeiro dia, Walter fez faxina e cortou mato por dez horas seguidas, e depois saiu para uma caminhada pelo bosque, à luz inalterável do fim da tarde, procurando o belo na natureza. Tinha apenas vinte e quatro minutos de negativo, e depois de desperdiçar três deles com esquilos percebeu que precisava de algo menos fácil de registrar. O lago era pequeno demais para receber marrecos, mas quando ele levou a canoa de lona do avô a seus recessos mais remotos, assustou uma ave que lembrava uma garça, uma espécie de socó, que tinha construído um ninho em meio aos juncos. Aquelas aves eram perfeitas — tão discretas que ele poderia vigiá-las ao longo de todo o verão sem gastar vinte e um minutos de negativo. Imaginou produzir um curta-metragem experimental intitulado "Socolidão".

Acordava todo dia às cinco da manhã, cobria-se de repelente e remava muito devagar, no maior silêncio possível, na direção dos juncos, com a filmadora no colo. O costume daquelas aves era ficar paradas em meio aos caniços, camufladas pelas finas faixas verticais beges e marrons de sua plumagem, e trespassar peixes pequenos com o bico. Quando pressentiam o perigo, ficavam paralisadas, com o pescoço esticado e o bico apontando para o céu, confundindo-se com os talos secos de junco. Quando Walter se aproximava mais, na esperança de capturar uma parte maior da vida daquelas aves no visor da filmadora, elas em geral desapareciam mas às vezes preferiam alçar voo, o que o forçava a se inclinar loucamente para trás na tentativa de acompanhá-las com a câmera. Embora fossem simples máquinas de matar, ele as achava muito simpáticas, sobretudo pelo contraste entre suas penas de camuflagem, totalmente sem encantos, e o cinzento dramático e o negro de ardósia de suas asas estendidas quando pairavam no ar. Eram humildes e furtivas ao nível do solo, perto de seus ninhos pantanosos, mas muito majestosas no céu.

Dezessete anos de vida em aposentos apertados com sua família tinham deixado Walter com uma sede de solidão cuja inextinguibilidade ele só agora descobria. Ouvir apenas o vento, o canto das aves, o zumbido dos insetos, peixes pulando, galhos rangendo, o roçar das folhas de vidoeiro quando se entrechocavam: toda hora ele parava para saborear aquele silêncio de ruídos sutis enquanto raspava a tinta das paredes externas da casa. A viagem de ida e volta até a cooperativa que vendia comida em Fen City levava noventa minutos em sua bicicleta. Preparava panelas grandes de ensopado de lentilha e sopa de feijão, usando as receitas da mãe, e à noite jogava na máquina de *pinball* movida a mola mas ainda em bom funcionamento que a casa tinha desde sempre. Lia na cama até a meia-noite e mesmo depois disso não adormecia imediatamente, ficava deitado absorvendo o silêncio.

Num fim de tarde, uma sexta-feira, o décimo dia de sua estada à beira do lago, quando voltava na canoa de mais uma tentativa de captura de novas imagens insatisfatórias das aves do lago, ouviu o som de motores de automóvel, música alta, e depois motocicletas se aproximando pela estrada de acesso. Quando conseguiu tirar a canoa da água, Mitch, a bela Brenda e três outros casais — três idiotas das relações de Mitch e três garotas com calças de boca de sino e camisetas curtas sem mangas — descarregavam cerveja, barracas de acampamento e geladeiras de isopor no gramado atrás da casa. Uma caminhonete movida a diesel funcionava em ponto morto com uma tosse de fumante, alimentando de energia um sistema de som que só tocava Aerosmith. Um dos idiotas amigos de Mitch tinha trazido um *rottweiller* com uma coleira de tachas presa a uma corrente de reboque.

"E aí, amante da natureza?", disse Mitch. "Espero que não se incomode de receber convidados."

"Me incomodo sim", disse Walter, corando contra a vontade ao ver como aquele grupo devia achá-lo tenso. "E me incomodo muito. Estou aqui sozinho. Não tem lugar para vocês."

"Tem sim", disse Mitch. "Na verdade, é você quem não devia estar aqui. Pode ficar hoje à noite, se quiser, mas agora eu estou aqui. E você está na minha propriedade."

"A propriedade não é sua."

"Eu aluguei. Você queria que eu pagasse aluguel, e aluguei a casa daqui."

"E o seu emprego?"

"Eu me demiti. Saí de lá."

Walter, quase às lágrimas, entrou na casa e escondeu a filmadora na cesta de roupa suja. Depois saiu de bicicleta num crepúsculo subitamente esvaziado de encantos e repleto de mosquitos e hostilidade, e ligou para casa do telefone público ao lado da cooperativa de Fen City. Sim, confirmou sua mãe, ela, Mitch e o pai deles tinham trocado palavras iradas e concluído que o melhor era manter a casa na família e deixar Mitch fazer os consertos e aprender a assumir mais responsabilidades.

"Ele vai ficar farreando o tempo todo, mãe. Vai acabar pondo fogo na casa."

"Bom, mas eu me sinto melhor com você aqui e Mitch por conta própria", disse ela. "Você tinha razão, querido. E agora pode voltar para casa. Estamos com saudade, e você ainda não tem idade para passar as férias inteiras sozinho."

"Mas estou adorando a temporada aqui. Estou fazendo tanta coisa."

"Desculpe, Walter. Mas foi assim que nós resolvemos."

Pedalando de volta para casa no começo da noite, ele já ouvia o barulho a quase um quilômetro de distância. Solos másculos de guitarra, gritos de embriaguez, latidos do cachorro, bombinhas, o ronco e o canto alto de um motor de moto. Mitch e os amigos tinham armado barracas, feito uma enorme fogueira, e estavam tentando assar hambúrgueres direto nas chamas em meio a uma nuvem de fumaça de maconha. Nem olharam para Walter quando ele chegou e entrou na casa. Ele se trancou no quarto e ficou deitado na cama, deixando-se torturar pelo barulho. Por que eles não conseguiam ficar *quietos*? De onde vinha aquela voragem de conquista sônica de um mundo em que *havia* quem gostasse do silêncio? O tumulto nunca diminuía. Produzia uma febre à qual todas as demais pessoas pareciam imunes. Uma febre alienante de autocomiseração. Que, por ter acometido Walter naquela noite, lhe deixou como marca permanente o ódio pela *vox populi* que se manifestava aos berros e também, curiosamente, com uma aversão ao mundo natural. Ele viera ao encontro da natureza com o peito aberto, e a natureza, em sua passividade, que lembrava a fraqueza de sua mãe, cuidara de decepcioná-lo. Ele se deixara atropelar tão rapidamente por aqueles idiotas barulhentos. Amava a natureza, mas só num plano abstrato, não mais do que amava bons romances ou filmes estrangeiros, e menos do que viria a amar Patty e os filhos, e assim, pelos vinte anos seguintes, transformou-se numa criatura urbana. Mesmo quando se demitiu da 3M e se dedicou ao ambientalismo, seu interesse primário em trabalhar na Conservancy, e mais tarde no Fundo, era salvaguardar bolsões de natureza de caipiras invasores como o irmão. O amor que ele sentia pelas criaturas cujo hábitat protegia baseava-se na projeção: na identificação com seu próprio desejo de ser deixado em paz por seres humanos ruidosos.

Com a exceção de alguns meses de cadeia, quando Brenda ficou sozinha com suas filhinhas, Mitch morou continuamente na casa do lago até a morte de Gene, seis anos mais tarde. Trocou o telhado e deteve o declínio geral da propriedade, mas também derrubou algumas de suas árvores maiores e mais bonitas, e devastou a encosta à beira do lago, que transformou em playground para seus cachorros, além de abrir à força uma trilha para *snowmobile* que levava até a margem oposta do lago, onde os socós costumavam fazer seus ninhos. Até onde Walter soube, jamais pagou um centavo de aluguel a Gene e Dorothy.

Será que o criador dos Traumatics sequer sabia o que era um trauma? Eis o que era um trauma: descer para seu escritório no começo de uma manhã de domingo, cultivando pensamentos felizes sobre os filhos, que o tinham deixado muito orgulhoso nos últimos dois dias, e descobrir em sua mesa um longo texto, escrito por sua esposa, confirmando seus piores medos em relação a ela, você mesmo e seu melhor amigo. A única experiência vagamente semelhante da vida de Walter tinha sido a primeira vez que se masturbou, no Quarto 6 da Whispering Pines, seguindo as simpáticas instruções ("Use vaselina") transmitidas por seu primo Leif. Ele tinha catorze anos, e o prazer havia reduzido todos os prazeres conhecidos até então a proporções tão minúsculas, com um resultado tão cataclísmico e espantoso, que ele se sentiu como um herói de ficção científica transportado através da quarta dimensão de um planeta em fim de declínio para outro, novinho em folha. E o texto de Patty era quase igualmente irresistível e transformador. A leitura que fez de suas muitas folhas lhe pareceu, como aquela primeira masturbação, durar um único instante. Ele se levantou uma só vez, bem no início, para trancar a porta do escritório, e logo estava lendo a última página, eram exatamente 10:12 da manhã, e o sol que batia nas janelas do escritório era diferente do sol que ele conhecia antes. Era uma estrela amarela e maligna em algum canto esquecido da galáxia, e sua cabeça ficara igualmente alterada pela distância interestelar que percorrera. Ele saiu com o texto do escritório e passou direto por Lalitha, que digitava em sua mesa.

"Bom dia, Walter."

"Bom dia", disse ele com um estremecimento ao perceber o excelente aroma matinal que ela exalava. Atravessou a cozinha e subiu a escada dos fundos até o quartinho onde o amor da sua vida ainda estava usando o pijama de flanela, refugiada no ninho de roupas de cama que armara em cima do sofá, com uma caneca de café com leite na mão, assistindo a um programa sobre a última rodada do campeonato universitário de basquete apresentada por algum canal de esportes. O sorriso que ela lhe dirigiu — um sorriso que lembrava os últimos fulgores do sol que ele acabara de perder — se transformou em horror assim que ela viu o que ele trazia nas mãos.

"Ah, merda", disse ela, desligando a televisão. "Ah, que merda, Walter. Ah, ah, ah." Sacudia a cabeça com veemência. "Não", disse ela. "Não, não, não."

Ele fechou a porta atrás de si e deslizou com as costas apoiadas nela até acabar sentado no chão. Patty tomou fôlego, depois tomou mais fôlego, e não disse nada. A luz que entrava pelas janelas parecia de outro mundo. Walter tornou a estremecer, com os molares batendo enquanto tentava controlar-se.

"Não sei onde você pegou esse texto", disse Patty. "Mas não era para você. Eu dei a Richard na noite passada para *me livrar* dele. Queria Richard *fora* da nossa vida, Walter. Não sei por que ele fez isso! É tão horrível, o que ele fez!"

De uma distância de muitos parsecs, ele a ouviu começando a chorar.

"Nunca me passou pela cabeça deixar você ler isso, Walter", disse ela com uma voz aguda de carpideira. "Juro por Deus, Walter. Juro por Deus. Passei a vida inteira tentando não magoar você. Você sempre me tratou tão bem, não merece nada disso."

Ela chorou muito tempo depois disso, dez ou cem minutos. Toda a programação normal das manhãs de domingo foi suspensa devido à emergência, o curso normal do dia tão profundamente obliterado que ele nem tinha como ficar nostálgico. Por força do acaso, o ponto do chão bem à frente dele tinha

496

sido cenário de uma emergência de tipo muito distinto só três dias antes, uma emergência benigna, um acasalamento prazerosamente traumático que, em retrospecto, parecia um prenúncio daquela emergência maligna. Ele tinha subido as escadas na noite de quinta e atacado Patty sexualmente. E executara, com o surpreso consentimento dela, os atos violentos que, sem o consentimento dela, teriam constituído um estupro: arrancou as calças pretas que ela usava no trabalho, puxou-a para o chão e a invadiu como um aríete. Se alguma vez, no passado, tivesse lhe ocorrido a ideia de fazer aquilo, ele jamais teria passado à ação, porque nunca seria capaz de esquecer que ela fora estuprada na juventude. Mas o dia tinha sido tão longo e desconcertante — sua quase infidelidade com Lalitha tão candente, o bloqueio da estrada no condado de Wyoming tão enfurecedor, a humildade da voz de Joey ao telefone tão inédita e gratificante — que Patty de repente lhe parecera, quando Walter entrou no quarto dela, um objeto seu. Seu objeto obstinado, sua mulher frustrante. E ele estava farto daquilo, farto de toda a racionalização e compreensão, a tal ponto que a derrubou no chão e comeu-a como um brutamontes. O ar de revelação no rosto dela naquele momento, que devia espelhar a expressão dele próprio, fez que ele parasse quase no mesmo instante em que começou. Parou, saiu dela, sentou-se em seu peito e esfregou seu pau ereto, que parecia ter o dobro do tamanho normal, no rosto dela. Para deixar bem claro quem ele estava se tornando. Ambos sorriam como loucos. E então ele tornou a penetrá-la, e em vez dos gemidos contidos e baixinhos de estímulo, dessa vez ela soltava gritos altos, que o deixaram ainda mais inflamado; e na manhã seguinte, quando ele desceu para o escritório, adivinhou pelo gélido silêncio de Lalitha que os gritos tinham se espalhado pelo casarão inteiro. Alguma coisa tinha começado na noite de quinta, ele não sabia bem o quê. Mas agora aquele texto dela mostrou do que se tratava. Do fim de tudo. Ela nunca o amara de verdade. Queria seu amigo malévolo. E tudo aquilo deixou Walter satisfeito por não ter quebrado a promessa que fizera a Joey no jantar em Alexandria na noite seguinte, a promessa de não contar para ninguém, sobretudo não para Patty, que ele se casara com Connie Monaghan. Esse segredo, além de vários outros mais alarmantes que Joey confiara ao pai, vinham pesando no espírito de Walter desde então, por todo o fim de semana, e ao longo de toda a longa reunião e do show que tinha ido assistir na noite anterior. Ele estava culpado por deixar Patty no escuro quanto ao casamento, sentindo que a atraiçoava. Mas agora percebia que, em matéria de traição, a sua era ridícula e insignificante. Insignificante a ponto de fazer chorar.

"Richard ainda está aqui?", perguntou ela finalmente, enxugando o rosto com o lençol.

"Não. Ouvi quando ele saiu, antes de me levantar. Acho que não vai mais voltar."

"Bom, Deus seja louvado pelas pequenas misericórdias."

Como ele amava a voz dela! Agora, só de ouvi-la tinha vontade de morrer.

"Vocês dois treparam ontem à noite?", perguntou ele. "Ouvi vozes na cozinha."

Sua voz soava rouca como a de um corvo, e Patty respirou fundo, como que se preparando para prolongados maus-tratos. "Não", disse ela. "Conversamos e depois fui para a cama. Já disse a você, está tudo acabado. Aconteceu um lance há alguns anos, mas já passou."

"Todo mundo erra."

"Você precisa acreditar em mim, Walter. Acabou de verdade."

"Só que, fisicamente, você não sente comigo o mesmo que sente com o meu melhor amigo. Nunca sentiu, ao que tudo indica. Nem nunca vai sentir."

"Ahhh", disse ela, fechando os olhos como quem reza, "por favor não cite as coisas que eu escrevi. Pode me chamar de vagabunda, de puta, de pior pesadelo da sua vida, mas por favor, tente não citar o que escrevi. Tenha só esse pouco de piedade, se puder."

"Ele pode jogar mal xadrez, mas sem dúvida ganha de longe na outra competição."

"Está bem", disse ela, fechando os olhos com mais força. "Você vai ficar citando o que eu escrevi. Está certo. Pode citar. Vá fundo. Faça o que tiver de fazer. Eu sei que não mereço compaixão. Mas só quero que você saiba que é a pior coisa que você poderia fazer."

"Desculpe. Achei que você gostava de conversar sobre ele. Na verdade, achei que era por isso que você mais gostava de conversar comigo."

"Isso mesmo. Era. Não vou mentir para você. Foi, durante uns três meses. Mas isso foi há vinte e cinco anos, antes de eu me apaixonar e construir uma vida em comum com você."

"E que vida satisfatória, não é? 'Nada de muito errado com ela', acho que foram as suas palavras. Embora os acontecimentos concretos deem a impressão de que não era bem assim."

Ela fez uma careta, os olhos ainda fechados. "Talvez você prefira ler tudo de novo em voz alta, e sublinhar as piores partes. Quer fazer assim, e acabar logo com isso?"

"Na verdade, o que eu queria fazer era enfiar essa papelada na sua garganta. E ver você morrer sufocada com essa merda toda."

"Está bem. Pode ser. Vai ser até um alívio, comparado com o que estou sentindo agora."

Ele vinha segurando as folhas com tanta força que ficou com cãibras na mão. Soltou o texto e deixou que escorregasse entre as suas pernas. "Na verdade não tenho mais nada a dizer", disse ele. "Acho que já falamos tudo que precisava ser conversado."

Ela assentiu com a cabeça. "Ótimo."

"Só que eu nunca mais quero te ver. Nunca mais quero estar na mesma sala ou no mesmo quarto que você. Nunca mais quero ouvir o nome dessa pessoa. Não quero ter nada a ver com nenhum de vocês dois. Nunca mais. Só quero ficar sozinho para poder contemplar em paz o fato de que desperdicei minha vida inteira amando você."

"Certo, está bem", disse ela, assentindo de novo. "Mas de certa forma não? Não, eu não concordo com isso."

"Estou pouco ligando."

"Sei que não. Mas escute um pouco." Ela fungou com força, tentando se recompor, e pousou a caneca de café no chão. Suas lágrimas tinham atenuado seus olhos, avermelhado seus lábios e a deixado muito bonita, se é que a beleza dela tinha alguma importância, o que no caso de Walter não se aplicava mais. "Nunca passou pela minha cabeça você ler essa história", disse ela.

"Que porra esses papéis estão fazendo na minha casa, então, se você não queria que eu lesse?"

"Pode acreditar em mim ou não, mas é verdade. Foi só uma coisa que eu precisava escrever para mim mesma, para tentar melhorar. Foi uma ideia que surgiu na *terapia*, Walter. Eu só dei para Richard ler ontem à noite para tentar explicar por que eu fiquei com você. Eu *sempre* fiquei com você. E *ainda quero* ficar com você. Sei que deve ter sido horrível para você ler algumas das coisas escritas aí. Mal consigo imaginar como foi horrível, mas não é *só* isso que eu falei. Escrevi quando estava deprimida, e o texto ficou cheio das coisas ruins que eu estava sentindo. Mas ultimamente eu comecei a me sentir melhor. Sobretudo depois do que aconteceu na outra noite — eu estava me sentindo melhor! Parecia que a gente estava encontrando uma saída! Não foi o que você também sentiu?"

"Não sei mais o que eu estava sentindo."

"Também escrevi coisas boas a seu respeito, não é? Muitas coisas, muito mais coisas boas do que ruins? Se você avaliar objetivamente? Sei que você não vai conseguir agora, mas mesmo assim, qualquer outra pessoa iria ver as coisas boas. Que você me tratava melhor do que eu achava que merecia ser tratada por qualquer pessoa. Que você, Joey e Jessie são toda a minha vida. Que foi só uma parte má e bem pequena de mim que procurou outra coisa, e só por pouco tempo, num momento muito ruim da minha vida."

"Isso mesmo", grasnou ele. "De algum modo, nada disso me passou pela cabeça."

"Está escrito lá, Walter! Talvez, quando você pensar mais tarde, consiga se lembrar dessas partes."

"Não pretendo pensar muito a respeito disso no futuro."

"Não agora, mais tarde. Mesmo que continue sem querer falar comigo, talvez pelo menos consiga me perdoar um pouquinho."

A claridade que entrava pelas janelas se atenuou de repente, a passagem de uma nuvem de primavera. "Você fez a pior coisa que podia fazer comigo", disse ele. "A pior de todas, e você sabia perfeitamente que era a pior, mas mesmo assim não deixou de fazer. Sobre qual parte disso eu posso querer voltar a pensar?"

"Ah, sinto muito", disse ela, recomeçando a chorar. "Sinto muito que você não consiga ver as coisas do mesmo jeito que eu. Sinto muito que tenha acontecido."

"Não foi uma coisa que 'aconteceu'. Foi uma coisa que você *fez*. Você deu para o tipo de filho da puta capaz de deixar essa porra na minha mesa para eu ler."

"Mas pelo amor de Deus, Walter, foi só sexo."

"Você deixou ele ler coisas sobre mim que não queria que eu lesse."

"Só sexo, uma estupidez, faz quatro anos. Não é nada, comparado com toda a nossa vida!"

"Escute", disse ele, pondo-se de pé. "Não quero gritar com você. Não com Jessica em casa. Mas você precisa me ajudar e não ficar de falsidade quanto ao que você fez, ou então vou gritar até estourar a porra dos seus ouvidos."

"Não estou sendo falsa."

"Estou falando sério", disse ele. "Não quero gritar com você. Vou sair deste quarto, e nunca mais quero ver você na minha vida. E isso é um pouco problemático, porque eu preciso trabalhar nesta casa, de modo que para mim não seria muito fácil sair daqui."

"Eu sei, eu sei", disse ela. "Eu sei que preciso ir embora. Só vou esperar Jessie sair, e depois desapareço da sua vida. Entendo perfeitamente como você está se sentindo. Mas preciso dizer só uma coisa antes de ir, para você saber. Quero que você saiba que para mim é igual a ser apunhalada no coração ir embora e deixar você com a sua assistente. É igual a sentir a pele ser arrancada dos meus seios. Eu não aguento, Walter." Olhou para ele com olhos súplices. "Estou tão magoada e com tanto ciúme. Não sei o que fazer."

"Você vai dar algum jeito."

"Talvez. Algum dia. Um pouco. Mas você não percebe o que significa eu estar sentindo isso agora? Não vê que isso diz claramente quem eu amo? Não vê o que na verdade está acontecendo aqui?"

O vislumbre de seus olhos enlouquecidos, a implorar, tornou-se naquele momento tão insuportavelmente doloroso e repulsivo para Walter — produziu nele tamanho paroxismo de náusea cumulativa diante da dor que tinham infligido um ao outro ao longo daquele casamento — que ele começou a gritar, apesar de sua decisão em contrário: "*Quem foi que me levou a isso? Quem nunca achou que eu fosse a pessoa certa? Quem precisava sempre de mais tempo para pensar?* Você acha que *vinte e seis anos* foram um tempo razoável para pensar bem? De quanto tempo mais você ainda precisa, cacete? Você acha que alguma coisa me surpreendeu nesse seu texto? Você acha que eu não sabia de tudo a cada minuto de merda da vossa vida? E ainda assim eu continuava te amando, porque era mais forte que eu? E nisso desperdicei minha vida inteira?"

"Ah, isso é injustiça, ah, é injusto."

"Pois a justiça que se foda! E você que vá se foder também!"

Deu um chute no texto e espalhou suas folhas pelo quarto, mas ainda teve disciplina para não bater a porta com estrondo atrás de si ao sair. No andar de baixo, na cozinha, Jessica estava torrando *bagels* para todos, com sua sacola de viagem ao lado da mesa. "Onde é que todo mundo se meteu hoje de manhã?"

"Sua mãe e eu tivemos uma briga."

"Foi o que achei ter ouvido", disse Jessica com o arregalar de olhos irônico que era sua reação costumeira ao fato de pertencer a uma família ainda menos equilibrada do que ela própria. "E agora está tudo bem?"

"Vamos ver, vamos ver."

"Pensei em pegar o trem do meio-dia, mas posso embarcar mais tarde se você preferir."

Como sempre tinha sido mais próximo de Jessica e julgava poder contar com o apoio dela, nem ocorreu a Walter que estivesse cometendo um erro tático ao afastá-la agora e deixá-la partir. Não percebia o quanto era crucial ser o primeiro a lhe contar a novidade e emoldurar devidamente a história: não lhe passou pela cabeça com qual velocidade Patty, com seu instinto de competidora, havia de providenciar a consolidação de sua aliança com a filha, e entupir seus ouvidos com sua versão dos fatos (Papai Larga a Mamãe com um Pretexto Bobo, e Se Pega com a Jovem Assistente). Não conseguia pensar para além do momento, e sua cabeça estava tomada por aquele tipo exato de sentimento que nada tinha a ver com a condição paterna. Abraçou Jessica e agradeceu-lhe profusamente por ter vindo ajudá-lo a dar início à Espaço Livre, e em seguida foi para o seu escritório olhar pela janela. O estado de emergência se atenuara o suficiente para que ele se lembrasse de todo o trabalho que ele devia estar fazendo, mas não o suficiente para que se dedicasse a fazê-lo. Ficou vendo um pássaro-gato saltitando em torno de uma azaleia que se preparava para florescer; invejou o passarinho por não saber o que ele sabia; trocaria de alma com ele sem hesitar. E então alçar voo, conhecer a leveza do ar por uma hora que fosse: faria a troca sem vacilar um segundo, e o pássaro-gato, com sua animada indiferença a ele, a segurança de sua identidade física, parecia consciente de como era preferível ser o passarinho.

Depois de um tempo sobrenaturalmente longo, depois de ouvir o barulho das rodinhas de uma mala grande e a batida da porta da frente, Lalitha veio bater de leve na porta do seu escritório e pôs a cabeça para dentro. "Está tudo bem?"

"Está", disse ele. "Venha sentar no meu colo."

Ela ergueu as sobrancelhas. "Agora?"

"É, agora. Se não, quando? Minha mulher foi embora, não é?"

"Foi, ela saiu de casa levando a mala."

"Bom, ela não vai voltar. Então vamos lá. Por que não? Não tem ninguém mais na casa."

E ela veio. Não era uma pessoa hesitante, Lalitha. Mas a cadeira de executivo não se prestava muito a receber alguém no colo; ela precisou segurar-se ao pescoço dele para ficar bem sentada, e mesmo assim a cadeira balançou ameaçadoramente: "É isso que você quer?", perguntou ela.

"Na verdade, não. Não quero ficar neste escritório."

"Concordo."

Ele tinha tanta coisa para pensar que sabia que precisaria de várias semanas ininterruptas para digerir, se resolvesse começar àquela altura. A única maneira de não ficar pensando era seguir em frente. No quartinho de teto inclinado em que Lalitha dormia, no último andar, antigo quarto de empregada, que ele nunca fora visitar desde que ela viera morar lá, e cujo chão era uma pista de obstáculos de roupas limpas em pilhas e roupas sujas em outras pilhas, ele a pressionou contra a parede lateral do dormitório e entregou-se às cegas para a única pessoa que o queria incondicionalmente. Era outro estado de emergência, estavam em hora nenhuma de dia algum, era um gesto de desespero. Ele a apoiou em seus quadris e saiu andando em passos difíceis com a boca colada à dela, e em seguida começaram a se esfregar com violência ainda vestidos, e depois adveio uma dessas pausas, uma desconfortável rememoração de como eram universais os passos ascendentes até o sexo; como eram impessoais, ou pré-pessoais. Ele se afastou de modo abrupto, tomando o rumo da cama de solteiro desarrumada, e derrubou uma pilha de livros e documentos relacionados à superpopulação mundial.

"Um de nós dois precisa sair às seis para pegar Eduardo no aeroporto", disse ele. "Só queria lembrar."

"Que horas são agora?"

Ele virou o despertador muito empoeirado para verificar. "Duas e dezessete", admirou-se ele. Era o horário mais estranho que já tinha visto em toda a vida.

"Desculpe o quarto estar tão desarrumado", disse Lalitha.

"Eu gosto assim. Eu amo seu modo de ser. Está com fome? Estou com um pouco de fome."

"Não, Walter." Ela sorriu. "Não estou com fome. Mas posso ir buscar alguma coisa para você."

"Eu estava pensando em alguma coisa como um copo de leite de soja. De alguma bebida à base de soja."

"Vou pegar."

Ela desceu as escadas, e era estranho pensar que os passos que ele ouviu subindo de volta os degraus, um minuto mais tarde, eram da pessoa que tomaria o lugar de Patty na vida dele. Ela se ajoelhou a seu lado e ficou olhando firme, faminta, enquanto ele tomava o leite de soja. Em seguida ela desabotoou a camisa dele com seus dedos ágeis de unhas pálidas. Está certo, então, pensou ele. Está certo. Vamos em frente. Mas enquanto acabava de se despir, as cenas da infidelidade de sua mulher, que ela havia narrado de forma tão exaustiva, voltaram a assolá-lo, trazendo com elas um impulso tênue mas concreto de perdoá-la; e ele sabia que precisava esmagar aquele impulso. Seu ódio por ela e por seu amigo tinha acabado de nascer e entrar em movimento, ainda não havia endurecido, a visão e os sons lastimáveis do pranto de Patty ainda estavam frescos demais em sua memória. Por sorte Lalitha tinha se despido e ficado apenas com uma calcinha branca de bolinhas vermelhas e, despreocupada, de pé ao lado dele, se deixava inspecionar. O corpo de Lalitha, em sua juventude, era incrivelmente espetacular. Sem marcas, desafiando a gravidade, quase intolerável de contemplar. É verdade que no passado ele conhecera o corpo de uma mulher até bem mais jovem, mas não tinha mais memória disso, ele próprio na ocasião era jovem demais para se dar conta da juventude de Patty. Estendeu a mão e aconchegou em sua palma o montículo quente e vestido entre as pernas de Lalitha. Ela deu um grito abafado, seus joelhos cederam e ela caiu por cima de Walter, banhando o corpo dele com um doce martírio.

Foi aí que o esforço para não fazer comparações começou a sério, antes de mais nada um esforço para tirar da cabeça a frase de Patty: "E nem era tão ruim". Agora, em retrospecto, via que seu pedido anterior para que Lalitha fosse devagar com ele era baseado num autoconhecimento bem preciso. Mas ir devagar, depois que ele pusera Patty para fora de casa, não era mais possível. Ele precisava de alívio rápido simplesmente para poder continuar funcionando — para não ser totalmente arrasado pelo ódio ou pela autocomiseração — e, de certa forma, o alívio foi de fato muito agradável, pois Lalitha era mesmo louca por ele, quase literalmente gotejante de desejo, sem dúvida amplamente lubrificada de paixão. Ela olhava nos olhos dele com amor e alegria, sentenciando que era linda, perfeita e magnífica a masculinidade que Patty, em seu documento, tinha difamado e desprezado. Do que não gostar nessa situação? Ele era um homem em pleno vigor, ela era linda, jovem e insaciável; e era disso, na verdade, que se podia não gostar. As emoções dele não tinham como se manter à altura do vigor e da urgência da atração animal que havia entre eles, a interminabilidade de sua conjunção carnal. Ela precisava vir por cima, ela precisava ser esmagada debaixo do peso dele, ela precisava debruçar-se para fora da cama, ela precisava ter o rosto pressionado contra a parede, ela precisava rodeá-lo com suas pernas, atirar a cabeça para trás e ter seus seios muito redondos agitados em todas as direções. Tudo parecia intensamente significativo para ela, ela era um poço sem fundo de sons angustiados, e ele estava disposto a tudo. Em boa forma cardiovascular, encantado com a extravagância de Lalitha, procurando captar cada uma das suas vontades, e sentindo por ela um afeto profundo. Ainda assim, não era propriamente pessoal, e ele não conseguiu começar sua escalada para o orgasmo. E isso era muito estranho, um problema novo e imprevisto, devido em parte, talvez, à sua pouca familiaridade com o uso de camisinha, e ao quanto ela estava incrivelmente molhada. Quantas vezes, nos últimos dois anos, ele tinha se masturbado pensando em sua assistente, todas as vezes gozando em poucos minutos? Mais de cem. Seu problema, agora, era claramente psicológico. O despertador dela marcava 3:52 quando eles por fim desistiram. Não ficou muito claro se ela também tinha gozado, e ele não teve a coragem de perguntar. E então, quando ele ficou exausto, o Contraste que o espreitava de tocaia aproveitou a oportunidade para se manifestar, porque Patty, sempre que conseguia convencer-se de que estava interessada, nunca deixara de dar conta do recado para os dois, deixando ambos razoavelmente satisfeitos, deixando-o à vontade para ir trabalhar ou ler um livro, e ela pronta para as pequenas coisas pattyescas que tanto gostava de fazer. A dificuldade dela já bastava para criar atrito, e o atrito levava à satisfação...

Lalitha beijou a boca inchada de Walter. "No que você está pensando?"

"Não sei", disse ele. "Em muitas coisas."

"Está arrependido do que a gente fez?"

"Não, não, estou muito feliz."

"Pois não me parece muito feliz."

"Bem, é que acabei de botar minha mulher para fora de casa depois de vinte e quatro anos de casamento. Faz poucas horas."

"Sinto muito, Walter. Você ainda pode voltar atrás. Eu vou embora e deixo vocês dois à vontade."

"Não, isso eu posso lhe garantir. Nunca vou voltar atrás."

"E você quer ficar comigo?"

"Quero." Ele encheu as mãos com os cabelos negros de Lalitha, que cheiravam a xampu de coco, e enterrou o rosto neles. Agora tinha o que queria, mas se sentia um tanto solitário. Depois de tanto desejo, um desejo de alcance quase infinito, estava na cama com uma determinada garota finita que era linda, inteligente e esforçada mas também bagunceira, hostilizada por Jessica e incapaz de cozinhar coisa alguma. E era tudo que restava a ele, o único baluarte, entre ele e as inúmeras coisas que ele não queria. A imagem de Patty com seu amigo à beira do lago Sem Nome; o caráter muito humano e inteligente das conversas entre os dois; a reciprocidade adulta do sexo que praticavam; o quanto se sentiam gratos por ele, Walter, não estar presente. Começou a chorar nos cabelos de Lalitha, e ela o consolava, apagando com os dedos cada uma das lágrimas dele, e tornaram a transar num modo mais cansado e dolorido, até ele finalmente gozar, sem muita fanfarra, na mão dela.

Seguiram-se dias difíceis. Eduardo Soquel, ao chegar da Colômbia, foi recebido no aeroporto e instalado no quarto "de Joey". A coletiva de segunda--feira foi prestigiada por doze repórteres e não acabou com Walter e Soquel, que em seguida deram uma longa entrevista telefônica a Dan Caperville, do *New York Times*. Walter, graças a uma vida inteira trabalhando no campo das relações públicas, conseguiu conter seu tumulto interno e persistir na transmissão da sua mensagem, deixando de cair nas armadilhas do jornalismo mais inflamatório. O Parque Pan-Americano da Mariquita-Azul, disse ele, representava um novo paradigma da conservação ambiental, na ciência e sustentado por capitais privados; a inegável feiura da mineração a céu aberto no topo das montanhas era mais que compensada pela perspectiva dos "empregos verdes" sustentáveis (ecoturismo, reflorestamento, extração sustentável e controlada de madeira) tanto na Virgínia Ocidental quanto na Colômbia; Coyle Mathis e os demais habitantes das montanhas transferidos para outras áreas tinham cooperado plena e louvavelmente com o Fundo e sua parceira, a LBI. Walter precisou exercer um autocontrole especial para tecer elogios à LBI, diante do que Joey lhe contara. Quando desligou o telefone, encerrando a conversa com Dan Caperville, saiu tarde para jantar com Lalitha e Soquel e tomou duas cervejas, levando o consumo de sua vida ao total de três.

Na tarde seguinte, depois que Soquel voltou para o aeroporto, Lalitha trancou a porta do escritório de Walter e se ajoelhou entre as pernas dele, disposta a recompensá-lo por seus labores.

"Não, não, não", disse ele, impelindo a cadeira de rodinhas para longe dela.

Ela o perseguiu, de joelhos. "Só quero ver você. Você me deixa faminta."

"Lalitha, não." Ouvia os membros de sua equipe entregues às suas tarefas na parte da frente da casa.

"Só um segundinho", disse ela, abrindo o zíper de suas calças. "Por favor, Walter."

Ele pensou em Bill Clinton e Monica Lewinsky, e depois, ao ver a boca de sua assistente preenchida por sua carne e com os olhos a se erguer sorrindo para ele, lembrou da profecia de seu amigo maligno. Ela parecia estar adorando, mas mesmo assim —

"Não, sinto muito", disse ele, empurrando-a com a maior delicadeza de que era capaz.

Ela franziu o sobrolho. Ficou magoada. "Você tem de deixar eu fazer o que quero", disse ela, "se você me ama."

"Eu amo você, mas agora é o momento errado."

"Mas eu quero que você deixe. Quero fazer tudo agora."

"Sinto muito, mas não."

Ele se levantou, pôs-se de novo para dentro das calças e puxou o zíper. Lalitha continuou ajoelhada por mais alguns momentos, de cabeça baixa. Em seguida, levantou-se também, alisou a saia nas coxas e lhe deu as costas, com uma postura de infelicidade.

"Antes nós precisamos conversar sobre um problema", disse ele.

"Está bem. Vamos conversar sobre o seu problema."

"O problema é que precisamos demitir Richard."

O nome, que até esse momento ele se recusara a pronunciar, ficou pairando na atmosfera da sala. "Mas por quê?", perguntou Lalitha.

"Porque eu odeio esse sujeito, porque ele teve um caso com a minha mulher, e nunca mais quero ouvir o nome dele, e nada no mundo pode me fazer trabalhar com ele."

Lalitha deu a impressão de se encolher ao ouvir a explicação. Sua cabeça pendeu, seus ombros desabaram, ela se transformou numa garotinha triste. "Foi por isso que sua mulher saiu daqui no domingo?"

"Foi."

"Você ainda é apaixonado por ela, não é?"

"Não!"

"É sim. É por isso que não quer que eu chegue perto de você agora."

"Não, não é nada disso. Absolutamente nada disso."

"Bom, seja como for", disse ela, endireitando o corpo de repente, "não podemos demitir Richard. O projeto é meu, e eu preciso dele. Já anunciei a presença dele para os estagiários, e preciso que ele consiga artistas para cantar em agosto. Então você pode ter os seus problemas com ele, e ficar muito triste por causa da sua mulher, mas não vou dispensar Richard."

"Meu amor", disse Walter. "Lalitha. Eu realmente te amo. Tudo vai dar certo. Mas tente ver a coisa do meu ponto de vista."

"Não!", disse ela, avançando para ele num espírito de franca insurreição. "Estou me lixando para o seu ponto de vista! A minha tarefa é cuidar do nosso trabalho contra o excesso de população, e é isso que eu vou fazer. Se você ainda gosta desse trabalho, e de mim, tem de me deixar fazer o que eu acho melhor."

"Eu gosto. Gosto muito. Mas..."

"Mas coisa nenhuma. Nunca mais volto a dizer o nome dele. Você pode sair da cidade quando ele vier se reunir com os estagiários em maio. E depois pensamos como vai ser em agosto, quando ele chegar aqui."

"Mas ele não vai mais querer fazer nada. No sábado já estava falando em dar para trás."

"Eu falo com ele", disse ela. "Como você talvez lembre, tenho algum talento para convencer as pessoas a fazer o que não querem. Sou uma funcionária particularmente eficiente, e espero que você tenha a bondade de me deixar fazer o meu trabalho."

Ele deu a volta em sua mesa para abraçá-la, mas ela fugiu para a sala de espera.

Como ele amava o espírito e o empenho dela, e como ficou impressionado com sua raiva, não tornou a tocar no assunto. Mas à medida que o tempo ia passando, depois os dias, e ela não lhe transmitia que Richard estava se retirando da Espaço Livre, Walter deduziu que ele devia ter permanecido a bordo. Richard, que não acreditava em porra nenhuma! A única explicação imaginável era que Patty tivesse conversado com ele pelo telefone, deixando-o tão culpado que ele permanecera no projeto. E a ideia de que esses dois ainda se falassem sobre o que fosse, ainda que por apenas cinco minutos, e em especial sobre a ideia de poupar "o pobre Walter" (ah, essas palavras dela, essas palavras abomináveis) e salvar seu projeto de estimação, como uma espécie de prêmio de consolação, o deixava enjoado de fraqueza, degradação, tibieza e pequenez. E o assunto também se interpôs entre ele e Lalitha. Suas transas, embora diárias e duradouras, eram prejudicadas pela sensação de que ela também o tinha traído com Richard, pelo menos um pouco, de maneira que não se tornaram mais pessoais da maneira como ele esperava. Para qualquer lado que ele se virasse, dava de cara com Richard.

Igualmente perturbador, só que de outra maneira, era o problema da LBI. Joey, quando jantaram juntos, com uma comovente demonstração de humildade e autocensura, explicara o negócio sórdido em que tinha se envolvido, e o pior vilão da história, na opinião de Walter, era a LBI. Kenny Bartles era claramente um desses palhaços mais atrevidos, um sociopata da gangue Bush que pouco depois acabaria na cadeia ou numa cadeira do Congresso. A quadrilha Cheney-Rumsfeld, por mais que cheirassem mal os motivos que apresentou para invadir o Iraque, certamente teria preferido receber peças usadas mas utilizáveis de caminhão, no lugar do lixo que Joey tinha despachado do Paraguai. E o próprio Joey, embora devesse ter cuidado de não se envolver com Bartles, convencera Walter de que só fora adiante por causa de Connie; sua lealdade a ela, seu remorso terrível e sua coragem no geral (tinha apenas vinte anos de idade!) depunham todos a seu favor. A responsável por aquilo tudo, portanto — quem tinha pleno conhecimento da falcatrua e, ao mesmo tempo, a autoridade para aprová-la —, era a LBI. Walter nunca ouvira falar do vice-presidente com quem Joey tinha conversado, e que o ameaçara de processo, mas não havia dúvida de que o sujeito trabalhava no mesmo corredor que o amiguinho de Vin Haven que tinha concordado com a criação de uma fábrica de coletes à prova de balas na Virgínia Ocidental. Joey perguntou a Walter, no jantar, o que devia fazer, na opinião dele. Pôr a boca no trombone? Ou simplesmente doar seus ganhos para alguma organização de amparo a ex-combatentes inválidos, e retomar os estudos? Walter prometeu pensar a respeito durante o fim de semana, mas o fim de semana, para dizer o mínimo, não tinha sido muito favorável à reflexão moral serena. Foi só quando se viu diante dos jornalistas na manhã de segunda, descrevendo a LBI como uma empresa extraordinariamente positiva para o meio ambiente, que Walter teve a dimensão do seu próprio envolvimento.

E tentou, a partir de então, separar seus próprios interesses — o fato de que, se o filho do diretor executivo do Fundo revelasse sua história aos meios de comunicação, Vin Haven bem podia demiti-lo e a LBI podia até voltar atrás em seu acordo quanto à Virgínia Ocidental — do que era melhor para Joey. Por mais que os atos de Joey tenham sido arrogantes e dominados pela cobiça, parecia severo demais esperar que um garoto de vinte anos com pais problemáticos assumisse plena responsabilidade moral e se submetesse ao opróbrio generalizado, talvez até a um processo judicial. Ainda assim, Walter sabia que o conselho que pretendia dar a Joey — "Doe o lucro para a caridade, e siga em frente com a sua vida" — era extremamente benéfico para ele próprio e para o Fundo. Quis pedir a orientação de Lalitha, mas prometera a Joey não contar nada a ninguém; ligou para o filho e disse que ainda estava pensando no assunto, e convidou ele e Connie para um jantar com ele em seu aniversário, na semana seguinte.

"Sem a menor dúvida", respondeu Joey.

"E também preciso lhe contar", disse Walter, "que sua mãe e eu nos separamos. É uma notícia difícil, mas aconteceu no domingo. Ela saiu de casa por algum tempo, e não sabemos bem o que vai acontecer agora."

"Tá", disse Joey.

Tá? Walter franziu a testa. "Você entendeu o que eu disse?"

"Entendi. Ela já me contou."

"Ah, sim. Claro. Só podia. E ela —"

"Sim. Me contou muita coisa. Muito mais do que devia, como sempre."

"E então você entende que eu —"

"Sim."

"E ainda assim aceita vir jantar comigo no meu aniversário?"

"Claro. Nós vamos, sem a menor dúvida."

"Ora, obrigado, Joey. Te amo por isso. E por muitas outras coisas."

"Tá."

Em seguida Walter deixou um recado no telefone de Jessica, como vinha fazendo duas vezes por dia desde o domingo fatídico, sem que ela respondesse. "Jessica, escute aqui", disse ele. "Não sei se você conversou com a sua mãe, mas diga ela o que disser você precisa ligar para mim e ouvir o que eu tenho a dizer. Entendeu? Por favor, ligue para mim. Essa história tem dois lados muito diferentes, e acho que você precisa ouvir os dois." Teria ajudado se ele pudesse acrescentar que não havia nada entre ele e sua assistente, mas, na verdade, suas mãos, seu rosto e seu nariz estavam tão impregnados com o cheiro da vagina dela que o aroma persistia mesmo depois que ele tomava banho.

Ele estava comprometido, e perdendo em todas as frentes. Mais um revés ocorreu no segundo domingo de sua libertação, na forma de uma longa reportagem de primeira página no *New York Times*, escrita por Dan Caperville. "Fundação Aliada à Indústria Carvoeira Salva Montanhas pela Destruição." A reportagem nem era factualmente muito equivocada, mas é claro que o *Times* não se deixara fascinar pela visão diversa que Walter tinha da mineração a céu aberto. A frente sul-americana do Parque nem era mencionada no artigo, e os melhores pontos da argumentação de Walter — novo paradigma, economia verde, recuperação em bases científicas — apareciam sepultados no pé da página, muito abaixo da descrição que Jocelyn Zorn fazia de como ele tinha gritado "sou eu o dono dessa [expletivo] toda!" e da rememoração de Coyle Mathis, "Ele me chamou de imbecil na minha cara". A mensagem básica do artigo, além da afirmação de que Walter era uma pessoa extremamente desagradável, era que o Fundo tinha uma relação espúria com a indústria carvoeira e a fornecedora de equipamento militar LBI, consentia com a mineração a céu aberto em larga escala em sua reserva supostamente intacta, era odiado pelos ambientalistas locais, tinha expulsado de suas residências ancestrais vários moradores tradicionais da área e fora fundado e financiado por um discreto magnata da indústria energética, Vincent Haven, que, com a conivência do governo Bush, vinha destruindo outras áreas da Virgínia Ocidental com perfurações à procura de gás.

"Não é tão mau assim, não é tão mau assim", respondeu Vin Haven quando Walter ligou para sua casa em Houston na tarde de domingo. "O parque vai ser criado de qualquer maneira, isso ninguém pode impedir. Você e a sua garota fizeram um ótimo trabalho. Quanto ao resto, agora você pode ver por que eu nunca me dou ao trabalho de conversar com a imprensa. Eles só enxergam o lado negativo, nada de bom."

"Conversei com Caperville por duas horas", disse Walter. "E fiquei com a impressão de que ele concordava comigo nos argumentos mais importantes."

"Bem, e os seus argumentos estão na matéria", comentou Vin. "Embora meio escondidos. Mas não se preocupe com isso."

"Mas já estou preocupado! Quer dizer, nós vamos conseguir criar o parque, o que é ótimo para as mariquitas. Mas a ideia era estabelecer um *modelo*. E a matéria mostra um modelo de como *não* fazer as coisas."

"Isso passa. Depois que tirarmos o carvão e começarmos a recuperar a área, as pessoas vão ver que você tinha razão. A essa altura, esse tal de Caperville vai estar escrevendo obituários."

"Mas isso vai levar vários anos!"

"Você tem algum outro plano? É disso que está falando? Está preocupado com o seu currículo?"

"Não, Vin, só estou frustrado com a imprensa. Os passarinhos nem são levados em conta, só os interesses humanos."

"E vai ser assim, até os passarinhos conseguirem controlar a imprensa", replicou Vin Haven. "Encontro você em Whitmanville mês que vem? Eu disse a Jim Elder que ia aparecer na inauguração da fábrica de coletes à prova de balas, contanto que não tenha de posar para nenhuma foto. Posso passar por aí com meu jato e pegar você no caminho."

"Obrigado, pegamos um voo comercial", disse Walter. "Economia de combustível."

"Não se esqueça de que eu ganho a vida vendendo combustível."

"É mesmo, rá rá, bem lembrado."

Era uma boa coisa contar com a aprovação paternal de Vin, mas teria sido bem melhor se Vin desse a impressão de um pai menos dúbio. O pior daquele artigo do *New York Times* — além da vergonha de figurar como um escroto num jornal que liam e em que confiavam todos os conhecidos de Walter — era seu receio de que o *Times*, na verdade, tivesse toda a razão quanto ao Fundo da Montanha Azul. Bem que ele sentira medo de ser trucidado pela imprensa, e agora que estava sendo trucidado precisava cuidar mais seriamente dos seus motivos para cultivar esse temor.

"Ouvi tudo quando você deu essa entrevista", disse Lalitha. "E você falou muito bem. O único motivo para o *New York Times* não admitir que temos razão é que nesse caso eles precisariam voltar atrás em todos os editoriais que já publicaram contra a mineração a céu aberto."

"E já é o que estão fazendo quanto à política de Bush no Iraque, na verdade."

"Bem, você cumpriu o seu dever. E agora você e eu merecemos a nossa pequena recompensa. Você contou ao senhor Haven que vamos seguir em frente com a Espaço Livre?"

"Já estava achando uma sorte não ter sido simplesmente demitido", respondeu Walter. "Não me pareceu que fosse o melhor momento para contar a ele que planejava gastar todos os recursos à minha disposição numa coisa que deve render uma publicidade ainda pior."

"Ah, meu querido", disse ela, abraçando-o, pousando a cabeça contra seu peito. "Ninguém mais entende as coisas boas que você está fazendo. Só eu."

"Bem que pode ser verdade", admitiu ele.

Ele preferia ser só abraçado por ela durante algum tempo, mas o corpo dela teve uma ideia diferente, e seu próprio corpo concordou. Vinham passando as noites na cama estreita que ela ocupava, já que o quarto dele ainda continuava repleto de vestígios de Patty, quarto sobre cujo destino ela não lhe dera nenhuma instrução, e que ele não tinha condições de resolver sozinho. Não era surpresa para ele que Patty não tivesse feito contato, mas ainda assim lhe parecia um movimento tático da parte dela, uma manobra hostil, não dar sinal de vida. Para uma pessoa que, em suas próprias palavras, só cometia erros, ela lançava uma sombra atemorizante enquanto se deslocava fosse por onde fosse no mundo. Walter se sentia um covarde escondido no quarto de Lalitha, porém o que mais poderia fazer? Estava sitiado por todos os lados.

No dia do seu aniversário, enquanto Lalitha mostrava os escritórios do Fundo a Connie, ele levou Joey até a cozinha e disse que ainda não sabia que linha de ação devia recomendar. "Acho que você não devia denunciar o esquema", disse ele. "Mas não sei se estou agindo pelos motivos certos. Acho que não ando muito seguro dos meus valores morais. Essa história com a sua mãe, e mais a coisa que saiu no *New York Times* — você viu a matéria?"

"Vi", respondeu Joey. Tinha as mãos enfiadas nos bolsos e ainda se vestia como um Universitário Republicano, de blazer azul e mocassins reluzentes. Até onde Walter sabia, continuava a *ser* um Universitário Republicano.

"Não me saí muito bem, não foi?"

"Não", disse Joey. "Mas acho que muita gente percebeu que o artigo não foi justo."

Walter, sem perguntar mais nada, aceitou com gratidão o consolo do filho. Vinha se sentindo minúsculo. "E ainda preciso ir a essa cerimônia da LBI na Virgínia Ocidental na semana que vem", disse ele. "Estão inaugurando uma fábrica de coletes à prova de balas em que todas as famílias transferidas da área do parque vão trabalhar. Por isso acho que não sou a pessoa certa para você pedir opinião sobre a LBI, também estou muito envolvido com a empresa."

"E por que você precisa ir?"

"Preciso fazer um discurso. Preciso fazer um agradecimento em nome do Fundo."

"Mas você já garantiu a construção do parque. Por que não esquece o resto?"

"Porque ainda tenho outro programa grande que Lalitha vem tocando, sobre o excesso populacional, e preciso manter boas relações com o meu empregador. O dinheiro que estamos gastando é dele."

"Então talvez seja melhor mesmo você ir", disse Joey.

Mas não parecia nada convencido, e Walter detestava transmitir tamanha impressão de fraqueza e pequenez para o filho. Mas como que para passar uma impressão ainda mais fraca e ainda menor, perguntou se ele sabia qual era o problema de Jessica.

"Conversei com ela", disse Joey, com as mãos ainda nos bolsos e os olhos pregados no chão. "Acho que ela está meio furiosa com você."

"Deixei uns vinte recados no telefone dela!"

"Talvez fosse melhor você parar com isso. Acho que ela não ouviu nenhum. As pessoas nunca escutam mesmo todos os recados que recebem no telefone, só olham para ver quem ligou."

"Bem, e você disse a ela que essa história tem dois lados?"

Joey deu de ombros. "Não sei. Tem mesmo?"

"Claro que tem! Sua mãe fez uma coisa terrível comigo. Uma coisa que me magoou muito."

"Na verdade, não quero saber de mais nada", disse Joey. "Acho que ela já me contou, de qualquer maneira. Prefiro não tomar partido."

"Ela te contou *quando*? Há quanto tempo?"

"Semana passada."

Quer dizer que Joey sabia o que Richard tinha feito — o que Walter tinha deixado seu melhor amigo, seu amigo astro do rock, fazer. Seu apequenamento aos olhos de seu filho não poderia ser maior. "Vou tomar uma cerveja", disse ele. "Já que é meu aniversário."

"Eu e Connie também podemos tomar uma?"

"Claro, foi para isso que pedi a vocês para passarem aqui antes. Na verdade, Connie pode beber o que ela quiser no restaurante também. Ela já tem vinte e um anos, não é?"

"É."

"E não estou querendo insistir, só pedir uma informação: você contou à sua mãe que vocês se casaram?"

"Papai, estou procurando um jeito", respondeu Joey contraindo o maxilar. "Me deixe fazer como puder, está bem?"

Walter sempre tinha gostado de Connie (e até, em segredo, gostava bastante da mãe de Connie, pelo quanto ela flertava com ele). Ela usava saltos perigosamente altos e uma sombra pesada sobre os olhos para a ocasião; ainda era jovem a ponto de querer parecer muito mais velha. No La Chaumière, ele observou com o coração cheio de orgulho o quanto Joey a tratava com cuidado e ternura, debruçando-se para ler o cardápio com ela e combinar o que iam pedir, e como Connie, já que Joey ainda não tinha idade suficiente, declinou o coquetel que Walter lhe ofereceu e preferiu pedir uma Coca Diet. Tinham uma confiança tácita um no outro que lembrava a Walter o que ocorria entre ele e Patty quando eram muito jovens, o comportamento de um casal unido que fazia frente contra o mundo; seus olhos se toldaram ao ver as alianças dos dois. Lalitha, pouco à vontade, tentando distanciar-se dos jovens e alinhar-se com um homem que tinha quase o dobro da sua idade, pediu um martíni e decidiu preencher o vácuo conversacional com palavras sobre a Espaço Livre e a crise de superpopulação do mundo, as quais Joey e Connie ouviram com a extrema cortesia de um casal seguro em seu mundo de duas pessoas. Embora Lalitha evitasse referências ao seu envolvimento com Walter, ele não tinha a menor dúvida de que Joey sabia que ela era bem mais que apenas sua assistente. Enquanto tomava sua terceira cerveja da noite, foi sentindo uma vergonha cada vez maior do que tinha feito, e uma gratidão cada vez maior por Joey se mostrar tão inalterado a respeito. Nada o enfurecia mais em relação a Joey, ao longo do tempo, que aquela casca de indiferença; e agora, como ela despertava sua gratidão! Seu filho tinha vencido essa guerra, ainda bem.

"Quer dizer que Richard ainda está trabalhando com vocês?", perguntou Joey.

"Hum, está", disse Lalitha. "Está ajudando muito. Na verdade, acabou de me contar que o White Stripes talvez colabore com o grande evento que estamos organizando em agosto."

Joey, enquanto franzia as sobrancelhas e refletia a respeito da informação, teve o cuidado de não olhar na direção de Walter.

"A gente bem que podia ir ao evento", disse Connie a Joey. "Podemos ir?", perguntou ela a Walter.

"Claro que podem", disse ele, forçando um sorriso. "Vai ser muito bom."

"Eu gosto muito do White Stripes", declarou ela satisfeita, a seu modo desprovido de subtexto.

"E eu gosto muito de *você*", disse Walter. "Fico muito feliz de você fazer parte da nossa família. Fico muito feliz de você estar conosco hoje."

"Eu também estou feliz de ter vindo."

Joey não se incomodou com aquela conversa sentimental, mas estava claro que seus pensamentos estavam longe dali. Pensava em Richard, na sua mãe, na calamidade familiar em curso. E não havia nada que Walter pudesse dizer para facilitar as coisas para ele.

"Não posso", disse Walter a Lalitha quando voltaram para a mansão, sozinhos. "Não posso mais aceitar o envolvimento desse escroto."

"Já tivemos essa discussão", respondeu ela, atravessando o corredor a passos rápidos na direção da cozinha. "Já resolvemos o assunto."

"É, mas agora precisamos rediscutir", disse Walter, caminhando atrás dela.

"Não vamos rediscutir nada. Não viu como Connie ficou animada na hora em que eu falei do White Stripes? Quem mais pode conseguir artistas como eles para nós? Tomamos a nossa decisão, decidimos bem, e realmente não quero ficar ouvindo você falar do quanto sente ciúme da pessoa com quem sua mulher transou. Estou cansada, bebi demais e preciso ir para a cama agora mesmo."

"Ele era meu melhor amigo", murmurou Walter.

"Estou pouco ligando. Juro, Walter. Eu sei que você acha que eu sou só mais uma garota, mas na verdade eu sou mais velha que os seus filhos, tenho quase vinte e oito anos. Sei que foi um erro me apaixonar por você. Sei que você não estava preparado, mas agora estou apaixonada e você não para de pensar nela."

"Penso em você o tempo todo. Preciso muito de você."

"Você transa comigo porque eu quero e porque você pode. Mas nosso mundo ainda gira em torno da sua mulher. O que ela tem de tão especial, eu nunca vou entender. Ela passa a vida inteira perturbando os outros. E eu preciso ser um pouco poupada disso, para poder dormir. Então talvez seja melhor você ir dormir na sua cama, e pensar no que quer fazer."

"O que foi que eu disse?", retrucou ele. "Achei que meu aniversário estava correndo bem."

"Estou cansada. Foi uma noite exaustiva. Amanhã de manhã a gente se vê."

E se despediram sem beijos. No seu telefone fixo, Walter encontrou um recado de Jessica, cuidadosamente calculado para ser gravado enquanto ele saía para jantar, desejando-lhe um feliz aniversário. "Desculpe por não ter respondido aos seus recados", disse ela. "Tenho andado muito ocupada, e sem saber direito o que dizer. Mas pensei muito em você hoje, e espero que o seu dia tenha sido bom. Talvez a gente possa conversar um dia, mas não sei quando vou ter uma oportunidade."

Clique.

Para Walter, foi um alívio dormir sozinho ao longo da semana seguinte. Estar num quarto ainda repleto das roupas, dos livros e das fotos de Patty, aprender a reforçar suas defesas contra ela. Durante o dia, havia muito trabalho adiado a fazer: organizar estruturas de administração na Colômbia e na Virgínia Ocidental, lançar uma contraofensiva de imprensa, encontrar novos doadores. Walter até pensou que seria possível parar de transar com Lalitha por algum tempo, mas a propinquidade diária impedia essa possibilidade — estavam sempre, sempre querendo mais. No entanto, ele sempre voltava à sua própria cama para dormir.

Na noite antes de voarem para a Virgínia Ocidental, ele estava arrumando sua maleta quando recebeu uma ligação de Joey, contando que decidira não denunciar a LBI e Kenny Bartles. "São nojentos", disse ele. "Mas meu amigo Jonathan não para de dizer que só vou prejudicar a mim mesmo se sair falando em público. Então acho que vou distribuir o lucro, o que pelo menos vai diminuir muito meu imposto a pagar. Mas eu queria ter a certeza de que você concorda."

"Está ótimo, Joey", disse Walter. "Estou de acordo. Eu sei que você é muito ambicioso, sei que deve ser muito difícil abrir mão de tanto dinheiro. Já é muita coisa, só aí."

"Bem, não vou perder nada no negócio. Só não vou lucrar. E agora Connie pode voltar a estudar, o que é ótimo. Estou pensando em tirar um ano para trabalhar, assim ela me alcança."

"Ótimo. É ótimo ver vocês dois cuidando assim um do outro. Mais alguma coisa?"

"Bom, só que eu estive com a mamãe."

Walter ainda tinha na mão duas gravatas, uma vermelha e outra verde, entre as quais tentava se decidir. A escolha, concluiu ele, não tinha a menor importância. "Foi mesmo?", disse ele, escolhendo a verde. "Onde? Em Alexandria?"

"Não, em Nova York."

"Quer dizer que ela está em Nova York."

"Na verdade, está em Jersey City", disse Joey.

O aperto no peito de Walter ficou mais forte.

"É, Connie e eu queríamos contar para ela em pessoa. Sobre o nosso casamento, sabe. E no fim das contas nem foi muito complicado. Ela tratou Connie muito bem. Sabe, ainda de cima para baixo, uma coisa um pouco forçada, o jeito como ela não parava de rir, mas sem maldade. Acho que ela está absorvida em muitas outras coisas. De qualquer maneira, acho que correu muito bem. Pelo menos foi o que Connie achou. Achei meio nhe-nhe-nhem. Mas queria dizer a você que ela já sabe, para se, sei lá, você conversar com ela, não ficar achando que precisa guardar segredo."

Walter olhou para a sua mão esquerda, que tinha ficado branca e lhe parecia muito nua sem a aliança de casado. "Ela está na casa de Richard", conseguiu dizer.

"Hum, é, acho que sim, por enquanto", respondeu Joey. "Era melhor eu não ter contado?"

"E ele estava lá? Quando vocês foram se encontrar com ela?"

"É, estava. E Connie achou ótimo, porque ela gosta muito das músicas dele. Ele deixou ela ver as guitarras e violões que ele tem e tudo o mais. Não sei se eu já te contei que ela está pensando em aprender a tocar violão. Ela tem uma voz linda, e canta muito bem."

Onde exatamente Walter vinha achando que Patty estava ele não saberia dizer. Na casa da amiga Cathy Schmidt, com alguma das outras antigas companheiras de time, talvez com Jessica, até quem sabe com os pais. Mas depois de ouvi-la proclamar com um tom tão *convicto* que estava tudo terminado entre ela e Richard, não tinha passado pela cabeça dele nem por um segundo que ela pudesse ter ido para Jersey City.

"Papai?"

"O quê."

"Bom, eu sei que é estranho, está bem? Essa coisa toda é uma loucura. Mas você também está namorando, não é? Então, quer dizer, está tudo certo, não é? As coisas ficaram diferentes, e todo mundo precisa aprender a lidar com elas. Você não acha?"

"É", disse Walter. "Você tem razão. Precisamos lidar com as coisas."

Assim que desligou o telefone, ele abriu uma gaveta com um tranco, tirou sua aliança da caixa de abotoaduras em que tinha guardado, jogou na privada e deu a descarga. Com um movimento largo do braço, derrubou todas as fotos de Patty do tampo da cômoda — Joey e Jessica ainda inocentes, fotos da equipe de basquete feminino com uniformes comoventes no corte dos anos 70, as fotos dele de que ela mais gostava, e nas quais ele aparecia melhor — e depois pisoteou as molduras e os vidros até perder o interesse e começar a bater com a cabeça na parede. Saber que ela tinha voltado para Richard devia tê-lo libertado, devia tê-lo deixado à vontade para desfrutar o romance com Lalitha com a mais limpa das consciências. Mas ele não percebeu aquilo como uma libertação, e sim como a morte. Agora via (como a própria Lalitha vinha vendo desde sempre) que as últimas três semanas tinham sido apenas uma espécie de revanche, um luxo que ele merecia para compensar a traição de Patty. Apesar de insistir em afirmar que o casamento estava acabado, ele próprio não acreditava nisso nem um pouco. Atirou-se na cama e pôs-se a soluçar num estado ao qual todos os estados anteriores da sua existência pareciam infinitamente preferíveis. O mundo seguia em frente, o mundo estava cheio de gente que se dava bem, a LBI e Kenny Bartles fazendo fortuna, Connie voltando a estudar, Joey tomando a decisão certa, Patty indo viver com um astro do rock, Lalitha travando seu bom combate, Richard voltando para a música, Richard rece-

519

bendo uma cobertura favorável da imprensa por ser muito mais ofensivo do que Walter, Richard encantando Connie, Richard trazendo o White Stripes... enquanto Walter ficava para trás com os mortos, os moribundos e os esquecidos, as espécies ameaçadas do planeta, todas as criaturas que não se adaptaram...

Em torno das duas da manhã, cambaleou até o banheiro e encontrou um frasco antigo da trazodona de Patty, com a validade expirada dezoito meses antes. Tomou três, sem saber se ainda iriam funcionar, mas pelo jeito conservavam suas propriedades: foi acordado às sete da manhã por Lalitha, que o sacudia com toda a força. Ainda vestia as roupas da véspera, as luzes estavam todas acesas, o quarto tinha sido devastado, sua garganta doía com a presumível violência dos seus roncos, e sua cabeça latejava horrivelmente por incontáveis bons motivos.

"Precisamos tomar um táxi agora", disse Lalitha, puxando Walter pelo braço. "Achei que você já estaria pronto."

"Não posso ir", disse ele.

"Vamos, já estamos atrasados."

Ele se endireitou e tentou manter os olhos abertos. "Antes eu preciso tomar um banho."

"Não dá tempo."

Ele adormeceu no táxi e acordou ainda no táxi, a caminho do aeroporto, no engarrafamento causado por algum acidente. Lalitha estava ao telefone com a companhia de aviação. "Agora precisamos fazer escala em Cincinnati", disse ela a Walter. "Perdemos o nosso voo."

"Por que simplesmente não deixamos de ir?", disse ele. "Estou cansado de me comportar sempre bem."

"Vamos pular o almoço e ir direto para a fábrica."

"E se eu me comportasse mal? Você ia continuar gostando de mim?"

Ela o olhou com as sobrancelhas franzidas de preocupação. "Walter, você tomou algum remédio?"

"Estou falando sério. Ia continuar gostando?"

A preocupação de Lalitha se intensificou, e ela não disse nada. Ele adormeceu na área do portão de embarque do aeroporto; no avião para Cincinnati; em Cincinnati; no avião para Charleston; e no carro alugado que Lalitha saiu pilotando em alta velocidade até Whitmanville, onde ele acordou se sentindo um pouco melhor, subitamente faminto, sob um céu encoberto de abril e

520

diante de uma paisagem bioticamente deserta do tipo que se transformara numa especialidade americana. Megaigrejas com laterais de plástico, um gigantesco Walmart, uma lanchonete Wendy's, espaçosos retornos à esquerda, brancas fortalezas automotivas. Nada que uma ave à solta pudesse achar bom, a menos que fosse um estorninho ou um corvo. A fábrica de coletes à prova de balas (ARDER ENTERPRISES, UMA EMPRESA DA FAMÍLIA DE EMPRESAS LBI) funcionava numa imensa estrutura de blocos de concreto cujo estacionamento recém-asfaltado ainda tinha as bordas irregulares, desembocando no mato. O estacionamento vinha sendo ocupado por veículos de passageiros de grande porte, entre eles um Navigator preto de que Vin Haven e outros homens de terno emergiram no mesmo momento em que Lalitha freou ruidosamente seu carro alugado.

"Desculpe termos perdido o almoço", disse ela a Vin.

"Acho que a comida do jantar vai ser melhor", respondeu ele. "E é melhor que seja, depois do que serviram no almoço."

No interior da fábrica pairavam aromas fortes e agradáveis de tinta, plástico e máquinas novas. Walter percebeu a ausência de janelas, a predominância da iluminação artificial. Cadeiras dobráveis e um pódio tinham sido armados contra um fundo em que assomavam pilhas retangulares de matérias-primas embaladas com plástico. Cerca de cem nativos da Virgínia Ocidental se acotovelavam, entre eles Coyle Mathis, que usava um suéter de malha largo e calças jeans ainda mais largas com uma aparência tão nova como se ele as tivesse comprado no Walmart do meio do caminho. Duas equipes de TV locais tinham suas câmeras assestadas para o pódio e a faixa que pendia acima dele: EMPREGOS + SEGURANÇA NACIONAL = SEGURANÇA NO EMPREGO.

Vin Haven ("Você pode procurar no Nexis a noite inteira sem encontrar uma única declaração à imprensa nos meus quarenta e sete anos de empresário") sentou-se diretamente atrás das câmeras, enquanto Walter recebia de Lalitha uma cópia do discurso que ele tinha escrito e ela, revisado, e se reunia aos demais executivos de terno — Jim Elder, vice-presidente sênior da LBI, e Roy Dennett, CEO da subsidiária epônima — nas cadeiras atrás do pódio. Na primeira fila da plateia, com os braços cruzados bem alto no peito, estava Coyle Mathis. Walter não o via desde o fatídico encontro entre eles no jardim em frente à casa de Mathis (hoje transformada numa extensão estéril coberta de destroços), que olhava para Walter com uma expressão que lembrava a Walter, mais uma vez, seu próprio pai. A expressão de um homem que tentava barrar, com a ferocidade do seu desprezo, qualquer possibilidade de sentir-se constrangido ou de permitir que Walter se apiedasse dele. O que Walter achava muito triste. Enquanto Jim Elder, ao microfone, começou a louvar os bravos soldados americanos servindo no Iraque e no Afeganistão, Walter dirigiu um sorriso humilde a Mathis, para mostrar que estava triste por ele, triste por eles dois. Mas a fisionomia de Mathis não mudou, e ele não desgrudou os olhos de Walter.

"Acho que vamos ouvir agora algumas informações sobre o Fundo da Montanha Azul", disse Jim Elder, "responsável por todos esses belos empregos permanentes criados em Whitmanville, beneficiando a economia local. Aplaudam comigo, por favor, Walter Berglund, diretor do Fundo. Walter!"

A tristeza de Walter por Mathis se transformou numa tristeza mais geral, uma tristeza pelo mundo, uma tristeza pela vida. Quando subiu ao pódio, procurou com os olhos Vin Haven e Lalitha, que estavam sentados lado a lado, e dirigiu a cada um dos dois um sorrisinho de remorso e desculpas. Em seguida, curvou-se sobre o microfone.

"Obrigado", disse ele. "Sejam bem-vindos. E uma saudação especial ao senhor Coyle Mathis e os outros homens e mulheres de Forster Hollow empregados nesta fábrica incrivelmente ineficiente em matéria de consumo de energia. Bem diferente de Forster Hollow, não é?"

Além do zumbido grave do sistema, o único som que se ouvia era o eco de sua voz amplificada. Lançou um breve olhar a Mathis, cuja expressão permanecia congelada no desdém.

"E assim, isso mesmo, bem-vindos", disse ele. "Bem-vindos à classe média! Era o que eu queria dizer. Mas só rapidamente, antes de seguir adiante, também queria dizer ao senhor Mathis, sentado aqui na primeira fila: sei que você não gosta de mim. E eu também não gosto de você. Mas sabe de uma coisa? Quando você estava se recusando a fazer qualquer negócio conosco, isso era uma coisa que eu respeitava. Não gostava nem um pouco, mas respeitava sua posição. Porque era independente. Entendeu? Porque eu também venho de um lugar um pouco parecido com Forster Hollow, antes de entrar para a classe média. E agora vocês também fazem parte da classe média, e eu queria lhes dar as boas-vindas, porque é realmente uma beleza, a classe média americana. É o esteio das economias de todo o planeta!"

Viu que Lalitha sussurrava no ouvido de Vin.

"E agora que vocês conseguiram esses empregos nesta fábrica *de coletes à prova de balas*", continuou ele, "vocês vão poder fazer parte dessas economias. E vocês também vão poder ajudar a transformar em deserto cada palmo de hábitat nativo da Ásia, da África e da América do Sul! Vocês também vão poder comprar TVs de plasma de setenta polegadas que consomem uma quantidade absurda de energia, mesmo quando não estão ligadas! Mas tudo bem, porque foi por isso que pusemos vocês para fora das suas casas, para poder derrubar tudo e arrancar todo o minério das suas montanhas ancestrais, e alimentar os geradores a carvão que são a principal causa do aquecimento global e de outros fenômenos esplêndidos como a chuva ácida. Vivemos num mundo perfeito, não é? E o sistema é perfeito, porque enquanto vocês tiverem as suas TVs de plasma de setenta polegadas, e eletricidade para elas funcionarem, não precisam pensar sobre as consequências trágicas disso tudo. Podem ficar assistindo a *Survivor: Indonésia* até a Indonésia sumir do mapa!"

Coyle Mathis foi o primeiro a puxar a vaia. E logo imitado por muitos. Perifericamente, por cima do ombro, Walter viu Elder e Dennett se levantando.

"Só mais uma coisa, bem depressa", continuou ele, "porque eu quero ser breve. Só mais algumas observações sobre este mundo perfeito. Queria falar desses imensos carros novos que fazem menos de quatro quilômetros por litro e que agora vocês vão poder comprar e dirigir para todo lado, agora que entraram para a mesma classe média da qual eu faço parte. E o nosso país precisa de tantos coletes à prova de balas justamente porque algumas pessoas em certas partes do mundo não querem os americanos roubando todo o petróleo deles para abastecer os nossos veículos. Assim, quanto mais vocês andarem de carro, mais seguros ficam os seus empregos nesta fábrica de coletes à prova de balas! Não é um arranjo perfeito?"

A plateia estava toda de pé, e começara a gritar com ele, mandando que calasse a boca.

"Já chega", disse Jim Elder, tentando afastá-lo do microfone.

"Só mais uma coisinha!", exclamou Walter, tirando o microfone do suporte e saindo com ele na mão. "Quero dar-lhes as boas-vindas a esta empresa, uma das mais corruptas e inescrupulosas do mundo inteiro! Estão ouvindo? A LBI está *cagando* para os seus filhos e suas filhas que estão derramando sangue no Iraque, contanto que continuem recebendo seus lucros de mil por cento! E eu sei disso com certeza! Digo e posso provar! Também faz parte do mundo perfeito de classe média em que vocês estão entrando! Agora que vão trabalhar para a LBI, podem finalmente ganhar dinheiro para não deixar seus filhos entrar para o exército e morrer nos caminhões enguiçados da LBI, com esses coletes vagabundos no corpo!"

O microfone foi cortado, e Walter recuava, tentando fugir do linchamento que se anunciava. "E ENQUANTO ISSO", gritou ele, "ESTAMOS PONDO MAIS TREZE MILHÕES DE PESSOAS NO MUNDO A CADA MÊS! TREZE MILHÕES DE SERES HUMANOS PARA MATAR UNS AOS OUTROS NA DISPUTA PELOS RECURSOS NATURAIS! E ENQUANTO ISSO EXTINGUIR TODOS OS OUTROS SERES VIVOS DO PLANETA! A PORRA DO MUNDO É MESMO PERFEITA, SE VOCÊS NÃO ESTIVEREM PENSANDO NAS OUTRAS ESPÉCIES QUE VIVEM NELE! NÓS SOMOS O CÂNCER DO PLANETA! O CÂNCER DO PLANETA!"

E a essa altura ele tomou um murro no queixo desferido por Coyle Mathis em pessoa. Começou a cair de lado, sua visão sendo invadida por insetos voadores de clarões de magnésio, seus óculos perdidos, e concluiu que talvez já tivesse dito tudo que devia. Estava cercado por Mathis e uma dúzia de outros homens, e eles começaram a infligir-lhe muita dor. Caiu no chão, tentando escapar por entre uma floresta de pernas que lhe desferiam pontapés com seus tênis produzidos na China. Encolheu-se em forma de bola, temporariamente cego e surdo, a boca cheia de sangue, com pelo menos um dente quebrado, absorvendo mais pontapés. Em seguida os chutes foram cessando e outras mãos pousaram nele, inclusive as de Lalitha. Com a volta do som, ele ouvia a voz dela furiosa: *Fiquem longe dele! Fiquem longe dele!*". Ele engasgou e vomitou sangue no chão. Os cabelos de Lalitha roçaram o sangue enquanto ela examinava seu rosto. "Você está bem?"

Ele sorriu o melhor que podia. "Começando a me sentir melhor."

"Ah, meu chefe. Coitado do meu querido chefe."

"Me sentindo claramente bem melhor."

Era a época da migração, do voo, dos cantos e do sexo. Na região neotropical, onde a diversidade era a maior de qualquer ponto da Terra, algumas centenas de espécies de aves se agitam e deixam para trás vários outros milhares de espécies, muitas delas com um parentesco taxonômico bem próximo, que não se incomodam em permanecer no mesmo lugar, coexistindo e se reproduzindo ao calmo ritmo dos trópicos. Entre as centenas de espécies de tanagrídeos, exatamente quatro levantam voo a cada ano rumo à América do Norte, enfrentando os riscos da longa jornada em troca da fartura de alimento e de lugares para construir seus ninhos nos bosques temperados durante o verão. As mariquitas-azuis percorrem os ares ao longo da costa do México e do Texas, espalhando-se pelas florestas decíduas dos Apalaches e dos Ozarks. O beija-flor-de-papo-vermelho engorda graças às flores da província de Veracruz e atravessa mais de mil quilômetros por cima do golfo do México, queimando no processo mais da metade de seu peso corporal, pousando em Galveston para recobrar o fôlego. As andorinhas-do-mar se transferem de uma região subártica à outra, os andorinhões cochilam em pleno voo e nunca pousam, tordos repletos de canto esperam um vento sul e então voam sem parar por doze horas, atravessando vários estados americanos na mesma noite. Os arranha-céus, as linhas de transmissão, as turbinas de vento, as torres de telefonia celular e o tráfego das rodovias determinam a morte de milhões de aves migratórias, mas outros milhões chegam ao destino, muitas delas procurando a mesma árvore em que tinham feito o ninho no ano anterior, a mesma serrania ou o mesmo banhado em que adquiriram a plumagem, e lá, no caso dos machos, começam a cantar. A cada ano, chegam e encontram uma área mais extensa de seu antigo lar pavimentada para estacionamentos ou estradas, ou desmatadas pela madeira, ou loteada, ou devastada em favor da escavação de poços de petróleo ou minas de carvão, ou fragmentada pela construção de shopping centers, ou arada para a produção de etanol, ou amplamente despida de sua cobertura natural para a construção de pistas de esqui, trilhas de *mountain bike* e campos de golfe. Aves migratórias esgotadas por suas jornadas de quase dez mil quilômetros precisam competir com quem chegou antes pelos poucos farrapos restantes de território; procuram em vão por uma companheira com quem se acasalar, desistem de construir ninhos e subsistem sem se reproduzir, ou são caçadas por esporte por gatos criados à solta. Mas os Estados Unidos ainda são um país rico e relativamente jovem, e bolsões repletos de aves ainda podem ser encontrados por quem sabe onde procurar.

O que Walter e Lalitha, ao final de abril, numa caminhonete carregada com equipamento de camping, decidiram fazer. Tinham um mês de folga antes de precisarem trabalhar a sério na Espaço Livre, e suas responsabilidades com o Fundo da Montanha Azul tinham acabado. Quanto ao carbono que lançavam na atmosfera com aquela caminhonete sedenta de gasolina, Walter retirava algum consolo por ter ido para o trabalho a pé ou de bicicleta nos últimos vinte e cinco anos, e por não ser dono de mais nenhuma residência além da casinha fechada à margem do lago Sem Nome. Sentia que merecia desperdiçar algum petróleo depois de uma vida inteira de virtude, merecia um verão cheio de natureza para compensar o verão que lhe tinham roubado na adolescência.

Enquanto ficara internado no hospital do condado de Whitman, recebendo o devido tratamento para seu maxilar deslocado, seu rosto ferido e suas costelas contundidas, Lalitha tinha feito um esforço desesperado para apresentar sua explosão como um *surto psicótico induzido pela trazodona*. "Ele estava literalmente sofrendo de sonambulismo", argumentou ela com Vin Haven. "Não sei quantos comprimidos ele tomou, mas foi mais de um, e poucas horas antes. Ele literalmente não sabia o que dizia. Foi culpa *minha*, por ter deixado ele falar assim mesmo. Você devia demitir *a mim*, e não a ele."

"Pois me pareceu que ele tinha uma ideia muito clara do que estava dizendo", respondeu Vin, surpreendentemente com pouquíssima raiva. "É uma pena que ele tenha precisado racionalizar as coisas a esse ponto. Trabalha tão bem, mas depois precisou analisar tudo intelectualmente."

Vin organizou uma conferência telefônica com os outros dirigentes do Fundo, que aprovaram sua proposta de desligar Walter imediatamente do projeto, e instruiu seus advogados a exercer sua opção de recompra dos direitos de residência dos Berglund na mansão de Georgetown. Lalitha comunicou aos candidatos a estágio na Espaço Livre que seu financiamento tinha sido interrompido, que Richard Katz estava saindo do projeto (Walter, de seu leito de hospital, tinha finalmente vencido essa queda de braço) e que a própria existência da Espaço Livre estava ameaçada. Alguns dos candidatos responderam por e-mail cancelando suas inscrições; dois deles disseram que continuavam querendo trabalhar como voluntários; o resto nem resposta deu. Como Walter estava sendo despejado da mansão e continuava se recusando a falar com a mulher, Lalitha ligou para ela. Patty chegou alguns dias depois numa caminhonete alugada, enquanto Walter se escondia no Starbucks mais próximo, e arrumou todos os pertences que não queria mandar para um depósito.

Foi exatamente ao fim desse dia tão desagradável, depois da partida de

Patty e da volta de Walter de seu exílio regado a cafeína, que Lalitha foi olhar em seu BlackBerry e encontrou oitenta novas mensagens de jovens de todo o país, perguntando se era tarde demais para se oferecer como voluntários para a Espaço Livre. Seus endereços de e-mail tinham mais tempero que o jovemliberal@universidadecara.edu das primeiras candidaturas. Eram loucolivre e alvodebomba, eram pornofetal, jainista3 ou talibanjr, @gmail e @cruzio. No dia seguinte de manhã, já tinham recebido mais cem mensagens, juntamente com propostas de bandas amadoras de quatro cidades — Seattle, Missoula, Buffalo e Detroit — para organizar shows em benefício da Espaço Livre em suas comunidades.

O que tinha acontecido, como Lalitha logo concluiu, foi que as imagens das TVs locais mostrando o discurso de Walter e o tumulto resultante tinham se tornado virais. Fazia pouco tempo que se tornara possível distribuir vídeo pela internet, e o vídeo de Whitmanville (CancerDoPlaneta.wmv) tinha circulado por todas as frestas mais radicais da blogosfera, os sites dos que insistiam em denunciar a conspiração em torno do Onze de Setembro, os devotos do Clube da Luta e os militantes do PETA, um dos quais finalmente desencavara o link para a Espaço Livre no site do Fundo da Montanha Azul. E de um dia para o outro, apesar de ter perdido seu financiamento e seu principal simpatizante do mundo da música, a Espaço Livre ganhou um vasto fã-clube e, na pessoa de Walter, um herói.

Fazia tempo que ele não ria muito das coisas, mas agora ria o tempo todo, e depois gemia por causa da dor nas costelas. Saiu de casa uma bela tarde e logo depois voltou com uma caminhonete branca Econoline usada e uma lata de tinta spray verde, e escreveu ESPAÇO LIVRE em letras irregulares nos flancos e na traseira da caminhonete. Queria pagar tudo com o próprio dinheiro, dos ganhos iminentes pela venda da casa, para bancar o grupo até o fim do verão, imprimir alguns folhetos, pagar uma ninharia aos estagiários e oferecer algum pagamento às bandas participantes dos shows, mas Lalitha anteviu possíveis questões jurídicas por conta do divórcio e não deixou. Ao que Joey, de maneira totalmente inesperada, ao saber dos planos do pai para as férias de verão, preencheu um cheque de cem mil dólares para a Espaço Livre.

"É ridículo, Joey", disse Walter. "Não posso aceitar esse dinheiro."

"Claro que pode", respondeu Joey. "O resto vai para os ex-combatentes, mas Connie e eu também achamos sua causa interessante. Você me sustentou quando eu era pequeno, não foi?"

"Claro, porque você é *meu filho*. Todos os pais fazem isso. Ninguém espera ser reembolsado. Acho que você nunca conseguiu entender a ideia."

"Mas não é engraçado que eu possa fazer isso? Não é uma ironia bacana? É dinheiro de Banco Imobiliário. Não quer dizer nada para mim."

"Eu tenho minhas economias, posso gastar se quiser."

"Mas pode economizar para a velhice", disse Joey. "Pode acreditar que não vou doar tudo para a caridade quando começar a ganhar dinheiro a sério. Esse caso é especial."

Walter estava tão orgulhoso de Joey, tão agradecido por não estar mais brigando com ele, e tão inclinado, portanto, a deixá-lo ser o cara maior, que não resistiu mais ao cheque. O único erro que cometeu foi contar a Jessica. Ela tinha finalmente falado com ele no hospital, mas seu tom deixava claro que ainda não estava pronta para travar amizade com Lalitha. Também não ficou impressionada com o que ele tinha dito em Whitmanville. "Mesmo abstraindo o fato de que 'câncer do planeta' é *exatamente* o tipo de expressão que concordamos que era contraproducente", disse ela, "acho que você não escolheu o inimigo certo. A sua mensagem não ajuda em nada quando aponta como inimigas do meio ambiente as pessoas que estudaram pouco e só estão tentando melhorar de vida. Eu sei que você não gosta dessas pessoas. Mas precisa tentar esconder essa antipatia, e não transformá-la em bandeira." Num telefonema que deu mais adiante, ela fez uma referência irritada ao republicanismo do irmão, e Walter reafirmou que Joey tinha se transformado numa pessoa diferente depois que se casara com Connie. Na verdade, contou ele, Joey era agora um dos maiores contribuintes da Espaço Livre.

"E onde ele arranjou esse dinheiro?", perguntou imediatamente Jessica.

"Bem, nem é grande coisa", retrocedeu Walter, percebendo seu erro. "Somos um grupo pequeno, sabe, então tudo é relativo. É só a importância simbólica de ele ter doado alguma coisa — e mostra o quanto ele está mudado."

"Hum."

"Quer dizer, nem se compara à sua colaboração. Você ajudou demais. Passando aquele fim de semana conosco, e nos ajudando a dar forma à ideia. Foi demais."

"E agora?", perguntou ela. "Você vai deixar o cabelo crescer e começar a usar uma bandana? Viajando por aí de caminhonete? O número completo do coroa? É isso que vai acontecer agora? Porque nesse caso eu gostaria de ser a voz serena e baixa a dizer que preferia você como era antes."

"Prometo que não deixo o cabelo crescer. Prometo nunca usar bandana. Nunca vou deixar você com vergonha de mim."

"Infelizmente, acho que para isso já é tarde demais."

Talvez fosse inevitável: ela falava cada vez mais como Patty. A raiva dela seria mais dura para Walter caso ele não estivesse gostando tanto, a cada minuto do dia, do amor de uma mulher que o queria por inteiro. Sua felicidade lhe lembrava seus primeiros tempos com Patty, o tempo em que dividiam a criação dos filhos e a reforma da casa, mas agora ele se percebia muito melhor, e era capaz de apreciar sua felicidade com mais nitidez em cada pormenor, e Lalitha não era a preocupação e o enigma que Patty, em algum nível, sempre tinha continuado a ser para ele. Com Lalitha, tudo que havia à sua frente estava à sua disposição. Os momentos que viviam na cama, assim que ele se recuperou dos ferimentos, transformaram-se na coisa de que ele sempre tinha sentido falta sem saber que sentia.

Depois que a empresa de mudanças removeu os últimos vestígios da família Berglund da mansão, ele e Lalitha partiram na caminhonete rumo à Flórida, na intenção de depois seguir a oeste atravessando a faixa sul do país antes que o tempo ficasse quente demais. Estava determinado a mostrar a ela um socó, e encontraram o primeiro no pântano de Corkscrew, na Flórida, ao lado de um laguinho sombreado e de uma passarela que rangia com o peso de aposentados e turistas, mas era um socó sem apego à socolidão, revelando-se à plena vista enquanto os clarões das câmeras dos turistas era rebatido por sua camuflagem irrelevante. Walter insistia em percorrer os diques cobertos de terra de Big Cypress à procura de um socó de verdade, um socó tímido, e submeteu Lalitha a um extenso solilóquio sobre o dano ecológico provocado pelos usuários de jipes capazes de andar em qualquer terreno, os irmãos espirituais de Coyle Mathis e Mitch Berglund. De algum modo, apesar de todos os estragos, a mata rasa e os lagos de águas escuras ainda estavam cheios de aves, além de inúmeros jacarés. Walter por fim identificou um socó num banhado repleto de cartuchos vazios de espingarda e embalagens de Budweiser desbotadas pelo sol. Lalitha freou a caminhonete em meio a uma nuvem de poeira e admirou devidamente a ave através dos seus binóculos até ser interrompida por uma carreta que transportava três jipes roncando por eles.

Ela nunca tinha acampado antes, mas se adaptou bem e Walter ficava morto de tesão por ela em suas roupas arejadas tipo safári. Ajudava bastante o fato de ela ser imune ao sol e repelir os mosquitos na mesma medida que ele os atraía. Ele tentou ensinar a ela alguns rudimentos da cozinha, mas ela preferia armar a barraca e planejar os trajetos. Ele acordava todo dia antes do amanhecer, fazia café na cafeteira italiana de seis xícaras e voltava para dentro da barraca levando um café com leite de soja para ela. Em seguida eles saíam para caminhar em meio ao orvalho e à luz cor de mel. Ela não era tão apaixonada quanto ele pela vida silvestre, mas tinha um jeito especial para localizar aves menores em meio à folhagem mais densa, estudava os guias de campo e gemia de encanto toda vez que percebia e corrigia uma falsa identificação de Walter. Mais adiante, ainda pela manhã, quando a vida das aves se acalmava, eles avançavam mais algumas horas para o oeste na caminhonete, e procuravam o estacionamento de algum hotel com conexão *wireless* sem senha, para que ela pudesse continuar em contato com seus futuros estagiários e ele pudesse manter atualizado o blog que ela criara para ele. Depois mais um parque estadual, mais um jantar ao ar livre, mais uma sessão eufórica de engalfinhamento na barraca.

"Você está cansada disso?", perguntou ele uma noite, num terreno de acampamento especialmente bonito e vazio em meio ao território semidesértico do sudoeste do Texas. "Podíamos passar uma semana num motel, mergulhar na piscina, trabalhar um pouco."

"Não, eu adoro ficar vendo como você gosta de procurar animais", disse ela. "Adoro ver você feliz, depois de ter passado tanto tempo insatisfeito. Adoro viajar com você."

"Mas talvez você esteja cansada?"

"Ainda não", disse ela, "mesmo achando que não entendo muito bem a natureza. Não tanto quanto você. Me parece uma coisa tão violenta. Aquele corvo comendo os filhotes de andorinha, os papa-moscas, os guaxinins que comem tantos ovos, os gaviões que matam tudo. As pessoas falam da paz da natureza, mas eu vejo nela exatamente o contrário da paz. É um morticínio permanente. Pior ainda que entre os seres humanos."

"Para mim", disse Walter, "a diferença é que as aves só matam porque precisam comer. Não matam com raiva, não matam ao acaso. Não é uma coisa *neurótica*. E por isso a natureza é pacífica. As coisas vivem ou deixam de viver, mas não é tudo envenenado de ressentimento, neurose e ideologia. É um alívio, depois da minha raiva neurótica."

"Mas estou achando você muito menos raivoso."

"Porque estou passando cada minuto dos dias com você, não tenho compromissos e não preciso lidar com outras pessoas. Mas imagino que a raiva vá voltar."

"Por mim, não me incomoda se ela voltar", disse Lalitha. "Respeito seus motivos para sentir tanta raiva. Faz parte do motivo para eu te amar. Mas fico muito feliz de ver você feliz."

"Só penso que você não podia ser mais perfeita", disse ele, pondo as mãos em seus ombros. "E aí você fica ainda mais perfeita."

Na verdade, ele ficava perturbado com a ironia da sua situação. Quando finalmente deu vazão à raiva, primeiro com Patty e depois em Whitmanville, livrando-se assim tanto do seu casamento quanto do Fundo, ele se desvencilhara de duas das causas mais importantes de sua raiva. Por algum tempo, em seu blog, ele tentou minimizar e qualificar o "heroísmo" de suas declarações quanto ao "câncer do planeta", afirmando que o vilão era o Sistema, não os cidadãos originários de Forster Hollow. Mas seus fãs o censuraram tão redonda e intensamente por isso ("onde está a sua macheza, cara, seu discurso foi demais" etc.) que ele acabou sentindo que lhes devia um relato honesto de todos os pensamentos negativos que tinha cultivado enquanto dirigia pelas estradas da Virgínia Ocidental, todas as posições radicais contra o crescimento da população que ele tinha engolido em nome de uma postura profissional. Vinha acumulando argumentos incisivos desde pelo menos seus tempos de estudante; o mínimo que podia fazer agora era compartilhá-los com os jovens aos quais, milagrosamente, eles pareciam interessar. A ira enlouquecida dos seus leitores era preocupante, porém, e destoava de sua disposição pacífica. Lalitha, por sua vez, já estava muito ocupada selecionando centenas de novos candidatos a estagiários e telefonando para os que lhe pareciam mais aptos a se mostrar responsáveis e avessos à violência; quase todos que ela declarava não doidos eram mulheres jovens. O compromisso dela com o combate à superpopulação era tão prático e humanitário quanto o de Walter era abstrato e misantrópico, e uma medida do aprofundamento do amor que ele sentia por ela era o quanto a invejava e desejava ficar mais parecido com ela.

No dia anterior ao último destino de sua viagem de férias — o condado de Kern, na Califórnia, lar de um número incrível de aves canoras em fase reprodutiva — pararam para visitar o irmão de Walter, Brent, na cidade de Mojave, perto da base aérea onde servia. Brent, que nunca tinha se casado, cujo herói político e pessoal era o senador John McCain e cujo desenvolvimento emocional dava a impressão de ter cessado quando se alistou na Força Aérea, não podia se mostrar mais profundamente desinteressado pela separação entre Walter e Patty ou por seu envolvimento com Lalitha, que ele tratou mais de uma vez como "Lisa". Ele pagou a conta do jantar, porém, e tinha notícias sobre o irmão mais velho dos dois, Mitch. "Eu pensei", disse ele, "que se a casa da mamãe ainda está vazia, você talvez pudesse deixar Mitch morar lá um tempo. Ele não tem telefone nem endereço, sei que anda bebendo, e que deve uns cinco anos de pensão. Sabe, ele e Stacy tiveram mais um filho pouco antes da separação."

"Quantos no total", perguntou Walter. "Seis?"

"Não, só cinco. Dois com Brenda, um com Kelly, dois com Stacy. Acho que não adianta mandar dinheiro, porque ele bebe tudo. Mas pensei que um lugar para morar podia fazer bem a ele."

"Muito gentil da sua parte, Brent."

"Só estou falando. Eu sei da sua situação com ele. Mas é só que, sabe, se a casa no fim das contas está mesmo vazia."

Cinco era um bom tamanho para a ninhada de uma ave canora, já que os pássaros vinham sendo perseguidos e encurralados em toda parte pela espécie humana, mas não para uma pessoa, e esse número tornava mais difícil para Walter sentir pena de Mitch. Imperfeitamente escondido no fundo de sua mente, havia o desejo de que todos os outros habitantes do mundo se reproduzissem um pouco menos, para que ele pudesse se reproduzir um pouco mais, mais *uma vez*, com Lalitha. Essa vontade, claro, era um absurdo: ele chefiava um movimento contra o aumento populacional, já tivera dois filhos com uma idade deplorável do ponto de vista demográfico, não se sentia mais decepcionado com seu filho, já estava quase na idade de ser avô. Ainda assim, não conseguia parar de imaginar uma criança crescendo na barriga de Lalitha. Era um sentimento presente na raiz de todas as trepadas entre eles, era o sentido cifrado da beleza que Walter via no corpo dela.

"Não, não, não, querido", disse ela, sorrindo, o nariz colado no dele, quando ele tocou no assunto dentro da barraca deles, num camping do condado de Kern. "Comigo, nunca ia acontecer. E você sempre soube. Sou diferente das outras mulheres. Sou uma aberração, tanto quanto você é uma aberração, só que de outro tipo. Deixei bem claro, não foi?"

"Sem a menor dúvida. Eu só estava conferindo."

"Pode conferir o quanto quiser que a resposta vai ser sempre a mesma."

"E você sabe por quê? Por que você é diferente?"

"Não, mas eu sei quem eu sou. Sou a mulher que não quer ter filhos. É a minha missão no mundo. A minha mensagem."

"Eu amo quem você é."

"Então deixe que isso seja a única coisa que você não acha perfeita."

Passaram o mês de junho em Santa Cruz, onde a melhor amiga de Lalitha do tempo de estudante, Lydia Han, fazia pós-graduação em literatura. Primeiro acamparam no chão da casa dela, depois no quintal, depois na mata. Usando o dinheiro de Joey, Lalitha comprou passagens de avião para os vinte estagiários que tinha escolhido. O orientador de Lydia Han, Chris Connery, um marxista descabelado especializado em China, permitiu que os estagiários desenrolassem seus sacos de dormir no gramado da faculdade e usassem seus banheiros, e cedeu para a Espaço Livre uma sala de reunião no *campus* para três dias de intenso treinamento e planejamento. O aparente fascínio que Walter exercia sobre as moças de dezoito anos que predominavam entre os contratados — de *dreadlocks* ou cabeça raspada, cobertas de *piercings* ou tatuagens assustadoras, com uma fertilidade coletiva tão intensa que ele quase sentia seu cheiro — o fazia corar o tempo todo enquanto pregava para eles sobre os males do crescimento descontrolado da população mundial. Seu alívio era escapar para longas caminhadas com o professor Connery pelos espaços livres em torno de Santa Cruz, pelas montanhas acobreadas e os gotejantes bosques de sequoias, ouvindo as profecias otimistas de Connery quanto ao colapso econômico global e à revolução operária, contemplar as aves desconhecidas da costa da Califórnia, e conhecer alguns dos *freegans* e coletivistas radicais que moravam em terras públicas, num regime estrito de rigorosa pobreza. Eu devia ter sido professor universitário, pensou Walter.

Só em julho, quando abriram mão da segurança de Santa Cruz e voltaram à estrada, tomaram contato com a fúria que vinha dominando o país naquele verão. Por que os conservadores, que controlavam todos os três poderes do governo federal, ainda estavam tão irados — com o ceticismo respeitoso de alguns acerca da guerra do Iraque, com os casais gays que queriam se casar, com o afável Al Gore e a cautelosa Hillary Clinton, com as espécies ameaçadas e seus defensores, com os impostos e o preço da gasolina que estavam entre os menores de todas as nações industrializadas, com a grande imprensa cujos controladores eram eles próprios conservadores, com os mexicanos que aparavam a grama de suas casas e lavavam os pratos em que comiam — era até certo ponto um mistério para Walter. Seu pai fora um homem tomado por esse tipo de fúria, certo, mas numa era muito mais liberal. E a fúria conservadora tinha engendrado uma contrafúria de esquerda que praticamente chamuscou suas sobrancelhas nos eventos da Espaço Livre organizados em Los Angeles e San Francisco. Entre os jovens com que falava, o epíteto indiscriminado para todo mundo, de George Bush e Tim Russert a Tony Blair e John Kerry, era "palerma". Que o Onze de Setembro tinha sido uma armação da Halliburton e da família real saudita era artigo de fé quase universal. Três conjuntos iniciantes apresentaram canções em que teciam fantasias mal elaboradas em torno da tortura e da execução do presidente e do vice (*Encho a tua boca de merda/ Dick, e me sinto melhor/ Isso mesmo, George Bush/ Agora um tiro na tua testa*). Lalitha insistira com os estagiários, e especialmente com Walter, sobre a necessidade de apresentar uma mensagem disciplinada, e ater-se aos fatos concretos em torno da superpopulação, e procurar congregar a maior variedade possível de simpatizantes. Mas sem as bandas famosas que Richard poderia ter atraído, os eventos reuniam principalmente pessoas já doutrinadas, descontentes do tipo que saía à rua com máscaras de esqui para lutar contra a OMC. Toda vez que Walter subia ao palco, era aclamado por sua explosão de Whitmanville e pelos textos destemperados que publicava no blog, mas assim que falava de prudência e de deixar que os fatos falassem por si mesmos, a plateia se calava ou começava a repetir as palavras de ordem mais populares que ele tinha criado — "Câncer do planeta!" e "O papa que se foda!". Em Seattle, onde o clima estava especialmente pesado, ele saiu do palco debaixo de vaias esparsas. Foi mais bem recebido no Meio-Oeste e no Sul, especialmente onde havia universidades, mas as plateias por outro lado eram muito menores. Quando ele e Lalitha chegaram a Athens, Geórgia, ele estava tendo muita dificuldade para acordar cedo. Estava exausto de tanto viajar e oprimido pela ideia de que aquela feia cólera de toda a nação não passava de um eco amplificado da sua própria raiva, de que tinha deixado sua desavença pessoal com Richard impedir que a Espaço Livre conquistasse um público mais vasto, e de que ele estava gastando um dinheiro de Joey que deveria ter sido doado à Federação Americana de Planejamento Familiar. Se não fosse por Lalitha, que dirigia na maior parte do tempo e entrava com todo o entusiasmo necessário, ele teria abandonado a turnê e continuado a observar pássaros.

"Sei que você está desanimado", dizia Lalitha ao volante enquanto saíam de Athens. "Mas pelo menos estamos conseguindo levantar o problema. Todos os semanários gratuitos reproduzem o que declaramos palavra por palavra quando falam de nós. Todos os blogueiros e revistas online estão falando em superpopulação. Não se falava desse assunto desde os anos 70. De repente, no dia seguinte, começam a falar. As novas ideias se fortalecem antes nas margens. Só porque nem sempre as coisas são do melhor jeito, você não devia desanimar."

"Salvei mais de vinte e cinco mil hectares de terra na Virgínia Ocidental", disse ele. "E mais ainda na Colômbia. Foi um bom trabalho, com resultados concretos. Por que não continuei?"

"Porque você sabia que não basta. A única coisa que realmente pode nos salvar é mudar o modo como as pessoas pensam."

Ele olhou para a namorada, de mãos firmes ao volante, olhos brilhantes fixos na estrada, e achou que estava a ponto de explodir de desejo de ser igual a ela; e de gratidão por ela não se incomodar que ele fosse, em vez disso, quem era. "Meu problema é que eu não gosto tanto assim das pessoas", disse ele. "A verdade é que não acredito que sejam capazes de mudar."

"Imagine, você gosta muito das pessoas. Nunca vi você maltratar ninguém. Quando conversa com os outros, você está sempre sorrindo."

"Não estava sorrindo em Whitmanville."

"Na verdade, estava sim. Mesmo lá. O que contribuiu para tudo ser ainda mais estranho."

De qualquer modo, não havia muitas aves a observar nos dias de canícula. Depois que o território tinha sido reivindicado e o acasalamento concretizado, não era vantagem para nenhum passarinho ser muito conspícuo. Walter fazia caminhadas matinais nos refúgios e parques que sabia estarem cheios de vida, mas o mato alto e as árvores de folhagem densa permaneciam imóveis em meio à umidade estival, como casas trancadas de que não tinha a chave, como casais que só tinham olhos um para o outro. O hemisfério Norte absorvia a energia do Sol, convertida silenciosamente pelas plantas em alimento para os animais; os únicos subprodutos sonoros eram o zumbido e o bater de asas dos insetos. Era o momento do prêmio para os migrantes neotropicais, eram os dias que precisavam ser totalmente usufruídos. Walter tinha inveja daquelas tarefas a cumprir, e se perguntou se não estaria ficando deprimido porque era o primeiro verão em quarenta anos em que não precisava trabalhar.

O festival nacional da Espaço Livre estava marcado para o último fim de semana de agosto e, infelizmente, na Virgínia Ocidental. O estado ficava longe do centro, e o acesso por transporte público era bastante difícil, mas quando Walter propôs mudar o local, em seu blog os seguidores já estavam animados com a ideia de ir à Virgínia Ocidental e reclamavam das altas taxas de natalidade do estado, do fato de ser controlado pela indústria carvoeira, da alta densidade de fundamentalistas cristãos, e de sua responsabilidade por fazer as eleições de 2000 penderem em favor de George Bush. Lalitha pedira permissão a Vin Haven para realizar o evento num antigo sítio de criação de cabras nas terras hoje controladas pelo Fundo, e Haven, pasmo diante da temeridade da garota, e tão incapaz quanto qualquer outra pessoa de resistir à sua pressão de luvas de pelica, tinha consentido.

Um trajeto extenuante através do chamado Rust Belt elevou sua quilometragem total a mais de quinze mil quilômetros, seu consumo de petróleo a mais de trinta barris. E calhou que sua chegada às Cidades Gêmeas, em meados de agosto, coincidiu com a primeira frente fria com cheiro de outono daquele verão. Ao longo de toda a grande floresta boreal do Canadá, do norte do Maine e de Minnesota, a floresta boreal ainda substancialmente intacta, as mariquitas, os papa-moscas, os patos e as andorinhas tinham completado sua função de pais, trocado a plumagem de acasalamento por cores melhores para a camuflagem, e recebiam, através do frio do vento e do ângulo do sol, os sinais para partir de volta rumo ao sul. Os pais muitas vezes decolavam primeiro, deixando os filhos para trás a fim de treinar seus voos, se alimentar sozinhos e depois encontrar o caminho por conta própria, de maneira mais desajeitada e com taxas mais altas de mortalidade, até o território de inverno. Menos da metade dos que partiam no outono voltaria na primavera seguinte.

Os Sick Chelseas, uma banda de St. Paul que Walter uma vez ouvira abrindo um concerto dos Traumatics e imaginara que não sobreviveria nem mais um ano, ainda estavam vivos e tinham conseguido reunir um público grande no evento da Espaço Livre, suficiente para serem levados ao festival da Virgínia. Os únicos outros rostos conhecidos na multidão eram os de Seth e Merrie Paulsen, os antigos vizinhos de Walter na Barrier Street, com uma aparência trinta anos mais velha que todo o resto dos presentes, menos o próprio Walter. Seth adorou Lalitha, e não conseguia parar de encará-la, tendo ignorado os protestos de cansaço de Merrie e insistido num último jantar, depois do show, no restaurante Taste of Thailand. Foi um verdadeiro festival de bisbilhotice, enquanto Seth sondava Walter para obter informações privilegiadas sobre o casamento agora notório de Joey e Connie, o paradeiro de Patty, a história detalhada da relação entre Walter e Lalitha e das circunstâncias por trás das porradas que o *New York Times* dera em Walter ("Deus do céu, você saiu muito mal naquela matéria"), enquanto Merrie bocejava e produzia uma expressão cuidadosamente resignada.

De volta ao seu motel, muito tarde da noite, Walter e Lalitha tiveram o que quase chegou a ser uma briga. O plano original era tirarem alguns dias de folga em Minnesota para visitar a Barrier Street, a casa à beira do lago Sem Nome e Hibbing, e ver se conseguiam encontrar Mitch, mas agora Lalitha queria dar meia-volta e ir direto para a Virgínia Ocidental. "Metade do pessoal que já chegou lá se descreve como anarquista", disse ela. "E não é à toa. Precisamos ir logo para lá e cuidar da logística."

"Não", disse Walter. "Nós só resolvemos deixar St. Paul para o fim para que pudéssemos passar alguns dias aqui e descansar. Você não quer conhecer o lugar onde eu fui criado?"

"Claro que sim. Mais tarde. Mês que vem."

"Mas já estamos *aqui*. Não custa nada tirar dois dias; depois vamos direto para Wyoming. Aí não precisamos mais refazer o caminho todo. Não faz sentido percorrer três mil quilômetros a mais."

"Por que estamos nos comportando assim?", perguntou ela. "Por que você não quer enfrentar a coisa mais importante agora, e deixar o passado para mais tarde?"

"Porque foi o que nós planejamos."

"Era um *plano*, não um contrato."

"Bem, e também estou um pouco preocupado com Mitch."

"Mas você detesta Mitch!"

"Nem por isso quero que o meu irmão viva na rua."

"É, mas um mês a mais não vai fazer tanta diferença", respondeu ela. "Podemos voltar em seguida."

Ele abanou a cabeça. "E também preciso saber como está a casa. Faz mais de um ano que ninguém vem aqui."

"Walter, não. Aqui estamos você e eu, é a coisa que nós criamos, e está acontecendo agora."

"Podemos deixar a caminhonete aqui, ir de avião e alugar um carro. Só íamos perder um dia no final das contas. E ainda sobra uma semana para cuidarmos da logística. Por favor? Por mim?"

Ela pegou o rosto dele com as mãos e lançou-lhe um olhar de cão pastor. "Não", disse ela. "Por favor, faça isso por *mim*."

"Então vá você", disse ele, se afastando. "Pegue um avião que eu vou de carro e chego daqui a poucos dias."

"*Por que você está fazendo isso?* Foi o encontro com Seth e Merrie? Eles fizeram você ficar lembrando do passado?"

"Foi."

"Bom, então tire isso da cabeça e venha comigo. Precisamos ficar juntos."

Como uma nascente gelada no fundo de um lago de água mais quente, a antiga depressão devida aos genes suecos brotava por dentro de Walter: a sensação de que não merecia uma parceira como Lalitha, de não ter sido feito para uma vida de liberdade e heroísmo fora da lei; de precisar de uma situação contrária mais tediosa e persistente de insatisfação para nela forjar sua existência. E via que simplesmente cultivando esses sentimentos ele começava a criar uma nova situação de discórdia com Lalitha. E era melhor, pensou ele depressivamente, que ela ficasse sabendo desde logo como ele era na verdade. Que entendesse o quanto ele era igual ao irmão, ao pai e ao avô. E por isso tornou a abanar a cabeça. "Vou continuar conforme os planos", disse ele. "Vou ficar aqui mais dois dias com a caminhonete. Se não quiser vir comigo, compramos uma passagem de avião para você."

Tudo podia ter sido diferente se ela tivesse chorado nessa hora. Mas era teimosa, determinada e estava furiosa com ele, e ao amanhecer ele a levou até o aeroporto, pedindo desculpas até ela dizer basta. "Está bem", disse ela, "já me conformei. Não vou me preocupar com isso agora. Estamos fazendo o que cada um precisa fazer. Eu ligo para você quando chegar e nos vemos logo."

Era uma manhã de domingo. Walter ligou para Carol Monaghan e depois percorreu um trajeto bem conhecido até Ramsey Hill. Blake tinha abatido mais árvores e arbustos no terreno de Carol, mas de resto nada mais mudara na Barrier Street. Carol deu um abraço caloroso em Walter, pressionando seus seios contra ele de um modo que não lhe parecia muito apropriado a alguém da mesma família, e depois, por uma hora, enquanto as gêmeas corriam guinchando pelo grande salão à prova de crianças e Blake, nervoso, se levantava, saía, voltava e tornava a sair, ele e Carol fizeram o possível para se comportar como bons consogros.

"Fiquei louca de vontade de ligar para você assim que eu soube", disse Carol. "Precisei, sem exagero, sentar em cima das minhas mãos para não discar seu número. Não entendi por que Joey não queria lhe contar logo."

"Sabe como é, ele teve alguns problemas com a mãe", disse Walter. "E comigo também."

"E como vai Patty? Ouvi dizer que vocês dois não estão mais juntos."

"Verdade."

"Não vou ficar calada, Walter. Vou dizer o que penso, apesar de me criar problemas. Acho que essa separação já vem de muito tempo. Eu não gostava da maneira como ela tratava você. Parecia que tudo sempre tinha de acontecer em torno *dela*. Então pronto — falei."

"Mas sabe, Carol, essas coisas são complicadas. E agora ela é também sogra de Connie. E eu espero que vocês duas encontrem algum jeito de se dar bem."

"Ah. Por mim nós duas não precisamos nos ver. Só espero que ela reconheça que a minha filha é uma graça de pessoa."

"Eu pelo menos reconheço. Acho Connie uma jovem maravilhosa, com muito potencial."

"Bem, você sempre foi o mais simpático dos dois. Sempre foi uma graça também. Nunca me arrependi de ser sua vizinha, Walter."

Ele resolveu deixar passar a injustiça do comentário, resolveu não lembrar a Carol os muitos anos de generosidade que Patty tinha demonstrado com ela e Connie, mas ficou muito triste por Patty. Sabia o quanto ela tentava dar o melhor de si, e o incomodava ver-se alinhado agora às muitas pessoas que só conseguiam ver seu lado mais desagradável. O nó na sua garganta foi sinal do quanto, apesar de tudo, ele ainda a amava. Ajoelhando-se para algu-

539

ma interação cortês com as gêmeas, lembrou-se de como ela sempre se sentira muito mais à vontade que ele com crianças pequenas, como ela se esquecia de si quando ficava com Jessica e Joey na época em que tinham a idade das gêmeas, como ficava feliz e absorta. Tinha sido bem melhor, concluiu ele, que Lalitha tivesse ido para a Virgínia Ocidental, deixando-o a sós para sofrer no passado em paz.

Depois de se livrar de Carol, e deduzindo pela fria despedida de Blake que não tinha sido perdoado por ser tão liberal, Walter seguiu de carro até Grand Rapids, parou para comprar mantimentos e chegou ao lago Sem Nome no fim da tarde. Havia uma sinistra tabuleta de VENDE-SE em frente à propriedade dos Lundner, bem ao lado, mas a casa deles havia atravessado o ano de 2004 tão medianamente quanto tinha resistido à passagem de tantos outros anos. A chave extra ainda pendia debaixo do assento do velho banco rústico de madeira, e descobriu que não era tão insuportável assim estar nos mesmos aposentos onde sua mulher e seu melhor amigo o tinham traído; muitas outras memórias tomavam conta dele com uma nitidez que lhe era suficiente. Ele varreu e recolheu folhas até a noite cair, feliz por ter um trabalho de verdade, para variar, e depois, antes de ir dormir, ligou para Lalitha.

"Aqui está uma *loucura*", contou ela. "Ainda bem que eu vim e ainda bem que você não veio, porque eu acho que você ia ficar muito nervoso. Parece o Forte Apache, ou coisa assim. Nosso pessoal praticamente precisa de segurança contra os fãs que chegaram mais cedo. Parece que todos aqueles encrenqueiros de Seattle vieram direto para cá. Organizamos um acampamento perto do poço, com um banheiro químico, mas o lugar já está cercado por outras trezentas pessoas. Eles se espalharam pela propriedade toda, estão bebendo a água do mesmo riacho que passa ao lado do lugar onde estão cagando, e estão tratando os habitantes locais com antipatia. A estrada toda até aqui está coberta de pichações. De manhã, preciso mandar os estagiários irem pedir desculpas aos donos das propriedades pichadas, e oferecer uma nova pintura. Andei por todo lado pedindo às pessoas que se acalmassem um pouco, mas estão todos doidões e se espalharam por uns cinquenta mil metros quadrados, e não existe liderança, é totalmente amorfo. Depois escureceu e começou a chover, e precisei voltar para a cidade e encontrar um motel."

"Posso pegar um avião amanhã", disse Walter.

"Não, venha de caminhonete. Precisamos acampar na própria área. Agora você só ia ficar furioso. Eu consigo lidar com essa história sem ficar tão irritada, e as coisas já devem estar melhores quando você chegar aqui."

"Bom, então dirija com cuidado por aí, está bem?"

"Pode deixar", disse ela. "Eu te amo, Walter."

"Eu também."

A mulher que ele amava o amava também. Ele tinha certeza disso, mas não sabia de mais nada ao certo, àquela altura ou a partir de então; nunca chegou a saber dos outros fatos vitais. Se ela realmente dirigiu com cuidado. Se estava ou não correndo ao transitar pela estrada vicinal que a chuva deixara escorregadia de volta à fazenda de criação de cabras na manhã seguinte, se estava ou não fazendo cada uma das perigosas curvas fechadas da montanha a uma velocidade excessiva. Se um caminhão de carvão tinha surgido de surpresa numa dessas curvas e produzido o efeito que os caminhões de carvão produziam toda semana em outros pontos da Virgínia Ocidental. Ou se alguém, instalado no banco alto de um 4 × 4, talvez alguém cujo celeiro tivesse sido pichado com as palavras ESPAÇO LIVRE OU CÂNCER DO PLANETA, tinha visto uma jovem de pele escura dirigindo um compacto alugado de fabricação coreana e decidido dar-lhe uma fechada, segui-la de uma distância muito curta, ultrapassá-la quase raspando ou mesmo forçá-la de propósito para fora da pista sem acostamento.

O que quer que tenha acontecido exatamente, em torno das 7:45, menos de dez quilômetros ao sul da fazenda de cabras, o carro dela desceu um barranco longo e muito íngreme, espatifando-se contra uma nogueira. O relatório da polícia nem sequer oferecia o débil consolo de uma morte imediata. Mas o trauma foi grave, ela sofreu fratura da pélvis e ruptura de uma artéria femural, e certamente morreu antes que Walter, às 7:30 da manhã em Minnesota, devolvesse a chave da casa a seu prego debaixo do banco e tomasse o rumo do condado de Aitkin, à procura do irmão.

Ele sabia, a partir de sua longa experiência com o pai, que sempre era melhor conversar com um alcoólatra na parte da manhã. Tudo que Brent sabia dizer sobre a última ex de Mitch, Stacy, era que ela trabalhava num banco em Aitkin, a sede do condado, e ele começou a percorrer os bancos locais um a um, encontrando Stacy no terceiro. Ela era bonitona, ao modo robusto das moças do campo, parecia ter uns trinta e cinco anos e falava como uma adolescente. Embora nunca tivesse visto Walter, parecia disposta a atribuir-lhe uma significativa responsabilidade pela forma como Mitch tinha abandonado seus filhos. "Você podia procurar na propriedade do amigo dele, Bo", disse ela dando de ombros com raiva. "Da última vez que eu soube, Bo estava deixando Mitch ficar no quartinho em cima da garagem, mas já faz uns três meses."

Pantanoso, coberto de uma camada de gelo e desprovido de riqueza mineral, o condado de Aitkin era o mais pobre do estado de Minnesota, e portanto abundava em aves, mas Walter não perdeu tempo em procurá-las enquanto percorria a retilínea Estrada Vicinal 5 à procura da propriedade de Bo. Havia um vasto campo em que se viam restos não colhidos de uma safra de colza, e um milharal bem menor entremeado de muito mais ervas do que devia. O próprio Bo estava ajoelhado no caminho que dava na casa, consertando o descanso de uma bicicleta de menina cujos punhos eram enfeitados com franjas de plástico cor-de-rosa, enquanto um grupo variado de crianças pequenas entrava e saía pela porta da frente da casa, sempre aberta. Suas faces estavam coradas pelo gim, mas ele era jovem e tinha os músculos de um profissional de luta livre. "Quer dizer que você é o irmão da cidade grande", disse ele, apertando os olhos surpresos para a caminhonete de Walter.

"Sou eu", disse Walter. "Me disseram que Mitch estava morando com você."

"É, ele aparece e depois some. Agora deve estar perto do lago Peter, no camping do condado que fica lá. Está querendo falar com ele sobre alguma coisa em especial?"

"Não, só estou de passagem pela área."

"É, ele tem estado bem mal depois que Stacy pôs ele para fora de casa. Eu tento ajudar um pouco."

"Ela pôs Mitch para fora?"

"Bem, sabe como é. Toda história tem dois lados, não é?"

Walter ainda precisou percorrer quase uma hora até o lago Peter, já nas proximidades de Grand Rapids. Chegando ao camping, que lembrava um pouco um cemitério de automóveis e era especialmente desprovido de encantos ao sol do meio-dia, Walter viu um velho barrigudo acocorado ao lado de uma barraca vermelha manchada de lama, descamando peixes em cima de uma folha de jornal. Só depois de passar de carro bem ao lado dele é que descobriu, pela semelhança com seu pai, que era Mitch. Estacionou a caminhonete ao lado de um choupo, para que ficasse um pouco na sombra, e perguntou-se o que estava fazendo ali. Não estava preparado para oferecer a Mitch a casa do lago Sem Nome; achava que ele e Lalitha ainda poderiam ocupá-la por uma ou duas estações do ano enquanto resolviam como seria o futuro. Mas queria ficar mais parecido com Lalitha, mais destemido e humanitário, e embora percebesse que poderia ser mais bondoso simplesmente deixando Mitch em paz, respirou fundo e caminhou em direção à barraca vermelha.

"Mitch", disse ele.

Mitch estava limpando um peixe de uns vinte centímetros e não levantou os olhos. "Oi."

"Sou Walter. Seu irmão."

E então Mitch levantou os olhos, com uma expressão automática de desdém que em seguida se transformou num sorriso autêntico. Tinha perdido sua beleza, ou, mais precisamente, seus belos traços tinham encolhido, convertendo-se num miúdo oásis facial em meio a um deserto inchado e queimado de sol. "Puta merda", disse ele. "O pequeno Walter! O que você está fazendo aqui?"

"Passei para ver você."

Mitch limpou as mãos na sua bermuda imunda, e estendeu uma delas a Walter. A mão era flácida, e Walter a apertou com força.

"Olha só, que bom", disse Mitch num tom genérico. "Eu estava pensando mesmo em abrir uma cerveja. Quer uma? Ou continua abstêmio?"

"Aceito uma cerveja", disse Walter. Percebeu que teria sido mais generoso e digno de Lalitha ter trazido alguns pacotes de cerveja, e depois pensou que também era bondoso dar a Mitch a oportunidade de ser generoso com alguma coisa. Não sabia qual seria a bondade maior. Mitch atravessou a área suja onde acampava até uma imensa geladeira portátil, e voltou com duas latas de cerveja Pabst Faixa Azul.

"É", disse ele. "Eu vi essa caminhonete passando e me perguntei se algum tipo de hippie estava chegando aqui. Você virou hippie?"

"Não exatamente."

Enquanto moscas e varejeiras se esbaldavam com as tripas de seu projeto interrompido de limpeza de peixe, Mitch sentou-se com Walter num par de antiquíssimos banquinhos de acampamento, feitos de madeira e lona salpicada de mofo, que tinham sido do pai deles. Walter reconheceu outros equipamentos igualmente antigos espalhados pela área. Mitch, como o pai, era ótimo de conversa, e enquanto falava com Walter sobre seu modo de vida atual, e da litania de episódios de azar, problemas de coluna, acidentes de carro e irreconciliáveis desentendimentos maritais que tinham levado a esse tipo de existência, Walter percebeu de que maneira seu irmão era um bêbado diferente do pai deles. O álcool, ou a passagem do tempo, parecia ter expurgado todas as memórias da inimizade entre ele e Walter. Não exibia nenhum sinal de senso de responsabilidade, mas também, em consequência, nenhuma postura defensiva ou ressentimento. O dia estava ensolarado e ele estava só fazendo o de sempre. Bebia o tempo todo, mas sem pressa; a tarde ia ser longa.

"De onde você está tirando dinheiro?", quis saber Walter. "Está trabalhando?"

Mitch debruçou-se um pouco vacilante e abriu uma caixa de apetrechos de pesca que continha uma pequena pilha de notas e talvez uns cinquenta dólares em moedas. "Meu banco", disse ele. "E isso aí deve durar até o tempo esfriar de novo. Trabalhei de vigia noturno em Aitkin no inverno passado."

"E o que você vai fazer quando esse dinheiro acabar?"

"Encontro alguma coisa. Eu sei tomar conta de mim."

"Você não se preocupa com os seus filhos?"

"É, às vezes eu me preocupo. Mas eles têm boas mães que sabem cuidar deles, e eu não presto para isso. Acabei entendendo que só sei tomar conta de mim mesmo."

"Um homem livre."

"É o que eu sou."

E se calaram. Uma brisa fraca tinha começado a soprar, projetando um milhão de diamantes na superfície do lago Peter. Do outro lado, alguns pescadores preguiçavam em botes de alumínio. Um pouco mais perto, um corvo crocitava, outro acampado rachava lenha. Walter tinha passado o verão inteiro acampando, muitas vezes em lugares mais remotos e menos ocupados que aquele, mas em momento algum se sentira mais longe das coisas que constituíam sua vida do que agora. Seus filhos, seu trabalho, suas ideias, as mulheres que ele amava. Sabia que seu irmão não estava interessado na sua vida — passara do ponto de se interessar por qualquer coisa — e não sentia o menor desejo de falar a respeito. Infligir aquelas informações a Mitch. Mas no exato momento em que seu celular tocou, mostrando um número desconhecido da Virgínia Ocidental, ele estava pensando como sua vida tinha sido afortunada e repleta de bênçãos.

544

TODO MUNDO ERRA (CONCLUSÃO)
Uma espécie de Carta ao Leitor
por Patty Berglund

Capítulo 4: Seis anos

A autobiógrafa, pensando em seu leitor e na perda que este sofreu, e consciente de que um certo tipo de voz faria bem de se calar em face de uma vida cada vez mais sombria, vem tentando com todo empenho escrever estas páginas na primeira e na segunda pessoas. Mas parece condenada, infelizmente, como escritora, a se comportar como um desses atletas profissionais que só se referem a si mesmos na terceira pessoa. Embora acredite que mudou de verdade, e que é uma pessoa muito melhor do que antigamente, e portanto merecedora de uma nova audiência, ainda não consegue abrir mão de uma voz que encontrou quando não tinha nada mais a que recorrer, mesmo que isso faça seu leitor jogar o presente documento direto na cesta de lixo que o acompanha desde seus tempos no Macalester College.

A autobiógrafa, antes de mais nada, gostaria de assinalar que seis anos são um período de silêncio longo demais. No início, quando deixou Washington, Patty achou que ficar calada era a melhor coisa que podia fazer, tanto por si mesma quanto por Walter. Sabia que ele ficaria furioso ao saber que ela fora morar com Richard. Sabia que ele iria concluir que ela não tinha a menor consideração pelos seus sentimentos e devia estar mentindo, ou se entregando ao autoengano, quando insistira em dizer que era a ele que amava, e não ao seu amigo. Mas que fique registrado: antes de ir para Jersey City, ela passou uma noite num Marriott de Washington, contando os soníferos pesados que tinha trazido consigo e examinando a sacola de plástico fornecida aos hóspedes do hotel para forrar seus baldes de gelo. E é fácil dizer: "Sim, mas no fim das contas não se matou, não é?", e imaginar que ela só estivesse dramatizando o momento, entregando-se à autocomiseração, ao autoengano e a outras autoatividades nefastas. A autobiógrafa, ainda assim, afirma que Patty chegou a um ponto muito baixo aquela noite, o mais baixo de todos os tempos, e que precisava forçar-se o tempo inteiro a se lembrar dos filhos. A dor que sentia, embora talvez não se comparasse à de Walter, ainda assim era intensíssima. E Richard tinha sido a pessoa que a pusera naquela situação. Richard era a única pessoa que poderia entender, a única pessoa que ela achava que poderia ver sem morrer de vergonha, a única pessoa que Patty tinha certeza de que ainda a queria. Não podia fazer nada quanto ao naufrágio que provocara na vida de Walter, e assim, pensou ela, talvez fosse o caso de salvar a sua própria.

Por outro lado, a bem da honestidade, estava furiosa com Walter. Por mais que tenha sido doloroso para ele ler certas passagens da sua autobiografia, ainda acreditava que ele tinha sido injusto ao expulsá-la de casa. Achava que ele havia exagerado e reagido da forma errada, e que mentia para si mesmo ao avaliar o quanto queria de fato livrar-se dela e ficar com a garota. E à raiva de Patty ainda se somava o ciúme, porque a garota estava evidentemente apaixonada por Walter, enquanto Richard não era o tipo de pessoa capaz de amar ninguém de verdade (com a única e comovente exceção, até certo ponto, do próprio Walter). Embora sem dúvida não fosse assim que Walter via as coisas, Patty achou que ir para Jersey City justificava, pelo consolo, a vingança e o reforço do amor-próprio que dormir com um músico egocêntrico poderia lhe render.

A autobiógrafa irá se poupar dos detalhes dos meses de Patty em Jersey City, admitindo apenas que o fato de ter coçado à vontade aquela antiga coceira não deixou de ter seus prazeres intensos, embora breves, e assinalando que preferia ter coçado aquilo tudo quando tinha vinte e um anos e Richard estava de mudança para Nova York, e só depois ter voltado para Minnesota, ao final do verão, para ver se Walter ainda poderia querer ficar com ela. Porque também merece ser assinalado que não houve uma única vez em sua estada em Jersey City em que o sexo não a fizesse pensar na última vez que tinha transado com o marido, no chão do seu quarto em Georgetown. Embora Walter certamente imaginasse Patty e Richard como monstros indiferentes a seus sentimentos, na verdade nenhum dos dois jamais abstraía a sua presença. Quando se perguntaram, por exemplo, se Richard deveria manter seu compromisso e ajudar Walter com sua organização de combate ao crescimento populacional, os dois tiveram certeza de que Richard não podia recuar. E não por sentimento de culpa, mas por amor e admiração. O que, diante do quanto custava a Richard fingir para músicos mais famosos que se incomodava com a superpopulação mundial, já devia ter revelado o suficiente para Walter. A verdade é que nada entre Patty e Richard tinha condição de durar, porque só podiam decepcionar um ao outro, já que nenhum dos dois inspirava tanto amor um ao outro quanto Walter inspirava a ambos. Toda vez que Patty ficava deitada sozinha depois de transar, mergulhava na melancolia e na solidão, porque Richard nunca deixaria de ser Richard, enquanto, com Walter, sempre havia a possibilidade, ainda que tênue, e ainda que muito lenta em desabrochar, de que a história entre eles mudasse e se tornasse mais profunda. Quando Patty soube, através dos filhos, do discurso enlouquecido que ele tinha feito na Virgínia Ocidental, perdeu totalmente a esperança. A impressão era de que Walter só precisou se livrar dela para se transformar numa pessoa mais livre. A velha teoria corrente entre eles — de que ele a amava e precisava dela mais do que ela o amava e precisava dele — fora totalmente revertida. E agora ela havia perdido o amor da sua vida.

E então chegou a notícia terrível da morte de Lalitha, e Patty sentiu muitas coisas ao mesmo tempo: uma grande dor e compaixão por Walter, uma grande culpa por todas as vezes que tinha desejado a morte de Lalitha, um medo súbito de sua própria morte, a vaga e passageira esperança de que Walter agora pudesse aceitá-la de volta, e depois um remorso profundo e terrível por ter ido à procura de Richard, garantindo assim que Walter nunca mais a quisesse. Enquanto Lalitha estava viva, havia uma chance de que Walter se cansasse dela, mas depois que ela morreu Patty não tinha mais nada a esperar. Depois de odiar tanto aquela garota e nunca ser discreta a respeito, não tinha o direito de consolar Walter, e sabia que poderia parecer monstruoso da parte dela usar uma ocasião tão triste para tentar começar a abrir caminho de volta para a vida dele. Passou vários dias ensaiando um bilhete de pêsames à altura da dor dele, mas o abismo entre a pureza dos sentimentos dele e a impureza dos dela era intransponível. O máximo que ela podia fazer era transmitir suas condolências de segunda mão, através de Jessica, e esperar que Walter acreditasse que o impulso de consolá-lo estava presente nela, e que ele conseguisse ver que, não tendo enviado uma nota de pêsames, ela não podia mais entrar em contato com ele por nenhum outro pretexto. E por isso, do lado dela, esses seis anos de silêncio.

A autobiógrafa gostaria de poder contar que Patty deixou Richard imediatamente depois da morte de Lalitha, mas a verdade é que ficou com ele por mais três meses. (Ninguém jamais poderá dizer que ela seja um paradigma de firmeza e dignidade.) Sabia perfeitamente, por exemplo, que ainda levaria muito tempo, se é que um dia seria possível, para que alguém de quem ela de fato gostasse voltasse a querer dormir com ela. E Richard, a seu modo constante embora nada convincente, fazia o possível para ser um Homem Bom, agora que ela perdera Walter. Ela nem amava Richard tanto assim, mas de algum modo ficou cativada por esse esforço (embora ainda aqui, fique registrado, na verdade ela estivesse amando Walter, pois foi Walter quem pôs a ideia de ser um Homem Bom na cabeça de Richard). Ele teve a macheza de sentar-se à mesa para todas as refeições que ela lhe preparava, obrigava-se a ficar em casa vendo filmes com ela, aturava seus frequentes destemperos emocionais, mas ela estava sempre consciente do quanto fora inconveniente a coincidência da sua chegada com o ressurgimento do envolvimento dele com a música — sua necessidade de passar a noite inteira com os companheiros de banda, ou sozinho no quarto, ou nos quartos de várias outras garotas —, e embora ela respeitasse essas necessidades em abstrato, não conseguia se impedir de sentir suas próprias necessidades, tais como não ser obrigada a sentir nele o cheiro de alguma outra garota. Para sair de casa e ganhar algum dinheiro, trabalhava de noite como barista, preparando café exatamente das maneiras que antes ridicularizava. Em casa, esforçava-se ao máximo para ser engraçada, cordata e não uma pentelha, mas em pouco tempo sua situação foi ficando infernal, e a autobiógrafa, que já deve ter dito bem mais a respeito dessas questões do que seu leitor precisa ler, decidiu poupá-lo das cenas de ciúme mesquinho, recriminação mútua e franca decepção que acabaram por fazê-la se separar de Richard em termos um tanto estremecidos. A autobiógrafa recorda as tentativas feitas por seu país de se retirar das complicações do Vietnã, as quais só foram terminar com nossos amigos vietnamitas atirados do telhado da embaixada, empurrados para fora dos helicópteros e deixados para trás para serem massacrados ou brutalmente aprisionados. Mas eis tudo que

550

ela irá dizer sobre Richard, exceto por uma outra coisinha mais perto do final deste documento.

Os últimos cinco anos, Patty passou vivendo no Brooklyn e trabalhando como auxiliar de ensino numa escola particular, ajudando crianças da primeira série a aprender a ler e escrever e atuando como técnica de *softball* e basquete das últimas séries do curso elementar. Como ela chegou a esse emprego horrivelmente mal pago mas, afora isso, quase ideal foi assim.

Depois de deixar Richard, hospedou-se na casa de sua amiga Cathy em Wisconsin, e ocorre que a parceira de Cathy, Donna, tivera duas filhas gêmeas dois anos antes. Com o emprego de Cathy como defensora pública e o de Donna num abrigo para mulheres, as duas juntas ganhavam um salário decente, e dormiam a quantidade decente de horas que deveria caber a apenas uma delas. E assim Patty ofereceu seus serviços para tomar conta das crianças em tempo integral, e se apaixonou imediatamente pelas duas. Elas se chamam Natasha e Selena, e são meninas excelentes e fora do comum. Parecem ter nascido com um senso vitoriano de como uma criança deve se comportar — até seus gritos, quando se sentiam na obrigação de gritar, eram precedidos por um ou dois momentos de criteriosa reflexão. As meninas viviam concentradas, acima de tudo, uma na outra, claro, sempre se observando, consultando, aprendendo uma com a outra e comparando seus respectivos brinquedos ou pratos de comida com um interesse intenso mas raras vezes com sentimentos de concorrência ou inveja; pareciam conjuntamente muito *sensatas*. Quando Patty falava com uma delas, a outra também escutava, com uma atenção que era respeitosa mas sem retraimento. Tendo dois anos de idade, precisavam ser vigiadas o tempo todo, mas Patty literalmente nunca se cansava de olhar as duas. A verdade é que — e ela se sentia bem melhor por lembrar-se disso — ela era tão jeitosa com crianças pequenas quanto era péssima com adolescentes. Vivia encantada com os milagres do aprendizado motor, da aquisição da linguagem, da socialização e do desenvolvimento da personalidade, o progresso das gêmeas muitas vezes sendo visível de um dia para o outro, na inocência de sua graça, na clareza de suas necessidades e na confiança cega que depositavam nela. A autobiógrafa não saberia transmitir o quanto seu deleite era concreto, mas concluiu que um erro de que nunca podia se arrepender era ter querido ser mãe.

Podia ter ficado muito mais tempo em Wisconsin caso seu pai não tivesse adoecido. Seu leitor deve sem dúvida ter sabido do câncer de Ray, diagnosticado de uma hora para outra, de início muito agressivo e de desenvolvimento acelerado. Cathy, pessoa por sua vez também muito sensata, insistiu com Patty para que fosse logo para a casa dos pais em Westchester, antes que fosse tarde demais. Patty partiu com muito medo, trêmula, e encontrou a casa da sua infância quase inalterada desde a última vez em que lá pusera os pés. As caixas de material de antigas campanhas eleitorais eram ainda mais numerosas, o mofo no porão estava ainda mais intenso, as torres de livros recomendados pelo *New York Times* e comprados por Ray ainda mais altas e prestes a desabar, as pastas contendo as receitas nunca preparadas por Joyce recortadas da seção de comida do mesmo *Times* tinham ficado mais grossas, as pilhas de revistas dominicais do *Times*, ainda mais amareladas, as latas de lixo reciclável, ainda mais transbordantes, os resultados das tentativas esforçadas de Joyce de plantar e criar flores, ainda mais marcados de incompetência, pungência e ervas daninhas, o liberalismo automático da sua visão de mundo, ainda mais indiferente à realidade, seu desconforto com a presença da filha mais velha, ainda mais acentuado, e a alegria maldosa de Ray, ainda mais desconcertante. A coisa séria de que Ray agora costumava rir sem o menor respeito era sua própria morte iminente. Seu corpo, ao contrário de tudo o mais, estava muito mudado. Ele estava devastado, pálido e de olhos cavados. Quando Patty chegou, ele ainda tentava passar algumas horas em seu escritório pela manhã, mas essa tentativa só duraria mais uma semana. Ao vê-lo tão doente, ela se detestou por sua antiga frieza com ele, odiando sua incapacidade infantil de perdoar.

Não que Ray, claro, tivesse deixado de ser Ray. Toda vez que Patty o abraçava, ele lhe dava alguns rápidos tapinhas nas costas, desvencilhava seus braços e os deixava estendidos no ar, como se não fosse capaz nem de corresponder ao abraço dela nem de rejeitá-lo de todo. Para desviar a atenção de si, estava sempre à procura de coisas de que pudesse rir — a carreira artística de Abigail, a religiosidade de sua nora (da qual se falará mais adiante), a participação de sua mulher no governo do estado de Nova York, que era "uma piada", e os esforços profissionais de Walter, de que tinha sabido pelo *Times*. "Parece que o seu marido se meteu com um bando de *corruptos*", disse ele um dia. "E pode até ter ele próprio se corrompido."

"Ele não é corrupto", disse Patty, "está na cara."

"Era o que Nixon também dizia, e me lembro desse discurso como se fosse ontem. O presidente dos Estados Unidos garantindo à nação que não era corrupto, não era um *patife*. A própria palavra que ele usou, '*crook*'. Eu não conseguia parar de rir. '*I am not a crook*.' Hilariante."

"Eu não li o artigo sobre Walter, mas Joey me disse que era totalmente injusto."

"Ora, e Joey é o seu filho republicano, não é mesmo?"

"Bem mais conservador do que nós, sem dúvida."

"Abigail contou que ela foi praticamente obrigada a incinerar os lençóis depois que ele e a namorada passaram algum tempo no apartamento dela. Manchas por toda parte, ao que parece. E nos estofamentos dos móveis também."

"Ray, Ray, não quero saber dessa história! Tente lembrar que sou muito diferente de Abigail!"

"Ah. Não consegui deixar de pensar, quando li esse artigo, naquela noite em que Walter ficou tão exaltado por causa do Clube de Roma. Ele sempre foi rabugento. Sempre tive essa impressão. E agora eu posso falar, não posso?"

"Por quê, porque nós nos separamos?"

"Também por isso. Mas estava pensando que, como não vou mais viver muito tempo, posso dizer o que me der na telha."

"Mas você *sempre* disse o que lhe dava na telha. Até demais."

Ray sorriu de alguma coisa nessas palavras. "Nem sempre, Patty. Na verdade, bem menos do que você pensa."

"Cite uma coisa que você pensou em falar mas nunca disse."

"Nunca fui muito capaz de exprimir meu afeto. E sei que foi difícil para você. Mais difícil para você, ao que tudo indica. Você sempre levou tudo tão a sério, ao contrário dos outros. E aí teve aquele episódio infeliz no colegial."

"Infeliz foi a maneira como vocês cuidaram do assunto!"

Nesse ponto, Ray ergueu uma das mãos num gesto de advertência, como que para prevenir um crescendo de insensatez. "Patty", disse ele.

"Pois foi!"

"Patty, só — só — . Todo mundo erra. O que eu quero dizer é que eu tenho uma, ah. Muito afeto por você. Amor. Só que é difícil eu demonstrar."

"Não tive muita sorte mesmo, não é?"

"Estou tentando falar sério, Patty. Estou tentando lhe dizer uma coisa."

"Eu sei que está, papai", disse ela, prorrompendo em lágrimas um tanto amargas. E ele tornou a fazer aquele seu gesto dos tapinhas, pondo a mão no ombro dela para depois tirá-la hesitante e deixá-la pairar; e ficou claro para Patty, finalmente, que ele não seria mesmo capaz de se comportar de nenhuma outra maneira.

Enquanto ele morria, e uma enfermeira particular ia e vinha pela casa e Joyce, alegando desculpas cada vez mais tortuosas, escapava para Albany a fim de comparecer a votações "importantes", Patty dormia em sua cama de menina, relia os livros de que mais tinha gostado na infância e combatia a desordem daquela casa, sem esperar permissão para jogar fora revistas da década de 90 e caixas de folhetos da campanha Dukakis. Era a época dos catálogos de sementes, e ela e Joyce aproveitaram com entusiasmo a paixão esporádica da mãe pela jardinagem, que lhes dava um interesse comum sobre o qual podiam conversar, em vez de nada. Na medida do possível, entretanto, Patty passava o tempo sentada junto ao pai, segurando sua mão e permitindo-se amá-lo. Sentia quase fisicamente o rearranjo de suas vísceras emocionais, deixando afinal à mostra, em toda sua obscenidade, sua autocomiseração, como um horrendo abscesso de um vermelho arroxeado que era preciso lancetar. Dedicando tanto tempo a ouvir seu pai zombar de tudo, embora a cada dia em voz mais fraca, ficou perturbada ao ver o quanto se parecia com ele, entendendo por que seus filhos não achavam tanta graça em seu senso de humor, e por que teria sido melhor ter se forçado a ver mais seus pais nos anos críticos de sua própria maternidade, a fim de entender melhor a maneira como seus filhos reagiam a ela. Seu sonho de criar uma vida nova, totalmente a partir do zero, independente de cabo a rabo, não passava de fato disto: um sonho. Ela era a filha do seu pai. Nem ele nem ela jamais tinham de fato querido virar adultos, e agora tentavam chegar lá num esforço conjunto. Não faz sentido tentar negar que Patty, que sempre será competitiva, estava satisfeita por ficar menos atrapalhada com a doença dele, menos assustada, que suas irmãs e seu irmão. Quando criança, ela queria acreditar que ele a amava mais do que tudo, e agora, enquanto apertava a mão dele na sua, tentando ajudá-lo a atravessar extensões de dor que nem a morfina tinha como encurtar — não tinha como fazer desaparecer —, isso se tornou verdade, eles fizeram virar verdade, e esse processo a transformou.

Na cerimônia em memória dele, realizada na igreja unitária de Hastings, ela se lembrou do enterro do pai de Walter. Aqui também foram muitos os que vieram — pelo menos quinhentas pessoas. Aparentemente, todo juiz, advogado e promotor atual ou do passado de Westchester compareceu, e os oradores que falaram de Ray disseram todos a mesma coisa: que ele não tinha sido só o advogado mais habilidoso que haviam conhecido, mas ainda o mais bondoso, trabalhador e honesto. A extensão e a grandeza de sua reputação profissional deixaram Patty com vertigem e foram uma revelação para Jessica, sentada a seu lado; Patty já previa (corretamente, ficaria claro) as queixas que Jessica haveria de lhe dirigir mais tarde, e com razão, por ter lhe sonegado uma relação significativa com aquele avô. Abigail se dirigiu ao púlpito e falou em nome da família, tentou fazer graça e soou horrivelmente inadequada e egocêntrica, mas depois se redimiu ao desfazer-se em soluços enlutados.

Foi só quando a família se retirou em fila, ao final da cerimônia, que Patty viu o grupo variado de pessoas desprivilegiadas que enchia os últimos bancos da igreja, mais de cem no total, na maioria negros ou hispânicos, ou marcadamente pertencentes a outras etnias, de todas as formas e tamanhos, usando o terno ou vestido que dava a impressão muito clara de ser o melhor que possuíam, e sentados com a dignidade paciente de pessoas mais experientes do que ela em matéria de cerimônias fúnebres. Eram os antigos clientes não pagantes de Ray, ou as famílias desses clientes. Durante os cumprimentos, um a um, dirigiram-se aos vários membros da família Emerson, inclusive Patty, apertaram suas mãos, olharam em seus olhos e deram breves testemunhos do que Ray fizera por eles. As vidas que ele resgatara, as injustiças que tinha evitado, a bondade que havia demonstrado. Patty não foi *totalmente* arrebatada por isso (conhecia de perto os custos domésticos do exercício da bondade no mundo exterior), mas ainda assim ficou muito impressionada, e não conseguia parar de pensar em Walter. Agora se arrependia amargamente de ter tratado mal suas cruzadas em favor de outras espécies; e via que o fizera por inveja — inveja dos seus passarinhos, por serem um objeto tão singelo do amor daquele homem, e inveja do próprio Walter por sua capacidade de amá-los. Gostaria de poder procurá-lo agora, enquanto ainda estava vivo, e dizer-lhe com todas as letras: adoro você devido à sua bondade.

Uma coisa que ela logo se descobriu valorizando especialmente em Walter foi a indiferença de Walter com o dinheiro. Na infância, ela própria tivera a sorte de desenvolver uma indiferença semelhante, e, como ocorre com as pessoas de sorte, fora aquinhoada com a sorte suplementar de casar-se com Walter, cujo desapego à acumulação ela apreciava sem sequer pensar em mostrar-se grata até Ray morrer e ela ser de novo tragada pelo pesadelo das questões monetárias de sua família. Os Emerson, como Walter repetira muitas vezes a Patty, representavam uma economia da escassez. Na medida em que ele fazia essa afirmação metaforicamente (isto é, emocionalmente), às vezes ela conseguia achar que ele tinha razão, mas como fora criada como a excluída da família e se retirara da concorrência familiar pelos recursos, precisou de muito tempo para entender como a sempre presente mas sempre inacessível riqueza dos pais de Ray — a *artificialidade* da escassez — se encontrava na raiz dos problemas da sua família. E só foi entendê-lo plenamente quando encurralou Joyce um dia, logo em seguida à cerimônia fúnebre, e extraiu dela a história da propriedade da família Emerson em Nova Jersey, tomando conhecimento das dificuldades com que Joyce se via às voltas agora.

A situação era a seguinte: como viúva de Ray, Joyce se tornara a herdeira da propriedade rural, que coubera a Ray depois da morte de August, seis anos antes. Ray era capaz de ridicularizar e ignorar as súplicas das irmãs de Patty, Abigail e Veronica, para "tomar conta" da propriedade (ou seja, vendê-la e transferir-lhes sua parte do dinheiro), mas agora que ele tinha morrido Joyce vinha sendo diariamente pressionada por suas filhas mais novas, e Joyce *não* conseguia resistir a essa pressão. Ainda assim, infelizmente, tinha os mesmos motivos pelos quais Ray não conseguia "tomar conta" da propriedade, mas sem o amor de Ray pelo lugar. Se ela pusesse a propriedade à venda, os dois irmãos de Ray poderiam alegar direitos morais a uma grande participação no valor obtido. Por outro lado, a velha casa de pedra estava ocupada no momento pelo irmão de Patty, Edgar, a mulher deste, Galina, e seus dali a pouco quatro filhos, e desnecessariamente danificada pelas permanentes "reformas" no melhor estilo faça-você-mesmo de Edgar que, como não tinha emprego nem economias e muitas bocas a alimentar, até aquela altura não passaram de certas demolições um tanto aleatórias. Ainda por cima, Edgar e Galina ameaçavam, caso Joyce os despejasse, mudar-se para uma colônia israelense na Cisjordânia, levando consigo os únicos netos da vida de Joyce e indo viver da caridade de uma fundação sediada em Miami cujo sionismo combativo deixava Joyce muito perturbada.

Joyce contribuíra para o pesadelo, é claro. Sentira-se atraída, ainda estudante, pelo nome tradicional de Ray, pela riqueza da sua família e seu idealismo social. Não tinha ideia de onde estava se metendo, do preço que acabaria tendo de pagar, das décadas de excentricidade repulsiva, de disputas infantis por dinheiro e da descortesia imperial de August. Ela, a moça judia pobre do

556

Brooklyn, em pouco tempo estava viajando às custas dos Emerson para o Egito, o Tibete e Machu Picchu; jantava com Dag Hammarskjöld e Adam Clayton Powell. Como tantas pessoas que entravam para a política, Joyce não era uma pessoa completamente sã; era menos sã ainda do que Patty. Precisava sentir-se *extraordinária*, e entrar para a família Emerson reforçou sua sensação de que era. E quando começou a ter filhos, precisava sentir que eles também eram fora do comum, de maneira a compensar a carência que havia no cerne dela. Daí o refrão da infância de Patty: não somos iguais às outras famílias. As outras famílias têm seguro-saúde, mas papai é contra seguros. Os filhos das outras famílias trabalham depois das aulas, mas preferimos que vocês explorem seus talentos fora do comum e procurem realizar seus sonhos. As outras famílias precisam se preocupar com dinheiro para alguma emergência, mas graças ao dinheiro do vovô nós não precisamos. As outras pessoas precisam ser realistas, ter uma carreira, economizar para o futuro, mas mesmo com todo o dinheiro que o vovô distribui para caridade ainda sobra um belo pote de ouro à espera de cada um de vocês.

Tendo repisado essas mensagens ao longo dos anos, e tendo permitido que as vidas dos seus filhos fossem deformadas por elas, Joyce agora se sentia, como confessou a Patty em sua voz trêmula, "nervosa" e "um pouco culpada" diante das exigências de Abigail e Veronica, que insistiam em reivindicar a liquidação da propriedade. No passado, sua culpa se manifestava subterraneamente, em depósitos irregulares mas substanciais para as filhas, e em sua decisão de não julgar quando, por exemplo, Abigail correu para o pé do leito de hospital de August uma noite e extraiu um cheque de dez mil dólares do avô (Patty soube dessa proeza por Galina e Edgar, que a consideravam extremamente injusta mas se aborreciam principalmente, na opinião de Patty, por não terem tido a ideia antes dela), mas agora Patty teve a interessante satisfação de ver a culpa da mãe, até então sempre implícita em suas posições políticas liberais, revelada em relação aos próprios filhos, à plena luz do dia. "Não sei o que seu pai e eu fizemos", disse ela. "Acho que devemos ter feito alguma coisa. Para que três dos nossos quatro filhos não sejam capazes de... não exatamente capazes de, bem. Sustentar-se sozinhos. Acho que eu — ah, não sei. Mas se Abigail me pedir mais uma vez para vender a casa do seu avô... E eu acho que mereço, de alguma forma. De algum modo é por minha causa, sou responsável até certo ponto."

"Você precisa enfrentar Abigail", disse Patty. "Você tem o direito de não se deixar torturar por ela."

"O que eu não entendo é como *você* acabou tão diferente, tão independente", disse Joyce. "Nada indica que você tenha esse tipo de problema. Passa uma impressão... de algum modo mais forte."

Sem exagero: foi um dos dez momentos mais gratificantes de toda a vida de Patty.

"Walter sempre cuidou de tudo", objetou ela. "Um homem maravilhoso. E isso ajudou muito."

"E os seus filhos...? Eles...?"

"São iguais a Walter. Sabem trabalhar. E Joey deve ser o garoto mais independente da América do Norte. Acho que parte disso talvez tenha vindo de mim."

"Eu gostaria de estar mais com... Joey", disse Joyce. "Espero... agora que as coisas mudaram... agora que ficamos..." Deu uma estranha risada, áspera e plenamente consciente. "Agora que fomos *perdoados*, espero poder conhecer um pouco o seu filho."

"Acho que ele também ia gostar muito. Ele anda interessado por sua herança judaica."

"Bem, não sei se eu sou a pessoa certa para falar sobre *isso*. Pode ser que ele se saia melhor com — Edgar." E Joyce voltou a dar uma risada estranha e lúcida.

Na verdade, Edgar não ficara mais judeu, a não ser no mais passivo dos sentidos. No início dos anos 90, tinha feito o que qualquer recém-doutorado em linguística teria feito: tornou-se corretor de valores. Quando parou de estudar as estruturas gramaticais das línguas asiáticas e se dedicou aos títulos e ações, em pouco tempo ganhou dinheiro suficiente para atrair e manter a atenção de uma bela jovem judia russa, Galina. Assim que se casaram, o lado materialista de Galina predominou. Atiçou Edgar a ganhar cada vez mais dinheiro, e a gastá-lo na compra de uma mansão em Short Hills, em Nova Jersey, além de casacos de pele, joias pesadas e outros bens conspícuos. Por algum tempo, comandando uma firma própria, Edgar fez tanto sucesso que apareceu no radar de seu avô normalmente distante e imperial, que, num possível momento precoce de demência senil, pouco depois da morte da mulher, permitiu por cobiça que Edgar reformulasse seu portfólio de investimentos, vendendo suas *blue chips* americanas e investindo pesadamente no sudeste da Ásia. August fez a última revisão de seu testamento e de seus negócios no auge da bolha das bolsas asiáticas, quando lhe pareceu muito justo deixar seus investimentos para os filhos mais novos e a propriedade de Nova Jersey para Ray. Mas não se podia confiar a Edgar a reforma de nada. A bolha asiática rebentou, August morreu pouco depois, e os dois tios de Patty não herdaram quase nada, enquanto a propriedade, graças à construção de novas estradas e ao rápido desenvolvimento do nordeste de Nova Jersey, dobrava de valor. O único modo de Ray resistir aos direitos morais alegados por seus irmãos era manter a propriedade ocupada deixando que Edgar e Galina morassem lá, o que eles aceitaram prontamente, tendo ido à falência quando os próprios investimentos de Edgar deram com os burros n'água. E foi nessa oportunidade que os sentimentos judaicos de Galina se revelaram plenamente. Ela adotou a tradição ortodoxa, abandonou o controle da natalidade, e agravou a provação financeira do casal tendo uma série de bebês. Edgar não cultivava pelo judaísmo mais paixão que qualquer outro membro da família, mas era controlado por Galina, mais ainda depois que perdera tudo, e seu único jeito de seguir em frente era sob o comando da mulher. E, ah, como Abigail e Veronica odiavam Galina.

Eis a situação de que Patty se dispôs a cuidar em nome da mãe. Era a mais qualificada para tanto, já que era a única filha de Joyce disposta a ganhar a vida trabalhando, e o sentimento que isso lhe trouxe foi o mais milagroso e bem-vindo: que Joyce tinha sorte de ter uma filha como ela. Patty conseguiu usufruir desse sentimento por vários dias antes que ele coagulasse no fato de que, na verdade, ela estava sendo de novo tragada pelos maus relacionamentos familiares, e voltando a competir com as irmãs e o irmão. É verdade que ela já tinha sentido pontadas de competição quando ajudava a cuidar de Ray; mas ninguém havia questionado seu direito de estar com ele, e ela se sentia com a consciência tranquila em relação às suas motivações. Uma noite com Abigail, entretanto, bastava para reacender toda a antiga fornalha da concorrência.

Enquanto vivia com um sujeito muito alto em Jersey City e tentava dar menos a aparência de uma dona de casa de meia-idade que não tomara a saída certa da autoestrada, Patty tinha comprado um par de belas botas de salto alto, e foi talvez a parte menos bondosa dela que decidiu usar essas botas quando foi visitar sua irmã mais baixa. Olhava para Abigail muito de cima, como um adulto para uma criança, enquanto caminhavam do apartamento de Abigail até o café da vizinhança que ela costumava frequentar. Como que para compensar sua baixa estatura, Abigail fez um longo monólogo de abertura — com duas horas de duração — e permitiu a Patty formar uma imagem bastante completa de sua vida: o homem casado, hoje referido apenas como O Cretino, com quem desperdiçara seus melhores doze anos de desposabilidade, esperando que os filhotes do Cretino terminassem o secundário para ele poder largar a mulher, o que ele fez em seguida, só que por uma mulher bem mais jovem que Abigail; os gays com horror aos héteros aos quais ela recorrera em busca de companhia masculina mais amena, a comunidade incrivelmente vasta de atores, dramaturgos, comediantes e artistas desempregados a que claramente se filiara e na qual era valorizada; o círculo de amigos que compravam com regularidade entradas para os espetáculos e eventos de arrecadação de fundos deles mesmo, boa parte do dinheiro advindo em última instância de fontes tais como o talão de cheques de Joyce; a vida, nem glamorosa nem notável mas ainda assim admirável e essencial ao funcionamento de Nova York, dos boêmios. Patty ficava honestamente feliz de ver que Abigail tinha encontrado um lugar no mundo. Foi só quando foram até o apartamento dela para um *digestif*, e Patty abordou o assunto Edgar e Galina, que as coisas ficaram feias.

"Você já esteve por acaso no *kibutz* de Nova Jersey?", perguntou Abigail. "Já viu a *vaca leiteira* da família?"

"Não, só vou lá amanhã", respondeu Patty.

"Se tiver sorte, Galina não vai se lembrar de tirar a coleira e a corrente de Edgar antes de você chegar; é uma linnnnnnda visão. Tão máscula e religiosa. Pode ter certeza, de qualquer modo, de que ela não vai se dar ao trabalho de limpar a bosta de vaca do chão da cozinha."

Aqui, Patty explicou sua proposta, que era Joyce vender a propriedade, entregar metade do capital apurado aos irmãos de Ray, e dividir o resto entre Abigail, Veronica, Edgar e ela própria (a saber, Joyce, e não Patty, cujo interesse financeiro era irrisório). Abigail sacudia a cabeça o tempo todo enquanto Patty explicava. "Para começo de conversa", disse ela, "mamãe não lhe falou do acidente de Galina? Ela atropelou *um guarda de faixa de travessia de crianças*, em frente a uma escola. Graças a Deus não pegou nenhuma criança, só o velho de colete cor de laranja. Foi distraída por algum dos *rebentos* dela no banco de trás, e passou direto por cima dele. Faz só uns dois anos, e, claro, ela e Edgar tinham deixado o seguro do carro vencer, porque é assim que ela e

Edgar fazem as coisas. Pouco se incomodam com a lei de Nova Jersey, pouco se incomodam de saber que *até o papai* tinha seguro de carro. Edgar não via a necessidade, e Galina, apesar de já estar vivendo aqui há quinze anos, disse que era tudo diferente na Rússia, e ela *nem imaginava*. O seguro da escola ressarciu o guarda, que atualmente nem consegue mais andar direito, mas a companhia de seguros congelou todos os bens dos dois até arrecadar uma quantia indecente. Qualquer dinheiro que eles ganharem agora irá direto para a companhia de seguros."

Joyce, o que não deixava de ser interessante, nem falara disso com Patty.

"Bom, provavelmente é melhor assim", disse ela. "Se o sujeito ficou inválido, é ele mesmo que merece o dinheiro, você não acha?"

"Só que mesmo assim eles vão acabar fugindo para Israel, porque continuam sem nada. O que não me incomoda nem um pouco — *sayonara!* Mas imagine convencer a mamãe de que deve ser assim. Ela gosta muito mais que eu da prole dos dois."

"Então por que você acha que isso é um problema?"

"Porque", respondeu Abigail, "Edgar e Galina não deviam receber nada, porque usaram a propriedade por seis anos e praticamente destruíram tudo, e porque de qualquer maneira o dinheiro vai se perder. Você não acha que devia ir para alguém que possa *usá-lo*?"

"Eu estava achando que o guarda da faixa bem que podia usar."

"Ele já foi pago. Agora é só a companhia de seguros, e as companhias também têm seguros para essas coisas."

Patty franziu a testa.

"Quanto aos tios", disse Abigail, "eu acho que se ferraram e pronto. Fizeram mais ou menos como você — se mandaram. Não ficaram para aturar o vovô estragando todos os feriados da vida deles. Papai ia lá praticamente toda semana, a vida inteira, e comia aqueles horríveis biscoitos velhos de pecã que a vovó assava. Nunca vi os irmãos dele fazerem nada disso."

"Está dizendo que acha que merecemos receber alguma coisa por isso."

"Por que não? É melhor do que não receber nada. Os tios não precisam do dinheiro, de qualquer maneira. Estão todos perfeeeeeeitamente ricos sem ele. Já para mim, e para Ronnie, ia fazer a maior diferença."

"Ora, Abigail!", explodiu Patty. "Nós duas nunca vamos nos entender, não é?"

Talvez percebendo um sinal de piedade na voz da irmã, Abigail fez uma expressão estúpida, uma expressão maldosa. "Não fui *eu* quem foi embora", disse ela. "Não fui eu que andava de nariz para cima, ficando furiosa com qualquer piadinha, nem me casei com o Incrível Sujeito Superbom Honesto e Esquisitão Amante da Natureza de Minnesota, e nem mesmo fiz força para fingir que não odiava o resto da família. Você acha que está muito bem, que é muito superior, mas agora o Sujeito Superbom largou você por algum motivo inexplicável que evidentemente não tem nada a ver com as suas impecáveis qualidades pessoais, e você acha que pode voltar para casa e desfilar de Miss Adorável Simpatia Embaixadora da Boa Vontade Florence Nightingale. Tudo muuuuuito interessante."

Patty tomou o cuidado de respirar fundo várias vezes antes de responder. "Como eu disse", repetiu ela, "acho que você e eu nunca vamos nos entender."

"Eu só ligo todo dia para a mamãe", disse Abigail, "porque você está lá, fazendo o possível para estragar tudo. Paro de incomodá-la no momento em que você for embora cuidar da sua vida. Negócio fechado?"

"E por que isso não faz parte da minha vida?"

"Você disse que não quer saber do dinheiro. Se quiser ficar com uma parte e dar tudo para os tios, tudo bem. Se vai ajudar você a se sentir mais superior e justa, tudo bem. Mas não venha dar ordens a *nós* quanto ao que fazer."

"Está bem", disse Patty. "Acho que já quase acabamos a conversa. Mas só — para eu ter certeza de que estou entendendo bem — me diga se acha que *aceitando* coisas de Ray e Joyce você vem fazendo um favor aos dois pela vida toda. Você acha que Ray estava fazendo um favor aos pais dele *aceitando* coisas dos dois? E que você merece algum pagamento por todos esses grandes favores?"

Abigail fez mais uma careta diferente e pareceu refletir sobre o assunto. "Pois é isso mesmo!", disse ela. "Você definiu muito bem a situação. É exatamente isso que eu acho. E é exatamente por você achar isso tudo muito estranho que devia ficar de fora de toda essa história. No momento, você é tão parte da família quanto Galina. A única diferença é que ainda acha que faz parte. Então por que você não para de chatear a mamãe e deixa ela resolver sozinha? E também não quero que você vá conversar com Ronnie."

"E o que você tem a ver com as minhas conversas com ela?"

"Tenho tudo a ver, e estou dizendo para você deixar Veronica em paz. Só vai deixá-la mais confusa."

"Mas não é ela que tem um QI de, sei lá, cento e oitenta?"

"Ela não está nada bem desde que o papai morreu, e você não tem motivo para ir lá e atormentar mais a coitada. Duvido *muito* que você me dê ouvidos, mas sei o que estou dizendo, tendo passado mais ou menos mil vezes mais tempo com Veronica do que você. Você podia ter um pouco de consideração."

Quando Patty chegou na manhã seguinte, a propriedade dos Emerson, sempre cuidada como um brinco, parecia uma foto de Walker Evans misturada com a Rússia do século XIX. Havia uma vaca no meio da quadra de tênis, agora sem a rede, as linhas plásticas de demarcação retorcidas e arrancadas. Edgar arava o antigo pasto dos cavalos com um tratorzinho, parando mais ou menos a cada cinco metros toda vez que o trator atolava no solo encharcado pelas chuvas da primavera. Usava uma camisa branca salpicada de lama e botas de borracha totalmente enlameadas, tinha adquirido muita gordura e músculos e de certa forma lembrava a Patty o Pierre de *Guerra e paz*. Deixou o trator perigosamente inclinado no campo e vadeou pela lama até o ponto da entrada onde ela tinha parado o carro. Explicou que estava plantando batatas, muitas batatas, como parte do esforço para tornar a família ainda mais autossuficiente no ano seguinte. Naquele momento, em plena primavera, com a colheita do ano anterior e a carne de caça quase no fim, a família vinha dependendo muito das doações de comida da Congregação Beit Midrash: no terreno, junto à porta do celeiro, acumulavam-se caixotes de papelão com enlatados, quantidades industriais de cereal em grão, e dúzias e mais dúzias de potes de comida para bebê embaladas a vácuo. Alguns dos pacotes plásticos estavam abertos e parcialmente usados, dando a Patty a impressão de que a comida ficava exposta às intempéries por algum tempo sem ser levada para dentro do celeiro.

Embora a casa fosse um tumulto de brinquedos e pratos sujos, e de fato recendesse levemente a esterco, o pastel de Renoir, o estudo de Degas e a tela de Monet ainda estavam em seus lugares de sempre. Galina pôs imediatamente nas mãos de Patty um bebê de um ano, simpático, quentinho, adorável e não especialmente limpo, ela própria muito grávida, observando a cena com olhos desinteressados de meeiro. Patty conhecera Galina no dia da cerimônia fúnebre em homenagem a Ray, mas mal falara com ela. Era uma dessas mães assoberbadas às voltas com bebês, os cabelos em desordem, a face febril, as roupas linhadas, a carne escapando dos panos, mas era evidente que ainda

563

poderia ser bonita caso tivesse alguns minutos para dedicar a isso. "Obrigada por vir nos visitar", disse ela. "Para nós, hoje em dia, viajar é uma *tortura*, arrumar o carro e assim por diante."

Patty, antes que pudesse abordar seu assunto, precisava se dedicar ao garotinho que tinha nos braços, esfregar narizes com ele, fazê-lo dar risada. Teve a ideia louca de que podia adotar o menino, aliviando o fardo de Galina e Edgar e inaugurando um outro tipo de vida. Como se reconhecesse o sentimento nela, o bebê apalpou o rosto da tia com as mãozinhas, puxando suas bochechas com alegria.

"Ele adorou a titia", disse Galina. "A titia sumida, tia Patty."

Edgar entrou pela porta dos fundos sem as botas, com grossas meias cinzentas que também estavam salpicadas de lama, além de alguns buracos. "Quer um pouco de cereal com passas, ou coisa assim?", perguntou ele. "Também temos flocos de milho Chex."

Patty declinou e sentou-se à mesa da cozinha, com o sobrinho no colo. As outras crianças também eram ótimas — com olhos escuros e curiosos, atrevidas sem chegar ao ponto da grosseria — e ela entendeu na mesma hora por que Joyce era tão louca por eles e não queria que se mudassem de país. No fim das contas, depois da sua conversa péssima com Abigail, Patty estava tendo certa dificuldade em ver aquela família como os vilões da história. Ao contrário, eles lhe davam a impressão literal de crianças perdidas na floresta. "Queria saber como vocês imaginam que as coisas vão funcionar daqui para a frente", disse ela.

Edgar, obviamente acostumado a deixar Galina falar em seu nome, continuou arrancando crostas de lama das suas meias enquanto ela explicava que estavam aprendendo a cuidar da terra, que o rabino e a sinagoga a que pertenciam estavam dando muito apoio, que Edgar estava a ponto de ser reconhecido como produtor de vinho *kosher* com as uvas do avô, e que a caça era maravilhosa.

"Caça?", perguntou Patty.

"Os cervos", disse Galina. "Um número incrível de cervos. Edgar, quantos animais você abateu no outono?"

"Catorze", respondeu Edgar.

"Catorze, na nossa propriedade! E eles não param de aparecer, é estupendo."

"Mas o problema é o seguinte", disse Patty, tentando se lembrar se a carne de cervo era *kosher*, "a propriedade não é exatamente de vocês. Agora, ela é de Joyce. E eu estava pensando, já que Edgar tem uma cabeça tão boa para negócios, se não faria mais sentido ele voltar a trabalhar e ganhar dinheiro, para Joyce poder resolver com calma o que vai fazer com esta propriedade."

Galina sacudia a cabeça, resoluta. "Mas tem o seguro. O seguro vai querer ficar com tudo que ele ganhar, até sei lá quantas centenas de milhares de dólares."

"Bom, sim, mas se Joyce vender a propriedade, vocês podem pagar o que devem de seguro, quer dizer, à companhia de seguros, e depois começar de novo."

"Aquele homem é um vigarista!", disse Galina com os olhos faiscantes. "Você deve ter ouvido a história. Aquele guarda é cem por cento, sem a menor dúvida, um completo vigarista. Eu mal esbarrei nele, mal *encostei* nele, e agora ele diz que não pode mais andar?"

"Patty", disse Edgar, lembrando bastante Ray quando ele falava com ela em tom condescendente, "você não está entendendo bem a situação."

"Desculpe — o que eu não estou entendendo?"

"Seu pai queria que a fazenda ficasse na família", disse Galina. "Não queria que fosse parar nos bolsos de produtores asquerosos e obscenos que criam obras teatrais supostamente 'artísticas', ou psiquiatras que cobram quinhentos dólares por hora da sua irmã mais nova sem que ela nunca melhore. Assim, vamos sempre ficar com a fazenda, seus tios vão tirar essa história da cabeça, e se algum dia surgir uma necessidade *verdadeira*, em vez dessa nojenta suposta 'arte' ou dos vigaristas da psiquiatria, Joyce sempre pode vender uma parte das terras."

"Edgar?", perguntou Patty. "O seu plano também é este?"

"É, basicamente."

"Bom, acho muito desprendimento da parte de vocês. Manter acesa a chama dos desejos do papai."

Galina se aproximou do rosto de Patty, como que para ajudá-la a compreender. "*Nós temos as crianças*", disse ela. "Daqui a pouco vão ser seis bocas para alimentar. As suas irmãs acham que eu quero ir para Israel — mas eu não quero ir para Israel. Levamos boa vida aqui. E você não acha que merecemos algum privilégio por termos as crianças que suas irmãs não tiveram?"

"Achei seus filhos realmente ótimos", admitiu Patty. Seu sobrinho cochilava nos seus braços.

"Então deixe estar", disse Galina. "Venha visitar as crianças sempre que quiser. Não somos maus pessoas, não somos excêntricas, adoramos receber visitas."

Patty voltou de carro até Westchester, triste e desanimada, e consolou-se com um jogo de basquete pela TV (Joyce estava em Albany). Na tarde seguinte, voltou a Manhattan para se encontrar com Veronica, a caçula da família, a mais prejudicada de todos. Veronica sempre tivera algo de estranho. Por muito tempo, teve a ver com sua aparência de ninfa dos bosques, muito magra e de olhos escuros, à qual ela se adaptara de várias maneiras, entre as quais a anorexia, a promiscuidade e o excesso de bebida. Atualmente sua beleza tinha quase desaparecido — ficara mais corpulenta mas não uma pessoa gorda; lembrava a Patty sua velha amiga Eliza, que chegara a rever de passagem, muitos anos depois de terem sido colegas, numa repartição lotada de licenciamento de motoristas — mas a estranheza de Eliza era mais espiritual: uma falta de conexão com a lógica corrente, uma espécie de distanciamento divertido em relação à existência de um mundo para além dela mesma. Veronica chegou a ser muito promissora (pelo menos aos olhos de Joyce) como pintora e bailarina, e fora cortejada e namorada por vários jovens de sucesso, mas depois fora amarrotada por várias crises de uma depressão profunda diante da qual a de Patty era um verdadeiro piquenique de outono num pomar de macieiras. Segundo Joyce, ela trabalhava atualmente como assistente administrativa de uma companhia de dança. Morava num quarto e sala escassamente mobiliado na Lulow Street, onde Patty, embora tivesse telefonado antes, parecia tê-la interrompido no meio de algum exercício de meditação profunda. Ela apertou o botão para abrir a porta da rua para Patty e deixou a porta do apartamento encostada, deixando por conta de Patty vir ao encontro dela em seu quarto, instalada num tapete de ioga envergando roupas de ginástica Sarah Lawrence muito desbotadas; sua agilidade juvenil de dançarina se transformara numa impressionante flexibilidade de iogue. Era óbvio que ela preferia que Patty não tivesse ido vê-la, e Patty precisou ficar sentada em sua cama por meia hora, esperando milênios por respostas aos seus gracejos mais básicos, enquanto Veronica finalmente se ajustava à presença da irmã. "Adorei as suas botas", disse ela.

566

"Ah, obrigada."

"Não uso mais sapatos de couro, mas às vezes, quando vejo um par de boas botas, ainda sinto saudades."

"Sei", respondeu Patty, estimulando a irmã a falar mais.

"Você se incomoda se eu cheirar?"

"As minhas botas?"

Veronica assentiu com a cabeça, e se arrastou para inalar o aroma dos canos. "Sou muito sensível aos cheiros", disse ela, com os olhos fechados de deleite. "E é a mesma coisa no caso do bacon — ainda adoro o cheiro, apesar de nunca mais ter comido. É tão intenso para mim, quase a mesma coisa do que comer."

"Sei", estimulou Patty.

"Pela minha experiência, eu não faço bolo nenhum mas também não como, literalmente."

"É, estou vendo. Interessante. Apesar de eu imaginar que você nunca chegou propriamente a comer *couro*."

Veronica riu bastante dessa vez, e por algum tempo se mostrou muito fraterna. Ao contrário de todos os outros membros da família, com a única exceção de Ray, quis saber de inúmeras coisas sobre a vida de Patty e o que vinha acontecendo nos últimos tempos com ela. Achava cômicas justamente as partes mais dolorosas da narrativa de Patty, e, depois que Patty se acostumou com as risadas dela diante do naufrágio do seu casamento, percebeu que fazia bem a Veronica ficar sabendo dos problemas dela. Dava a impressão de confirmar para a irmã alguma verdade geral sobre a família, o que a deixava mais à vontade. Mas em seguida, quando foram tomar um chá-verde, de que Veronica confessou consumir uns quatro litros por dia, Patty abordou a questão da propriedade de Nova Jersey, e o riso da irmã se tornou mais vago e escorregadio.

"Falando sério", disse Patty. "Por que vocês estão pressionando Joyce pelo dinheiro? Se ainda fosse só Abigail, acho que ela conseguiria dar conta, mas como vem também de você ela fica muito perturbada."

"Acho que mamãe não precisa muito de mim para ficar perturbada", disse Veronica, rindo. "Já é bastante perturbada por conta própria."

"Mas graças a você ela tem se sentido ainda *mais* perturbada."

"Acho que não. Acho que cada um cria seu céu e seu inferno. Se ela quer ser menos perturbada, sempre pode vender a propriedade. Só estou pedindo dinheiro suficiente para não precisar trabalhar."

"Qual é o problema de trabalhar?", perguntou Patty, ouvindo o eco de uma pergunta parecida que Walter certa vez lhe fizera. "Trabalhar faz bem ao amor-próprio."

"Sou capaz de trabalhar", disse Veronica. "E estou trabalhando. Só preferia não trabalhar. É chato, e me tratam como se eu fosse uma secretária."

"Mas você *é* uma secretária. Deve ser a secretária com o QI mais alto de Nova York."

"Eu só preferia parar de trabalhar, mais nada."

"Tenho certeza de que Joyce aceitaria pagar para você voltar aos estudos e encontrar um emprego mais adequado aos seus talentos."

Veronica riu. "Meus talentos não parecem ser do tipo pelos quais o mundo se interessa. E é por isso que acho melhor eu exercer os meus talentos a sós. Na verdade, Patty, quero mesmo é que me deixem em paz. É só o que eu peço a essa altura da vida. Que me deixem em paz. Abigail é que não quer que tio Jim e tio Dudley recebam nada. Por mim tanto faz, contanto que eu consiga pagar meu aluguel."

"Não foi o que Joyce me disse. Disse que você também não quer que eles recebam nada."

"Só estou tentando ajudar Abigail a conseguir o que ela quer. Ela quer fundar uma companhia de teatro só de mulheres e levar para a Europa, onde as pessoas vão gostar do trabalho. Quer ir morar em Roma e ser *reverenciada*." Novamente o riso. "E por mim tudo bem. Não faço questão nenhuma de estar com ela. Ela me trata bem, mas você sabe como ela fala. No final de uma noite com ela, eu sempre acabo sentindo que teria sido bem melhor ter ficado em casa sozinha. Eu gosto de ficar sozinha. Prefiro ficar entregue aos meus pensamentos sem ser interrompida."

"Quer dizer que você resolveu atormentar Joyce só porque não quer ver muito Abigail? E por que simplesmente não deixa de vê-la tanto?"

"Porque me disseram que não adianta ficar sem ver ninguém. Ela lembra uma televisão ligada no fundo. Faz companhia."

"Mas você disse que nem gosta muito de estar com ela?"

"Eu sei. É difícil de explicar. Eu tenho uma amiga no Brooklyn que talvez eu conseguisse ver mais se não passasse tanto tempo com Abigail. O que talvez também fosse bom. Na verdade, quando eu penso a respeito, tenho certeza de que ia ser bom." E Veronica riu da ideia dessa amiga.

"Mas por que Edgar não acha a mesma coisa que você?", perguntou Patty. "Por que ele e Galina não podem continuar morando na fazenda?"

"Por nada, eu acho. Você deve ter razão. Galina, sem dúvida, é um horror, e acho que Edgar sabe disso. Acho que foi por isso que ele se casou com ela — para obrigar todos nós a aturar essa mulher. Ela é a vingança dele por ter sido o único filho homem da família. E eu, pessoalmente, estou pouco ligando contanto que não seja obrigada a estar com ela, mas Abigail não engole essa história."

"Então, no fim das contas, você está fazendo tudo isso por Abigail."

"Ela quer muitas coisas. Eu não quero nada, mas fico satisfeita de ajudar Abigail a conseguir o que quer."

"Só que você quer dinheiro o bastante para nunca mais ter de trabalhar."

"É, isso ia ser ótimo. Não gosto de ser secretária de outra pessoa. Detesto especialmente atender o telefone." Ela riu. "Acho que no geral as pessoas falam demais."

Patty sentia como se estivesse às voltas com uma imensa bola de chiclete que não conseguia desprender dos dedos; os fios da lógica de Veronica eram infinitamente elásticos, e aderiam não só a Patty como a si próprios.

Mais tarde, no trem que deixava a cidade, ficou impressionada, como nunca antes, com o fato de seus pais terem sido tão mais prósperos e bem-sucedidos que qualquer um dos filhos, inclusive ela, e por ser tão estranho que nenhum dos filhos tivesse herdado nem uma fagulha do sentido de responsabilidade social que motivara Joyce e Ray a vida inteira. Sabia que Joyce se sentia culpada por isso, especialmente em relação à pobre Veronica, mas sabia também que devia ter sido um golpe terrível para o ego de Joyce ter filhos que a envaideciam tão pouco, e que Joyce devia pôr a culpa nos genes de Ray, na maldição do velho August Emerson, pela esquisitice e pela incompetência dos seus filhos. Ocorreu a Patty, a essa altura, que a carreira política de Joyce não tinha apenas causado ou agravado os problemas da família: fora também sua *fuga* desses problemas. Em retrospecto, Patty viu algo de tocante ou mesmo admirável na determinação de Joyce de se ausentar, entrar para a política e fazer algum bem ao mundo, o que lhe valeria alguma salvação. E, como alguém que tomara da mesma forma medidas extremas para cuidar da respectiva salvação, Patty entendia que não era apenas uma sorte para Joyce ter uma filha como ela: que para ela também era uma sorte ter uma mãe como Joyce.

Ainda havia uma coisa importante que ela não entendia, porém, e quando Joyce voltou de Albany na tarde seguinte, cheia de raiva dos republicanos do Senado que tinham decidido paralisar o governo estadual (Ray, infelizmente, não estava mais por perto para lembrar a Joyce o papel dos próprios democratas naquela paralisia), Patty estava à sua espera na cozinha com uma pergunta. Que fez assim que Joyce tirou a capa de chuva: "Por que você nunca ia a nenhum dos meus jogos de basquete?".

"Você tem razão", declarou Joyce imediatamente, como se viesse esperando aquela pergunta havia trinta anos. "Você tem razão, tem razão, tem toda razão. Eu devia ter ido assistir a mais jogos seus."

"E por que não foi?"

Joyce refletiu por um instante. "Na verdade eu não sei explicar", disse ela, "só posso dizer que tinha tanta coisa acontecendo que não dava para ir ver tudo. Erramos muito como pais. A essa altura, você também deve ter errado algumas vezes, e deve entender como tudo fica confuso, e como todo mundo fica ocupado. Que luta é conseguir acompanhar tudo."

"Mas é o seguinte", disse Patty. "Para outras coisas você sempre arranjava tempo. Era só aos meus jogos que você nunca ia. E não estou falando de *todos* os jogos. Você não ia a jogo *nenhum*."

"Oh, mas por que você resolveu falar disso logo agora? Eu pedi desculpas, disse que foi um erro."

"Não estou querendo deixar você culpada", disse Patty. "Só estou perguntando porque eu era uma jogadora de basquete *muito boa*. Boa mesmo, boa de verdade. Devo ter errado mais ainda que você como mãe, e por isso não estou querendo criticar. Só me ocorre que você ficaria *feliz* de ver como eu era boa nisso. Ver como eu era talentosa. Você teria ficado orgulhosa, feliz da vida."

Joyce desviou os olhos. "Acho que eu nunca fui muito de gostar de esportes."

"Mas ia a todas as lutas de esgrima de Edgar."

"Nem todas."

"Mais do que ia aos meus jogos. E não porque gostasse tanto assim de esgrima. Nem porque Edgar fosse bom esgrimista."

Joyce, cujo autocontrole normalmente era impecável, foi até a geladeira e pegou uma garrafa de vinho branco que Patty tinha quase matado na véspera. Virou o que restara num copo de suco, tomou metade de um gole, riu de si mesma e tomou a outra metade.

"Não sei por que suas irmãs não se saíram melhor", disse ela, sem ligação aparente entre uma coisa e outra. "Mas uma vez Abigail me disse uma coisa interessante. Uma coisa terrível, que ainda me dilacera. Eu nem devia lhe contar, mas por alguma razão eu imagino que você não vá falar dessas coisas. Abigail estava muito... embriagada. Foi há muito tempo, quando ainda estava tentando ser atriz de teatro. Havia um papel excelente para o qual ela achava que ia ser escolhida, mas não foi. E eu tentei estimulá-la, disse que acreditava no seu talento, e que ela precisava continuar tentando. E ela me disse a coisa mais terrível. Disse que era *eu* a causa do fracasso dela. Eu, que nunca tinha feito outra coisa senão dar mais, mais e mais apoio. Mas foi o que ela disse."

"E ela se explicou?"

"Ela disse..." Joyce olhou tristemente para seu jardim florido. "Disse que não podia dar certo porque, se um dia fizesse sucesso, eu daria um jeito de roubar o sucesso dela. E o sucesso acabaria sendo *meu*, e não dela. O que não é verdade! Mas é o que ela achava. E a única maneira que ela tinha de me falar do que sentia, e continuar a me fazer sofrer, não permitindo que eu achasse que estava tudo bem com ela, era nunca dar certo. Ah, cada vez que eu penso nisso ainda fico horrorizada! Eu disse que não era verdade, e espero que ela tenha acreditado, porque *não é verdade*."

"Está bem", disse Patty, "deve ter sido bem difícil mesmo. Mas o que isso tem a ver com os meus jogos de basquete?"

Joyce sacudiu a cabeça. "Não sei. Foi só a história que me ocorreu."

"Eu estava dando certo, mãe. É isso o mais estranho. Eu não podia estar dando mais certo."

A essa altura, inesperadamente, o rosto de Joyce se contraiu terrivelmente. Ela tornou a sacudir a cabeça, como se sentisse repugnância, tentando conter as lágrimas. "Eu sei que você era boa", disse ela. "Eu devia ter ido. Eu me condeno muito."

"Na verdade, não tem problema você não ter ido. Talvez tenha sido até melhor, no fim das contas. Só estou perguntando por curiosidade."

E o resumo de Joyce, ao final de um longo silêncio, foi: "Acho que a minha vida nem sempre foi feliz, ou fácil, ou exatamente como eu queria. A partir de certa altura, eu preciso tentar não pensar muito em certas coisas, ou elas vão partir meu coração".

E foi o máximo que Patty conseguiu extrair dela em matéria de resposta, em qualquer momento. Não era muito, mas teria que se contentar. Naquela mesma noite, Patty apresentou os resultados de suas investigações e propôs um plano de ação com que Joyce, assentindo muito com grande docilidade, concordou em todos os detalhes. A propriedade seria vendida, e Joyce entregaria metade da receita da venda aos irmãos de Ray, administraria a parte de Edgar do que restasse na forma de um fundo do qual ele e Galina poderiam sacar o suficiente para viver (contanto que não emigrassem), e ofereceria grandes somas à vista para Abigail e Veronica. Patty, que acabou aceitando setenta e cinco mil dólares para ajudá-la a começar uma vida nova sem precisar da assistência de Walter, sentiu uma culpa passageira em nome de Walter, pensando nos bosques desabitados e nos campos jamais sulcados que ela ajudara a condenar à fragmentação e ao desenvolvimento. Esperava que Walter entendesse que a infelicidade coletiva dos tristes-pias, dos pica-paus e dos papa-figos cujas habitações tinha destruído não podia ser muito maior, naquele caso particular, que a da família que decidira vender a terra.

E a autobiógrafa dirá o seguinte a respeito da sua família: o dinheiro pelo qual tinham esperado tanto, e que os levara a tais excessos de incivilidade, não foi totalmente desperdiçado em suas mãos. Abigail, em particular, começou a desabrochar assim que adquiriu algum peso financeiro para distribuir em sua vida boêmia; Joyce passou a ligar para Patty toda vez que o nome de Abigail torna a aparecer no *New York Times*; ela e sua companhia, ao que tudo indica, são adoradas na Itália, na Eslovênia e em outros países europeus. Veronica consegue ficar sozinha em seu apartamento, num *ashram* ao norte do estado, e em seu ateliê, e é possível que seus quadros, apesar de parecerem tão retorcidos e nunca muito acabados a Patty, sejam saudados por gerações futuras como obras geniais. Edgar e Galina se mudaram para uma comunidade ultraortodoxa em Kiryas Joel, no estado de Nova York, onde tiveram mais um (o quinto e último) bebê e não parecem estar fazendo mal ativo a ninguém. Patty vê a todos, menos Abigail, algumas vezes por ano. Seus sobrinhos e sobrinhas são a principal atração, claro, mas recentemente também viajou com Joyce para uma turnê pelos jardins britânicos que lhe deu bem mais prazer que ela achava que fosse possível, e ela e Veronica nunca deixam de dar boas risadas juntas.

No geral, porém, ela se dedica à sua vidinha pessoal. Ainda corre todo dia, no Prospect Park, mas não é mais viciada em exercícios ou, na verdade, em mais nada. Uma garrafa de vinho dura dois dias, às vezes três. Em sua escola, tem a posição abençoada de não precisar lidar diretamente com os pais de hoje em dia, que são *muito* mais loucos e estressados que mesmo ela tinha sido. Dão a impressão de achar que a escola dela irá ajudar seus filhos, ainda na primeira série, a escrever esboços dos ensaios que precisarão acompanhar sua candidatura a uma vaga na universidade e a acumular vocabulário suficiente para sua conclusão do curso colegial, dali a dez anos. Mas Patty tem a possibilidade de lidar com as crianças simplesmente como crianças — pequenos indivíduos interessantes e na maioria ainda sem problemas graves, ansiosos por aprender a escrever, a fim de poder contar suas histórias. Patty se reúne com eles em pequenos grupos e os estimula a esse aprendizado, e as crianças nem são tão jovens que mais tarde não venham a se lembrar da sra. Berglund na idade adulta. Os meninos das séries mais avançadas certamente hão de lembrar-se dela, porque esta é a parte de que ela mais gosta no seu trabalho: devolver, na qualidade de treinadora, a dedicação total, o amor áspero e os exemplos de trabalho em equipe que seus próprios treinadores e treinadoras lhe deram. Quase todo dia do ano escolar, depois das aulas, por algumas horas, ela consegue desaparecer, esquecer-se de si e voltar a ser só mais uma das garotas, casada por amor com a causa de vencer jogos, e desejar de todo coração que seus jogadores e jogadoras acertem. Um universo que lhe permite essa atividade, nesse ponto relativamente tardio de sua vida, e muito embora não tenha sido exatamente a melhor das pessoas, não pode ser totalmente cruel.

Os verões são mais difíceis, sem a menor dúvida. Nos verões, a antiga autocomiseração e a antiga competitividade brotam dentro dela. Duas vezes Patty obrigou-se a se apresentar como voluntária ao departamento de parques da cidade, e a trabalhar ao ar livre com crianças, mas a verdade é que ela funciona muito mal cuidando de meninos de mais de seis ou sete anos, e é uma batalha conseguir interessar-se por alguma atividade apenas pela própria atividade; ela precisa de uma equipe de verdade, de sua própria equipe, para disciplinar e ensinar a concentrar-se na vitória. As professoras mais jovens e solteiras da escola, festeiras a um ponto surpreendente (do tipo de festeira que vomita no banheiro da escola, ou que toma tequila na sala de reunião às três da tarde), tendem a desaparecer no verão, e ninguém consegue passar mais de algumas horas sozinha lendo livros, ou limpando e arrumando seu apartamento já limpíssimo enquanto escuta música country, sem se entregar ela própria a algum tipo de farra. As duas coisas mais próximas de uma relação que ela teve com homens significativamente mais jovens da escola, duas séries de encontros mais ou menos constantes sobre os quais o leitor por certo não deseja saber mais nada e que consistiram principalmente de momentos constrangedores e discussões torturadas, começaram ambas nos meses de férias. Nos últimos três anos, Cathy e Donna tiveram a gentileza de deixá-la passar todo o mês de julho em Wisconsin.

Seu apoio principal, claro, é Jessica. A tal ponto, na verdade, que Patty toma um cuidado rigoroso para não exagerar e afogar a filha na sua carência. Jessica é da espécie dos cães de trabalho, e não dos cães de exposição como Joey, e depois que Patty deixou Richard e recuperou um certo nível de respeitabilidade moral, Jessica se dedicou a consertar a vida da mãe. Muitas de suas sugestões foram bastante óbvias, mas Patty, em sua gratidão e contrição, apresentava humildemente seus relatórios de progresso a cada um de seus jantares regulares às segundas-feiras. Embora soubesse muito mais sobre a vida do que Jessica, também tinha cometido muito mais erros. Custava-lhe muito pouco deixar a filha sentir-se importante e útil, e suas conversas levaram diretamente ao emprego que ocupa hoje. Assim que se restabeleceu, pôde por sua vez oferecer apoio a Jessica, mas precisava tomar muito cuidado também nesse caso. Quando leu algumas das entradas muito poéticas do blog de Jessica, cheias de frases facilmente desmentíveis, a única coisa que se permitiu dizer foi "Adorei o texto!". Quando Jessica caiu de amores por um músico, o baterista com cara de menino que tinha abandonado os estudos na Universidade de Nova York, Patty precisou se esquecer de tudo que sabia acerca dos músicos e endossar, pelo menos tacitamente, a crença de Jessica em que a natureza humana tinha sofrido uma mudança fundamental nos últimos tempos: que as pessoas da sua idade, mesmo os músicos, eram *muito diferentes* das pessoas da idade de Patty. E quando Jessica teve o coração partido, lenta mas implacavelmente, logo depois, Patty precisou simular grande surpresa diante da singular imprevisibilidade de tudo aquilo. Embora tenha sido difícil, ela fez o esforço com satisfação, em parte porque Jessica e seus amigos de fato eram diferentes de Patty e sua geração — o mundo lhes parece mais ameaçador, o caminho para a condição adulta é mais difícil e menos obviamente compensador —, mas sobretudo porque hoje ela conta muito com o amor de Jessica, e seria capaz de praticamente qualquer coisa para mantê-la como parte da sua vida.

Um benefício indiscutível da separação entre ela e Walter foi promover uma união maior entre seus filhos. Nos meses depois que Patty foi embora de Washington, ela sabia, pelo fato de ambos terem informações que ela só transmitira a um dos dois, que estavam em comunicação permanente, e nem era difícil imaginar que o conteúdo básico de suas comunicações girava em torno de como seus pais eram destrutivos, egoístas e constrangedores. Mesmo depois de Jessica ter perdoado Walter e Patty, manteve-se em contato próximo com seu companheiro de guerra, tendo se ligado a ele nas trincheiras.

O modo como os dois irmãos trataram os contrastes pronunciados de suas personalidades foi objeto de interesse de Patty, dados seus fracassos pessoais nessa área. Joey parece ter sido especialmente perspicaz em relação à duplicidade do jovem baterista de Jessica, explicando-lhe certas coisas sobre as quais Patty achara mais conveniente não discorrer para a filha. E também ajudou muito que Joey, precisando ter um sucesso brilhante em alguma coisa, vinha dando certo num ramo que Jessica aprovava. Não que não haja mais coisas para as quais Jessica revire os olhos ou em relação às quais se mostre competitiva. Acha especialmente irritante que Walter, com suas ligações sul-americanas, tenha podido conduzir Joey para o comércio do café plantado à sombra, exatamente no instante em que era possível enriquecer com ele, enquanto não há nada que Walter ou Patty possam fazer para ajudar Jessica no ofício que escolheu, o de publicar literatura. Sente-se frustrada por se dedicar, a exemplo do pai, a um empreendimento decadente, correndo risco de extinção e incapaz de produzir lucros, enquanto Joey enriquece quase sem esforço. E nem consegue esconder sua inveja de Connie, por viver viajando pelo mundo com Joey, visitando exatamente os países de clima úmido que despertam nela o maior entusiasmo multicultural. Mas Jessica, embora um tanto a contragosto, admira a esperteza de Connie na maneira como adia ter filhos; também já foi flagrada ao admitir que Connie se veste bastante bem "para uma garota do Meio-Oeste". E não há meio de contornar o fato de que o café plantado à sombra é melhor para o meio ambiente, especialmente para as aves, e que Joey merece crédito por alardear esse fato e transformá-lo com astúcia em bons negócios. Joey derrotou Jessica em quase toda a linha, noutras palavras, e este é mais um motivo pelo qual Patty se esforça tanto para se manter amiga da filha.

A autobiógrafa gostaria de poder dizer que vai tudo bem entre ela e Joey também. Infelizmente, não é assim. Joey ainda oferece uma porta de aço para Patty, porta mais fria e mais resistente do que nunca, uma porta que, ela sabe, ficará fechada até ela conseguir provar a ele que aceitou Connie. E, infelizmente, embora Patty tenha feito avanços consideráveis em muitas áreas, aprender a amar Connie não foi uma delas. O fato de Connie persistir com diligência em ser uma boa nora em todos os aspectos só piora as coisas. Patty sente nos ossos que, na verdade, Connie não gosta dela, na mesma medida em que ela não gosta de Connie. Alguma coisa na maneira como Connie trata Joey, algo de permanentemente possessivo e *excludente*, uma coisa *fora do lugar*, deixa Patty toda arrepiada. Embora ela esteja decidida a se tornar uma pessoa melhor em todos os aspectos, começou a concluir, com tristeza, que esse ideal bem pode ser inatingível, e que seu fracasso sempre há de interceder entre ela e Joey, e se tornar o castigo final por todos os erros que cometeu com ele. Joey, nem é preciso dizer, trata Patty com a mais escrupulosa cortesia. Liga para ela toda semana, lembra-se dos nomes de todas as colegas de trabalho da mãe e de seus alunos prediletos, faz e às vezes aceita convites; atira à mãe as migalhas de atenção que sua lealdade a Connie admite. Nos últimos dois anos, chegou ao ponto de devolver a ela, com muitos juros, o dinheiro que ela lhe mandava quando estava na faculdade — um dinheiro de que ela precisa demais, tanto na prática quanto emocionalmente, para recusar. Mas a porta interna de Joey está fechada para ela, e ela não consegue imaginar quando voltará a se abrir.

Ou na verdade, para ser mais precisa, ela só pode imaginar um modo, que a autobiógrafa teme que seu leitor não queira conhecer, mas que irá mencionar de qualquer maneira. Imagina que, se de algum modo conseguisse ficar de novo com Walter, e sentir-se outra vez segura do amor dele, levantando-se de sua cama quente pela manhã e voltando para ela à noite sabendo que é de novo sua, ela poderia finalmente perdoar Connie e mostrar-se sensível para as qualidades que todas as outras pessoas acham tão atraentes nela. Poderia gostar de sentar-se à mesa da sala de Connie, e seu coração poderia enternecer-se com a lealdade e a dedicação de Joey à mulher, e Joey poderia, por sua vez, abrir a porta só um pouquinho para ela, se pelo menos ela pudesse depois do jantar voltar para casa com Walter e apoiar a cabeça no seu ombro e saber que foi perdoada. Mas claro que essas possibilidades são desvairadamente improváveis, e à luz de nenhum tipo de justiça aquelas que ela merece.

A autobiógrafa tem hoje cinquenta e dois anos, e aparenta a sua idade.

Ultimamente suas mestruações têm sido estranhas e irregulares. Todo ano, na época dos impostos, tem a impressão de que o ano anterior foi mais curto que o anterior a ele; os anos estão ficando tão parecidos entre si. Pode imaginar vários motivos deprimentes para explicar por que Walter nunca se divorciou dela — pode ser, por exemplo, porque ele ainda a odeia demais para travar um contato mínimo que seja com ela —, mas seu coração teima em se animar com o fato de o divórcio não ter ocorrido. Já perguntou da maneira mais constrangedora, a seus filhos, se existe outra mulher na vida dele, e ficou muito feliz ao saber que não. Não porque não deseje que ele seja feliz, não porque tenha algum direito ou mesmo inclinação a sentir ciúme a essa altura, mas porque isso significa que existe a sombra de uma possibilidade de que ele ainda pense, como ela pensa cada vez mais, que não foram só a pior coisa que aconteceu um ao outro, mas também a melhor. Tendo cometido tantos erros na vida, ela tem todos os motivos para supor que não está sendo muito realista: que não esteja levando em conta algum impedimento fatal óbvio ao reencontro deles dois. Mas essa ideia não a deixa em paz. E volta a ela dia após dia, ano após ano parecido, aquela saudade do rosto dele, de sua voz, de sua raiva e de sua gentileza, essa saudade por seu par.

E isso é tudo que a autobiógrafa tem para dizer ao seu leitor, além apenas de mencionar, no encerramento, o que provocou a redação destas páginas. Há algumas semanas, na Spring Street, em Manhattan, voltando para casa depois do lançamento de um jovem romancista muito esforçado que Jessica estava muito animada de ter publicado, Patty viu um sujeito alto de meia-idade caminhando na direção dela pela calçada e percebeu que era Richard Katz. Seus cabelos estão curtos e grisalhos, e ele usa óculos que o deixam com um ar estranhamente *distinto*, embora ainda se vista como um adolescente do final dos anos 70. Ao vê-lo na parte sul de Manhattan, onde as pessoas não conseguem ficar tão invisíveis quanto no coração do Brooklyn, Patty pôde perceber o quanto ela própria deve ter hoje uma aparência envelhecida, semelhante à da mãe irrelevante de alguém. Se houvesse algum modo de se esconder, ela teria se escondido, para poupar Richard do constrangimento de encontrá-la e a ela própria o constrangimento de ter sido o antigo e descartado objeto sexual daquele homem. Mas ela não tinha como se esconder, e Richard, com uma bem conhecida decência sem esforço, depois de alguns olás desajeitados, decidiu oferecer-lhe uma taça de vinho.

No bar onde pousaram, Richard escutou as histórias de Patty sobre si mesma com a atenção dividida de um homem ocupado e bem-sucedido. Ele parecia ter afinal feito as pazes com seu sucesso — e mencionou de passagem, sem demonstrar embaraço ou pedir desculpas, que tinha composto uma daquelas coisas orquestrais de vanguarda para a Academia de Música do Brooklyn, e que sua namorada do momento, pelo jeito uma documentarista importante, o apresentara a vários jovens diretores do tipo de filme de arte que Walter sempre adorou, e que estava trabalhando em alguns projetos de trilha sonora. Patty só se concedeu o direito de uma breve pontada de inveja ao ver como ele transmitia uma impressão relativamente satisfeita, e outra ao pensar naquela poderosa namorada, antes de desviar o assunto, como sempre, para Walter.

"Você não tem contato nenhum com ele", disse Richard.

"Não", disse ela. "Parece até um conto de fadas. Não nos falamos desde o dia em que fui embora de Washington. Seis anos e nem uma palavra. Só tenho notícias dele através das crianças."

"Talvez você devesse ligar para ele."

"Não posso, Richard. Deixei passar minha oportunidade há seis anos, e agora acho que ele só quer ser deixado em paz. Está morando na casa do lago e trabalhando pela Nature Conservancy na região. Se ele quisesse entrar em contato, podia ter me ligado."

"Talvez ele pense a mesma coisa a seu respeito."

Ela abanou a cabeça. "Acho que todo mundo reconhece que ele sofreu muito mais do que eu. Não acho que ninguém tenha a crueldade de supor que ele devia me ligar. Além disso, eu falei para Jessie, com todas as letras, que gostaria de tornar a vê-lo. E eu ficaria muito chocada se ela não tivesse passado a informação a ele — não há nada que ela queira mais do que ser a salvação dessa história. Então é óbvio que ele continua magoado, e furioso, odiando a você e a mim. E quem é que poderia culpá-lo?"

"Eu posso, um pouco", disse Richard. "Você se lembra de quando ele passou algum tempo me dando um gelo quando éramos colegas? Era cascata. Faz mal para a alma dele. É o lado dele que eu nunca suportei."

"Bom, talvez *você* devesse ligar para ele."

"Não." Ele riu. "Eu acabei conseguindo um jeito de dar um presentinho para ele — e você vai ver dentro de alguns meses, se ficar atenta. Um chamado amigável através de zonas temporais diferentes. Mas nunca tive estômago para pedidos de desculpas. Já você..."

"Já eu...?"

Ele já estava acenando para a garçonete e pedindo a conta. "Você sabe contar uma história", disse ele. "Por que não conta uma história para ele?"

O LAGO DE CANTERBRIDGE ESTATES

Existem várias maneiras de um gato doméstico morrer ao ar livre, entre elas o estraçalhamento por coiotes e o atropelamento por um carro, mas quando o adorado gato de estimação da família Hoffbauer, Bobby, deixou de voltar para casa num anoitecer do início de junho, e por mais que chamassem seu nome, procurassem por todo o perímetro dos Canterbridge Estates ou caminhassem de um lado para o outro pela estrada vicinal ou prendessem uma foto xerocada de Bobby nas árvores locais não encontraram nem sinal dele, todos em Canterbridge Court imaginaram que Bobby tivesse sido morto por Walter Berglund.

Canterbridge Estates era um novo condomínio, composto por doze casas de bom tamanho construídas com muitos banheiros ao estilo moderno, na margem sudoeste de um pequeno corpo aquático hoje oficialmente conhecido como o lago de Canterbridge Estates. Embora o lago não ficasse na verdade perto de lugar nenhum, o sistema financeiro do país vinha nos últimos tempos emprestando dinheiro praticamente de graça, e a construção do condomínio, bem como o alargamento e a pavimentação da estrada que levava até lá, tinha agitado por algum tempo a economia estagnada do condado de Itasca. As taxas de juros baixas também tinham permitido que vários aposentados das Cidades Gêmeas e jovens famílias locais, entre elas os Hoffbauer, comprassem uma casa de sonhos. Quando começaram a se instalar por lá, durante o outono de 2007, as ruas ainda pareciam muito precárias. Os jardins da frente e de trás das casas tinham um piso irregular e forrado de uma grama que não vingava, pelo qual se distribuíam pedras glaciais irremovíveis e os vidoeiros que tinham sido poupados da derrubada, e lembravam, no fim das contas, um projeto de terrário terminado às pressas por uma criança de escola. Os gatos da vizinhança, compreensivelmente, preferiam percorrer as matas e os arvoredos da propriedade próxima dos Berglund, onde havia muitas aves. E Walter, antes ainda que a última casa do condomínio fosse ocupada, tinha ido de porta em porta se apresentando e pedindo aos vizinhos que por favor mantivessem seus gatos dentro de casa.

Walter era um bom cidadão do estado de Minnesota, e razoavelmente simpático, mas transmitia alguma coisa, um tremor político na voz, uma barba grisalha de fanático por fazer, que despertava certo calafrio nas famílias do condomínio. Morava sozinho no meio de uma antiga casa de férias isolada e meio arruinada, e embora fosse sem dúvida mais agradável para as famílias ver sua pitoresca propriedade na outra margem do lago do que, para ele, contemplar seus quintais desnudos, e embora alguns deles pudessem imaginar como a construção de suas casas devia ter sido barulhenta, ninguém gosta de ser posto no papel de intruso do idílio alheio. Pagaram o preço, no fim das contas; tinham todo o direito de estar ali. Na verdade, as taxas das suas propriedades eram coletivamente mais altas que as de Walter, e a maioria deles estava diante de um crescimento explosivo das parcelas de suas hipotecas, vivendo de um salário fixo ou tentando poupar para a educação dos filhos. Quando Walter, que obviamente não tinha essas preocupações, veio reclamar com eles por causa dos seus *gatos*, sentiram que compreendiam bem mais a preocupação dele com os passarinhos do que ele entendia o quanto preocupar-se com eles era um privilégio hiper-refinado. Linda Hoffbauer, que era evangélica e a pessoa mais politicamente ativa do condomínio, ficou especialmente ofendida. "Quer dizer que Bobby mata passarinhos", disse ela a Walter. "E daí?"

"Bom, acontece", disse Walter, "que os gatos domésticos não são nativos da América do Norte, e por isso os passarinhos daqui nunca desenvolveram defesas contra eles. E por isso o confronto é muito desigual."

"Os gatos sempre caçaram passarinhos", disse Linda. "É assim que eles são, faz parte da natureza deles."

"Verdade, mas os gatos são uma espécie do Velho Mundo", respondeu

Walter. "Não fazem parte da nossa natureza. Não estariam aqui se nós não tivéssemos trazido. O problema é esse."

"Falando francamente", disse Linda, "só me interessa fazer minhas crianças aprenderem a tomar conta de um bicho de estimação e ser responsáveis por ele. Está querendo me dizer que não podem?"

"Não, claro que não", disse Walter. "Mas Bobby já fica dentro de casa no inverno. Só estou pedindo que mantenha o gato dentro de casa no verão também, pelo bem do ecossistema daqui. Moramos numa área usada para a reprodução de muitas espécies de aves que vêm declinando na América do Norte. E esses passarinhos também têm seus filhos. Quando Bobby mata um passarinho em junho ou julho, também está deixando abandonado um ninho cheio de filhotes condenados à morte."

"Então os passarinhos precisam achar outro lugar para os ninhos deles. Bobby adora passear ao ar livre. Não é justo prender o gato em casa quando o tempo está bom."

"Claro, sei. Compreendo que vocês adoram o gato da família. E se ele ficasse só no seu jardim, tudo bem. Mas toda esta terra já pertencia aos passarinhos antes de pertencer a nós. E não temos como dizer a eles que aqui não é um bom lugar para fazerem o ninho. Então eles continuam vindo, e sendo mortos. E o maior problema é que eles estão ficando sem espaço, porque cada vez mais terras são ocupadas. E por isso é importante que tentemos ser sentinelas responsáveis dessa terra maravilhosa que estamos ocupando."

"Olhe, sinto muito", disse Linda, "mas meus filhos contam mais para mim que os filhos de outro passarinho. E não acho que seja uma posição radical, comparada com a sua. Deus criou este mundo para os seres humanos, e no que me diz respeito, a conversa acaba aqui."

"Eu também tenho filhos, e sei bem o que a senhora sente", disse Walter. "Mas só estamos falando de deixar o gato dentro de casa. E a menos que a senhora consiga conversar com Bobby, não vejo como ele possa se incomodar de ficar dentro de casa."

"Meu gato é um animal. Aos animais da Terra não foi dado o dom da fala. Só às pessoas. E essa é uma das maneiras de saber que fomos criados à imagem de Deus."

"Certo, mas o que estou dizendo é, como a senhora sabe que ele quer sair andando solto por aí?"

"Os gatos adoram a vida ao ar livre. Todo mundo adora a vida ao ar livre. Sempre que o tempo fica mais quente, Bobby vai para junto da porta, pedindo para sair. E não preciso *conversar* com ele para entender isso."

"Mas se Bobby é só um animal, quer dizer, não é um ser humano, por que a preferência que ele manifesta por andar ao ar livre deve prevalecer sobre o direito dos passarinhos de criar suas famílias?"

"Porque Bobby faz parte da *nossa* família. Meus filhos amam o bichinho, e queremos o melhor para ele. Se tivéssemos um passarinho de estimação, também iríamos querer o melhor para ele. Mas não temos um passarinho, temos um gato."

"Bem, obrigado por conversar comigo", disse Walter. "Espero que a senhora pense mais um pouco nisso e quem sabe mude de ideia."

Linda ficou muito ofendida com a conversa. Na verdade Walter nem era propriamente vizinho, não fazia parte da associação de condôminos, e o fato de andar num carro híbrido japonês, no qual recentemente colara um adesivo dizendo OBAMA, apontava, no entender dela, para o ateísmo e a indiferença em face das provações das famílias de trabalhadores, como a dela, que lutavam para pagar as contas no fim de cada mês e criar os filhos como bons cidadãos, com amor a seu país, num mundo cheio de perigos. Linda não era muito popular no Canterbridge Court, mas era temida por ser a pessoa que viria bater na sua porta caso você deixasse o barco em cima do reboque a noite inteira na rua, ao contrário do que prescrevia a convenção do condomínio, ou se um dos filhos dela visse um dos seus filhos acendendo um cigarro atrás da escola, ou se ela descobrisse um defeito ínfimo na construção da casa dela e quisesse saber se sua casa tinha o mesmo problema. Depois da visita de Walter à sua casa, este se tornou, em sua incessante peroração, o sujeito maluco por animais que tinha perguntado se por acaso ela *conversava* com o gato da casa.

Do outro lado do lago, em alguns fins de semanas daquele verão, os moradores dos Canterbridge Estates viram a chegada de visitantes na propriedade de Walter, um belo casal jovem que andava num Volvo preto novinho. O rapaz era louro e de corpo bem formado, sua mulher ou namorada, esbelta como as mulheres sem filhos das cidades grandes. Linda Hoffbauer decretou que o casal tinha um ar "arrogante", mas a maior parte da comunidade ficou aliviada ao ver aqueles visitantes respeitáveis, pois Walter até então lhes parecia, apesar de toda a sua cortesia, um eremita potencialmente depravado. Alguns dos condôminos mais velhos, que faziam longos passeios matinais regulares, agora se arriscavam a uma conversinha com Walter quando passavam por ele na estrada. Ficaram sabendo que o jovem casal eram o filho e a nora dele, que tinham um negócio próspero em St. Paul, que ele tinha ainda uma filha solteira morando em Nova York. Fizeram-lhe algumas perguntas sobre seu estado civil, tentando esclarecer se era divorciado ou apenas viúvo, e quando ele se mostrou especialista em se desviar dessas indagações, um dos mais tecnologicamente hábeis do grupo foi procurar na internet e descobriu que Linda Hoffbauer tinha razão, no fim das contas, em desconfiar que Walter fosse meio doido e perigoso. Parece que ele tinha fundado uma organização ambientalista radical que deixara de existir depois da morte de sua cofundadora, uma jovem de nome diferente que certamente não podia ser a mãe de seus filhos. Depois que essa interessante informação se espalhou pela vizinhança, os caminhantes matutinos tornaram a deixar Walter em paz — menos, talvez, por seu extremismo do que pelo fato de que agora sua existência de eremita exalava um forte aroma de luto, o tipo terrível de luto de que é melhor manter-se à distância; o tipo duradouro de luto que, como todas as formas de loucura, parece ameaçador, talvez até contagioso.

No final do inverno seguinte, quando a neve começava a derreter, Walter tornou a aparecer no condomínio Canterbridge Court, dessa vez trazendo um caixote contendo coletes de neoprene em cores brilhantes que podiam ser presos aos gatos. Segundo ele, um gato trajando um desses coletes podia fazer o que quisesse ao ar livre, de subir nas árvores a tentar pegar mariposas no ar, menos dar botes eficazes em passarinhos. Disse que ficara provado que prender uma sineta à coleira do gato era inútil para avisar os passarinhos. Acrescentou ainda que a estimativa mais conservadora do número de passarinhos assassinados por gatos a cada dia nos Estados Unidos era de um milhão, ou seja: trezentos e sessenta e cinco milhões ao ano (e isso, enfatizava ele, era uma estimativa otimista, e não incluía os filhotes desamparados que morriam de fome). Embora ao que tudo indica Walter não conseguisse entender como era difícil amarrar aquele colete num gato toda vez que ele saía de casa, e como o gato ficaria ridículo com um colete de neoprene azul ou vermelho brilhante, os proprietários mais velhos de gatos do condomínio aceitaram com educação os coletes e prometeram que iam experimentá-los, para que Walter os deixasse em paz e eles pudessem jogar fora aquela joça. Só Linda Hoffbauer recusou terminantemente o colete. Walter lhe parecia um desses liberais favoráveis a um governo que toma conta de tudo, essas pessoas que tentam distribuir preservativos nas escolas, tirar as armas das pessoas e obrigar os cidadãos a andar com uma carteira nacional de identidade. Teve a inspiração de lhe perguntar se os passarinhos que circulavam por sua propriedade *pertenciam* a ele, e, caso contrário, o que ele tinha a ver com o fato de Bobby gostar de caçá-los. Walter respondeu com alguma coisa em burocratês sobre o Tratado de Proteção às Aves Migratórias Norte-Americanas, que supostamente proibia fazer mal a qualquer ave que não fosse definida como caça e entrasse no país pela fronteira do México ou do Canadá. Linda não gostou de ser lembrada do novo presidente do país, que queria entregar a soberania nacional à ONU, e disse a Walter, com o máximo de civilidade que conseguiu reunir, que estava muito ocupada criando os filhos e preferia que ele não voltasse a bater na sua porta.

Do ponto de vista diplomático, Walter tinha escolhido um péssimo momento para começar a distribuir seus coletes coloridos. O país acabara de cair numa profunda recessão econômica, o mercado de capitais estava no fundo da latrina, e parecia quase obsceno da parte dele insistir em continuar obcecado com a salvação dos passarinhos. Até os casais de aposentados do condomínio estavam em apuros — a deflação de seus investimentos tinha forçado vários deles a cancelar suas viagens anuais de inverno à Flórida ou ao Arizona — e duas das famílias mais jovens da rua, os Dent e os Dolberg, não tinham conseguido manter em dia os pagamentos de suas hipotecas (que cresceram exatamente no momento errado) e ao que tudo indica iam perder suas casas. Enquanto Teagan Dolberg esperava a resposta de companhias de consolidação de crédito que pareciam mudar de telefone e endereço a cada semana, e de conselheiros federais de baixo custo sobre endividamentos que no fim das contas não tinham nada a ver com o governo federal e muito menos eram de baixo custo, os débitos incríveis em seus cartões Visa e MasterCard subiam em incrementos mensais de três ou quatro mil dólares, e as amigas e vizinhas para as quais ela havia vendido pacotes de dez sessões de manicure, no pequeno salão que tinha instalado em seu porão, continuavam a aparecer para fazer as unhas sem lhe aportar mais nenhum rendimento. Até Linda Hoffbauer, cujo marido tinha contratos seguros de manutenção de estradas com o condado de Itasca, decidiu baixar a regulagem de seu termostato e deixar seus filhos irem de ônibus para a escola, em vez de ir levá-los e buscá-los em seu imenso Suburban. As ansiedades pairavam como uma nuvem de mosquitos miúdos sobre o condomínio de Canterbridge Court; invadiam cada casa através dos canais noticiosos a cabo, dos programas de debate do rádio e da internet. Tuitava-se muito pelo Twitter, mas o mundo chilreante e adejante da natureza, que Walter invocava como se as pessoas ainda devessem se importar com ele, já era uma ansiedade além da conta.

Só se voltou a ouvir falar em Walter em setembro, quando panfletou a vizinhança na calada da noite. As casas dos Dent e dos Dolberg já estavam desocupadas, suas janelas escurecidas como as luzes dos telefones de pessoas que ligaram para os números de emergência mas finalmente desistiam depois de muitos minutos à espera, mas os demais residentes de Canterbridge despertaram todos uma bela manhã e encontraram junto à porta de entrada de suas casas uma carta muito polidamente redigida e dirigida aos "Caros Vizinhos", repisando os argumentos antigatos que Walter já lhes apresentara duas vezes, e quatro páginas de fotos anexadas que eram o oposto exato da polidez. Aparentemente, Walter tinha passado o verão inteiro documentando a morte de passarinhos em sua propriedade. Cada foto (e havia mais de quarenta delas) trazia na legenda uma data e o nome de uma espécie. As famílias de Canterbridge que não tinham gatos ficaram ofendidas por terem sido incluídas na panfletagem, e as famílias que possuíam gatos ficaram ofendidas com a aparente certeza de Walter de que a morte de cada passarinho na sua propriedade era culpa de seus bichanos. Linda Hoffbauer ficou ainda mais irritada porque um panfleto foi deixado num lugar onde um de seus filhos pequenos facilmente poderia tê-lo aberto, expondo-se a imagens traumatizantes de andorinhas sem cabeça e entranhas sanguinolentas. Ligou para o xerife do condado, com quem seu marido tinha relações sociais, para ver se por acaso Walter não seria culpado de assédio ilegal. O xerife respondeu que não, mas concordou em passar pela casa dele e ter uma conversinha de advertência — visita que lhe rendeu a informação inesperada de que Walter era advogado formado e versado não apenas nos direitos assegurados pela Primeira Emenda à Constituição dos Estados Unidos como ainda na convenção do condomínio de Canterbridge Estates, a qual continha uma cláusula exigindo que os animais de estimação estivessem sob controle permanente de seus donos; o xerife aconselhou Linda a rasgar o panfleto e seguir em frente.

E então veio um inverno muito branco, e os gatos da vizinhança se retiraram para dentro das casas (onde, como até Linda tinha de admitir, pareciam muito satisfeitos), e o marido de Linda cuidou de remover pessoalmente a neve da estrada vicinal de tal maneira que Walter foi obrigado a cavar por mais de uma hora para limpar o acesso à sua entrada de carros depois de cada nevasca. Com as folhas caídas, a vizinhança podia enxergar com clareza, do outro lado do lago gelado, a casinha dos Berglund em cujas janelas nenhuma televisão jamais bruxuleava. Era difícil imaginar o que Walter poderia estar fazendo lá, sozinho, no meio das noites de inverno, além de ruminar sua hostilidade e seus juízos morais. Sua casa ficou às escuras por uma semana inteira na época do Natal, o que devia indicar uma visita à família em St. Paul, o que também era difícil de imaginar — que um doido daqueles pudesse ainda assim ser amado por alguém. Linda, especialmente, ficou aliviada quando o período de festas chegou ao fim, o doido retomou sua vida de eremita e ela pôde dar continuidade a seu ódio cristalino pela ideia de que alguém pudesse gostar dele. Numa noite de fevereiro, seu marido lhe contou que Walter tinha dado queixa no condado do bloqueio deliberado da entrada de sua casa, o que ela de certo modo gostou de ouvir. Era bom saber que ele sabia que era odiado por eles.

No mesmo espírito perverso, quando a neve tornou a derreter, os bosques tornaram a verdejar e Bobby tornou a ser solto e imediatamente desapareceu, Linda sentiu como se um desejo profundo estivesse sendo atendido, o tipo de coceira profunda que coçar só faz piorar. Concluiu sem demora que era Walter o responsável pelo desaparecimento de Bobby, e sentiu-se intensamente gratificada por ele ter respondido à altura do ódio dela, dando-lhe motivos renovados e alimento fresco: por ele ter se disposto a disputar com ela o jogo do ódio, assumindo o papel de representante local de tudo que estava errado no mundo dela. Ao mesmo tempo que organizava a busca pelo bicho de estimação perdido de seus filhos, saboreava em segredo a angústia das crianças e extraía grande prazer em ensiná-las a odiar Walter pelo malfeito. Até gostava de Bobby, mas sabia que era pecado transformar um animal em falso ídolo. O pecado que ela odiava estava em seu suposto vizinho. Assim que ficou claro que Bobby nunca mais ia voltar, ela levou as crianças para o abrigo local de animais abandonados e deixou que escolhessem três novos gatos, que, ao voltarem para casa, soltou de seus caixotes de papelão e enxotou na direção da mata de Walter.

Walter nunca tinha gostado de gatos. Achava que eram os sociopatas do mundo dos bichos de estimação, uma espécie domesticada como um mal necessário para o controle dos roedores e em seguida fetichizada da maneira como nações desafortunadas fetichizam seus militares, saudando os uniformes dos matadores como os donos de gatos acariciam o pelo adorável de seus bichanos e lhes perdoam suas garras e presas. Nunca tinha visto na cara de um gato nada além de um desinteresse cínico e do mais profundo egoísmo; bastava agitar perto dele um camundongo de brinquedo para ver seu verdadeiro espírito. Até vir morar na casa da sua mãe, porém, tinha males bem piores a combater. Só agora, quando era responsável pela população selvagem de gatos que causavam grandes estragos nas propriedades da Nature Conservancy de que ele cuidava, e quando a ferida que o condomínio Canterbridge Estates tinha aberto em seu lago foi agravada pelo insulto da liberdade com que seus bichanos caçavam na área, seu antigo preconceito antifelino cresceu até assumir a forma de um incômodo e um agravo diários de que os homens depressivos da linhagem dos Berglund evidentemente precisavam para conferir sentido e substância às suas vidas. O incômodo que lhe servira pelos dois anos anteriores — o suplício das motosserras, das escavadeiras, das explosões e remoção de pedras, da erosão em pequena escala, dos martelos, dos cortadores de cerâmica e do rock clássico em aparelhos de som portáteis em volume altíssimo — tinha acabado, e ele precisava de alguma coisa nova.

Há gatos preguiçosos e ineptos como matadores, mas Bobby não era assim. Bobby tinha a esperteza de retornar para a casa dos Hoffbauer assim que anoitecia, quando os guaxinins e coiotes se transformavam num perigo para ele, mas toda manhã, nos meses sem neve, podia ser visto caminhando pela desfolhada margem sul do lago e entrando na propriedade de Walter a fim de matar tudo que pudesse. Andorinhas, tentilhões, tordos, toutinegras, azulões, pintassilgos e cambaxirras. As preferências de Bobby eram ortodoxas, sua concentração, ilimitada. Nunca se cansava de matar, e tinha a falha de caráter adicional da deslealdade ou da ingratidão, raras vezes se dando ao trabalho de levar as presas abatidas de volta para os donos. Encurralava, brincava e trucidava, e às vezes comia alguma coisinha, mas em geral se limitava a abandonar a carcaça. A mata mais aberta próxima à casa de Walter e o hábitat circundante da beira do lago eram especialmente atraentes para as aves e para Bobby. Walter sempre tinha à mão uma pilha de pedrinhas para atirar no gato, e certa vez o alvejara com um jato direto de água de sua mangueira do jardim, mas Bobby logo aprendeu a se manter na mata no início da manhã, esperando que Walter saísse para o trabalho. Parte das terras da Nature Conservancy de que Walter tomava conta ficavam longe a ponto de obrigá-lo muitas vezes a passar várias noites fora, e quase invariavelmente, quando voltava, encontrava uma nova carnificina na encosta atrás da casa. Se fosse uma coisa que acontecia apenas ali, ele até poderia aguentar, mas sabia que aquilo estava acontecendo em toda parte e ficava enlouquecido.

Ainda assim, ele era muito sentimental, respeitador da lei para matar o bicho de estimação de outra pessoa. Pensou em recorrer a seu irmão Mitch para cuidar do assunto, mas a ficha policial já existente de Mitch depunha contra esta escolha, e Walter vislumbrou que Linda Hoffbauer provavelmente responderia arranjando um outro gato. Foi só ao final de um segundo verão de esforços baldados de diplomacia e educação, e depois que o marido de Linda Hoffbauer bloqueou a entrada de sua casa com neve vezes sem conta, que ele decidiu que, muito embora Bobby fosse apenas um gato em meio aos setenta e cinco milhões existentes nos Estados Unidos, tinha chegado a hora de Bobby pagar pessoalmente por seu comportamento sociopata. Walter obteve uma armadilha e instruções detalhadas de um dos contratados para travar a guerra quase sem esperança contra os gatos fugidos à solta nas terras da Nature Conservancy, e antes do amanhecer de um dia de maio ele armou a armadilha, usando como isca fígados de frango e pedaços de toucinho, no caminho que Bobby costumava trilhar para chegar à sua propriedade. Sabia que, com um gato esperto, o caçador só tinha uma chance com uma armadilha. E foram doces a seus ouvidos os gritos felinos que chegaram à sua casa duas horas mais tarde. Ele carregou a armadilha sacolejante e cheirando a merda para o seu Prius e a trancou na mala. O fato de Linda Hoffbauer nunca ter posto uma coleira em Bobby — o que talvez restringisse além da conta a preciosa liberdade do seu gato — tornou bem mais fácil para Walter, depois de percorrer três horas de estrada, largar Bobby num abrigo para animais de Minneapolis que ou sacrificaria o gato ou daria um jeito de empurrá-lo para alguma família urbana que o mantivesse dentro de casa.

Mas ele não estava preparado para a depressão que o assolou na viagem para Minneapolis. A sensação de perda, desperdício e tristeza: o sentimento de que ele e Bobby tinham vivido uma espécie de casamento, e que mesmo um casamento horroroso era melhor que nenhum casamento. Contra a sua vontade, imaginou a terrível gaiola a que Bobby estaria agora confinado. Sabia que Bobby não estava fazendo falta pessoal ao casal Hoffbauer — os gatos é que usavam as pessoas — mas ainda assim havia algo de deplorável em seu aprisionamento.

Já fazia quase seis anos que ele vinha morando sozinho e procurando maneiras de pôr a ideia em prática. A divisão estadual da Nature Conservancy, que ele já tinha dirigido e cuja proximidade de empresas e milionários agora o deixava nervoso, atendera a seu pedido para ser recontratado como um dos responsáveis pelas propriedades da organização e, nos meses gelados, como assistente em tarefas administrativas especialmente tediosas e demoradas. Não vinha fazendo um bem estonteante às propriedades que supervisionava, mas também não fazia mal, e os dias que passava sozinho em meio às coníferas, aos mergulhões, às juncas e aos pica-paus favoreciam piedosamente o esquecimento. Os demais trabalhos que fazia — redigir propostas de financiamento, passar em revista a produção de textos sobre a população da vida silvestre, dar telefonemas em defesa da criação de uma nova taxa sobre as vendas destinada a um Fundo Estadual de Conservação da Terra, que afinal atraiu mais votos nas eleições de 2008 que o próprio Obama — eram justamente corretos. Tarde da noite, ele preparava um dos cinco jantares simples a que agora se dava ao trabalho de fazer, e depois, como não conseguia mais ler romances ou escutar música, ou fazer qualquer coisa associada ao sentimento, dava-se ao luxo de uma partida de xadrez com o computador e, às vezes, de navegar em sites do tipo mais cru de pornografia, desprovido de qualquer relação com as emoções humanas.

Em momentos assim, sentia-se como um velho triste e idiota que morava no mato, e tomava o cuidado de não desligar o telefone, pois Jessica podia ligar para saber notícias dele. Com Joey ele ainda podia ser espontâneo, porque Joey não só era homem como ainda um homem da estirpe Berglund, com o cuidado e o comedimento devidos de nunca se intrometer, e embora Connie fosse um pouco mais difícil, porque o sexo sempre estava presente na voz de Connie, o sexo e uma sedução inocente, nunca era difícil fazê-la falar sobre Joey e ela, já que ela se sentia muito feliz. A verdadeira provação eram as conversas com Jessica. Sua voz estava cada vez mais parecida com a de Patty, e Walter muitas vezes suava abundantemente ao final das conversas com a filha, devido ao esforço para mantê-las focadas na vida dela ou, quando isso era impossível, no trabalho dele. Houve um momento, depois do acidente de carro que para todos os efeitos pusera fim à sua vida, em que Jessica se dispôs a cuidar desse pai mergulhado na dor. Em parte na expectativa de que ele melhorasse e, no momento em que percebeu que não iria melhorar, nem queria melhorar, ficou furiosa. E ele precisou de muitos anos difíceis antes de conseguir convencê-la, com frieza e severidade, a deixá-lo em paz e cuidar da própria vida. Toda vez que agora um silêncio se fazia entre os dois, ele sentia que ela se perguntava se devia tentar de novo seu ataque terapêutico, e ele achava profundamente exaustivo inventar novas manobras retóricas, semana após semana, para impedi-la de cumprir esse intento.

Quando por fim voltou para casa de sua viagem a Minneapolis, depois de uma produtiva visita de três dias a um grande terreno da Nature Conservancy no condado de Beltrami, encontrou uma folha de papel presa ao vidoeiro no começo do acesso de carro para sua casa. SERÁ QUE VOCÊ ME VIU, perguntava o cartaz. MEU NOME É BOBBY E MINHA FAMÍLIA ESTÁ SENTINDO A MINHA FALTA. A cara preta de Bobby não saía bem reproduzida em fotocópia — seus olhos muito claros e nervosos pareciam espectrais e perdidos — mas Walter conseguiu ver, como nunca vira antes, como alguém poderia achar uma cara como aquela merecedora de proteção e carinho. Não se arrependia de ter removido uma ameaça ao ecossistema, salvando assim as vidas de muitas aves, mas a vulnerabilidade de animalzinho presente na cara de Bobby lhe trouxe a consciência de um defeito fatídico em sua conformação, o defeito de se compadecer até das criaturas que mais detestava. Continuou avançando pela entrada, tentando saborear a paz momentânea que recaíra sobre a sua propriedade, a ausência da ansiedade em torno de Bobby, a luz do anoitecer de primavera, as andorinhas de pescoço branco chilreando, mas teve a sensação de que envelhecera muitos anos nas quatro noites que tinha passado fora de casa.

Naquela mesma noite, enquanto fritava ovos e torrava fatias de pão, recebeu uma ligação de Jessica. E talvez ela tenha ligado para ele com alguma intenção especial, ou talvez tenha detectado alguma coisa na voz do pai, alguma perda de energia, mas assim que acabaram de percorrer as escassas novidades que a semana dela produzira até então, ele ficou calado por tanto tempo que ela se sentiu encorajada a renovar seu antigo assalto.

"Estive com a mamãe outro dia", disse ela. "E ela me disse uma coisa interessante que você talvez queira saber. Posso contar?"

"Não", respondeu ele em tom severo.

"E posso perguntar por que não?"

Do lado de fora, no lusco-fusco azul, pela janela aberta da cozinha, chegou o grito de uma criança chamando *Bobby!*

"Escute", disse Walter. "Eu sei que você e ela são muito chegadas, e acho ótimo. Se não fossem, eu ficaria muito triste. Quero que você tenha pai e mãe, todos os dois. Mas se eu estivesse interessado em notícias dela, eu podia ligar para ela diretamente. Não quero você na posição de menina de recados."

"Eu não me incomodo."

"Estou dizendo que *eu* me incomodo. Não estou interessado em receber recados."

"Mas não acho que o recado que ela quer mandar para você seja ruim."

"Não quero saber que tipo de recado ela quer me mandar."

"Então posso perguntar por que você simplesmente não se divorcia, se quer se livrar dela para sempre? Porque enquanto você não se divorciar, vai estar dando alguma esperança a ela."

A voz de uma segunda criança se juntou à da primeira, chamando as duas juntas *Bobbbby! Bobbbby!* Walter fechou a janela e disse a Jessica. "Eu não quero saber".

"Está bem, papai, certo, mas podia pelo menos responder a minha pergunta? Por que vocês não podem se divorciar?"

"Não quero pensar nesse assunto agora."

"Mas se passaram seis anos! Já não era hora de começar a pensar no assunto? Pelo menos por simples justiça?"

"Se ela quiser se divorciar, pode me escrever uma carta. Pode pedir a um advogado para me mandar uma carta."

"Mas o que eu quero saber é por que *você* não quer se divorciar."

"Não quero ter de lidar com as coisas que iriam surgir a partir disso. Tenho o direito de não fazer uma coisa que eu não quero fazer."

"O que iria surgir?"

"Dor. Já sofri demais. Ainda estou sofrendo."

"Eu sei que está, papai. Mas Lalitha já se foi. Faz seis anos que ela morreu."

Walter sacudiu a cabeça violentamente, como se tivessem jogado amônia no seu rosto. "Não quero pensar nisso. Só quero sair de casa todo dia de manhã e observar passarinhos que não têm nada a ver com essa história. Passarinhos que têm uma vida à parte, e os seus próprios problemas. E tentar fazer alguma coisa por eles. São a única coisa que eu ainda acho adorável. Quer dizer, além de você e Joey. E não quero dizer mais nada a respeito, e quero que você pare de me pedir que fale mais."

"Bem, e você já pensou em fazer terapia? Quer dizer, para começar a levar a sua vida adiante? Você nem é tão velho assim."

"Não quero mudar", respondeu ele. "Todo dia de manhã passo um mau pedaço de alguns minutos, depois saio para me cansar, e se fico acordado por tempo suficiente eu consigo adormecer. A pessoa só vai fazer terapia quando quer mudar alguma coisa. Eu não tenho nada a dizer a nenhum terapeuta."

"Mas antes você também era apaixonado pela mamãe, não era?"

"Não sei. Não me lembro. Só me lembro do que aconteceu depois que ela foi embora."

"Pois na verdade ela está muito bonita, e adorável. Bem diferente do que era antes. Transformou-se na mãe praticamente perfeita, por mais inacreditável que pareça."

"Como eu já disse, fico feliz por você. Ainda bem que você pode ter sua mãe na sua vida."

"Mas você não quer a minha mãe na sua vida."

"Escute, Jessica. Eu sei que é isso que você quer. Eu sei que você quer um final feliz. Mas não posso mudar os meus sentimentos só porque é isso que você quer."

"E os seus sentimentos são de ódio."

"Ela fez uma escolha. E não vou dizer mais nada."

"Desculpe, papai, mas isso é de uma injustiça grotesca. Foi você que fez a escolha. Ela não queria ir embora."

"Imagino que seja isso que ela conta para você. Você se encontra com ela toda semana, e tenho certeza de que ela convenceu você da versão dela, que com certeza é muito compassiva em relação ao que ela fez. Mas não era você quem estava tentando viver com ela nos últimos cinco anos antes de ela ir embora. Era um pesadelo, e eu me apaixonei por outra mulher. E eu sei que isso deixa você muito infeliz. Mas só aconteceu porque era impossível conviver com a sua mãe."

"Bem, nesse caso você devia se divorciar dela. Não é o mínimo que você pode fazer, depois de tantos anos de casamento? Se você a queria bem a ponto de ficar com ela por todos os anos em que foi bom, não deve a ela pelo menos o respeito de divorciar-se honestamente dela?"

"Os anos não foram tão bons assim, Jessica. Ela mentia o tempo todo para mim — e eu não acho que deva tanta coisa assim a ela por isso. E, como eu já disse, se ela quer se divorciar, nem é difícil tomar a iniciativa."

"Mas ela não quer se divorciar! Ela quer voltar com você!"

"Não posso imaginar ficar com ela nem um minuto sequer. Só de ver a imagem dela é uma dor insuportável."

"Mas não será possível, papai, que o motivo de tanta dor seja você ainda ser apaixonado por ela?"

"Vamos falar de outra coisa, Jessica. Se você dá alguma importância aos meus sentimentos, por favor, não toque mais nesse assunto. Não quero ficar com o pé atrás quando atender seus telefonemas."

Ficou sentado por muito tempo com o rosto enterrado nas mãos, sem tocar na comida, enquanto a casa escurecia muito devagar, o mundo do início da primavera dando lugar a um mundo celeste mais abstrato: farrapos rosados de estratosfera, o frio profundo do espaço cósmico, as primeiras estrelas. Era assim que a vida dele funcionava naquele momento: ele afastava Jessica de si e começava a sentir falta dela no momento em que ela se distanciava. Pensou em voltar para Minneapolis na manhã seguinte, pegar o gato de volta e devolvê-lo às crianças que sentiam falta do bichano, mas era tão incapaz disso quanto de ligar de volta para Jessica e pedir desculpas. O que estava feito estava feito. O que estava acabado estava acabado. No condado de Mingo, na Virgínia Ocidental, na manhã encoberta mais feia de toda a sua vida, ele tinha perguntado aos pais de Lalitha se eles se incomodavam se ele fosse ver o corpo da filha deles. Os pais dela eram pessoas frias e excêntricas, engenheiros, falando com um sotaque carregado. O pai tinha os olhos secos, mas a mãe irrompia toda hora, em voz alta, sem motivo aparente, num lamento alto e estrangeiro que era quase como um canto; soava estranhamente cerimonial e impessoal, como o lamento por uma ideia. Walter foi sozinho até o necrotério, sem nenhuma ideia. Seu amor estava estendido debaixo de um lençol numa padiola alta demais, tão alta que era impossível ajoelhar-se ao lado dela. Seu cabelo era o mesmo de sempre, sedoso, negro e espesso como sempre, mas havia algo de errado com seu queixo, um ferimento insuportavelmente cruel e imperdoável, e sua testa, quando ele a beijou, estava mais fria que qualquer universo justo poderia permitir que ficasse a testa de uma pessoa tão jovem. Aquele frio penetrou nele através dos lábios e nunca mais o deixou. O que estava acabado estava acabado. Seu encanto pelo mundo estava morto, e nada fazia sentido. Comunicar-se com sua mulher, como Jessica insistia em recomendar, significaria abrir mão de seus últimos momentos com Lalitha, e ele tinha o direito de não renunciar a eles. Tinha o direito, nesse universo tão injusto, de ser injusto com sua mulher, e tinha o direito de deixar os filhos da família Hoffbauer chamarem em vão por seu Bobby, porque nada fazia sentido.

Tirando força de suas recusas — força suficiente, sem dúvida, para fazê-lo levantar da cama todo dia de manhã e impeli-lo ao longo dos dias intermináveis de trabalho no campo e longas viagens de carro percorrendo estradas congestionadas por veranistas e ex-habitantes das cidades —, Walter sobreviveu a mais um verão, o mais solitário de toda a sua vida. Disse a Joey e Connie, com algum grau de verdade (mas não tanto), que estava ocupado demais para receber a visita deles, e desistiu da batalha contra os gatos que continuavam a invadir suas matas; não conseguia se imaginar vivendo mais um drama do tipo por que tinha passado com Bobby. Em agosto, recebeu um envelope grosso da mulher, algum texto provavelmente relacionado ao "recado" a que Jessica tinha se referido, e ele o enfiou, sem abrir, na gaveta de arquivo onde guardava suas antigas declarações conjuntas de imposto de renda, os extratos de sua antiga conta conjunta no banco e seu testamento, que ele jamais tinha alterado. Menos de três semanas mais tarde, recebeu um envelope acolchoado especial para CDs, ostentando como remetente o nome KATZ, em Jersey City, e deu-lhe o mesmo destino do outro envelope que guardara sem abrir. Nessas duas peças de correspondência, como nas manchetes de jornal que não conseguia deixar de ler quando ia fazer suas compras em Fen City — novas crises nacionais e no estrangeiro, novos malucos de extrema-direita cuspindo mentiras, novos desastres ecológicos anunciando o fim de partida global —, sentiu que o mundo exterior fechava o cerco em torno dele, pedindo sua atenção, mas enquanto continuasse sozinho no mato conseguiria se manter fiel à sua recusa. Vinha de uma longa linhagem de praticantes da recusa, e tinha a constituição adequada ao seu exercício. Parecia não ter restado mais quase nada de Lalitha;

ela se desmanchava diante dele da maneira como os passarinhos mortos se desfazem na floresta — eram impossivelmente leves ainda vivos, e, assim que seus pequenos corações paravam de bater, transformavam-se em pouco mais que tufos de penugem e ossos ocos, que o vento espalhava com facilidade —, mas isso só o deixava mais determinado a aferrar-se ao pouco dela que ainda possuía.

Motivo pelo qual, na manhã de outubro em que o mundo enfim chegou a ele, na forma de um Hyundai novo de quatro portas estacionado a meio caminho do acesso à sua casa, no espaço de manobra meio coberto de mato onde Mitch e Brenda guardavam seu barco, ele não parou para olhar quem estava dentro do carro. Tinha a maior pressa de chegar logo à estrada, a caminho de uma reunião da Nature Conservancy em Duluth, e só reduziu a velocidade o bastante para ver que o banco do motorista estava inclinado para trás, e o motorista, provavelmente adormecido. Não tinha nenhum motivo para esperar que o possível ocupante do carro ainda estivesse lá quando ele voltasse para casa, já que por qual outra razão não teria batido em sua porta? Mas o carro continuava no mesmo lugar, o plástico reflexivo de sua traseira rebatendo as luzes de seus faróis, quando ele deixou a estrada vicinal às oito daquela noite.

Desceu do carro, olhou pela janela do carro estacionado e viu que estava vazio, com o banco do motorista devolvido à posição vertical. Fazia frio na mata; no ar parado havia a possibilidade de neve; o único som que se ouvia era um tênue burburinho humano vindo da direção do condomínio Canterbridge Estates. Entrou de novo em seu carro e seguiu até a casa, onde uma mulher, Patty, estava sentada no degrau da porta, no escuro. Vestia jeans azuis e uma jaqueta leve de veludo. Suas pernas estavam encolhidas junto ao peito, o queixo apoiado nos joelhos.

Ele desligou o carro e esperou por um bom tempo, uns vinte ou trinta minutos, que ela se levantasse e viesse falar com ele, se era para isso que tinha vindo. Mas ela se recusava a se mexer, e finalmente ele reuniu a coragem para sair do carro e entrar em casa. Parou por alguns instantes na porta, a não mais que trinta centímetros dela, para lhe dar a chance de dizer alguma coisa. Mas ela continuava de cabeça baixa. Sua própria recusa em dirigir-se a ela era tão infantil que ele não pôde evitar um sorriso. Mas esse sorriso era uma confissão perigosa, e ele o sufocou com brutalidade, procurando resistir, entrou na casa e fechou a porta atrás de si.

Sua força, entretanto, não era infinita. Não conseguiu deixar de ficar esperando no escuro, junto à porta, por mais um longo período, talvez uma hora, e se esforçando para escutar se ela fazia algum movimento, fazendo o possível para não perder nem mesmo a mais débil batida na porta. O que ouviu, em lugar disso, na sua imaginação, foi a voz de Jessica a lhe dizer que ele devia ser justo: que devia à sua mulher pelo menos a cortesia de mandá-la embora. Ainda assim, ao cabo de seis anos de silêncio, sentia que dizer uma palavra que fosse seria retroceder — e desfaria toda a sua recusa, negando todo o significado que ele lhe conferia.

Depois de algum tempo, como se acordasse de algum sonho semidesperto, ele acendeu uma luz, tomou um copo d'água e sentiu-se atraído para seu arquivo vertical, a título de solução negociada; pelo menos podia dar uma olhada no que o mundo tinha a lhe declarar. Abriu primeiro o pacote de Jersey City, que não continha nenhum bilhete, só um CD envolvo em plástico impermeável. Parecia ser uma obra solo de Richard Katz num selo menor, com a foto de uma paisagem boreal na capa, em que vinha sobreposto o título *Canções para Walter*.

Ouviu um grito agudo de dor, emitido por ele mesmo, como se fosse dado por outra pessoa. O filho da *puta*, o *filho da puta*, que coisa mais injusta. Virou o CD com os dedos trêmulos e leu a lista das faixas. A primeira canção se chamava "Dois filhos é bom, nenhum é melhor".

"Meu Deus, que sujeito mais escroto", disse ele, sorrindo e chorando. "Que coisa mais injusta, seu filho da puta."

Depois de ter chorado por algum tempo por aquela injustiça, e pela possibilidade de que Richard não fosse um sujeito totalmente sem coração, pôs o CD de volta dentro da embalagem do correio e abriu o envelope de Patty. Continha um original de que ele leu apenas um curto parágrafo antes de sair correndo para a porta da frente, abri-la e sacudir as páginas diante dos olhos dela.

"Não quero nada disso!", gritou para ela. "Não quero ler o que você escreve! Quero que você pegue estes papéis, entre no seu carro e se aqueça, porque está fazendo um frio do caralho aqui fora!"

De fato, ela estava tomada por calafrios, mas parecia imobilizada em sua posição encolhida e nem levantou os olhos para ver o que ele trazia nas mãos. Na verdade, abaixou ainda mais a cabeça, como se ele estivesse batendo nela.

"Entre no seu carro! Vá se esquentar! Não convidei você para vir aqui!"

Pode ter sido só um calafrio especialmente violento, mas ela pareceu sacudir a cabeça em recusa às suas palavras, pelo menos um pouco.

"Prometo que telefono para você", disse ele. "Prometo que converso pelo telefone com você se você for embora agora e cuidar de se aquecer."

"Não", respondeu ela com uma voz muito fraca.

"Então está certo! Pode congelar!"

Bateu a porta e saiu correndo pela casa, depois saiu pela porta dos fundos e caminhou até a beira do lago. Resolveu que também ficaria com frio, se ela estava decidida a sofrer uma hipotermia. De algum modo, ainda trazia o texto dela na mão. Do outro lado do lago viam-se as luzes fortes que desperdiçavam tanta energia no condomínio Canterbridge Estates, as televisões de tela gigante exibindo o que quer que o mundo julgasse que estava acontecendo naquela noite. Todos bem quentinhos em seus redutos, as termelétricas da área movidas a carvão injetando energia na rede local, o Ártico soprando um ar gélido na direção das florestas temperadas em outubro. Por menos que ele tenha sabido como devia viver, nunca soubera menos do que agora. Mas à medida que o ar frio ia ficando menos revigorante e mais assustador, fazendo-se sentir em seus ossos, começou a preocupar-se com Patty. Com os dentes batendo, subiu de volta a ladeira, deu a volta até o patamar da frente e a encontrou caída de lado, menos encolhida do que antes, com a cabeça na grama. De maneira preocupante, ela não tremia mais.

"Patty, você está bem", disse ele, ajoelhando-se. "Assim não pode ser, está certo? Vou levar você para dentro."

Ela se mexeu um pouco, enrijecida. Seus músculos pareciam rígidos e nenhum calor se fazia sentir através do veludo de sua jaqueta. Ele tentou fazê-la levantar-se, mas não deu certo, de modo que a carregou para dentro, deitou-a no sofá e empilhou cobertores em cima dela.

"Quanta estupidez", disse ele, pondo uma chaleira no fogo. "Tem gente que morre dessas coisas. Patty? A temperatura não precisa estar em vinte abaixo de zero, a pessoa pode morrer a zero grau. Foi uma estupidez você ficar sentada do lado de fora tanto tempo. Quer dizer, quantos anos você morou em Minnesota? Não aprendeu *nada*? Puta merda, que estupidez a sua!"

Acendeu a fornalha, trouxe para ela uma caneca de água quente e a forçou a sentar-se para dar um gole, mas ela cuspiu tudo em cima do sofá.

Quando ele tentou movê-la mais, ela abanou a cabeça e produziu sons débeis de resistência. Seus dedos estavam gelados, seus braços e ombros, anestesiados de frio.

"Porra, Patty, que estupidez. Onde você estava com a cabeça? É a coisa mais imbecil que você já fez comigo na vida."

Ela adormeceu enquanto ele se despia, e acordou só um pouco enquanto ele tirava os cobertores de cima dela, tirava sua jaqueta e batalhava para puxar para baixo as suas calças antes de se deitar ao lado dela, só de cuecas, e voltar a empilhar os cobertores em cima deles dois. "Está bem, então fique acordada, certo?", disse ele, pressionando o mais que podia da sua superfície contra a pele marmoreamente fria da mulher. "O que você podia fazer de mais imbecil agora era perder os sentidos. Entendeu?"

"Mm-m", disse ela.

Ele a abraçou e começou a esfregar sua pele de leve, xingando-a o tempo todo, maldizendo a situação em que ela o tinha posto. Por muito tempo ela não se esquentou, adormecendo por segundos e depois mal conseguindo se manter acordada, mas finalmente alguma coisa se ligou dentro dela, e ela começou a tremer e a abraçá-lo com força. Ele continuava a esfregar sua pele e manter-se abraçado a ela, e então, de um instante para o outro, os olhos dela estavam bem abertos e ela o encarava.

Os olhos dela não piscavam. Ainda havia neles algo quase morto, alguma coisa muito distante. Ela dava a impressão de estar enxergando através do pescoço dele e muito mais além, através do frio espaço do futuro em que dali a pouco ambos haveriam de estar mortos, o vazio para onde Lalitha, sua mãe e seu pai já tinham partido, mas ainda assim estava olhando dentro dos olhos dele, e ele sentia Patty se aquecer mais a cada minuto. E então ele parou de olhar para os olhos dela e começou a olhar dentro deles, devolvendo seu olhar antes que fosse tarde demais, antes que essa conexão entre a vida e o que vinha depois da vida se perdesse, e deixou-a ver toda a vilania que havia dentro dele, todo o ódio de duas mil noites solitárias, enquanto os dois ainda estavam em contato com o vácuo em que a soma de tudo que ambos jamais disseram ou fizeram, de todo o sofrimento que causaram, de todas as alegrias que compartilharam, acabasse pesando menos que a mais leve das plumas levada pelo vento.

"Sou eu", disse ela. "Só eu."

"Eu sei", respondeu Walter, e a beijou.

* * *

Quase no final da lista de desdobramentos imagináveis em relação a Walter para os residentes de Canterbridge Estates estava a possibilidade de que fossem sentir sua falta quando ele os deixasse. Ninguém, e muito menos Linda Hoffbauer, poderia ter antevisto a tarde de domingo de início de dezembro em que a mulher de Walter, Patty, estacionou o Prius na rua do condomínio e começou a tocar suas campainhas, apresentando-se rapidamente, de maneira nada invasiva, levando-lhes de presente pratos de papelão envoltos em plástico com biscoitos de Natal que ela tinha assado. Linda ficou numa posição desconfortável ao conhecer Patty, porque não havia nada de imediatamente detestável nela e era impossível recusar um presente de fim de ano como aquele. A curiosidade, sem falar do resto, a obrigou a convidar Patty a entrar, e antes que ela pudesse ter feito alguma coisa Patty já estava ajoelhada no chão de sua sala, convocando seus gatos para virem ser acariciados e perguntando como eles se chamavam. Parecia uma pessoa tão calorosa quanto era o marido frio. Quando Linda lhe perguntou por que nunca tinham se encontrado antes, Patty deu um riso cristalino e disse: "Ah, sabe, eu e Walter estávamos de férias um do outro". Era uma explicação estranha mas ao mesmo tempo muito habilidosa, em que era difícil vislumbrar qualquer falha moral. Patty ficou um tempinho lá; o suficiente para admirar a casa e sua vista do lago coberto de neve, e, ao sair, convidou Linda e a família para a festa que ela e Walter iam dar no dia de ano-novo.

Linda não estava muito inclinada a entrar na casa do assassino de Bobby, mas, quando soube que todas as outras famílias do condomínio (exceto as duas que já tinham partido para a Flórida) iriam à festa, sucumbiu a uma combinação de curiosidade e tolerância cristã. Na verdade, Linda vinha vivendo certa crise de popularidade na área. Embora tivesse seu contingente fiel de amigas e aliadas na sua igreja, também acreditava profundamente na boa vizinhança, e ao adquirir três gatos para o lugar de Bobby, que certos vizinhos hesitantes ainda achavam que pudesse ter morrido de causas naturais, talvez tivesse pesado demais a mão; a sensação geral era de que tinha sido um pouco vingativa. E assim, embora tenha deixado o marido e os filhos em casa, ela dirigiu seu Suburban até a casa dos Berglund no ano-novo e ficou devidamente atordoada com a hospitalidade especial que Patty demonstrou com ela. Patty apresentou-a à filha e ao filho, e depois, sem sair do lado dela, levou-a para fora e até a beira do lago para comtemplar o panorama da própria casa ao longe. Ocorreu a Linda que estava sendo manipulada por uma especialista, e que tinha muito o que aprender com Patty em matéria de conquistar corações e mentes alheios; em menos de um mês, Patty já tinha conseguido seduzir até os vizinhos que nem abriam mais totalmente a porta quando Linda vinha queixar--se com eles: que a deixavam plantada de pé no frio. Ela deu várias estocadas, na tentativa de fazer Patty trair-se e revelar seu inaceitável liberalismo, perguntando se ela também amava os pássaros ("Não, mas amo Walter, então entendo mais ou menos o que ele sente", respondeu Patty), e se estava resolvendo qual igreja local devia frequentar ("Acho que as opções são tantas", rebateu Patty), antes de concluir que sua nova vizinha era uma adversária perigosa demais para abordar de frente. Como que para arrematar a vitória esmagadora, Patty tinha preparado uma mesa imensa forrada de comida de aparência muito saborosa, com a qual Linda, com uma sensação quase prazerosa de derrota, encheu um prato grande.

"Linda", disse Walter, dirigindo-se à vizinha enquanto esta se servia pela segunda vez. "Muito obrigado por ter vindo."

"Foi muita gentileza de sua mulher me convidar", respondeu Linda.

Ao que tudo indica, Walter voltara a se barbear regularmente com a volta da mulher — e agora tinha um ar muito rosado. "Escute", disse ele, "sinto muito pelo sumiço do seu gato."

"É mesmo?", disse ela. "Achei que você odiava Bobby."

"É verdade, odiava mesmo. Ele era uma máquina de matar passarinhos. Mas eu sei que você amava aquele gato, e a perda de um animal de estimação é uma coisa muito difícil."

"Bem, agora temos três gatos novos, então..."

Ele assentiu calmamente. "Só procure manter os três dentro de casa, se puder. Vai ser mais seguro para eles."

"Desculpe — você está me ameaçando?"

"Não, ameaça nenhuma", disse ele. "Mas é verdade. Este mundo é muito perigoso para animais pequenos. Posso lhe trazer mais uma bebida?"

Ficou claro para todos nesse dia, e nos meses que se seguiram, que o efeito mais caloroso da presença de Patty era sobre o próprio Walter. Agora, em vez de passar correndo irritado pelos vizinhos em seu Prius, ele parava, baixava as janelas e cumprimentava cada um. Nos fins de semana, trazia Patty até a extensão de gelo que os meninos conservavam liso para os jogos de hóquei e lhe dava aulas avançadas de patinação, que em muito pouco tempo ela dominou muito bem. Durante os curtos períodos menos frios, o casal era visto dando longas caminhadas a dois, às vezes quase até Fen City, e quando o degelo chegou, em abril, e Walter tornou a sair batendo de porta em porta no condomínio, não foi para ralhar com as pessoas por causa de seus gatos, mas para convidá-los a participar, com ele e um amigo cientista, de uma série de caminhadas pela floresta em maio e junho, a fim de conhecerem melhor as riquezas locais e ver, de perto, parte da vida maravilhosa que enchia aquelas matas. A essa altura, Linda Hoffbauer abandonou os últimos vestígios de resistência a Patty, admitindo espontaneamente que sua vizinha sabia cuidar do marido, e a vizinhança gostou desse novo tom de Linda, abrindo um pouco mais suas portas para ela.

E assim, foi totalmente inesperado e triste descobrir, no meio de um verão em que os Berglund deram vários churrascos e eram muito solicitados socialmente em retribuição, que iam mudar-se para Nova York no final de agosto. Patty explicou que tinha um ótimo emprego na área de educação, para o qual queria voltar, e que sua mãe, seus irmãos, sua filha e o melhor amigo de Walter moravam todos ou em Nova York ou nas proximidades, e que, embora a casa do lago tivesse significado muito para ela e Walter ao longo de tantos anos, nada durava para sempre. Quando lhe perguntaram se ainda pretendiam voltar para passar os feriados ou períodos de férias, seu rosto se anuviou e ela disse que não era o que Walter preferia. Tinha resolvido entregar a propriedade aos cuidados de uma organização local, transformando-a em santuário de aves.

Poucos dias depois da partida dos Berglund num grande caminhão de aluguel, cuja buzina Walter fazia soar enquanto Patty acenava em despedida, uma empresa especializada veio e ergueu uma cerca alta e à prova de gatos em torno de toda a propriedade (Linda Hoffbauer, agora que Patty tinha ido embora, ousou declarar que a cerca era meio feia), e em seguida outros operários chegaram e esvaziaram a casinha dos Berglund, deixando de pé apenas sua casca externa, para servir de abrigo a corujas ou andorinhas. Até hoje, o livre acesso à propriedade só é permitido às aves e aos habitantes de Canterbridge Estates, através de um portão fechado com um cadeado cujo segredo só eles sabem, debaixo de uma pequena placa de cerâmica com a imagem da bela jovem de pele escura cujo nome foi dado à reserva.

SOBRE O AUTOR

JONATHAN FRANZEN nasceu em 1959 em Illinois, nos Estados Unidos, e é considerado pela crítica um dos melhores romancistas americanos contemporâneos. De sua autoria, a Companhia das Letras publicou as coletâneas de ensaios *A zona do desconforto* (2008) e *Como ficar sozinho* (2012), além dos romances *As correções* (2003), ganhador do National Book Award em 2001, *Liberdade* (2010) e *Tremor* (2012).

1ª EDIÇÃO [2011] 2 reimpressões
2ª EDIÇÃO [2012] 1 reimpressão

ESTA OBRA FOI COMPOSTA PELA SPRESS EM ELECTRA E IMPRESSA EM OFSETE
PELA GEOGRÁFICA SOBRE PAPEL PÓLEN SOFT DA SUZANO PAPEL E CELULOSE
PARA A EDITORA SCHWARCZ EM NOVEMBRO DE 2012